D0545566

Paule et Jean TROUILLOT

GUIDE HISTORIQUE DES

163 COMMUNES

DES ALPES-MARITIMES

ET DE MONACO

ORIGINE HISTOIRE
PATRIMOINE POPULATION

La recherche historique a été effectuée par les auteurs qui ont trouvé leurs sources aux Archives départementales ainsi que dans les bibliothèques Louis-Nucera et Saint-Roch. Voir la bibliographie, dont la liste n'est pas exhaustive, en fin d'ouvrage. Les rubriques Origine, Histoire, À voir ont été réalisées par Paule Trouillot.

Nous remercions : Marie et Henri Goudeau, Mireille et Anne-Marie (bibliothèque Saint-Roch), Lydie Casara et Julia Guichard, Almudena Arellano Alonso et Pascal Brun, Christian Barralis, Jean-Luc Urtiti, Florent Favier, les mairies et les offices de tourisme, pour les informations qu'ils nous ont transmises ; Christian Watine pour ses conseils amicaux en sa qualité de correcteur professionnel.

Nous remercions également, pour les nombreuses photos qu'ils nous ont communiquées : Gérard Tourbier (*Aiglun, Antibes, Auvare, Bairols, La Bollène-Vésubie, Clans, Cuébris, Collongues, Les Ferres, Gars, Gattières, Gorbio, Ilonse, Lantosque, Le Mas, Peillon, La Penne, Péone, Revest-les-Roches, Saint-Paul-de-Vence, Sigale, Thiéry, Toudon...*) ainsi que Patrick Bouvier, Carmen Portelli, P. Aimon, Gérard Steppel, Sylvie Becue, Daniel Buchez, le Parc national du Mercantour, Alena et Patrice Longour (Domaine du Haut Thorenc), le zoo de Saint-Jean-Cap-Ferrat, Alpha le temps du loup, les mairies et les offices de tourisme.

Nos remerciements à Jean Pascal qui a réalisé la page de couverture et le plan du département.
La photographie de couverture est de Claude Raybaud : l'Argentera (3.290 m) et le Mercantour dominent la Côte d'Azur. La photo de la 4eme de couverture, Peillon, est de Gérard Tourbier.

ISBN 2-9514405-5-3
Imprimerie La Toscane rue Sorgentino
06300 NICE
Dépôt légal : juin 2006

Déposé à l'INPI le 31 mai 2006 sous le numéro - 261551-

PRÉFACE

Ouvrage atypique, fruit de recherches minutieuses, le Guide historique des 163 communes des Alpes-Maritimes vous entraînera à la découverte de l'origine, de la signification et de la transformation des noms de nos villes et nos villages à travers les siècles. Et certains de ces noms, vous le verrez, remontent à la nuit des temps !

D'une beauté et d'une diversité extraordinaire, notre département a vécu au rythme des civilisations qui ont façonné son histoire et ses légendes. Paysages idylliques, villages de charme aux façades et marchés colorés, où se mêlent senteurs et saveurs méridionnales, notre département regorge de sites historiques, artistiques ou sacrés et, vous le découvrirez, d'innombrables trésors cachés qui méritent le détour.

Paule et Jean Trouillot réalisent ici un support touristique d'un nouveau genre. Leurs lecteurs pénétreront au cœur du passé d'un des départements les plus mythiques de France. Au hasard des promenades et des rencontres, grâce à la pédagogie des auteurs, nos hôtes exploreront avec discernement les temps forts de notre histoire, l'inépuisable variété de notre architecture, notre patrimoine religieux, les savoir-faire perpétués par nos ancêtres... Car chaque commune du département a conservé un riche héritage d'autrefois que les auteurs nous dévoilent ici.

Une manière originale de découvrir les Alpes-Maritimes sous un nouvel angle, dont les paysages et la douceur de vivre font rêver le monde entier depuis plus d'un siècle.

Honoré COLOMAS

Président de l'Association des maires des Alpes-Maritimes
Conseiller général
Maire de Saint-André-de-la-Roche

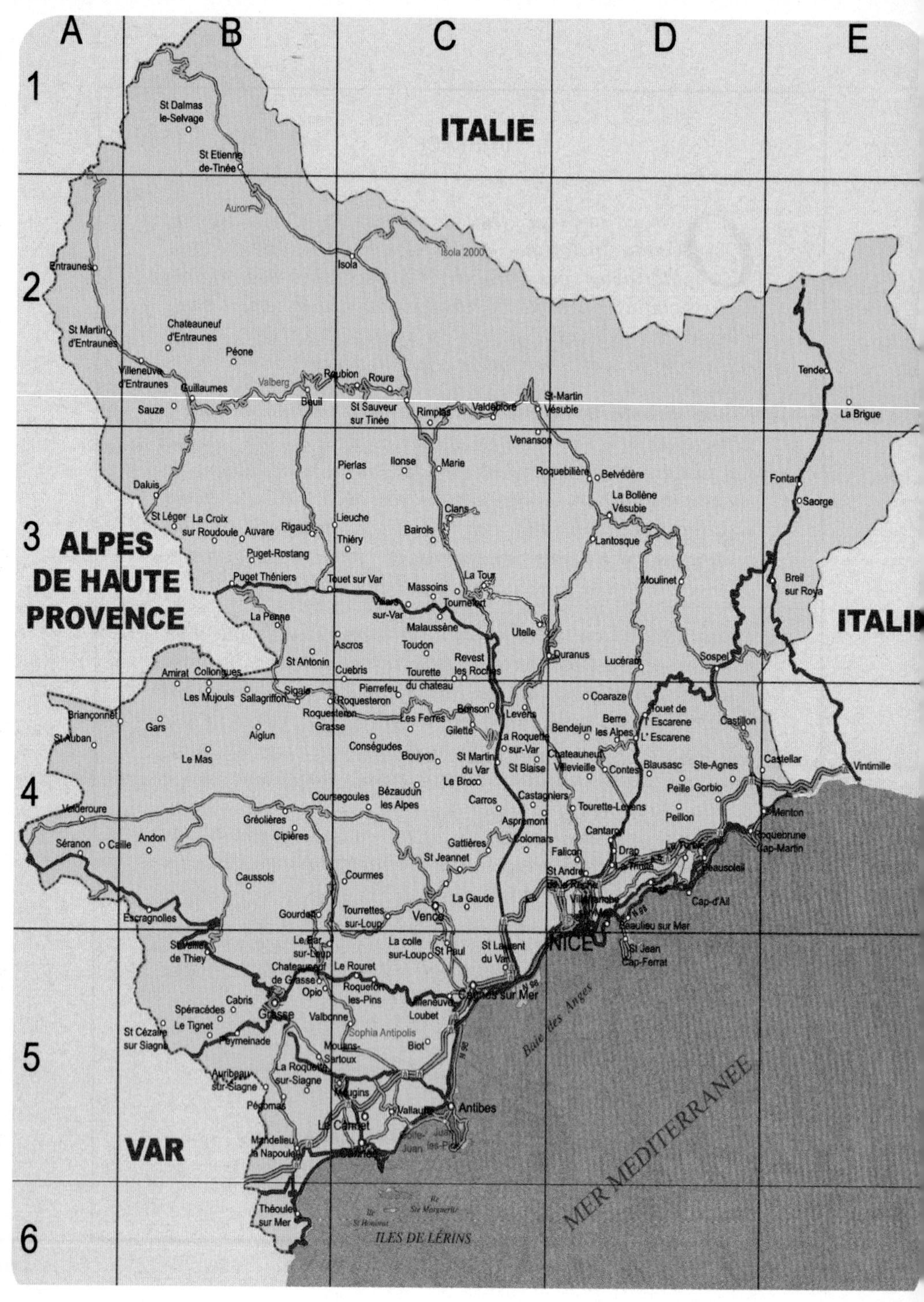
A
B
C
D
E
1
2
3
4
5
6
ITALIE
ALPES
DE HAUTE
PROVENCE
VAR
MER MEDITERRANEE
Baie des Anges
ILES DE LÉRINS
St Dalmas
le-Selvage
St Etienne
de-Tinée
Auron
Isola
Isola 2000
Entraunes
St Martin
d'Entraunes
Chateauneuf
d'Entraunes
Péone
Villeneuve
d'Entraunes
Guillaumes
Valberg
Sauze
Beuil
Roubion
Roure
St Sauveur
sur Tinée
Rimplas
Valdeblore
St-Martin
Vésubie
Tende
La Brigue
Venanson
Pierlas
Ilonse
Marie
Roquebillière
Belvédère
La Bollène
Vésubie
Fontan
Saorge
Daluis
St Léger
La Croix
sur Roudoule
Auvare
Rigaud
Lieuche
Thiéry
Clans
Bairols
Lantosque
Puget-Rostang
Puget Théniers
Touet sur Var
Massoins
La Tour
Tournefort
Villars
sur-Var
Malaussène
Moulinet
Breil
sur Roya
La Penne
Ascros
Toudon
Utelle
ITALI
St Antonin
Cuebris
Revest
les Roches
Duranus
Lucéram
Sospel
Amirat
Collongues
Tourette
du chateau
Les Mujouls
Sallagriffon
Sigale
Pierrefeu
Roquesteron
Roquesteron
Grasse
Bonson
Levens
Coaraze
Touet de
l' Escarene
Briançonnet
Gars
Les Ferres
Gilette
Berre
les Alpes
L' Escarene
Castillon
St Auban
Aiglun
Conségudes
La Roquette
sur-Var
Bendejun
Le Mas
Bouyon
St Martin
du Var
St Blaise
Chateauneuf
Villevieille
Contes
Blausasc
Ste-Agnes
Castellar
Vintimille
Le Broc
Peille
Gorbio
Valderoure
Coursegoules
Bézaudun
les Alpes
Carros
Castagniers
Tourette-Levens
Peillon
Menton
Gréolières
Aspremont
Cantaron
Roquebrune
Cap-Martin
Séranon
Caille
Andon
Cipières
Colomars
Gattières
Drap
Falicon
St Jeannet
La Trinité
Beausoleil
Caussols
Courmes
St André
Cap-d'Ail
La Gaude
Escragnolles
Gourdon
Tourrettes
sur-Loup
Vence
Beaulieu sur Mer
NICE
St Vallier
de Thiey
Le Bar
sur-Loup
La colle
sur-Loup
St Paul
St Laurent
du Var
St Jean
Cap-Ferrat
Chateauneuf
de Grasse
Le Rouret
Opio
Roquefort
les-Pins
Cagnes sur Mer
Cabris
Spéracèdes
Le Tignet
Grasse
Valbonne
Villeneuve
Loubet
Sophia Antipolis
St Cézaire
sur Siagne
Peymeinade
Mouans-
Sartoux
Biot
La Roquette
sur-Siagne
Auribeau
sur-Siagne
Mougins
Antibes
Pégomas
Vallauris
Le Cannet
Mandelieu
la Napoule
Cannes
Golfe-Juan
Juan-les-Pins
Théoule
sur Mer
Ile Ste Marguerite
Ile St Honorat

ALPES-MARITIMES

Région : Provence - Alpes - Côte d'Azur

Préfecture : NICE Sous-Préfecture : GRASSE

Le département fut créé en 1860, lors du rattachement du comté de Nice à la France. Cette appellation, qui décrit bien une réalité géographique de la région, est très ancienne. En effet, dès l'an 15 avant J.-C., les Romains l'avaient baptisée ***Alpi Maritimae*** (les *Alpes au bord de la mer*) mais à l'époque, elle englobait l'est des Alpes-de-Haute-Provence et les Hautes-Alpes. Un département du même nom exista également, de 1793 à 1815, mais ses frontières étaient différentes de celui d'aujourd'hui. En 1860, le comté devint l'arrondissement de Nice (agrandi de Tende et de La Brigue en 1947) et la partie est du département du Var composa l'arrondissement de Grasse. Le fleuve Var, qui constituait la frontière entre la France et le comté, délimite dorénavant les deux arrondissements.

Population : Insee 1999 **= 1.011 326** h. En 1860 = **environ 200.000** h. Variation **+ 406 %**

Les **habitants** sont les **MARALPINS**

Superficie : 4.299 ha, soit une densité de 235 h. au km2

2 arrondissements : GRASSE : 19 cantons et 62 communes
NICE : 33 cantons et 101 communes

soit un total de 52 cantons et 163 communes

HISTOIRE

Les nombreux vestiges découverts dans notre région attestent une occupation humaine dès le paléolithique ancien. C'est dans la grotte du *Vallonnet* (Roquebrune-Cap-Martin) qu'est situé l'un des plus anciens habitats connus en Europe (**950.000 ans**). Le site de *Terra Amata* (**450.000** à **380.000 ans**), la grotte du *Lazaret* ou celles de *Grimaldi*, entre autres, nous ont livré de nombreux témoignages de cette présence : restes de foyers et de campements, outils, ossements. Les populations autochtones qui peuplaient la région vers l'**an mille** avant notre ère, les ***Ligures***, sont les descendants des tribus installées au néolithique. Vers **700** avant J.-C. ils sont rejoints par les ***Celtes*** venus du nord de l'Europe en empruntant la vallée du Rhône. Les *Celto-Ligures* ne connaissaient pas l'écriture et n'ont laissé que peu de traces : principalement des enceintes fortifiées (*castellaras*), bâties le plus souvent sur des éminences, et constituées de gros blocs de pierres sèches. Probablement sont-ils les auteurs des gravures rupestres du mont Bego. Nous connaissons la vie et les coutumes de ces peuplades grâce aux historiens et géographes grecs et romains. Au **VIe** siècle avant J.-C., des ***Grecs*** originaires de Phocée (Asie Mineure) abordent dans la calanque du Lacydon et fondent la colonie de *Massilia* (Marseille). Puis, entre **565** et **540** avant J.-C., ils créent les comptoirs commerciaux d'*Antipolis* (Antibes) et *Nikaïa* (Nice). Moins de trois siècles plus tard, ces établissements, devenus florissants, attisent la convoitise de deux tribus indigènes qui les menacent sans relâche. À la demande des Grecs, les ***Romains*** envoient des troupes pour protéger leurs alliés. Les assaillants ligures (Décéates et Oxybiens) sont vaincus lors de la bataille d'Ægitna, en **154** avant J.-C. Toujours à la demande des Marseillais, les Romains interviennent encore, en **-125**, mais cette fois ils s'installent dans la région pour protéger leurs liaisons terrestres entre l'Italie et l'Espagne qu'ils viennent de conquérir. C'est le début d'un processus irréversible qui va aboutir à l'annexion de la Gaule du Sud-Est. En **-117**, la *Narbonnaise* est créée. Cette ***Provincia romana*** (dont le nom francisé donnera *Provence*) regroupe les régions de Provence et du Languedoc. Toutefois, les Romains mirent encore 123 ans pour soumettre totalement certaines tribus de *Capilatti* (*Chevelus*). Le Trophée des Alpes, érigé en l'an 6 avant J.-C. à La Turbie, immortalise cette victoire finale, remportée par l'empereur Auguste. En l'an **7 avant J.-C.**, une fois les Alpes pacifiées, elles sont divisées en trois provinces dont les ***Alpi Maritimae***. L'ancienne place forte de la tribu ligure des *Védiantiens*, *Cemenelum* (Cimiez), située sur la rive droite du Paillon, est investie par les Romains et devient la capitale de la province. La *Via Aurelia*, un axe routier d'une grande importance militaire et commerciale, reliait Rome à Arles où elle rejoignait la *Via Domitia* menant en Espagne. La *Via Julia Augusta* prolongeait la *Via Aurelia* par la côte méditerranéenne (Savone,Vintimille, La Turbie, Cimiez, Antibes, Fréjus) et leur tracé respectif se superposait souvent. Dans cette zone, qui va bénéficier de quatre siècles de ***paix romaine***, cohabitèrent les paysans ligures (devenus des *Gallo-Romains*), les marins et commerçants grecs, les militaires et administrateurs romains.

La liste des 44 peuples alpins soumis par Auguste est inscrite sur le Trophée de La Turbie : Trumpilini, Camuni, Vennonetes, Venostes, Isarci, Breuni, Genaunes, Focunates, Cosvanetes, Rucinates, Licates, Catenates, Ambisontes, Rugusci, Svanetes, Calucones, Brixentes, Leponti, Uberi, Nantuates, Seduni, Veragri, Salassi, Acitavones, Medulli, Ucenni, Caturiges, Brigiani, Sogionti, Brodionti, Nemaloni, Edenates, Vesubiani, Veamini, Gallitae, Triullati, Ectini, Vergunni, Eguituri, Nemeturi, Oratelli, Nerusi, Velauni, Suetri.
Les Décéates et les Oxybiens ne sont pas cités car ils avaient été soumis depuis longtemps. Quant aux Vediantiens, on suppose qu'ils se sont ralliés très tôt aux Romains. Ils n'ont, de ce fait, jamais fait partie des tribus vaincues.
Les **Ligures**, qui sont à l'origine de certains noms de communes, étaient répartis de la façon suivante :

- Les **Décéates** (ou **Deciates**) : ils occupaient la partie située entre la Brague et la Siagne.
- Les **Ectini** : hautes vallées de la Tinée et du Var.
- Les **Eguituri** : moyenne vallée du Var.
- Les **Nemeturi** : haute vallée du Var.
- Les **Nerusi** : secteur de Vence.
- Les **Oratelli** : vallées de la Bévéra et de la Roya.
- Les **Oxybiens** : secteur de Villeneuve-Loubet.
- Les **Veamini** : secteur de Guillaumes
- Les **Vedianti** : région située entre le Var et La Turbie
- Les **Velauni** : secteur de l'Estéron et de Saint-Vallier-de-Thiey.
- Les **Vesubiani** (ou **Esubiani**) : vallée de la Vésubie.

À la ***chute de l'Empire romain*** (**476**) et pendant pratiquement tout le ***haut Moyen Âge*** (les *siècles obscurs*, du **Ve** au **XIe** siècle), la région subit les ***invasions de Barbares germaniques*** : Wisigoths, Burgondes, Ostrogoths, Francs (**536**), ainsi que les incursions incessantes des ***Sarrasins*** qui pillent le littoral. En **973**, ***Guillaume Ier de Provence le Libérateur***, organise une coalition et chasse les *pirates musulmans* installés dans le massif des Maures : c'est la renaissance de la région. Elle devient un ***comté unique*** dont les terres sont principalement distribuées aux seigneurs provençaux. Pour des raisons de sécurité, de nombreux villages *perchés fortifiés* sont créés afin de favoriser le regroupement des populations. Aux **XIIe**, **XIIIe** et **XIVe** siècles, ***la Provence*** est unie aux familles de Barcelone puis d'Anjou. En effet, en **1112**, le comte de Barcelone Raymond Bérenger devient, par mariage, comte de Provence. En **1246**, à la suite du mariage de Béatrice, fille de Bérenger V, avec Charles Ier d'Anjou (frère du roi de France Louis IX), la dynastie des Catalans est remplacée par celle d'Anjou. Elle gouverne jusqu'à la mort tragique de la reine Jeanne dont la difficile succession provoque la partition de la Provence orientale (***dédition de 1388***). Le ***territoire est découpé en deux*** : les *vigueries** de Nice, Vintimille/val de Lantosque, Puget-Théniers, le chef-lieu de Sospel, les fiefs des Grimaldi de Beuil, la vallée de l'Estéron, se soumettent à la ***souveraineté du comte de Savoie***, Amédée VII. La viguerie de Grasse, Antibes-Cannes, Briançonnet, Vence, la baillie de Saint-Paul, de Guillaumes, la seigneurie de Monaco, le comté de Tende, restent attachés au ***comté de Provence***.
En 1481, le comte de Provence fait un testament en faveur du roi Louis XI, et le 15 janvier 1482, Provence et Royaume de France sont définitivement réunis. Quant au comté de Nice, mis à part de brèves interruptions, il resta savoyard jusqu'en 1860. Entre le début du **XVIe** et la fin du **XVIIIe** siècle, la région n'est pas épargnée par les grands conflits européens, les guerres, les famines et les épidémies. En **1760**, lors du Ier traité de Turin, certaines anomalies de frontières entre la France et le comté de Nice furent rectifiées. Vers **1848**, un mouvement favorable au rattachement du comté de Nice et de la Savoie à la France se dessine. En **1858**, Napoléon III négocie

son soutien au roi de Piémont-Sardaigne (qui veut se débarrasser du joug des Autrichiens et unifier l'Italie). Il obtient qu'après accord des populations, la ***Savoie et le comté de Nice soient rattachés à la France***. Le ***24 mars 1860*** a lieu la signature du traité de Turin. Le 15 avril : les Niçois votent au suffrage universel, à une écrasante majorité pour le ***Rattachement***. Le 12 juin : Nice est déclarée « partie intégrante » de l'Empire français.

ORIGINE DU NOM DES COMMUNES

Histoire et Géographie sont deux thèmes qui se rejoignent dans la **Toponymie**. Cette science recherche l'origine, la signification et la transformation des toponymes (noms de lieux) au cours des siècles. Ils peuvent être classés par *strates linguistiques / historiques*, ou selon la *nature des lieux* (villes, villages, collines, montagnes, cours d'eau, voies de communication, activités humaines, etc.). En effet, lorsqu'il attribue un nom à un lieu, l'homme en décrit la nature (un détail géographique ou l'activité de ses habitants).

*** Strates linguistiques ou historiques**

Certains noms de lieux, principalement les oronymes et les hydronymes, remontent à la nuit des temps : ils sont *pré-indo-européens* (*préceltiques)* et on les regroupe par racines (*kal/kar, rocher, sommet rocheux, rivière caillouteuse* : Garonne, Charente, Cher). Les toponymes évoluent et se transforment au fil des diverses strates linguistiques (*pré-indo-européennes/préceltiques, celtiques, grecques, romaines, germaniques... jusqu'au français moderne*). Le classement peut se faire également par périodes historiques : *arrivée des Celtes, des Grecs, domination romaine, époque gallo-romaine, grandes invasions germaniques, etc.*

*** Nature des lieux**

Cette classification englobe la *topographie*, la *végétation* et les *cultures*, *l'habitat*, les diverses *activités humaines* (métiers, industries), les *fortifications*, les *voies de communication*, mais aussi le *domaine religieux*. En effet, le *christianisme* (plus particulièrement le catholicisme), a eu une influence profonde et durable sur les noms de lieux. À partir du Moyen Âge, l'usage des *mélioratifs* devient très courant (les adjectifs *beau* ou *bon* sont accolés à des toponymes : Beaulieu, Bonneval). De nombreux noms avec épithètes *laudatives* (*bon*, *bèl*, *grand*) sont dus à des implantations monastiques.

*** Glossaire**

- **Toponyme** : nom de lieu.
- **Odonyme** : nom désignant une route, un chemin.
- **Hydronyme** : toponyme ayant un rapport avec l'eau (cours d'eau, source, fontaine, lac).
- **Oronyme** : nom de lieu lié au relief (montagne, colline, plaine, plateau, vallée).
- **Microtoponyme** : terme réservé aux lieux-dits (figurant sur les cadastres mais rarement sur les cartes).
- **Macrotoponyme** : nom de lieu désignant des agglomérations, des reliefs ou des cours d'eau importants.
- **Hagiotoponyme** : toponyme né du christianisme, à valeur religieuse, portant le nom d'un saint.
- **Topographie** : configuration d'un lieu.

Abréviations

Cart. = cartulaire ; **TAD** = transport à la demande ; **h.** = habitants ; **MH** = Monuments historiques
CMH = classé au titre des Monuments historiques ; **IMH** = inscrit au titre des Monuments historiques
* = l'astérisque renvoie à une explication ; **AOC** ou **A.O.C.** = appellation d'origine contrôlée
O.T. = Office de tourisme ; * ou ** *Michelin* = restaurant ayant une ou deux étoiles dans le Guide Michelin
J.-C. = Jésus-Christ

Les plus HAUTS SOMMETS des Alpes-Maritimes

de 2.900 à 3.143 mètres

GELAS	3.143	Madone-de-Fenestre	frontalier
CHAFRION	3.073	Gordolasque	frontalier
MALEDIE	3.059	Gordolasque	frontalier
CLAPIER	3.045	Gordolasque	frontalier
TENIBRE	3.031	Haute-Tinée	frontalier
CORBORANT	3.007	Haute-Tinée	frontalier
GUILIE	2.999	Boréon	frontalier
ROCHE ROUSSE	2.996	Haute-Tinée	frontalier
GRAND CIMON	2.995	Haute-Tinée	frontalier
CHALANCHAS	2.995	Haute-Tinée	français
TÊTE ROUSSE	2.994	Haute-Tinée	frontalier
TÊTE UBAC	2.991	Haute-Tinée	frontalier
ROCHE BROSSE	2.989	Haute-Tinée	frontalier
RUINE	2.984	Boréon	frontalier
LEON BERTRAND	2.984	Haute-Tinée	frontalier
CLAI SUPERIEURE	2.982	Haute-Tinée	français
BURNAT	2.981	Haute-Tinée	frontalier
BEC DU VIR	2.971	Haute-Tinée	frontalier
CIME DE VENS	2.955	Haute-Tinée	frontalier
ROCHE RISSO	2.954	Madone-de-Fenestre	français
MONT RABUONS	2.949	Haute-Tinée	frontalier
PEIRABROC	2.947		frontalier
VALLONNET	2.942	Haute-Tinée	frontalier
MALINVERN	2.938	Isola 2000	frontalier
CIME CABRET	2.938	Madone-de-Fenestre	français
CAYRE AGNEL	2.937	Boréon	frontalier
GRAND CAPELET	2.935	Merveilles	français
ISCHIATOR	2.929	Haute-Tinée	frontalier
CIME AGNEL	2.927	Boréon	frontalier
LA LAUZE	2.922	Haute-Tinée	frontalier
CHAMINEYE	2.921	Gordolasque	français
COUGOURDE	2.921	Boréon	frontalier
SAINT-ROBERT	2.919	Madone-de-Fenestre	frontalier
BORGOGNO	2.910	Haute-Tinée	français
VIGLINO	2.910	Valmasque	frontalier
LUSIERE	2.907	Valmasque	français
GICANAS	2.905	Haute-Tinée	français
NUFFIE	2.901	Gordolasque	français

Présidents du Conseil général   Préfets des Alpes-Maritimes

du **Rattachement** à nos jours

Présidents du Conseil général

Prénoms NOMS	Fonctions du	au
Louis LUBONIS	30 -01-1861	6 -08 -1869
Général Comte REILLE	7- 08 -1869	1871
Docteur MAURE	1871	1874
Comte Alziary de MALAUSSENA	1874	1882
Joseph DURANDY	1882	1890
Maurice ROUVIER	1890	1911
Flaminius RAIBERTI	1911	1926
Louis GASSIN	1926	1931
Joseph BERMOND	1931	1932
Léon BARETY	1932	1940
Virgile BAREL	1945	1947
André BOTTON	1947	1951
Jean MEDECIN	1951	1961
Francis PALMERO	1961	1964
Joseph RAYBAUD	1964	1967
Francis PALMERO	1967	1973
Jacques MEDECIN	1973	1990
Charles GINESY	1990	2003
Christian ESTROSI	2003	

Préfets des Alpes-Maritimes

Prénoms NOMS	Fonctions du	au
R. PAULZE D'IVOY	11 -06-1860	04- 01-1861
Denis de GAVINI	05 -01-1861	05-09-1870
Pierre BARAGNON	06-09-1870	07-10-1870
Noël BLACHE	08-10-1870	13-10-1870
Marc DUFRAISSE	14-10-1870	19-03-1871
Oscar SALVETAT	20-03-1871	04-07-1871
M.J.deVILLENEUVE	05-07-1871	10-11-1874
Albert DECRAIS	11-11-1874	16-04-1876
Henri DARCY	17-04-1876	17-12-1877
Henri DONIOL	18-12-1877	14-03-1879
RAGUET de	15-03-1879	19-07-1882
LAGRANDE de	20-07-1882	15-11-1885
Anatole CATUSSE	16-11-1884	07-01-1887
Arsène HENRY	08-01-1887	12-09-1897
Gabriel LEROUX	13-09-1897	07-11-1898
Charles BARDON	08-11-1898	30-03-1899
Paul GRANET	31-03-1899	04-09-1904
André de JOLY	05-09-1904	18-06-1917
Armand BERNARD	19-06-1917	04-08-1919
Ange BENEDETTI	05-08-1919	14-01-1921
Armand BERNARD	15-01-1921	30-01-1924
Ange BENEDETTI	31-01-1924	30-06-1934
Henry MOUCHET	01-07-1934	20-09-1940
MarcE. CHEVALIER	21-09-1940	24-09-1940
Marcel RIBIERE	25-09-1940	10-05-1943
Jean CHAIGNEAU	11-05-1943	17-11-1944
Paul ESCANDE	18-11-1944	17-08-1946
Paul HAAG	18-08-1946	05-11-1950
Georges HUTIN	06-11-1950	20-11-1951
Henry SOUM	21-11-1951	10-12-1953
Camille ERNST	11-12-1953	23-01-1955
P. Jean MOATTI	24-01-1955	31-07-1967
René-G. THOMAS	01-08-1967	25-11-1973
Pierre LAMBERTIN	26-11-1973	05-08-1985
Jean-Pierre PENSA	06-08-1985	20-12-1988
Yvon OLLIVIER	21-12-1988	25-02-1992
J.-L. DESTANDAU	26-02-1992	21-09-1993
Maurice JOUBERT	22-09-1993	15-06-1995
Philippe MARLAND	16-06-1995	15-12-1998
J. René GARNIER	16-12-1998	01-09-2002
Pierre BREUIL	02-09-2002	

NUMÉROS UTILES

URGENCES

* SAMU	15
* POLICE SECOURS	17
* POMPIERS	18 ou 04.93.28.74.74
* S.O.S. MÉDECINS 24H/24	04.93.41.41.41
* HÔPITAL LENVAL NICE (urgences enfants)	04.92.03.03.92
* CENTRE ANTI-POISON MARSEILLE	04.91.75.25.25
* SERVICE D'URGENCE DENTAIRE (S.U.D.)	04.93.27.81.00
* CENTRE ANTI-DOULEUR	04.93.13.99.66
* CENTRE DE LUTTE CONTRE LE CANCER	04.92.03.10.10
* CENTRE DES GRANDS BRÛLÉS	04.91.94.16.69
* CENTRE DE TRANSFUSION SANGUINE	04.92.27.33.33
* SIDA INFO SERVICES	0.800.840.800
* HÔPITAL D'ANTIBES	04.92.91.77.77
* HÔPITAL DE CANNES	04.93.69.70.00
* HÔPITAL DE GRASSE	04.93.09.55.55
* HÔPITAL PASTEUR ET LACASSAGNE NICE	04.92.03.10.00
* INSTITUT ARNAULT-TZANCK	04.92.27.33.33
* S.O.S. VÉTÉRINAIRES	04.93.83.46.64
* S.P.A. NICE	04.93.88.71.47
* S.O.S. AMITIÉ	04.93.26.26.26
* S.O.S. DROGUE INFO	0.800.23.13.13

PRATIQUES

* RENSEIGNEMENTS	118 xxx
* HORLOGE PARLANTE	36.99
* RÉVEIL TÉLÉPHONE	36.88
* MÉTÉO ALPES-MARITIMES	08.92.68.02.06
* MÉTÉOROLOGIE DE LA MER	08.92.68.08.08
* MÉTÉOROLOGIE DE LA MONTAGNE	08.92.68.04.04
* PERTE OU VOL DE CHÉQUIER	08.92.68.32.08
* PERTE OU VOL DE CARTES BANCAIRES	08.92.69.08.80
* OBJETS TROUVÉS	04.92.10.50.29
* ALLO STOP	0825.80.36.66

ADMINISTRATIONS

* CONSEIL GÉNÉRAL DES ALPES-MARITIMES	04.97.18.60.00
* ASSOCIATION DES MAIRES DES ALPES-MARITIMES	04.92.29.22.22
* OFFICE DU TOURISME DE NICE	04.92.41.76.76
* POSTE (Direction départementale)	04.93.16.38.00
* E.D.F. DÉPANNAGE	04.93.28.21.10
* G.D.F. SECOURS	04.93.57.91.91
* COMPAGNIE GÉNÉRALE DES EAUX	04.93.35.70.52
* FRANCE TÉLÉCOM	10.14
* TÉLÉGRAMMES TÉLÉPHONÉS	36.55
* PRÉFECTURE DES ALPES-MARITIMES NICE	04.93.72.20.00
* CENTRE INFORMATION JEUNESSE NICE	04.93.80.93.93

TRANSPORTS

* AÉROPORT (horaires)	08.92.69.55.55
* AÉROPORT NICE (standard)	04.93.21.30.30
* COMPAGNIE DES AUTOBUS – POINT INFO NICE	0.800.06.01.06
* S.N.C.F. (horaires)	08.92.35.35.35
* TAXI (Central Taxi 24H/24 et 7j/7)	08. 20.908.980

06910	AIGLUN	Plan: B 4

Hameau : **VASCOGNE**
Population : Insee 1999 **= 106** h. en 1901 = **150 h.** variation sur un siècle **- 29.33%**
Rang de la commune par rapport au nombre d'habitants au niveau départemental : **141**
Les habitants sont les **Aiglenois**
Superficie :1.537 ha - **Altitude** : 373 / 624 / 1541 m - **Canton : Saint-Auban** - **Arrondt** : Grasse
Distance de Nice : à vol d'oiseau = 32 km - par la route = 65 km - **Longitude** = 6,92° - **Latitude** = 43,85°
Accès : RN 202 puis D2209 - D17 - D10 et GR 4 - **Desserte** : via Saint-Auban et Roquestéron
Fête patronale : dernier dimanche de juillet - **Église** : Saint-Raphaël - **Paroisse** : Sainte-Marie-des-Sources
N° téléphone de la MAIRIE : 04.93.05.85.35 **Fax** : 04 93 05 64 92 **mairie.aiglun06@wanadoo.fr**

Origine du nom

Plusieurs possibilités : **1)** *aîga* (eau) ; **2)** *Aquila + dunum*, qui signifie éminence de l'aigle ; **3)** Racine pré-indo-européenne *ak*, sommet, avec la variante *akw : akw-I-edunum, Aigledunum.* Racine celtique pour *dunum* (colline, forteresse), ou encore *dun* (piton rocheux où s'élevait un château). Le site du village fait plutôt penser à ces deux dernières hypothèses. Formes anciennes : *castrum de Aiglesuni* (vers 1200), *de Aygleduno* (*Pouillés** d'Arles, Aix), *dominus de Aigluduno* (Istoria della citta di Sospello), *Aigluno* (1839).

* ***Pouillés** : sous l'**Ancien Régime**, il s'agissait des **relevés** des **biens** et **bénéfices** des provinces. Les **bénéfices** étaient des biens d'Église (abbayes, cures, évêchés et diocèses). Leur collation était faite par le roi ou l'évêque.*

Histoire

Des abris troglodytiques sur le site attestent une présence humaine très ancienne. Au **Moyen Âge**, plusieurs salles furent réaménagées dans ces excavations naturelles pour former un système défensif avec barbacane et meurtrières, elles sont encore bien conservées. Un habitat fortifié dénommé *Aiglesunum* ou *Aigledunum* est mentionné dans des archives du **XIIIe** siècle. Il connut un fort développement pendant cette période. Toutefois, nous ignorons où il était situé exactement. Le mont Saint-Martin (1.257 m) possède des vestiges de constructions anciennes, mais comme les territoires d'**Aiglun** et de **Sallagriffon** se partagent ce sommet, il est difficile de savoir à laquelle des deux communes on peut les attribuer. De surcroît, il n'est fait mention d'aucun lieu de culte dédié à ce saint dans les environs immédiats. Après la ***dédition de 1388**** et une période d'affrontements entre les comtes de Provence et de Savoie, le village fut rattaché aux *Terres-Neuves de Provence*, soumises à la suzeraineté de la maison de Savoie. En **1526**, elles prirent le nom de *comté de Nice*. Lors du Ier traité de Turin (**1760**) qui rectifia certaines anomalies de frontières, **Aiglun est détaché du comté de Nice et devient définitivement français,** ainsi que *Bouyon, Conségudes, Gattières, Grasse* et *Roquestéron*. Par contre, *Auvare, Daluis, Cuébris, La Croix, Guillaumes, La Penne, Puget-Rostang, Saint-Antonin* et *Saint-Léger* sont cédés au comté de Nice.

*La **municipalité d'Aiglun** a plusieurs projets ainsi que des réalisations en cours : une **piste d'hélicoptère** pour les secours ; création de six **logements locatifs** ; création d'une **école d'escalade** ; **pavage des rues**, pour l'embellissement du village ; développement touristique avec la volonté d'intégrer cette notion de **développement durable** dans tous les projets en cours et futurs.*

Dédition de 1388 :

Après une longue période de prospérité sous l'autorité successive de Charles Ier, Charles II et Robert le Sage, c'est la petite-fille de ce dernier, ***Jeanne,*** *qui devient reine de Naples et* ***comtesse de Provence****. Le règne de la* ***reine Jeanne*** *(1343-1382) est marqué par de* ***grands troubles****, et les décisions qu'elle prend pour sa* ***succession*** *(elle n'a pas d'enfants) vont provoquer la* ***division de la Provence****. En effet, la souveraine désigne d'abord Charles de Duras mais un peu plus tard, elle lui préfère Charles Ier d'Anjou. En* ***1382****, elle est assassinée par son neveu Duras. En* ***1388, après plusieurs années de guerres de succession*** *entre les prétendants, les* ***communautés du pays niçois*** *se mettent sous la protection du comte de Savoie et signent un* ***« acte de dédition de Nice à la maison de Savoie ».*** *Ce pacte, qui comporte 34 articles, confirme les libertés et privilèges de Nice. Il en prévoit de nouveaux, en particulier sur le port franc, et un rôle probable de capitale régionale. Par contre, il n'établit pas un changement de suzerain. En effet, Amédée VII est simplement présenté comme le* ***protecteur*** *des populations contre les Angevins, il n'est que le gardien et le gérant des terres. Le roi Ladislas dispose d'un* ***délai de trois ans*** *pour récupérer ses possessions, moyennant le remboursement à la Savoie des sommes dépensées pour les défendre. Ladislas n'ayant pu rembourser,* ***cette convention, qui devait être provisoire, devient définitive lorsque, le 6 novembre 1391, les consuls de Nice prêtent hommage au comte de Savoie****. C'est ainsi que la Provence orientale devient les* ***« Terres-Neuves de Provence »****. En* ***1392****, le jeune Amédée VIII est qualifié de «* ***Comte de Savoie, Nice et Vintimille...****». En* ***1419****, la reine Yolande, veuve de Louis II d'Anjou et mère de Louis III, reconnaît la cession de Nice (mais lorsque son fils deviendra majeur, il ne ratifiera pas le traité). En* ***1422****, les populations des Terres-Neuves sont mentionnées comme étant de «* ***la commune de Nice et du comté*** *».* ***Toutefois, à partir du moment où la Provence devint française, en 1482, les rois de France ne cessèrent de revendiquer la possession du comté de Nice, terre provençale, donc française****. La région va subir de nombreuses occupations militaires et passer alternativement sous la suzeraineté de la France et de la Savoie. Malgré ces quelques brèves interruptions, le comté resta sous la domination des souverains savoyards pendant plus de quatre siècles. À la suite du premier* ***traité de Turin, en 1718****, quelques localités sont* ***échangées*** *(Voir Le Mas et Entraunes). Celui du* ***24 mars 1760 rectifie certaines anomalies de frontières*** *(Voir ci-dessus).*

À voir

Ce pittoresque village aux ruelles bordées de belles maisons anciennes est situé à 624 m d'altitude, sur un éperon rocheux dominant la vallée de l'Estéron. Au cours des XVIII et XIXe siècles, de nombreux édifices furent bâtis : église Saint-Raphaël, chapelles Notre-Dame et Saint-Joseph ainsi que le pont qui surplombe la clue.

Frédéric Mistral*, séduit par le charme de ce village, s'en servit comme cadre pour son poème* ***Calendal. Aiglun*** *est le village natal de* ***Fanie Robiane****, une célèbre tragédienne qui, au siècle dernier, jouait au théâtre de l'Odéon (à Paris). Elle y a terminé sa vie. La mairie a conservé de nombreux documents sur sa carrière.*

* ***Itinéraire conseillé****, pour la beauté des paysages : la* ***route Saint-Auban - Aiglun - Gilette****. Il y a également de nombreux petits* ***sentiers de randonnées*** *autour du village.*

* **Fortifications troglodytiques** du Moyen Âge.

* **Clues d'Aiglun** (200 à 400 m de haut) et du **Riolan**.

* **Église Saint-Raphaël** (XVIIIe) avec *maître-autel* en bois polychrome de la même époque. *Vierge à l'Enfant* en bois doré (XVIIIe-XIXe). *Huiles sur toile* représentant saint Roch et saint Christophe. *Baptistère* encastré dans le mur, et creusé dans un bloc de calcaire.

* La **cascade de Vegay** est un site classé.

* **Pont** (fin XIXe) avec une seule arche voûtée offrant un magnifique point de vue.

* **Chapelles rurales** : **Notre-Dam**e et **Saint-Joseph** (XVIIIe et XIXe).

06910	AMIRAT	Plan: B 4

Hameaux : **L'HUBAC BARLET LES AGOTS**
Population : Insee 1999 **= 41** h. en 1901 = **92** h. variation **- 55,43%**
Rang de la commune par rapport au nombre d'habitants au niveau départemental : **162**
Les habitants sont les **Amiratois**
Superficie : 1.295 ha **- Altitude** : 725 / 860 / 1373 m **- Canton : Saint-Auban - Arrondt** : Grasse
Distance de Nice : à vol d'oiseau = 41 km - par la route = 92 km **- Longitude** = 6,82° **- Latitude** = 43,9°
Accès:RN 202 -D 2211A - D 83 ou GR 4 et 510 - **Desserte** Réserv: TAD 0 800 06 01 06
Fête patronale : dernier dim. de juillet - **Église** : Notre-Dame-du-Rosaire - **Paroisse** : Sainte-Marie-des-Sources
N° téléphone de la MAIRIE : 04.93.05.80.55

Origine du nom

Ce toponyme est tiré du latin *Admiratum*, qui signifie poste de guet, point de vue. Il est probablement dû à la position géographique privilégiée du village, bénéficiant d'une vue dominante. Formes anciennes : *Willelmi de Amirad* (*cartulaire** de l'abbaye de Lérins, 1125), *in castro de Anmirat* (1204), *de Amirato* (1224, et dans le cartulaire de l'abbaye de Saint-Pons, 1291), *Admirat* (1605).

** **Le cartulaire** est un **recueil des chartes** d'une église ou d'un monastère. Il contient la transcription de leurs titres de propriétés et privilèges. Celui de l'**abbaye de Lérins** mentionne **367** actes (donations, achats, permutations, ventes, privilèges) dont le plus ancien date de **798**. Le cartulaire de l'ancienne **cathédrale Sainte-Marie de Nice**, qui était située sur la colline du Château, mentionne les droits dus à l'église par les communautés d'habitants. Cette redevance était calculée en denarios (deniers).*

Histoire

En **1043**, un habitat fortifié du nom d'*Amiratum* est cité pour la première fois dans des textes. Au **XIIe** siècle, il appartenait aux seigneurs Amirat qui possédaient également le *castellaras* de Thorenc (**V**oir Andon). Le hameau, construit au sommet et sur la pente méridionale des Rochers de Notre-Dame, fut abandonné à la fin du **XIVe** siècle. Lors de la ***dédition de 1388***, le village, qui faisait partie de la viguerie de Grasse, resta fidèle au comte de Provence. **En 1482, Amirat est, comme la Provence, rattaché au royaume de France**. Vers la fin du XVe siècle (**1474** ou **1499**), cette seigneurie devient la propriété de Jean de Grasse (famille des Grasse-Bar, branche de Briançon) lorsqu'il en hérite de son père (ainsi que **Gars**, **Briançonnet**, **Sallagriffon**). Un siècle plus tard (fin du **XVIe**), un nouveau village, non fortifié et aux habitations dispersées, est recréé plus bas, à proximité du vallon de la Cressonnière.

À voir

Ce village est situé sur le versant sud d'une colline, avec vue dominante sur la vallée. Grâce à son excellente exposition, il bénéficie d'un microclimat très agréable.

* **Église Sainte-Anne** (fin XVIIe), ornée d'une double ***génoise****, *Vierge* du XVIIe siècle, *buste reliquaire* de sainte Anne (XVII-XVIIIe) en bois doré, *croix en bois* où le Christ est remplacé par les instruments de la Passion (tenailles, marteau, lance et couronne d'épines), *bannière* de sainte Anne en satin et fil d'or (XVIIIe). Cette église possède également un très bel *ostensoir* en argent et métal doré (XIXe).

** **Les génoises** sont composées de **tuiles rondes superposées** qui forment une corniche sous le toit, sur la façade des maisons **provençales**. Il s'agit d'un élément utile mais aussi décoratif qui indiquait le **rang social** et la **richesse** du **propriétaire**. Les maisons appartenant à des gens simples ont une génoise à un rang, deux rangs pour les commerçants et les artisans, trois rangs pour les notables. Quant aux génoises des bâtiments du clergé, elles* *comportent au moins trois rangs, et souvent quatre à six.*

* **Aux Agots, bastide** *Le Château* (XVIIIe).

* **Oratoire Notre-Dame-du-Rosaire** (XXe)

* **Chapelle Saint-Jeannet** (XVIe) dont le porche est aussi grand que le corps de la chapelle.

* **Un sentier touristique** *part des Agots et rejoint Collongues.*

06750 ANDON Plan: B 4

Hameaux : **THORENC CANAUX**
Population : Insee 1999 **= 341** h. en 1901 = **302** h. variation **12.91%**
Rang de la commune par rapport au nombre d'habitants au niveau départemental : **101**
Les habitants sont les **Andonnais** et les **Thorencois**
Superficie : 5.430 ha **- Altitude** : 911 / 1182 / 1649 m **- Canton : Saint-Auban - Arrondt** : Grasse
Distance de Nice : à vol d'oiseau = 38 km - par la route = 72 km **- Longitude** = 6,78° **- Latitude** = 43,77°
Accès : A8 - N 85 - D 5 -D 79 et GR 4 - **Desserte** : Navette 1 mercredi A.M. sur 2 et via Caille
Fête patronale : 15 août - **Église** : Sainte-Claire - **Paroisse** : Sainte-Marie-des-Sources
N° téléphone de la MAIRIE : 04.93.60.45.40 **- THORENC** : mairie annexe 04.93.60.01.62
OFFICE du TOURISME : 04.93.60.00.17

Origine du nom

Racine pré-indo-européenne : *and*, terrain inculte, éboulis, montagne ; *andaom* signifiant place forte. Formes anciennes : *Durantus de Andaone* (1038), *Feraldus de Andao* (cart. de Saint-Pons, 1081), *Stephano de Andone*.

Histoire

Vers l'**an mille** avant notre ère, des *Ligures* étaient installés sur le territoire d'**Andon**. Les vestiges de cinq camps fortifiés celto-ligures subsistent aux alentours, comme celui du *Castellaras de la Selle d'Andon* qui fut réutilisé par les *Romains*. Il est situé en bordure de la *via Ventiana (*qui menait de Vence à Digne en passant par Castellane), et en contrebas du *castellaras** de Thorenc. Aux **XIe** et **XIIe** siècles, il est fait mention des *sires d'Andon*, dans l'entourage des comtes de Nice. Vers **1200**, un habitat fortifié dénommé **Andon** est cité pour la première fois. Il occupe une colline, plus au sud (quelques vestiges du château féodal et de l'enceinte du village médiéval subsistent). Ce fief appartient aux seigneurs d'Amirat. Il est devenu une possession de Boniface de Castellane lorsque vers **1230**, le comte de Provence s'en empare et le donne à son sénéchal Romée de Villeneuve. La seigneurie est alors divisée en deux : les sires d'**Andon** s'installent à **Thorenc** où, depuis **1038**, ils possédaient un *castellaras* dont l'enceinte fortifiée abritait un château, une chapelle et un village. **Andon** passe ensuite à la famille des Grasse-Bar. En **1388**, le fief passe sous la domination de la maison de Savoie, il est alors inféodé aux Russans, puis à Louis de Théas. Au **XVIIIe** siècle, le bourg primitif est détruit par un incendie et reconstruit à son emplacement actuel. À la veille de la **Révolution**, le fief et le *château des Quatre-Tours* appartenaient aux Fanton, également coseigneurs de **Thorenc**. Actuellement, les descendants de la famille Fanton d'Andon sont toujours propriétaires du château.

* ***Les castellaras*** *sont des* ***camps fortifiés*** *construits par les* ***Celto-Ligures****. Ces* ***enceintes****, plus ou moins circulaires, sont constituées de* ***gros blocs de pierres sèches*** *assemblées sans liant (le mortier de chaux fut apporté par les Romains). En général, elles sont situées sur des* ***éminences****. Dans les Alpes-Maritimes, on a retrouvé plus de* ***400*** *castellaras. Leur fonction n'était pas de servir d'habitat permanent, mais plutôt de* ***postes de guet****, de* ***refuges temporaires*** *et d'****enclos*** *pour la protection du bétail contre les bêtes sauvages (ours, loups, lynx). Ceux*

qui étaient à un endroit stratégique furent réutilisés par les ***Romains*** *qui en firent des* ***places fortes*** *(oppida).*

THORENC

Ce toponyme vient de la racine prélatine *tor* (éminence) qui a donné le latin *torus*. Formes anciennes : *castrum de Torenco* (vers 1200), *in castro de Torenc* (1235), *de Torenco* (1250), *Torench* (1534).

En **1200**, le village primitif du *Castellaras* appartient aux seigneurs d' Amirat. **Thorenc** est ensuite placé sous la domination des *consuls* de Grasse avant de passer à Boniface de Castellane. En **1227**, le comte de Provence s'en empare et en **1235**, le fief est inféodé à Romée de Villeneuve. Les Villeneuve ne résidèrent que rarement dans la place forte qui commandait cette seigneurie, le château des Quatre-Tours. En **1384**, Vita de Blois, un *condottiere** à la tête d'une bande de soldats, s'en empare pour le compte d'Amédée VII, et en **1388**, **Thorenc** passe sous la haute autorité de la maison de Savoie. En **1391**, à la suite des luttes qui opposent les successeurs de la reine Jeanne, le *castellaras*, son château et son village, sont détruits. Après les épidémies de *peste* qui déciment la population à la fin du XVe siècle, la place est abandonnée. Un acte de **1520** stipule que ce *territoire inhabité* appartient à Antoine de Villeneuve (**Haut-Thorenc**) et à Antoine de Russan (**Bas-Thorenc**). En **1542**, Claude Ier de Villeneuve-Thorenc vit sur ses terres de **Thorenc**. Il y construit un nouveau château (celui du Haut-Thorenc). Ses descendants furent seigneurs de Saint-Jeannet ainsi que gouverneurs de la place forte de Saint-Paul-de-Vence. Après la **Révolution**, **Thorenc** est rattaché à **Andon**.

** **Condottiere :** en Italie, au Moyen Âge, le terme **condottiere** désignait un **chef de soldats mercenaires**.*

Thorenc (prononcer Toran) connut une grande vogue au **XIXe** siècle comme *station climatique*. C'est encore le cas aujourd'hui, grâce au développement du tourisme et des résidences secondaires. Cette agglomération est divisée en trois parties : la *station* proprement dite, résidentielle, avec le château des Quatre-Tours ; le *Bas-Thorenc* où est situé le sanatorium du clergé de France (bâti sur les ruines de l'ancien château des abbés de Lérins) ; le *Haut-Thorenc* et son château du XIXe siècle.

** **LE DOMAINE DU HAUT THORENC.** Depuis peu, une quinzaine de **bisons d'Europe** et une dizaine de **chevaux de Przewalski** vivent dans cet espace naturel qui s'étend sur près de **800 hectares**. Ils partagent ce territoire avec des cerfs, chevreuils, sangliers, renards et chamois, ainsi qu'avec de nombreux oiseaux et insectes (plus de 150 espèces animales au total). **Le bison d'Europe et le cheval de Przewalski font l'objet de programmes internationaux de conservation.** À terme, la réserve du Haut Thorenc, qui est dédiée à la conservation des espèces et à la préservation des biotopes du haut pays grassois, deviendra un centre de reproduction de bisons et de chevaux sauvages. Ces **animaux seront exportés** en Pologne pour les uns, en Mongolie pour les autres, afin d'asseoir la **diversité génétique** des troupeaux sauvegardés. Le **bison fut présent** dans les forêts françaises jusqu'au **XIVe siècle**. Victime de la déforestation et de la chasse, on ne le trouve plus qu'en Pologne. Le projet scientifique est valorisé par un concept d'**accueil sur le domaine** : hébergement sur place et « table à la ferme » ; randonnées « nature » de jour ou de nuit ; promenades en calèche.*

Domaine du Haut Thorenc : 06 78 44 29 59 / 04 93 600 078 preserve@wanadoo.fr www.haut-thorenc.com

CANAUX

Forme ancienne : *Canals*. Ce hameau est mentionné dès **1251**. En **1421**, la comtesse de Provence donna cette petite seigneurie à Bertrand de Grasse. Le village primitif et son château étaient perchés à 1 km à l'ouest. Ils furent abandonnés à la fin du XIVe siècle (quelques ruines subsistent).

À voir

Le village s'étend le long d'une route, sur un plateau situé à 1.200 m d'altitude. Le site est entouré de plusieurs montagnes (Bleine, Cheiron). **** Entre Andon et Caille : vallée glaciaire*** *à 1.000 mètres d'altitude, d'où l'on peut admirer un magnifique panorama sur l'**Audibergue**.*

*** STATION DE SKI DE l'AUDIBERGUE : Voir CAILLE**

* **Oppidum** (*colline fortifiée* - 1.211 m) de Font Freye (*fontaine froide*). Le *castellaras* comprend les ruines d'un château, d'une chapelle romane (XIIe), d'une vaste citerne et d'une écurie.

* **Borne milliaire** : *les **voies romaines** étaient jalonnées de **bornes** marquant les unités de distance. Le mille romain correspond à **mille pas (1.481,50 mètres)**.*

* **Cimetière romain,** à la Selle d'Andon, * **Linteau** en calcaire (XIXe), * **Croix de chemin** (en fer forgé) sur la place du village, * **Fonts baptismaux** des XIIe et /XIIIe siècles, dans l'**église Sainte-Claire** (Andon).

* **Sanatorium et « château des Quatre-Tours »** (XVe) à **Thorenc.**

* **Voie romaine** (*Via Vintiana*) menant de Vence à Digne, par Castellane (IMH 1991).

* **Gouffres d'Andon et de l'Audibergue** (aven des Ténèbres, de Canen).

Une bonne adresse

AUBERGE LES MERISIERS ***Restaurant gastronomique*** 04 93 60 00 23 *www.aubergelesmerisiers.com*

06600	ANTIBES	Plan: C 5

CAP-D'ANTIBES LES CLAUSONNES LA GAROUPE

Population : Insee 1999 = **72.412** h. en 1901 = **10.947 h.** variation **+ 561,48%** (**73.383** en 2005)

Rang de la commune par rapport au nombre d'habitants au niveau dépt : **2** - au niveau national: **57**

Les habitants sont les **Antibois**

Superficie : 2.648 ha - **Altitude** : 0 / 9 / 163 m

3 Cantons : Centre - Antibes Biot - Antibes Vallauris Ouest - **Arrondt** : Grasse

Distance de Nice : à vol d'oiseau = 17 km - par la route = 22 km - **Longitude** = 7,12° - **Latitude** = 43,58°

Accès : A8 et RN 7 - **Desserte** : SNCF - TAM 200 - Envibus 1 à 23 (sauf 12-20-22) - N1 - N3

Foire des antiquaires en avril - **Fête de la Mer** en juin - **Festival de jazz** en juillet - **Été musical** en août

Cathédrale Immaculée-Conception - **Paroisse** Saint-Armentaire

N° Tél. de la MAIRIE : 04 92 90 50 00 - **OFFICE du TOURISME et des CONGRÈS** : 04.92.90.53.00

www.antibes-juanlespins.com

Origine du nom

Il vient du mot grec *antipolis*. Sur la route maritime reliant leur comptoir d'*Alalia* (Aleria, en Corse), à *Massilia* (Marseille), les **Grecs**, qui pratiquaient le cabotage, se dirigeaient vers la côte la plus proche, en l'occurrence le cap d'Antibes : *Antion Kaurion* (la terre d'en face). Ils suivaient ensuite la côte jusqu'à Marseille. Il est probable qu'*Antipolis* (la ville d'en face) tire son nom de sa situation géographique : en face de *Nikaïa* (Nice). Formes latines tardives de ce toponyme : *terras quas nominant Sancte Marie Antibolensis* (964), *in territorio Antibuli* (cartulaire de Lérins, 1016 et 1139), *Antipolim* (1173), *Antipolis civitas* (vers 1200). En ancien provençal : *Antibol* (1235 et 1473), *vila d'Antibo* et *castel d'Antibol* (1391), *Antiboul* (1465, 1528 et 1554).

Histoire

Initialement occupé par des *Ligures* (les *Décéates* et les *Oxybiens*) ce site est investi au **VIe** siècle avant J.-C. (entre 565 et 540) par les *Grecs* de *Massilia*. Ils y fondent la colonie d'*Antipolis*. Ce comptoir commercial resta dépendant de Marseille jusqu'à ce que les *Romains* l'annexent, en **43** avant J.-C. Antipolis était une étape importante sur la voie terrestre reliant Rome à l'Espagne et se trouvait à proximité de deux grandes routes maritimes. Les Romains en font un ***municipe****. Dès le **IIIe** siècle, la cité est gagnée par le *christianisme* et le premier évêque s'y installe en 442. Mais après la chute de l'*Empire romain*, les populations subissent les *Grandes Invasions barbares* (du **VIe** au **Xe** siècle), ainsi que les raids dévastateurs des *Sarrasins*. Les habitants se réfugient sur le rocher mais la majorité d'entre eux finissent par abandonner *Antipolis* (devenu *Antiboul* au IXe siècle), pour s'installer dans des villages perchés de l'arrière-pays. Au **Xe** siècle (en 973) *Guillaume Ier de Provence* organise une coalition et chasse les *Sarrasins* qui, vers 883, avaient établi un campement de base dans le massif des Maures (au *Fraxinet*, près de la Garde-Freinet) et un autre sur la presqu'île de Saint-Jean-Cap-Ferrat (au lieu-dit Saint-Hospice). Après une longue éclipse, la région renaît. Quant à l'importante cité d'*Antiboul*, elle est le siège de l'évêché jusqu'en 1244, date à laquelle les évêques partent pour Grasse. En **1384**, Luc Grimaldi de Cagnes (cousin de Rainier II de Monaco), achète au pape d'Avignon, Clément VII, les droits seigneuriaux que possédait l'évêque de Grasse sur Antibes (ce dernier en avait été spolié car il était favorable à Rome). Lors de la ***dédition de 1388***, les seigneurs Grimaldi d'Antibes et de Cagnes restent fidèles à la Provence. En **1482**, le comte de Provence Charles III lègue son comté à Louis XI : c'est ainsi qu'**Antibes passe sous la suzeraineté du roi de France**. Le

fort Carré, la grande enceinte et ses bastions en font une importante place forte qu'Henri IV rachète aux Grimaldi en **1608** : elle prend le statut de *ville royale*. En **1815**, elle refuse de s'allier à Napoléon. Par une ordonnance de **1816**, Louis XVIII l'élève au rang de *bonne ville du royaume de France*. Antibes fait ajouter aux armes de la ville, enregistrées depuis 1698, la devise suivante : *Fidei servandae exemplum* (modèle de servante fidèle).
* ***Municipe*** *est tiré du latin* ***municipium****. Ce terme désigne les cités sous la dépendance de Rome, et dont les habitants pouvaient s'administrer eux-mêmes. Toutefois, bien que bénéficiant des droits civils de la citoyenneté romaine, ils n'avaient que des droits politiques locaux.*

À voir

Les ***remparts****, les* ***portes*** *de l'Orme et du Revély, le* ***portail*** *(XVIIe) qui jouxte les restes de la* ***tour Saint-Jacques****. La* ***vieille ville*** *offre de magnifiques panoramas sur les montagnes.*
* **Cathédrale Notre-Dame-Sainte-Marie-de-la-Place** (XIIe - CMH 1945), détruite par les Sarrasins en 1124, reconstruite en 1125. Sa façade, endommagée en 1746, est restaurée grâce à Louis XV (fonds provenant de la cassette royale). La porte, qui avait été réalisée en 1710 par l'Antibois Joseph Dolle, comporte les figures de saint Roch et saint Sébastien, protecteurs de la ville. La cathédrale abrite le *retable Notre-Dame-du-Rosaire*, peint en 1515 par Ludovic Brea ; une *Vierge* du XIXe en marbre blanc de Carrare ; un *bénitier* (XVIe) en marbre blanc ; un *Christ* en bois polychrome (1447) ; un *gisant* (XVIe) en bois de tilleul ; des *fonts baptismaux* en marbre rouge et cuivre (1722). Les *orgues* (1860) sont l'œuvre du maître Jungh.
* **Chapelle Saint-Jean** (XIIe - IMH 1989), de style roman.
* **Musée Picasso** (XIIe - CMH 1945). Il compte de nombreuses toiles de Picasso (*La Femme aux oursins, Antipolis*), de Nicolas de Staël (*fort Carré d'Antibes*) et d' Antoine Aundi (*Assomption de la Vierge, Déposition du Christ*). On peut également admirer la *table d'airain* et la *stèle de l'enfant Septentrion* (époque romaine).
* **Portes de l'Orme et du Revély** (Moyen Âge - IMH 1967).
* **Aqueduc des Clausonnes** (IIe siècle - IMH 1936). Il apportait l'eau d'une source de Valbonne destinée à alimenter les hauteurs de la ville.
* **La Tourraque**, située sur le cours Masséna (Moyen Âge - IMH 1967). Il s'agit d'une tour-citerne construite sur des bases romaines.
* **Fort Carré** (1552 - CMH 1906). Il comprend la chapelle Saint-Laurent (XVIIIe), un puits du XVIe, la tombe du général Championnet (MH 1912), le monument *Le Poilu* (1927) dédié aux 254 Antibois morts pour la France lors de la Première Guerre mondiale.
* **Porte Marine** (XVIIe - IMH 1967), rue Aubernon. À l'origine, elle était fermée par un pont-levis.
* **Fronton de la Porte de France** (1710 - IMH 1928), place Guynemer. Œuvre du maître sculpteur J. Dolle.
* **Bastion Saint-André** (XVIIe) : il abrite un four à pain, une citerne souterraine, un four à boulets, tous trois du XVIIe siècle, ainsi que le très beau musée d'Archéologie.
* **Tour de garde du Graillon** (XVIIIe), bd du Cap. Depuis 1963, elle abrite le Musée naval et napoléonien
* **Chapelle de la Garoupe** (XIVe - IMH 1926). Ce sanctuaire est composé de plusieurs chapelles.
* **Casemates** de 1774, derniers vestiges des fortifications (CMH 1967).
* **CAP D'ANTIBES**, *presqu'île résidentielle. De la plage de la Garoupe,* ***vue magnifique sur les Alpes****. Un* ***sentier des Douaniers*** *permet de longer le Cap (au départ de la Garoupe, où débute le petit* ***sentier de Tirepoil****).*
* **MARINELAND**. *Ce parc de la mer et de l'aventure est le premier* ***zoo marin*** *d'Europe. Il présente des spectacles de* ***dauphins, orques, phoques, otaries...*** *Dans un* ***tunnel transparent*** *de 30 m de long évoluent des requins et des raies. Nombreux aquariums.* ***Musée de la Marine. www.marineland.fr***
* **LA PETITE FERME**. *Ce parc de loisirs propose aux enfants de multiples* ***activités et jeux****. Il leur permet également de découvrir de nombreux* ***animaux.***

Quelques bonnes adresses

Restaurant LA DAURADE *Spécialités de poissons* 44/46, bd d'Aguillon **Face Porte Marine** 04 93 34 25 23
THE COLONIAL PUB *Spécialités cocktails et bières pression* 36, bd d'Aguillon (Port) 04 93 34 83 53
THE HOP STORE Irish Pub *Salle de billard* 38, bd d'Aguillon (Port) 04 93 34 15 33
OUTBACK The Australian Bar *Salles de billard* 11, av. du 11-Novembre (proche gare) 04 93 95 24 00
Restaurant CHEZ MARGUERITE ET VINCENT place Nationale 04 93 34 33 58
Crêperie LA CROUSTILLE *Petite restauration tranquille* 4, cours Masséna (Vieille ville) 04 93 34 84 83
PILOTEL ** *Hôtel de caractère sur jardin arboré* 120, ch. des Groules Tél 04 92 91 11 11 Fax 04 92 91 10 01

JUAN-LES-PINS (Cne Antibes) 06600 Plan : C 5

Distance de Nice : à vol d'oiseau **= 19 km - par la route = km - Longitude** = 7,10° **- Latitude** = 43,57°
OFFICE du TOURISME : 04.92.90.53.05

* **Juan-les-Pins** Cette station balnéaire et touristique, bordée de plages de sable, de jardins et de pinèdes, est située au fond d'un magnifique golfe bien abrité. Elle fut « lancée » en 1925 par l'Américain Franck Jay-Gould.
* **Château de la Pinède** (XIIIe).

Quelques bonnes adresses

PLAGE JUANITA Restaurant de Plage Promenade du Soleil 04 93 61 16 98
HÔTEL DU PARC **** av. Guy-de-Maupassant *(bord de mer)* 04 93 61 61 00 *www.hotel-duparc.net*

06260 ASCROS Plan: C 3

Hameaux : **LES CROTTES ROUREBEL**
Population : Insee 1999 **= 145** h. en 1901 = **449** h. variation **- 67,71%**
Rang de la commune par rapport au nombre d'habitants au niveau départemental : **127**
Les habitants sont les **Ascrossois**
Superficie :1.774 ha **- Altitude** : 600 / 1150 / 1449 m **- Canton : Puget-Théniers - Arrondt** : Nice
Distance de Nice : à vol d'oiseau = 30 km - par la route = 63 km **- Longitude** = 7,02° **- Latitude** = 43,92 °
Accès : N 202 - D 2211A - D 27 - **Desserte** : TAM 721
Fête patronale : 5-6-7 août - **Église** : Saint-Véran/Saint-Donat - **Paroisse** : Notre-Dame-du-Var
N° téléphone de la MAIRIE : 04.93.05.84.21 **Fax** : 04 93 05 68 24

Origine du nom

Crosus est d'origine celtique (bas latin) et signifie creux, fond, dépression, ravines. Le mot *Ascros*, qui n'apparaît que vers 1760, vient de l'agglutination de la préposition de lieu ***ad*** et de la syllabe initiale ***cros***.

Formes anciennes : *Poncius de Crocis* (cartulaire de la cathédrale de Nice, 1066), *Castrum de Crocis* (vers 1200), *In castro de Crocis* (rationnaire de Charles II comte de Provence, baillie de Puget-Théniers, 1296-1297), *de Crosas* (enquête de Léopard de Fulginet, 1333), *Villa de los Crocz* (Caïs de Pierlas, 1388), *Castellan dels Crocs* (1567), *lo chamin das Cros* (1607). *Nombreux toponymes :* ***Cros****-de-Cagnes,* ***Cros****-d'Utelle, quartier* ***Cros****-de-Capeu* (Nice)*, vallon du* ***Crouos*** (vers Auron et la Tinée).

Histoire

Des ossements humains entourés d'anneaux et de boutons en bronze, retrouvés dans une tombe à *tumulus**, ont été datés de l'**âge du bronze final III** (1600-1400 avant J.-C). Les vestiges d'un petit *castellaras* attestent que des *Ligures* occupèrent également le territoire d'**Ascros**. Au **Ier siècle avant J.-C.** les *Romains* y installent un poste de surveillance. On a découvert des poteries, des pièces de monnaie, des lampes à huile et des vases, ainsi qu'un sarcophage. En **972**, le seigneur de Crocis participe, aux côtés de Guillaume Ier de Provence *le Libérateur*, aux batailles qui aboutirent à l'expulsion des *Sarrasins* installés dans le massif des Maures. Vers la fin du **XIIe** siècle, à la suite d'un différend avec les moines de Lérins, le seigneur de Crocis délaisse les habitats de Villevieille, Rourebel et Saint-Antonin, et fait construire l'église et le château de **Scros** (ce n'est qu'à partir de 1760 que l'appellation **Ascros** est utilisée). Vers **1250**, **Scros** dépend de la toute nouvelle baillie de Puget-Théniers. En **1298**, les Châteauneuf avaient succédé aux Crocis, ils en furent les coseigneurs jusqu'en **1387**. Au cours du **XIVe** siècle, **Scros** fut partiellement vendu à Antoine Flotte, seigneur de Cuébris (**1369**), puis à Honoré Marquesan. Après la ***dédition de 1388***, Aiglun, Le Mas et **Scros** deviennent dépendants de la Savoie. En **1391**, le comte de Savoie donne une partie du fief de **Scros** à Jean Grimaldi de Beuil. Des textes de **1411** et de **1432** nous confirment que les Grimaldi en sont les coseigneurs, avec Honoré Marquesan, seigneur de Coaraze. En **1621**, à la suite de l'exécution pour trahison d'Annibal Grimaldi, **Scros**, Toudon et Tourette-Revest sont inféodés aux Galléan pour plus d'un siècle. En **1744**, à la mort de Jean-Baptiste Galléan, sans descendance directe, Marcel Caissotti, seigneur de Roubion, hérite, par mariage, des fiefs de **Scros**, Toudon, Tourette-Revest. La famille Galléan-Caissotti de Roubion les conserva jusqu'en **1776** (par sentence du Sénat de Nice de juillet 1752, les Caissotti avaient dû prendre le nom et les armes des Galléan). À partir de février **1793**, **Ascros** est annexé par la France et, comme tout le comté de Nice, va faire partie du *85e* département français pendant vingt-deux ans. De **1815** à **1860**, la commune fut de nouveau sous domination sarde.

* ***Les tumulus*** *sont des* ***tertres artificiels*** *(amas de terre et de pierres) qui sont élevés au-dessus d'une* ***sépulture***.

À voir

Pittoresque village de type bas alpin, situé au centre d'un cirque de montagnes. ***Très beau panorama*** *sur les vallées du Var et de l'Estéron.*

* **Ruines du château des Grimaldi** (XIIe) où subsistent le *pigeonnier* et une *enceinte* pentagonale.

* **Église Saint-Véran** (XIIe). Le clocher latéral a été reconstruit en 1920, son abside semi-circulaire est voûtée en *cul-de-four*, le *brancard processionnel* de saint Véran est en bois polychrome (vers XVIIIe).

* **Croix du Jubilé** (1865) également appelée *calvaire* ou *crucifix de Sainte-Brigitte*. Cette sainte, fêtée le 23 juillet, patronne de la Suède et des pèlerins, est vénérée en Scandinavie, Pologne, Allemagne et Hongrie.

* **Fontaine** (1898), offerte par Raphaël Bischoffsheim, qui finança la construction de l'Observatoire de Nice. L'eau d'Ascros est connue pour sa pureté.

* **Chapelle Sainte-Anne** : le jour de l'Ascension, c'est un lieu de pèlerinage pour les Ascrossois.

06790	ASPREMONT	Plan: C 4

Hameaux : **LA BÉGUDE LA TREILLE**

Population : Insee 1999 **= 1.853** h. en 1901 = **529 h.** variation **+ 250,28% (1.869** en 2005)

Rang de la commune par rapport au nombre d'habitants au niveau dépt : **56** - au niveau national: **4.856**

Les habitants sont les **Aspremontois**

Superficie : 944 ha **- Altitude** : 100 / 530 / 855 m **- Canton : Levens - Arrondt** : Nice

Distance de Nice : à vol d'oiseau = 9 km - par la route = 13 km **- Longitude** = 7,25° **- Latitude** = 43,98°

Accès : D 914 **-** D 1014 - D 414 et GR 5 **Desserte** : Ligne Azur n° 62 et 76

Fête patronale : 24 juillet - **Église** : Saint-Jacques - **Paroisse** : Saint-Pons

N° téléphone de la MAIRIE : 04.93.08.00.01

Origine du nom

Dans le **Dictionnaire Occitan-Français**, *aspre* signifie lieu aride, caillouteux. Il est issu du latin *asper*, âpre, rude, raboteux, ou encore *aspera*, escarpement. Dans *Aspremont*, l'épithète *aspre*, à valeur topographique, entre en composition avec *mont* qui recouvre également le sens de *château* : dans ce cas, elle peut avoir une connotation guerrière. Formes anciennes : *Aspermum* (cart. de Lérins, 1042) *de Asperomonte* (cart. de Saint-Pons, 1203), *Castro de Aspermont* (enquête de Charles Ier comte de Provence, 1252), *villa Asperimontis* (Caïs, 1388), *villa Asprimontis* (1533).

Histoire

Vers **350** avant notre ère, la tribu ligure des *Védiantiens* était installée sur le territoire d'**Aspremont-le-Vieux**. Les vestiges d'un *castellaras* ligure y sont encore visibles. Cette enceinte fortifiée, construite avec de gros blocs de pierres sèches (*le mortier de chaux fut introduit par les Romains*) entourait un bâtiment rectangulaire.À l'époque médiévale, un village occupe encore le site. Vers l'**an mille**, **Aspremont** est un fief des vicomtes de Nice. Une fille de cette grande famille seigneuriale épouse Raymond Rostaing, apparenté aux Thorame-Castellane-Glandèves qui possédaient également Valdeblore, Venanson, Rimplas, Isola et Roure. Elle lui apporte **Aspremont** en dot. Sur le mont Barri, à l'emplacement d'un *castellaras* ligure, le seigneur Rostaing fait construire un château-fort afin de contrôler la vallée du Var. Le fief appartient aux Rostaing jusqu'en **1240**, date à laquelle il passe sous la suzeraineté des comtes de Provence. Raymond Chabaud, seigneur de Saint-Blaise, en fait alors l'acquisition. Cette famille va le conserver jusqu'en **1406**. Lors de la ***dédition de 1388***, **Aspremont** passe sous la haute autorité de la maison de Savoie. Le fief, qui comprenait les territoires de **Castagniers** et de **Colomars**, fut pendant longtemps l'un des plus puissants du comté de Nice grâce à sa position stratégique, frontalière avec la France et le duché de Savoie (futur royaume de Piémont-Sardaigne). En **1406**, Ludovic Marquesan, *coseigneur** de Coaraze, en est investi par le duc de Savoie Amédée VIII. Le premier château est abandonné en **1438** et le seigneur du lieu en fait rebâtir un nouveau, au sommet du village actuel. Comme celui de Nice, ce château servit de défense avancée face à la France. En **1442**, le fils de Ludovic Marquesan, Honoré, vend **Aspremont** à Barthélmy Borriglione, coseigneur de Contes et de Berre. Erigé en comté en 1621, le fief reste une possession des Borriglione jusqu'en **1777**, date à laquelle Marinet Lascaris, petit-fils de Charles Antoine Lascaris-Vintimille (seigneur de Castellar et consul de Nice en 1713, 1720 et 1721) en reçoit l'investiture, avec le titre de comte. Par mariage ou par héritage, **Aspremont** appartient ensuite aux Grimaldi et aux Caravadossi. Vers **1075**, l'abbaye de Saint-Pons (fondée à la fin du Xe siècle), bénéficie de plusieurs territoires en donation : Levens, Saint-Blaise, L'Escarène et la moitié de Colomars, entre autres. L'église Notre-Dame-des-Salettes et le prieuré d'Aspremont vont dépendre de cette abbaye de **1247** jusqu'à sa suppression en **1749**. En **1874**, à la suite de dissensions sur la gestion de pâturages, **Aspremont**, **Colomars** et **Castagniers** se séparent et deviennent des communes distinctes. En **1860**, sur 505 votants, il y eut 412 *oui* pour le rattachement à la France.

** **coseigneur** : ce terme signifie que le **fief** (c'est-à-dire les terres, les droits féodaux et les juridictions) est partagé entre plusieurs familles, souvent proches. En effet, cela arrivait souvent à la suite d'une vente ou d'un mariage. **À partir du XVIIIe siècle, le titre devient simplement honorifique et n'est plus lié à des droits seigneuriaux**.*

À voir

*Village situé sur un promontoire dominant la vallée du Var côté est. De la terrasse de l'ancien château (rasé), **beau panorama** sur le **Var**, de nombreux **villages perchés**, le **pays vençois**, le **cap d'Antibes**, les **collines de Nice**, le **mont Chauve** et le **mont Cima**.*

* **Vestiges d'un castellaras ligure**, formant une enceinte autour d'un bâtiment rectangulaire.

* **Vestiges du château fort** (XIe). Construit à l'emplacement d'un *castellaras*. Il est abandonné en 1438.

* **Chapelle Notre-Dame-des-Salettes**, citée en 1247 comme église paroissiale, reconstruite au XVIIIe siècle.

* **Église Saint-Jacques-le-Majeur**, devenue église paroissiale au XVIe siècle.

* **Pontis,** rue du Pourteau. Constructions sur voûte ou sur poutres. Elles relient deux rues tout en faisant gagner de l'espace aux habitations.

* **Maison natale de François-Xavier de Maistre** *(né en 1705), **homme de loi** anobli par Victor-Amédée III qui lui conféra le titre de comte. Ses fils, **l'écrivain Xavier** (1763-1862), « Voyage autour de ma chambre », et **Joseph** (1753-1821), homme politique et écrivain, sont également célèbres.*

* **Fort du mont Chauve** (1885-1887). Ce fort militaire désaffecté est occupé actuellement par l'EDF, l'aviation civile (radiophare) et le service incendie du Conseil général.

* **Chapelle Saint-Claude** (1632), construite à la suite d'un vœu, lors de l'épidémie de peste de 1631.

* **Chapelle des Pénitents-Blancs** (XVIIIe-XIXe). Cette confrérie était composée de 72 frères et 80 sœurs.

06810 AURIBEAU-SUR-SIAGNE Plan: B 5

Hameaux : **LE COULOUBRIER MOULIN VIEUX**

Population : Insee 1999 = **2.612** h. en 1901 = **480** h. variation **+ 444,17%** (**2.648** en 2005)

Rang de la commune par rapport au nombre d'habitants au niveau dépt : **46** - au niveau national: **3.494**

Les habitants sont les **Auribellois**

Superficie : 548 ha - **Altitude** : 12 / 83 / 302 m - **Canton : Grasse-Sud** - **Arrondt** : Grasse

Distance de Nice : à vol d'oiseau = 29 km - par la route = 44 km - **Longitude** = 6,92° - **Latitude** = 43,6°

Accès : A 8 - RN 7 puis N 85 - D 9 - D 509 - **Desserte** : TAM 610 (via Cannes)

Fête patronale : 15 août - **Église** : Saint-Antoine-Ermite - **Paroisse** : Saint-Vincent-de-Lérins

N° téléphone de la MAIRIE : 04.92.60.20.20 - **OFFICE du TOURISME** : 04.93.40.79.56

Origine du nom

Pour **Auribeau**, plusieurs possibilités : **1)** *Ad Horrea* (*horreum*, grenier, entrepôt, cellier) ; **2)** La racine *aur* peut faire référence à *aureus* (le minerai d'or), *auris* (l'oreille) ou encore *aura* (le vent) ; **3)** *Aur* ou *or* donnera oratoire : il pourrait alors s'agir d'une ancienne chapelle. Formes anciennes : *Auribel* (1155), *ecclesia de Auribello* (1158), *Auribell* (*la Vida de Sant Honorat*, 1300).

Siagne 1) Racine pré-indo-européenne *seikw*, verser, couler, ruisseler. Elle est présente dans *Seine* (*Sequana* en latin) et dans *Sologne* (*Secalonia*). Dans le midi de la France, *seikw* pourrait être représenté avec **Siagne** : *Cianna* (en 1222), qui évolue en *Siana > Siania > Siagnia* ; **2)** Il pourrait s'agir d'une autre racine préceltique, *sag,* cours d'eau ; **3) Siagne** peut également venir de *Segnia* ou *Seguia,* un mot arabe désignant les canaux dans les oasis, ou du provençal *Sagne* qui désigne la *massette*, une plante aquatique à feuilles coupantes.

Histoire

Dès le **VIe** siècle avant J.-C., ces lieux furent occupés par la tribu *ligure* des *Oxybiens*. Ils y édifient un *castellaras*. C'est peut-être sur ce territoire que les *Romains* fondent la station *Ad Horrea*, une des multiples étapes et relais de ravitaillement jalonnant leurs *voies de communication** (Voir Mougins). En **1125**, *Auribello* était un domaine féodal, véritable forteresse perchée sur un éperon rocheux. Ses habitants y vivaient principalement de la culture de l'olivier et de la vigne. En **1158**, dans une lettre adressée à l'évêque d'Antibes, le pape lui confirme la possession de domaines et de dîmes relatifs aux églises de Pégomas, **Auribeau**, Valcluse et Mouans. En **1244**, l'évêché ayant quitté Antibes pour Grasse, c'est l'évêque de Grasse qui, en tant que seigneur d'**Auribeau**, percevait des droits fructueux de la part de ses vassaux. En **1258**, *Auribello*, *son église* et *son château* apparaissent de nouveau dans des textes lorsqu'à la demande de l'abbé de Lérins, seigneur de Pégomas, une délimitation est effectuée entre les deux seigneuries. Puis l'histoire du village subit une interruption d'un siècle et demi. En effet, le **XIVe** siècle est une période de terribles calamités : froid polaire, inondations, guerre de Cent Ans. Et en **1348**, la *Grande Peste noire** débarque à Marseille. L'épidémie dévaste toute l'Europe, dont un quart de la population disparaît, et entraîne la désertion de nombreux villages provençaux : *Auribello*, inhabité, tombe en ruines. Le **5 juin 1497**, Mgr Grimaldi, évêque de Grasse et seigneur d'**Auribeau**, signe un *acte d'habitation* et fait appel à des familles vivant dans l'actuelle Ligurie (en particulier à Vintimille et Albenga) pour le repeupler et le reconstruire. *En 1521, les moines de Lérins lancent la* ***culture du riz*** *sur les terrains marécageux de la plaine de Laval. Le canal de dérivation du Béal, qu'ils avaient construit à la fin du XVe siècle, facilite la mise en eau des rizières. Les paysans d'* ***Auribeau, Pégomas*** *et* ***La Roquette*** *cultivèrent cette céréale jusqu'au milieu du XVIIIe siècle. Au début du siècle suivant, les Auribellois se lancent dans la* ***production de plantes à parfum*** *comme la rose et le jasmin.* En **1860**, le village comptait *652* habitants

À voir

Village fortifié (XIIe/XVIe), élevé sur un piton rocheux au bord des gorges de la Siagne. Le mur d'enceinte et les maisons groupées faisaient office de remparts. Table d'orientation. De la ***place de l'Église*** *:* ***belle vue*** *sur les collines boisées entourant la* ***vallée de la Siagne, Grasse*** *et les* ***montagnes*** *en arrière-plan.*

* **Portail *Soutran*** (XIIe, renforcé en 1755). Porte fortifiée inférieure donnant accès à la rue Basse. Elle fut longtemps l'entrée principale du village.

* **Portail *Soubran*** (XIVe/XVIe). Porte fortifiée supérieure donnant accès à la rue principale du village.

** **Rue du Four** (XVIe). C'est dans cette rue que se trouvait le **four banal**. Au Moyen Âge, les Auribellois avaient pour **obligation** d'y faire cuire leur pain, et de payer une **redevance** au seigneur.*

* **Église Saint-Antoine** (1717-1724). Elle possède un *reliquaire* en argent (XVe) renfermant la mâchoire de saint Honorat qui, en 410, fonda le monastère de l'île de Lérins. Cette église comprend également les *bustes reliquaires* de saint Antoine et de saint Concorde, en plâtre doré et polychrome (XVIIIe).

* **Sanctuaire de Notre-Dame-de-Valcluse** (XVIIIe), conçu selon les mêmes plans que l'église Saint-Pierre-de-Rome (sauf en ce qui concerne les dimensions !).

* **Moulin du Sault** (XVe), dont l'activité s'est arrêtée en 1920.

* **Mairie** (XIXe). L'ancienne *Maison Rey*, à plusieurs niveaux, abrite l'hôtel de ville, le presbytère et l'école.

* **Puits Doussan**. Le fronton porte l'inscription : « Dieu protège la source, l'eau appartient à Doussan 1854 ».

* **Fontaines**. Celle du *Portail* possède un abreuvoir taillé dans la masse d'une roche. C'est en **1894** qu'est inaugurée l'arrivée de l'eau en provenance du canal de la Siagne, dans les fontaines publiques du *Portail*, *d'en l'Aire* et de la *Placette*.

ÉPIDÉMIES

** C'est au **VIe siècle** de notre ère que la **première épidémie de peste** atteignit l'Europe ; celles qui suivirent, aux VIIe et VIIIe siècles, furent de moindre envergure. En **1346**, il y avait environ **100 millions d'habitants** en Europe, Afrique du Nord et Proche-Orient. En **1352**, **un quart d'entre eux** avaient été emportés par cette maladie.*

*La **Grande Peste noire** qui atteignit l'Europe en **1348** venait probablement d'**Asie centrale** (une épidémie fut signalée à Astrakhan et à Saraï en 1346). Elle s'est propagée par la **route de la soie** puis par la **route des épices** (le savant arabe Ibn Battuta relata qu'à son retour des **Indes**, en 1347-1348, la peste sévissait à **Alep**, en Syrie). Ce sont ensuite les **bateaux** en provenance de Méditerranée orientale qui l'apportèrent dans les différents **ports du pourtour méditerranéen**. L'épidémie dura de **1348 à 1352**, elle fit **20 millions de victimes parmi les Européens** et stoppa la croissance démographique pendant plus d'un siècle. Ensuite, la peste réapparut régulièrement, mais de façon moins dévastatrice. En France, la dernière épidémie date de 1720-1722, et elle resta cantonnée en Provence. Actuellement, cette maladie se manifeste encore parfois en Afrique et en Amérique du Sud. Les populations vont subir ensuite le **choléra** qui fit également de très nombreuses victimes. Quant à la **lèpre**, qui existait à l'état endémique dans notre région, elle s'y maintint jusqu'en 1930.*

*__La peste noire,__ ou peste bubonique, est une maladie bactérienne véhiculée par les puces des rats. Les symptômes étaient des maux de tête et de la fièvre, ensuite le corps se couvrait de **taches noires**, puis des **bubons** (ganglions), apparaissaient aux aisselles, au cou ou à l'aine.*

VŒUX CONTRE LES ÉPIDÉMIES

** **Lors des épidémies, les populations imploraient les saints et faisaient des vœux** pour en être délivrées. Elles leur élevaient des **chapelles votives** ou des **oratoires,** souvent consacrés à saint Sébastien et à saint Roch, des saints antipesteux éprouvés. L'**église du Vœu** (avenue Saint-Jean-Baptiste) inaugurée en 1852, fut construite à la suite d'un vœu de la municipalité de Nice, en 1833. Elle remerciait ainsi Notre-Dame-des-Grâces d'avoir permis à la population d'échapper à une épidémie de choléra. Chaque année à la fin de juillet, les habitants du Vieux-Nice se rendent en procession sur une placette située en haut de la **rue du Malonat**, où se trouve un **oratoire abritant une Vierge** en plâtre et carton pâte. Cet oratoire fut installé à la suite d'un **vœu fait le 2 août 1854 contre une épidémie de choléra**. Le fléau cessa brusquement. À cette époque, le quartier était essentiellement habité par des familles de pêcheurs. Leurs descendants ont créé une association et reproduisent ce cérémonial chaque année, à la même période. Ladite procession est suivie d'une fête. À **Roquebrune-Cap Martin**, tous les ans depuis le **5 août 1467,** une procession solennelle se rend à la **chapelle de la Pausa.** En effet, cette année-là, une épidémie de peste ravageait la région, mais elle cessa le 5 août, à la suite d'un vœu. Du 27 juillet au 21 novembre 1631, une épidémie de peste décima le quart de la population de Monaco. Depuis, chaque année, le **21 novembre,** une procession à la Vierge parcourt les rues de la Principauté en souvenir du jour où l'épidémie cessa.*

06260 | **AUVARE** | **Plan: B 3**

Population : Insee 1999 **= 44** h. en 1901 = **94 h.** variation **- 53,19%**
Rang de la commune par rapport au nombre d'habitants au niveau départemental : **161**
Les habitants sont les **Auvarois**
Superficie : 1.827 ha - **Altitude** : 479 / 1100 / 2133 m - **Canton : Puget-Théniers** - **Arrondt** : Nice
Distance de Nice : à vol d'oiseau = 41 km - par la route = 75 km **- Longitude** = 6,92° **- Latitude** = 43,98°
Accès : N 202 - D 16 - D 116 - D 216 - **Desserte** : Réserv: TAD 0 800 06 01 06
Fête patronale : 29 juin - **Église** : Saint-Pierre - **Paroisse** : Notre-Dame-du-Var
N° téléphone de la MAIRIE : 04.93.05.14.29

Origine du nom

Il serait tiré de *Ad Varam*, terme à rapprocher des cours d'eau *Vaira* et *Var*. Quant à la racine pré-indo-européenne *ad / at*, elle est liée à l'hydronymie (cours d'eau, source, fontaine, lac...) ou à l'oronymie (relief, montagnes, collines, plaines, vallées...). Formes anciennes : *Castrum de Azoara* (1200), *de Adoara* (Rationnaire de Charles II comte de Provence, 1296), *Adhoara* (Vigueries de Provence, 1330), *de Asoara* (Pouillé d'Aix, 1351), *Adoara* (Pouillé d'Arles, 1376), *Auvara* et *Auvaro* (XVIe siècle).

Histoire

Des *tegulae* (tuiles romaines) et des *marques de fabrique* trouvées sur le site attestent qu'il fut occupé par les *Romains*. Vers **580**, des hordes *saxonnes* envahissent la région. D'après certains chroniqueurs, des cités comme Vence et Glandèves (Entrevaux) sont totalement détruites. Les habitants de **Glandèves** se réfugient sur des éperons rocheux inaccessibles et fondent **Auvare**, **Daluis**, **Saint-Léger** et **La Croix**. La paroisse d'**Auvare** dépendit toujours de l'évêché de Glandèves. Après une deuxième vague d'invasions barbares, les habitants de la région subissent les incursions dévastatrices et continuelles des *Sarrasins*. Lorsqu'en **973**, Guillaume Ier de Provence chasse ces derniers du massif des Maures, il donne à Balb de Vintimille la baronnie de Beuil et ses 22 villages. Un de ses descendants, seigneur du Puget, devint baron d'Auvare. C'est au **XIIIe** siècle qu'est mentionné le *château d'Azoara*. Construit sur un site inaccessible, sa position stratégique lui permettait de contrôler la route de Beuil. Le comte de Provence, Charles Ier d'Anjou, y établit une garnison. Le fief appartint à Guillaumes de Glandèves de Saint-Auban, en coseigneurie avec les *Hospitaliers de Saint-Jean-de-Jérusalem** (en **1312**, tous les biens des *Templiers* avaient été dévolus à ces derniers). Le seigneur de Saint-Auban et du Puget participa à la guerre féodale qui opposa les comtes de Provence aux Castellane et aux Glandèves. En **1278**, il cède **Auvare** et le château de Puget-Théniers à Charles Ier d'Anjou, en échange du Muy. **Auvare** reste inféodé et, en **1296**, il relève de la viguerie de Guillaumes. Guilhem de Puget, vassal de Figuanières, devient le seigneur de ce fief. En **1548**, c'est le capitaine de l'île Sainte-Marguerite, Joseph de Cambis, qui en fait l'acquisition auprès de Melchiona de Castellane, dame de Figuanières. En **1578**, sa fille vend le titre à la dame de Beuil, épouse d'Honoré Grimaldi. En **1705**, c'est au tour de Louis Corporandi, issu d'une riche famille de La Croix, d'acheter ces terres à Maurice Grimaldi. Lors du Ier traité de Turin (**1760**), **Auvare** et La Croix sont cédés au royaume de Piémont-Sardaigne. ***Après leur rattachement (1760) au royaume de Piémont-Sardaigne, les habitants continuèrent à parler en provençal et à utiliser le français pour leurs écrits. Les actes notariés de cette période étaient rédigés en sarde*** *mais portaient la mention « **lu et expliqué en langue locale** ».* En **1774**, pour services rendus par Pierre Corporandi, seigneur de La Croix, le roi de Piémont-Sardaigne érige le fief en baronnie. Les Corporandi-d'Auvare se sont également illustrés dans l'armée et dans la marine aux XVIIIe et XIXe siècles. La route de Puget-Théniers à Auvare, achevée en 1923, est sur le tracé d'un chemin taillé dans le rocher en 1887.

* ***Hospitaliers de Saint-Jean-de-Jérusalem** (futur **ordre de Malte**) : cet ordre militaire et hospitalier est né dans le contexte des **Croisades**. Il est consacré par une bulle du pape en **1113**. Sa vocation initiale était l'accueil des pèlerins en **Terre sainte** et l'assistance aux malades et aux miséreux. Après la prise de Saint-Jean-d'Acre en 1291, ils s'installent à Chypre, puis à Rhodes en 1309 et enfin à **Malte en 1530**, lorsque Charles Quint leur cède cette île. Ils deviennent alors les **chevaliers de l'ordre de Malte**. Ils renforcent leur puissance et leur souveraineté en entretenant des relations diplomatiques avec les royaumes d'Europe. Ils battent monnaie, possèdent une flotte qui s'attaque aux navires ottomans, et engrangent des richesses. En **1798**, à la chute de Malte, le pape les autorise à s'installer à **Rome**. Actuellement cet ordre, dont le statut a été modifié en 1961, dirige des œuvres hospitalières.*

À voir

Ce village perché, accolé au flanc d'une montagne abrupte, possède de nombreuses maisons anciennes, des passages voûtés et des rues en escaliers. Le territoire alentour est recouvert de genêts, de buis et de belles forêts de chênes pubescents.

* **Vestiges du château** (XIIIe), détruit en 1621 à la suite de l'exécution d'Annibal Grimaldi.

* **Bergerie à 2 niveaux** (XIXe).

* **Église paroissiale Saint-Pierre** (fin XIXe), construite sur les murs de l'ancienne chapelle dédiée à la Sainte Vierge. La première église Saint-Pierre se trouvait à l'emplacement du cimetière actuel. En très mauvais état, elle fut détruite en 1888.

COMMENT S'ALIMENTAIENT LES ANCIENS ?

*On peut définir l'alimentation des populations d'après les cultures. Dans notre région, les **céréales** (blé, seigle, orge, maïs) représentaient la base de leurs moyens de subsistance, ainsi que l'**olivier** et la **vigne**. Les autres aliments de base étaient les **produits laitiers**, les **légumes secs** (lentilles, fèves, haricots), les **légumes**, les **fruits frais** et les **fruits secs** (en particulier figues et châtaignes). Selon l'altitude et les zones (montagnes de l'arrière-pays ou littoral), les terres étaient complantées d'oliviers, vigne, figuiers (on exportait les figues sèches depuis Nice), d'arbres fruitiers (noyers et amandiers, pruniers, cerisiers, pommiers, poiriers, néfliers, caroubiers...). Dans les régions alpines, on cultiva la pomme de terre à partir du XVIIIe siècle. Les cerisiers et les **agrumes*** ne sont apparus qu'au Moyen Âge. Les gens élevaient des porcs et des poules. Ils pêchaient, y compris le thon : au XIXe siècle, il y avait une madrague au cap Martin. Dans les zones reculées, les paysans vivaient le plus possible de ce qu'ils produisaient, en presque complète autarcie. Les seules denrées qu'ils étaient obligés de se procurer étaient les **poissons séchés**, le **sucre**, le **sel**, le **poivre** et le **café** (ce dernier demeura longtemps un « remède ») ; l'**huile d'olive** pour les zones alpines. En plus de la **pêche**, les autres apports, non négligeables, à cette économie d'auto-subsistance, étaient les produits de la **chasse**, la **cueillette** des champignons et des fruits sauvages, le miel, les escargots. Cette alimentation, typiquement méditerranéenne, était frugale mais plutôt équilibrée.*

** **Les oliviers** ont été introduits par les Grecs il y a près de 3.000 ans ; la présence de l'**orange douce** est attestée dans la région dès 1350 ; quant au **citron**, il était déjà connu en Ligurie au XIe siècle, et il fut probablement introduit à Nice à la fin du Moyen Âge.*

EXEMPLE DE REPAS DANS LES CAMPAGNES

** **le matin :** de la soupe (celle de la veille) * **à midi** : un morceau de pain avec du fromage ; des figues sèches ; parfois du jambon cuit * **le soir** : de la soupe avec de l'huile, on y ajoutait souvent du lait et un peu de farine (de la soupe de châtaignes à l'automne) ; des légumes, des haricots, des fèves ; du fromage * **le dimanche :** des raviolis ou des gnocchis ; parfois du lapin ou du porc ; de la tourte aux légumes ; de temps en temps une tarte aux fruits.*

06420	BAIROLS	Plan: C 3

Population : Insee 1999 = **114** h. en 1901 = **191** h. variation **- 40,31%**
Rang de la commune par rapport au nombre d'habitants au niveau départemental : **136**
Les habitants sont les **Bairolois**
Superficie : 1.524 ha - **Altitude** : 280 / 880 / 1803 m - **Canton : Villars-sur-Var** - **Arrondt** : Nice
Distance de Nice : à vol d'oiseau = 33 km - par la route = 53 km - **Longitude** = 7,13° - **Latitude** = 43,98°
Accès : N 202 - D 2205 - D 56 - **Desserte** : Réserv: TAD 0 800 06 01 06
Fête patronale : 23/24 juillet - **Église** : Sainte-Marguerite - **Paroisse** : Notre-Dame-de-la-Tinée
N° téléphone de la MAIRIE : 04.93.02.90.46 **www.ville-bairols.fr**

Origine du nom

La racine pré-indo-européenne *bar* désigne un éperon, une barre rocheuse, un rempart naturel. La diphtongue *ouol* est caractéristique de la langue d'oc montagnarde et niçoise. Formes anciennes : *in Bairolo* (cart. de Lérins, vers 1040), *carta sancti Martini de Baiorols* (1046-1066), *Bairollis* (XIe), *apud Bayrols* (Rationnaire de Charles II comte de Provence, 1297), *de Bayrolis* (enquête de Léopard de Fulginet, 1333).

Histoire

Lorsque, vers **1040**, le domaine de *Bairolum* est mentionné pour la première fois, il relève de l'abbaye de Lérins. Le village primitif, dont il reste quelques vestiges, fut abandonné pour être reconstruit sur un site moins élevé, mais l'habitat est néanmoins perché à flanc de montagne. Lors de l'affouage de 1315, *51 feux* sont recensés (environ 280 habitants). Au moment où s'ouvrait la difficile succession de la reine Jeanne, comtesse de Provence (assassinée en 1382), **Bairols** était un fief de Jean Grimaldi de **Beuil** (Voir ce nom). Il en avait été investi par sa suzeraine vers **1355**. Après la ***dédition de 1388***, il devient dépendant de la maison de Savoie. **Bairols** reste une possession des Grimaldi de Beuil jusqu'à l'exécution d'Annibal Grimaldi en **1621.** Tous les biens de ce dernier furent confisqués et ses châteaux rasés. Ce sont les Solaro, marquis de Dogliani, qui furent gratifiés par le duc de Savoie des fiefs de **Bairols** et de Villars.

Entre 1927 et 1929, la ***compagnie Énergie électrique du littoral méditerranéen*** *construit, sur les territoires de Bairols et de Clans, la centrale hydroélectrique du Bancairon. Les eaux, captées au Pont-de-Paule, sont canalisées dans une galerie souterraine de 14 km. Bancairon est la plus importante unité de production des Alpes-Maritimes (50.000 kW).*

À voir

Ce village médiéval à caractère défensif, un des plus beaux de l'arrière-pays niçois, a été complètement restauré. Il est bâti sur une crête qui domine la vallée de la Tinée. De la ***table d'orientation*** *située près de l'église, on peut admirer un* ***panorama magnifique*** *: mont Colombin, pointe des 4 Cantons, mont Tournairet ainsi que les villages de Rimplas, Marie, Clans, Roussillon, La Tour et Utelle.* ***Bairols*** *fait partie des « Villes et Villages fleuris », 1 fleur.*

* **Vestiges du château des comtes Grimaldi de Beuil**, ainsi que des **prisons**.

* **Église Sainte-Marguerite** (début XVIe). Elle possède un *bénitier* du Moyen Âge sur lequel sont sculptées quatre figures humaines ; un *retable du Rosaire* (1643) huile sur toile de Jean Rocca ; une *toile* représentant la Crucifixion (1730) ; une *statue* de sainte Marguerite en bois polychrome (XVIIIe).

* **Chapelle Saint-Roch** (1750), construite par la population pour se protéger de la peste.

* **Réverbères** datant de 1927. * **Croix de Bairols**, située en face de Clans.

06620 BAR-SUR-LOUP (LE) Plan: B 5

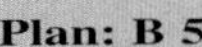

Population : Insee 1999 **= 2.543** h. en 1901 **= 1.294 h.** variation **+ 96,52%** (**2.571** en 2005)
Rang de la commune par rapport au nombre d'habitants au niveau dépt : **47** - au niveau national: **3.534**
Les habitants sont les **Aubarnois**
Superficie : 1.447 ha **- Altitude** : 100 / 310 / 1312 m **- Canton : Le-Bar-sur-Loup - Arrondt** : Grasse
Distance de Nice : à vol d'oiseau = 21 km - par la route = 33 km **- Longitude** = 6,98° **- Latitude** = 43,7°
Accès : A 8 ou RD 6007 - D 2 - D 2085 - D 2210 - D303 - - **Desserte** : TAM 511 - Envibus 11-12D-12bis
Fête patronale : 24 juin - **Église** : Saint-Jacques-le-Majeur - **Paroisse** : Saint-Antoine-du-Haut-Loup
N° téléphone de la MAIRIE : 04.92.60.35.70 **- OFFICE du TOURISME** : 04.93.42.72.21

Origine du nom

Il est tiré de la racine celto-ligure *alb* (hauteur) avec le suffixe ligure *arn* (fortification) latinisé en *arnum*. *Castro Albarno* signifie *camp fortifié sur une hauteur*. Formes anciennes : *Albarno* ou *Albarnum, Poncii Albarni* (cart. de Lérins, 1078), *Poncio de Albarn* (1083), *ecclesia de castro Albardy* (1158), *dominos de Albarno* (cart. de Saint-Pons, 1343). C'est au XVIe siècle qu'apparaît l'appellation *Lou barn*, puis ***Le Bar***. La mention ***sur Loup*** fut ajoutée au XIXe siècle, afin de distinguer *Le Bar* d'autres localités du même nom.

Histoire

Des vestiges *celto-ligures* puis *gaulois* attestent que le territoire alentour fut occupé sans interruption dès **750** avant J.-C. En **125** avant notre ère, les *Romains* y établissent des camps fortifiés. Ils avaient érigé deux tombeaux à l'emplacement actuel du château. Le village est bâti sur un éperon rocheux calcaire friable et, dès le **VIIe** siècle, la population creuse des habitations troglodytiques afin de se protéger des intempéries et des pillards. En **971**, le cartulaire de l'abbaye de Lérins mentionne le donjon. Le village est nommé pour la première fois en **1078**, sous l'appellation de *Poncil Albarnum* (ou *Poncius Albarni*), dans un recueil de Lérins citant une charte de Saint-Pons datée de **1004**. Il est ensuite dénommé *Castrum de Albarno*. Quant à l'église primitive, c'est en **1155** qu'elle apparaît dans des textes. Au **XIIe** siècle, le village était déjà alimenté en eau, grâce à la dérivation d'un canal existant, mais vers **1230**, Raymond Bérenger V de Provence fit cadeau aux Aubarnois d'une adduction d'eau correcte. En **1235**, après l'acte d'échange entre le comte de Provence et les princes d'Antibes, la seigneurie du **Bar** est créée. Elle est inféodée à la famille de Grasse qui est autorisée à frapper monnaie. En **1577**, le fief est érigé en comté et les Grasse-Bar le conserveront jusqu'à la **Révolution**.

*Dans le passé, l'économie du village était basée sur la culture de l'**oranger bigarade**, ou **bigaradier** (orange amère). Il en est devenu le symbole, et cette tradition revit tous les lundis de Pâques avec la **fête de l'Oranger**. Les vertus curatives des fleurs et des feuilles séchées sont connues depuis le XIVe siècle, mais le principe de fixation de l'essence de fleur ne fut découvert qu'en 1672. Une des périodes les plus importantes de l'année était celle de la cueillette des fleurs, début mai. Cette production était destinée aux parfumeurs grassois. Une fois la cueillette terminée, cueilleurs et producteurs festoyaient autour d'un banquet arrosé de **vin d'orange**, un apéritif à base d'oranges amères et d'alcool de vin.*

À voir

Village défensif perché, de plan circulaire et dominé par le château. Il est composé de hautes maisons anciennes serrées, aux toitures uniformes.

* **Château des comtes de Grasse** (XIIIe- XIXe). Il fut détruit trois fois par les *Sarrasins*, puis reconstruit. Les deux dernières tours furent abattues par un tremblement de terre en 1887.

* **Donjon carré** (Xe-XIe). Le cartulaire de Lérins le mentionne en 971. Il dominait le château seigneurial. Dans le mur, à gauche de l'entrée du donjon est scellé la *Canne* : un étalon qui servait de mesure à cette époque. Détruit en 1792 par les révolutionnaires, il n'en reste que la base qui abrite l'Office de tourisme

* **Escalier du château** (Xe), 302 marches, dont seule la partie supérieure reste intacte, la partie inférieure ayant été supprimée en 1954 pour l'aménagement d'une route.

* **Porte Sarrazine** (Moyen Âge), anciennement nommée *Portal Neuf* puis *Portal de l'Hospital*. La herse qui l'équipait fut enlevée en 1937.

* **Église Saint-Jacques-le-Majeur** (XIIe - IMH 1940). L'église primitive date de 1155, il n'en reste que quelques murs et piliers. Elle est modifiée aux XVe-XVIIIe-XIXe siècles. Une *stèle romaine* datant du IIe siècle avant J.-C. a été réemployée à sa base. Elle possède une *porte* monumentale (1520), sculptée par Jacotin Bellot ; une huile sur bois *La Danse macabre* (XVe) ; le retable du maître-autel, en bois doré et huile sur bois, est de Ludovic Brea (1475) ; un bénitier en marbre noir (XVIIIe), originellement lavabo de la comtesse.

* **Lavoir** (1400). En 1790, l'écusson est martelé par les Révolutionnaires.

* **Maison claustrale** (XVIe). Attenante au clocher, les prêtres y dormaient.

* **Place de la Tour**, avec la statue en bronze (1981) du comte François Joseph Paul de Grasse, né à Bar le 13 septembre 1722 et mort à Paris le 14 janvier 1788.

*L'**amiral de Grasse** passa une grande partie de son enfance dans cette commune. Louis XVI le nomma lieutenant-général et l'envoya, avec 3.000 hommes, porter secours à l'Amérique. En remportant la victoire navale de la Chesapeake (Yorktown, 1781) il contribua à l'**indépendance des États-Unis d'Amérique**. La ville du **Bar-sur-Loup** est jumelée avec celle de **Yorktown**.*

* **Ancien hôpital Saint-Jacques**. Il fonctionna de 1501 à 1859 et possédait 15 lits.

* **Chapelle Saint-Michel** (XVIe-XVIIe), * **Chapelle Sainte-Anne**, * **Chapelle Saint-Claude**

* **Chapelle des Sœurs-Trinitaires** (1859).

ruelle en escaliers

ancien lavoir

06310	BEAULIEU-SUR-MER	Plan: D 4

Photo: office tourisme Beaulieu - M. Sanigou

Quartier : **PETITE-AFRIQUE**

Population : Insee 1999 **= 3.675** h. en 1901 = **2.237** h. variation **+ 64,28%** (**3.701** en 2005)

Rang de la commune par rapport au nombre d'habitants au niveau dépt : **35 -** au niveau national: **2.449**

Les habitants sont les **Berlugans**

Superficie : 95 ha **- Altitude** : 0 / 12 / 140 m - **Canton : Villefranche-sur-Mer** - **Arrondt** : Nice

Distance de Nice : à vol d'oiseau = 7 km - par la route = 11 km - **Longitude** = 7,33° **- Latitude** = 43,7°

Accès : RN 98 - RN 7 - D 33 puis RN 98 - **Desserte** : SNCF - TAM 100 - Ligne d'Azur 84

Fête patronale : début septembre - **Église** : Sacré-Cœur - **Paroisse** : Notre-Dame-de-l'Espérance

N° téléphone de la MAIRIE : 04.93.76.47.00 **- OFFICE du TOURISME** : 04.93.01.02.21

Origine du nom

Bien que cette commune soit de création récente, les ***mentions du lieu-dit sont anciennes*** (**V**oir Villefranche-sur-Mer) : *Ipsam ecclesiam qui est sita in territorio que nominant Olivo* (cart. de Saint-Pons, 1078) *...de Bello loco in Olivo* (cart. de la cathédrale de Nice, 1156), *et ecclesiam beate Marie de Bello loco* (cart. de Saint-Pons, 1247). Issu de *bèl*, beau, le toponyme *Bèl Loc* (XIIe), fut francisé en *Beaulieu* lors du rattachement de 1860. Vingt-deux communes françaises portent ce nom. En 1794, le général de brigade Napoléon Bonaparte, séduit par la beauté du site, confirma l'appellation *Belloloco*. Sous la Restauration sarde, le nom occitan *Beuluec* fut déformé en *Berluè*, dont est dérivé le nom des habitants : *les **Berlugans***.

Histoire

Des traces de campements découverts dans le centre-ville attestent une occupation humaine dès le **néolithique**. Vers le **Ve** siècle avant notre ère, les *Grecs* y fondent le port d'*Anao*. Les *Romains* occupent à leur tour les lieux : ils agrandissent le port et s'installent sur les hauteurs. *Anao* est cité dans l'*Itinéraire maritime d'Antonin* (**V**oir Èze). Lorsque commença la période des *Grandes Invasions*, les habitants abandonnèrent plusieurs fois l'agglomération côtière pour se réfugier sur le plateau Saint-Michel qui domine la baie de Villefranche et Beaulieu. Ce fut le cas au **IIIe** siècle ainsi qu'au **VIe** siècle lorsque le petit monastère qui y avait été construit fut rasé par les *Lombards*. Vers la fin du **XIIIe** siècle, une communauté de pêcheurs-agriculteurs se fixe de nouveau sur le littoral. Elle se regroupe autour de l'église *Sancta Maria de Olivo* située à proximité de la baie des Fourmis. Cette église est citée en **1075**, dans le cartulaire de la cathédrale de Nice, mais elle est probablement plus ancienne. En **1078**, elle dépend du monastère de Saint-Pons, puis retourne pour quelque temps sous la tutelle de la cathédrale de Nice. Après la ***dédition de 1388***, **Villefranche** (**V**oir ce nom) et son hameau de **Beaulieu** sont soumis à la suzeraineté du comte de Savoie. Le développement de **Beaulieu** ne démarre vraiment qu'en **1860**, à partir de son rattachement à la France, avec la création d'une route le reliant à Nice (1862), l'arrivée du train à Villefranche (1864) et la construction de la route de la *Basse Corniche* (entre 1872 et 1876). En **1891** (loi du 23 juillet), **Beaulieu** obtient son détachement de Villefranche et devient une **commune indépendante** .

*À la **Belle Époque**, et jusqu'à la Première Guerre mondiale, **Beaulieu-sur-Mer** fut une élégante station hivernale, le lieu de prédilection de nombreuses têtes couronnées et de riches industriels : la reine Victoria, l'impératrice*

« Sissi », le roi des Belges Léopold II, Gustave Eiffel, Lipton, Marinoni (l'inventeur de la rotative), Théodore Reinach (l'archéologue qui fit construire la Villa Kerylos), James Gordon Bennett (propriétaire du New York Herald). La ***création d'un casino****, entre les deux guerres mondiales, relance l'activité de la commune. De nos jours, cette petite* ***station balnéaire*** *très prisée est toujours fréquentée par une clientèle aisée.*

À voir

Ville classée Station climatique en 1922. ***Important port de plaisance.***

* **Villa grecque Kerylos** (1902-1908 - CMH 1966). Pour cette reconstitution, l'archéologue T. Reinach et l'architecte Pontremoli se sont inspirés du style d'une maison grecque de l'île de Delos au Ier siècle avant notre ère. En 1929, cette demeure fut léguée à l'Institut de France.
* **Grand Casino** de jeux (1929), il est la propriété de la ville.
* **Église Sancta-Maria-de-Olivo** (XIe). Elle possède une colonne *récupérée* (Ier siècle), un *cul de lampe* (XIe), un chœur en calcaire et stuc polychrome doré (XIe/XIIe) et l'*Ange*, vestige des fresques de l'église médiévale.
* **Palais de May** (1826 - IMH 1980). Fresques : *Instrument de musique, Diane chasseresse, Flore.*
* **La Réserve** et sa belle salle de restaurant (1880).
* **La Rotonde** (IMH 1978), où est installé le musée du Patrimoine berlugan André-Cane. Il abrite la collection Johnston-Lavis (en particulier des haches polies en serpentine datant de 12.000 ans avant notre ère).
* **Saint-Michael's Church** (1893) où est pratiqué le culte anglican.
* **Église du Sacré-Coeur** (1899). Statue d'*Ange* (XVIIe) en bois polychrome doré ; fresque ornant la voûte du chœur ; vitrail représentant saint Maurice (1920).
* **Kiosque** en bois et fonte (1904), de Joseph Bovis.
* ***Petite-Afrique.*** *Ce quartier, situé à l'est du port, au pied des falaises calcaires qui le dominent, bénéficie d'un* ***microclimat*** *exceptionnel. De nombreuses* ***espèces végétales exotiques*** *y croissent pêle-mêle : caroubiers, micocouliers, yuccas, ficus, araucarias, bougainvillées, et bien sûr des oliviers, citronniers, orangers et mimosas. Le long des plages, la belle* ***palmeraie*** *mérite un détour.*
* **Jardins du Casino**
* **Baie des Fourmis** : belle plage de sable

Quelques bonnes adresses

LA RÉSERVE Hôtel** Restaurant**** *Michelin* 5, bd G-Leclerc 04 93 01 00 01 *www.reservebeaulieu.com*
Restaurant LES AGAVES 4, avenue Maréchal-Foch 04 93 01 13 12 www.lesagaves.com
Hôtel FRISIA *** 2, bd Eugène-Gauthier 04.93.01.01.04 *www.frisia-beaulieu.com*
Traiteur Berlugan MAIFFRET 43, bd Marinoni 04 93 01 00 81 *olivier.maiffret@wanadoo.fr*

La ROTONDE

Villa KERYLOS

Crédit photos : Office de Tourisme de Beaulieu-sur-Mer

06240	BEAUSOLEIL	Plan: D 4

Population : Insee 1999 **= 12.775** h. en 1904 = **4.679** h. variation **+ 173,03%** (**12.876** en 2005)
Rang de la commune par rapport au nombre d'habitants au niveau dépt : **14 -** au niveau national: **653**
Les habitants sont les **Beausoleillois**
Superficie : 279 ha - **Altitude** : 40 / 95 / 621 m - **Canton : Beausoleil** - **Arrondt** : Nice
Distance de Nice : à vol d'oiseau = 16 km - par la route = 18 km - **Longitude** = 7,43° **- Latitude** = 43,75°
Accès : RD 6007 - D 53 - **Desserte** : SNCF - TAM 11 à 14 - 112 - 114 - (113 et 115 via Menton)
Fête patronale : 19 mars - **Église** : Saint-Joseph - **Paroisse** : Saint-Esprit
N° téléphone de la MAIRIE : 04.93.41.71.71 - **OFFICE du TOURISME** : 04.93.78.01.55
www.villedebeausoleil.fr

Origine du nom

Dès la **Renaissance** apparaissent des toponymes de forme française, n'ayant souvent rien à voir avec la configuration des lieux : tel *Montplaisir / Monplaisir*. Ils sont mis à la mode par la noblesse et la haute bourgeoisie à la suite de la construction d'une belle demeure, d'un château ou d'un manoir. Ce sont des toponymes *de fantaisie*, comme *La Folie* ou *Bagatelle*. L'origine est la même pour *Beausoleil* et *Beauséjour*, très répandus sur le territoire national. Lorsque la commune de Beausoleil fut créée, trois noms de baptême avaient été proposés : *Beauséjour*, *Monfleury* et *Beausoleil*.

Histoire

Le site possède de nombreux vestiges *ligures*. Puis il est occupé par les *Grecs* et les *Romains*. Pendant les *siècles obscurs**, les populations fuient le littoral et se réfugient sur les hauteurs ou à l'intérieur des terres pour échapper aux invasions *barbares* et aux razzias incessantes des *Sarrasins*. L'histoire de **Beausoleil** se confond ensuite avec celle de **La Turbie** (Voir ce nom), car la commune ne fut créée qu'en **1904**, après division du territoire turbiasque. Vers la moitié du **XIXe** siècle, l'essor économique de Monaco, dû à la création de la Société des Bains de Mer, entraîne le développement et l'urbanisation des communes limitrophes. L'architecture 1900 y est d'ailleurs prédominante. *À partir de **1894**, un **train à crémaillère** assura la **navette** entre Monaco, **Beausoleil** et La Turbie, soit un parcours d'environ 2.340 mètres. La pente abrupte nécessitait une traction renforcée par ce système. À partir de **1903**, la première partie de cette ligne fut également utilisée par le **tramway électrique**. Son exploitation fut abandonnée en **1932**, à la suite d'un grave accident (rupture de la crémaillère).* À la **Belle Époque**, **Beausoleil** accueille dans ses palaces une riche clientèle européenne. Toutefois, la Première Guerre mondiale et le *crash* de **1929** provoquèrent pendant quelques décennies une nette diminution de la fréquentation touristique sur la région. Le centre-ville connut un développement urbain particulièrement rapide entre la fin du XIXe et le début du XXe siècle. La ville fut classée station climatique en 1921.

***La municipalité de Beausoleil** a plusieurs réalisations en cours ainsi que des projets : **espace pique-nique** au Devens ; ouverture d'une **Maison de retraite médicalisée** à Fontdivine, à la fin de 2006 ; construction de **deux gymnases** (l'un au Devens, l'autre aux Moneghetti) ; aménagement d'un **carrefour giratoire** à l'entrée du centre ville, prévu courant 2006 ; création d'un **jardin public**, courant 2006 ; revalorisation du **site du Mont des Mules**, protégé au titre des Monuments historiques, dans le cadre de la création de la « Via Julia Augusta », itinéraire touristique du patrimoine romain (il sera inauguré en septembre 2006) ; création d'un nouveau groupe scolaire de 13 classes (8 « élémentaires » et 5 « maternelles »).*

* ***Siècles obscurs.*** *Après avoir bénéficié de plusieurs siècles de **paix romaine**, la région va subir les **Grandes Invasions** barbares ainsi que les raids incessants des **Sarrasins**. Les populations menacées abandonnèrent les vallées et le littoral pour se réfugier sur des sites perchés. Le **haut Moyen Âge**, qui s'est étendu du **Ve** au **XIe siècle**, est très mal connu car peu de documents nous sont parvenus de cette période. C'est la raison pour laquelle on l'a surnommée les « **siècles obscurs** ». Les **invasions barbares,** et surtout les **razzias sarrasines**, en provoquant la raréfaction des échanges commerciaux, le repli des villages sur eux-mêmes, un effondrement démographique et une régression de la civilisation, **ruinèrent l'œuvre des Romains**.*

À voir

* **Castellaras ligure** (Ier millénaire avant J.-C. - CMH 1939) et table d'orientation (sur le mont des Mules).

* **Riviera Palace** (1898-1903 - IMH 1989). Cet ancien hôtel, œuvre de l'architecte Georges-Paul Chedanne, a été transformé en appartements. La cage d'escaliers est éclairée par de magnifiques *vitraux*. À voir également : la façade méridionale, la serre et le jardin d'hiver, côté façade nord.

* **Maison Juturne** (1913-1916). Possède des *fresques* à l'intérieur (scènes mythologiques) comme à l'extérieur (scènes religieuses) du peintre Patrizio Rogolini.

* **Église Saint-Joseph** (1913-1930) érigée en sanctuaire en 1936. Le *vitrail* du Sacré-Cœur représente l'adoration du saint sacrement, l'apparition du Sacré-Cœur de Jésus, l'institution de la Fête-Dieu.

* **Frises** (XXe). Sur de nombreuses maisons : au n°15 Escalier-du-Carnier, au n°5 av. du Général-de-Gaulle, aux n° 32 et 33 de la rue des Martyrs.

* **Fontaine Fontdivina** (1942)

* **Buste de Camille Blanc** (1925 et 1948 - Bd de la République). Ce buste est l'œuvre du sculpteur Léopold Bernstamm, en 1925, et des frères Giordan (fondeurs), en 1948. Après avoir été maire de La Turbie de 1900 à 1904, **Camille Blanc** (1847-1927) fut le maire-fondateur de Beausoleil de 1904 à 1925.

Une bonne adresse

L'ALCAZAR *Salon de thé - Pâtissier - Glacier* 3, boulevard Général-Leclerc 04 93 78 32 27

06450	**BELVÉDÈRE**	**Plan: D 3**

Hameaux : LES ADRES **ENRIBOYER** SAINT-GRAT

Population : Insee 1999 **= 495** h. en 1901 = **1.082** h. variation **- 54,25%** (**502** en 2005)

Rang de la commune par rapport au nombre d'habitants au niveau départemental : **91**

Les habitants sont les **Belvédérois**

Superficie : 7.541 ha - **Altitude** : 575 / 830 / 3080 m - **Canton : Roquebillière** - **Arrondt** : Nice

Distance de Nice : à vol d'oiseau = 34 km - par la route = 59 km - **Longitude** = 7,32° - **Latitude** = 44°

Accès : N 202 - D 2565 - D 171 et GR 52 A - **Desserte** : TAM 732 (via Roquebillière)

Fête patronale : Dimanche après 15 août - **Église** : St-Pierre/St-Paul - **Paroisse** : St-Bernard-de-Menthon

N° téléphone de la MAIRIE : 04.93. 03.41.23 - **OFFICE du TOURISME** : 04.93.03.51.66

Origine du nom

Il est probablement issu du latin *bellum videre*, beau point de vue, dont la forme italianisée devint *Belveder* au XIIe siècle. Formes anciennes : *Belveder* (cart. de la cathédrale de Nice, XIIe siècle), *Castrum de Belveser* (vers 1200), *castri de Bellveser* (1245), *G. de Belvezer* (cart. de Saint-Pons,1252), *de castro de Bellovidere* (enquête de Charles Ier comte de Provence, 1252), *villa de Bellovidere* (Caïs), 1388).

Histoire

Des découvertes récentes attestent que le site fut occupé dès l'**Antiquité** : en été, les *Romains* se rendaient dans les établissements de bains de *Berthemont* qui, à cette époque, était situé sur le territoire de *Belvédère* mais fait actuellement partie de celui de la commune de **Roquebillière** (Voir ce nom). C'est au **XIIe** siècle, dans le cartulaire de l'ancienne cathédrale de Nice, que *Belveder* est mentionné pour la première fois. En haut du village subsistent les ruines d'un château datant du **XIIIe** siècle. À l'époque médiévale, ce *castrum (*un habitat fortifié au pied d'une maison forte) fut le seul château comtal sous la domination des comtes de Provence. Sa position stratégique au centre du Val de Lantosque (actuelle vallée de la Vésubie) explique ce rôle politique. Après la ***dédition de 1388***, la viguerie de Vintimille/Val de Lantosque, comme celle de Nice, passe sous la haute autorité de la maison de Savoie. **Belvédère** fut un fief des Grimaldi de Beuil jusqu'à l'exécution, en **1621**, d'Annibal Grimaldi. Il devient ensuite la baronnie *perpétuelle de droit* des familles Raynardi et Boschetti, un titre purement honorifique. Aux **XVIe**, **XVIIe** et **XVIIIe** siècles, la localité subit une série d'occupations militaires et de passages de troupes (François Ier, notamment, essaya plusieurs fois de reconquérir la région), mais aussi des tremblements de terre (en 1564 et 1644), un incendie dévastateur (en 1751), des épidémies (peste en 1629 et choléra en 1764). En **1793**, le comté de Nice, dont fait partie **Belvédère**, est annexé par les révolutionnaires français. En **1796** (traité de Turin), le roi de Piémont-Sardaigne le cède officiellement à la France. En **1814** (traité de Paris), il redevient sarde. *Bien que rattachée à la France en **1860**, la commune ne retrouva les limites primitives de son territoire qu'en **1947**. En effet, la haute Gordolasque resta **terres de chasse**, « Terre de Cour », des souverains d'Italie jusqu'à l'abdication de Victor-Emmanuel III en 1946. En réalité, les raisons en étaient militaires et stratégiques. Plusieurs autres villages furent amputés d'une partie de leurs propriétés communales pour le même motif (Voir Valdeblore). **Parc national du Mercantour, voir pages 210 et 211**.*

L'économie de **Belvédère** est principalement axée sur l'élevage de bovins et d'ovins. Ses troupeaux représentent plus de la moitié du cheptel des moyenne et haute Vésubie. En octobre, on célèbre le retour des bergers : **fête des Bergers** et **fête du Brous** (une variété de fromage blanc, du petit-lait fermenté de vache, un produit typique des alpages). Le premier dimanche de février, les *Belvédérois* célèbrent la **Saint-Blaise** (le protecteur des maux de gorge) et pour la **fête des Picons** (cloches des vaches), on danse toute la nuit qui précède mardi gras.

À voir

*Ce charmant village de plan concentrique, composé de hautes maisons de type alpin-piémontais, est situé sur un promontoire en terrasses, à flanc de montagne. Il domine le **vallon de la Gordolasque** qui rejoint la vallée de la Vésubie à Roquebillière. **Beau point du vue** également sur le mont Férion, la forêt de Turini, le Tournairet.*

* **Linteau** (36, rue Victor-Maurel) sur lequel figure la croix du comté de Savoie.

* **Chapelles :** * **Saint-Antoine**, d'architecture médiévale (XVe) ; * **Saint-Blaise** (XVe)
* **Notre-Dame-de-Fenestre** (1758) ; * **Saint-Grat** (XIXe).

* **Église Saint-Pierre/Saint-Paul** (1620) avec maître-autel (1660) et retable classés par les Beaux-Arts en 1925. À voir également *La Descente de croix*, huile sur toile (1639) et le *banc* gravé aux armes de la famille Raynardi.

* **Fontaine de 1901**. La commune possède une *source d'eau potable*, captée sans pompage, au quartier de la Lauze. Ce n'est qu'à la fin du XIXe siècle que l'adduction d'eau est installée.

* **Inscription (1864)** laissée par les régiments de l'armée de Napoléon III, sur un rocher, au Caïre de Miejou.

* **Musée du Lait** (1911) : ***alambic** du début XXe siècle, **malaxeur à beurre** de 1911, **barattes** de 1920 et un matériel de **pasteurisation** datant de 1911.*

* **Horloge de la mairie** (1876) fabriquée par Léon Tournier, de Morez (Jura).

* **Cascades du Ray et de l'Estrech** (60 m), ainsi que les lacs *Long*, *Niré*, *Autier* et *Saint-Grat*.

* **Forts de Flaut** (1931-1935) et de **Planet** (1932). Ils font partie des forts situés sur la ligne *Maginot alpine*.

*En **1903**, **Belvédère**, abondamment alimentée en eau, met en route un **groupe hydroélectrique**. La commune devient ainsi la deuxième de la vallée à posséder une petite usine électrique activée par la force motrice de l'eau. Ultérieurement, Belvédère, La Bollène, Roquebillière et Lantosque s'organisent en syndicat intercommunal (arrêtés préfectoraux de 1926 et 1927) pour créer un réseau de distribution d'énergie. En 1929, l'usine étant devenue insuffisante, la société **Énergie électrique du littoral méditerranéen** en prend la concession.*

06390	BENDEJUN	Plan: D 4

Population : Insee 1999 **= 843** h. en 1911 = **421** h. variation **+ 100,24 %**
Rang de la commune par rapport au nombre d'habitants au niveau départemental: **78**
Les habitants sont les **Bendejunois**
Superficie : 635 ha - **Altitude** : 240 / 400 / 1100 m - **Canton : Contes** - **Arrondt** : Nice
Distance de Nice : à vol d'oiseau = 15 km - par la route = 21 km - **Longitude** = 7,3° - **Latitude** = 43,83°
Accès : D 2204C - D 15 - D 315 - **Desserte** : TAM 303
Fête patronale : 2e dimanche de juillet - **Église** : N.D. du-Rosaire/St-Benoît - **Paroisse** : St-Vincent-de-Paul
N° téléphone de la MAIRIE : 04.93.91.74.74

Origine du nom

L'étymologie de **Bendejun** se trouve dans les éléments qui constituent ce nom. En effet, le radical celto-ligure *bec* ou *bech* (escarpement, hauteur, rocher élevé, cime), a évolué ainsi : *bec, bech, bel, bè, ban, ben*. Quant à la terminaison *jun*, elle viendrait de *iun, iuno, juno, junio, giun, ju, jun*. Ces termes sont des variantes de *Iuno*, Jean (*Junius* en latin et *Juan* en patois local). Lorsque les Anciens fondaient un village, ils le désignaient par le nom de son fondateur ou par la nature des lieux. Une inscription datant de l'époque romaine a été retrouvée sur le territoire de Châteauneuf : *À Sextus Junius, fils de Sextus, duumvir procurateur alimentaire, curateur des deniers publics et curateur du froment*. La même fut retrouvée à Cimiez. Ce *Sextus Junius* appartenait probablement à une grande famille romaine de *Cemenelum*. Était-il un intendant général, le percepteur disposant des ressources de Bendejun ? Si le village doit son nom à ce *Junius*, sa création remonterait au IIIe ou au IVe siècle de notre ère.

Histoire

Des vestiges de fortifications et d'enceintes ligures sur la ligne de crêtes du Férion, ainsi que sur les plateaux de **Bendejun**, attestent que ce territoire fut occupé par les *Ligures,* près de **2.000 ans** avant les *Romains*. On y trouve également des traces de l'occupation romaine : les restes d'un chemin pavé, d'un *oppidum* avec une inscription (Voir ci-dessus) et l'emplacement d'un temple. Pendant la période des *Grandes Invasions* et des razzias destructrices des *Sarrasins*, les habitants se réfugient sur les terres de Châteauneuf et de Tourettes, situées sur les hauteurs. Au **VIe** siècle, la région est dévastée par les *Lombards*. L'histoire de **Bendejun** se confond ensuite avec celle de **Châteauneuf** (Voir ce nom) jusqu'au **25 juin 1911**, date à laquelle elle devient (comme Cantaron), une **commune indépendante**. En **1030**, le cartulaire de l'abbaye de Saint-Pons stipule que **Châteauneuf** et ses deux hameaux (*Remaurian* et *Bec de Iuno)* lui ont été donnés par l'évêque de Nice, Pons. Dans un acte des archives des Bouches-du-Rhône, datant des années **1250/1251**, on peut lire : *« Bec de Iun est un village détruit et se trouve sur les confins de Châteauneuf et de Coaraze... »* Du **XIe** au **XVIe** siècle, **Bendejun** se développe (il compte 2.000 habitants au XIVe siècle). Les terres sont cultivées jusqu'au sommet des crêtes du Férion alors qu'un marécage occupe toute la partie basse, située près du lit du *Paillon*. Après la ***dédition de 1388***, le village, comme toute la viguerie de Nice, devient dépendant de la maison de Savoie. En **1621**, Bendejun est érigé en paroisse distincte par l'évêque de Nice. Les **XVIe**, **XVIIe** et **XVIIe** siècles sont une période de grands troubles pour tout le comté de Nice. Jusqu'à la première moitié du **XVIIIe** siècle, **Châteauneuf** et ses hameaux sont une seigneurie, éclatée entre de nombreux coseigneurs dont les Châteauneuf. Pendant la guerre de Succession d'Autriche, des fortifications sont édifiées (1747) sur le Férion. De **1794** à **1814**, **Bendejun** et la région sont investis par les

*Barbets** qui y installent des repaires inexpugnables. L'agglomération vécut longtemps des revenus que lui procuraient les châtaigniers, l'huile d'olive, les mimosas ainsi que *l'élevage des vers à soie*. Cette industrie fut florissante jusqu'à la fin du XIXe siècle et disparut en 1920.

* ***Barbets.*** *Les réquisitions et les exactions des troupes révolutionnaires françaises provoquent un mouvement de* ***résistance*** *de la part des populations. Nombreux sont les hommes qui désertent leur village pour se réfugier dans des sites montagneux presque inaccessibles. Ces «* ***Barbets*** *», qui étaient surtout des paysans, des bergers, des muletiers, furent considérés comme des* ***bandits*** *par certains et des* ***résistants*** *par d'autres. Il se regroupaient en bandes, sous les ordres d'un chef, et attaquaient les soldats français mais aussi les collecteurs d'impôts, les convois de ravitaillement et tous ceux qui collaboraient avec la nouvelle autorité. Leur lutte continua jusqu'à la* ***Restauration sarde (1814)****. Parmi les nombreuses embuscades qu'ils tendirent à l'occupant, celle de Duranus est devenue légendaire, avec le site historique du « Saut des Français ».*

À voir

Bendejun *est composé de maisons séparées, éparpillées sur des terrasses complantées de châtaigniers et d'oliviers. Ce type de village est rare dans la région, où les habitations sont plutôt regroupées.*

* **Vestiges de l'occupation romaine** : chemin pavé et mur (IVe).

* **Domaine de la Tour** (XVIe). Ce manoir des seigneurs Rosso fut acheté en 1861 par la comtesse Avet.

* **Moulin Soubran**, (fin XVIe). *À cette époque, le village possédait 6 moulins et produisait de l'huile d'olive mais aussi de la farine de seigle, de blé et d'orge.*

* **Chapelle Vieille** (XVIe), désaffectée et aménagée en salle d'exposition. Son clocher primitif à flèche pyramidale comporte trois pans.

* **Église Saint-Benoît** (XVIIe), ancienne chapelle des Pénitents-Blancs, agrandie au XIXe siècle. Elle possède une *peinture murale* représentant un magnifique *cadran solaire* (1873) et une *statue* de saint Roch (XIXe).

* **Pressoir** * **Alambic** qui servait à distiller la lavande pour obtenir de l'essence et de l'huile essentielle (XIXe).

* **Le four à pain** (1888), construit après l'abolition des privilèges seigneuriaux.

* **Croix de mission** (1874) en fer forgé. Elle marque l'entrée du village.

* **Les fontaines** de **Soubran** et de **La Tour** : toutes deux de 1907.

06390 — BERRE-LES-ALPES — Plan: D 4

Population : Insee 1999 **= 1.162** h. en 1901 = **470 h.** variation **+ 147,23%**
Rang de la commune par rapport au nombre d'habitants au niveau dépt : **69 -** au niveau national: **7.431**
Les habitants sont les **Berrois**
Superficie : 958 ha - **Altitude** : 237 / 682 / 816 m - **Canton : Contes** - **Arrondt** : Nice
Distance de Nice : à vol d'oiseau = 14 km - par la route = 25 km - **Longitude** = 7,32° - **Latitude** = 43,82°
Accès : D 2204C - D 2204 - D 215 - **Desserte** : TAM 302 via Contes
Fête patronale : 14 février - **Église** : Saint-Laurent/Saint-Valentin - **Paroisse** : Saint-Vincent-de-Paul
N° téléphone de la MAIRIE : 04.93.91.80.07 **OFFICE DE TOURISME** : 04 93 91 88 36

Origine du nom

La racine *ber*, d'origine ligure, est à valeur oronymique car elle désigne une hauteur, une montagne. Formes anciennes : *Castellum Berre* (cart. de la cathédrale de Nice, 1149), *Castrum de Berra* (vers 1200), *Castrum de Berera* (enquête de Charles Ier, 1252), *Berram* (Rationnaire de Charles II,1297), *Rostagno de Berra* (cart. de l'abbaye de Saint-Pons, 1399), *Ludovic de Berra* (cart. de Saint-Pons, 1475), *de Berra* (cart. de Saint-Pons, 1549).

Histoire

Dès le **VIIe** siècle avant notre ère, le territoire fut occupé par les *Celto-Ligures*, comme en témoignent les vestiges d'un *castellaras* au col de la Croix, et les nombreuses *cupules* creusées dans des rochers de grès (Costa Negra, Clotet). Au début du **XIe** siècle, **Berre** (comme Blausasc), est encore une *colonie-bergerie* de la *commune libre* de **Peille**. Le *Castellum Barra* est mentionné pour la première fois en **1108**, dans le cartulaire de l'ancienne cathédrale de Nice. Des chartriers des années **1247** et **1252** nous apprennent que cette petite *communauté d'habitants* était dotée d'un prieuré relevant de l'abbaye de Saint-Pons, laquelle y exerçait les pouvoirs temporels et spirituels. En **1324**, l'église primitivement vouée à saint Valentin passe sous le vocable de saint Laurent. En **1271**, Raymond de Berre reçoit l'investiture pour les fiefs de **Berre**, Châteauneuf et Touët. Moins d'un siècle plus tard, Geoffroy de Berre achète Contes, une partie de Tourette et une partie supplémentaire de Châteauneuf. Vers **1350**, le château, agrandi et restauré, devient un lieu très prisé de la noblesse : l'épouse de Gaspard de Berre, Yolande Galléan (famille des seigneurs de Châteauneuf) y donne des fêtes somptueuses. Elle en fait une des *cours d'amour* du comté de Provence, animée par le célèbre troubadour niçois *Guillaume Bojéro*. Après la ***dédition de 1388***, le fief tombe sous la dépendance des comtes de Savoie. Lors de l'*affouage* de **1408** (*impôt sur les feux*), *8 foyers* sont recensés (environ quarante habitants). En **1421**, les Berre obtiennent la seigneurie de Gilette et en **1503**, ils sont coseigneurs de **Berre**, Châteauneuf, Tourette, Falicon et Ascros. En **1602**, **Berre** est érigé en baronnie. À l'époque, les Berre comptait plusieurs branches : les seigneurs de Berre, Collongues, Gilette et Châteauneuf / Tourette. En **1677** et en **1687**, le titre de baron de Berre passe, par mariage, aux Dalaise et aux Terrassani. Au **XVIIIe** siècle, il échoit aux Cachiardi. En **1826**, le dernier baron de Berre, Émile Antoine Cachiardi, est investi du titre par Charles-Félix, roi de Piémont-Sardaigne. *Pendant la **Révolution**, la **marquise de Cabris** (sœur de **Mirabeau**), est obligée de fuir la France pour se réfugier en Italie. Elle fait une halte au château de Berre, qu'elle doit quitter précipitamment à l'arrivée des troupes révolutionnaires.*

Pendant longtemps, la ressource principale des habitants fut l'exploitation des nombreuses *châtaigneraies* et, à partir de 1900, la culture du *mimosa*. Tout au long de l'année, la vie de ce village est rythmée par de **nombreuses fêtes** : **patronales (14 février et 10 aoû**t), du **Mimosa** en mars, des **Fraises / Cerises / Framboises** en juin, du **Four** en juin également, des **Châtaignes** en octobre.

À voir

*Ce pittoresque village est un **belvédère** naturel car il occupe une position dominante sur une large crête rocheuse. De la place centrale, **panorama magnifique** sur les **Préalpes** et la **mer**. Comme dans la majorité des **castra** (bourgs fortifiés) construits à partir du XIe siècle, les ruelles sont étroites, les maisons hautes et disposées en gradins selon un plan semi-concentrique.*

* **Mur-rempart** et **ruines du château féodal**, construit par un officier de Charles d'Anjou, Raymond Graglieri. Rue Haute-de-la-Tour, une partie du mur (XIVe) était réservée à l'*aiguisage des haches* et en a gardé les traces.

* **Passage voûté** (XIVe), rue du Portalet.

* **Galerie du presbytère** (XIIe/XIIIe). *Ces **belles salles voûtées**, situées dans le sous-sol de l'église, sont aménagées en **galerie d'exposition**. Elles présentent des œuvres de **peintres et sculpteurs** originaires de la région ainsi que de nombreux pays étrangers (Canada, Italie, Russie...). Exposition permanente des sculptures sur métal de Patrick Poggioli. **Galerie du presbytère** : téléphoner au **04 93 91 81 48**.*

* **Église Saint-Laurent** (1368), réaménagée en 1804. Elle possède deux belles statues : une *Vierge à l'Enfant*, en albâtre de Sicile (XVIe) et *Saint Sébastien* (1622) en bois polychrome.

* **Chapelle Notre-Dame-des-Anges** (XVIIe). Elle fut restaurée en 1996.

* **Chapelle Sainte-Croix** (1801). Sa façade néoclassique fut utilisée par la confrérie des Pénitents blancs.

* **Horloge** de 1930. Située au carrefour des chemins menant aux différents quartiers de la commune, elle mentionne également l'altitude.

* **Fronton de la maison de l'humoriste Cairaschi** : une inscription est peinte en haut du mur. Rédigée en français et en patois, elle est destinée au passant qui est traité de ... *couillon*.

* **Moulins** : il en reste deux dont la construction est antérieure à 1488.

* **Fours à pain domestiques** (XVe). En 1867, le village en possédait quatre.

* **La Roche d'Argent et le Pont des Conquêtes** (rochers de grès dont l'érosion est naturelle).

06470	BEUIL	Plan: B 2

Hameaux : GIARONS LES LAUNES RAVERSES UBERTURE
Population : Insee 1999 **= 334** h. en 1901 = **595 h.** variation **- 43,87%** (**338** en 2005)
Rang de la commune par rapport au nombre d'habitants au niveau départemental : **103**
Les habitants sont les **Beuillois**
Superficie : 7.565 ha - **Altitude:** 1040 / 1454 / 2815 m - **Canton : Guillaumes** - **Arrondt** : Nice
Distance de Nice : à vol d'oiseau = 49km - par la route = 77 km - **Longitude** = 6,98° - **Latitude** = 44,10°
Accès : RN 202 - D 28 et GR52 - **Desserte** : TAM 770
Fête patronale : 24 juin - **Église** : Saint-Jean-Baptiste - **Paroisse** : Saint-Jean-Baptiste
N° téléphone de la MAIRIE : 04.93.02.20.20 **- OFFICE du TOURISME** : 04.93.02.32.58

Origine du nom

On peut rattacher ce nom à la racine préceltique *bal*, *bel*, *bol* (hauteur, butte), mais il est possible qu'il dérive de *Bel œil*, ou de l'italien *boglio* (source). Formes anciennes : *Castrum de Bellio* ou *Boleo* (vers 1200), *de Beulio* (1271), *apud Bolium* (rationnaire de Charles II, 1296), *de Bolio* (enquête de Léopard de Fulginet,1333), *de Boleo* (cart. de Saint-Pons, 1343), *villa Bolii* (Caïs, 1388), *Boley* et *Buelh* (mémoire Grimaldi, 1398) Il évolue en *Biohl* et enfin *Bueilh* en 1570.

Histoire

Initialement, le site était habité par la tribu ligure des *Velaunes*. Malgré une farouche résistance, ils furent vaincus par les *Romains* qui convoitaient leur territoire. En effet, **Beuil** bénéficiait d'une position stratégique exceptionnelle, en haut des gorges du Cians et à proximité d'une voie de communication reliant l'Italie à *Cemenelum*. Les Romains y édifient *Castrum Boliacum*, un fort qui servit de relais à leurs armées. La seigneurie est fondée à la fin du **Xe** siècle, peu après l'expulsion des *Sarrasins*. Au **Moyen Âge**, le village est sous l'emprise du pouvoir épiscopal, mais à partir de **1230**, avec l'incorporation de la région au comté de Provence, il fait partie de la viguerie de Puget-Théniers. *Vers la fin du **XIIIe** siècle (probablement en 1258), les Beuillois se révoltent contre leur seigneur féodal, le despotique Guillaume Rostaing, qui est assassiné. En **1315**, sa fille Astruge épouse Andaron Grimaldi (oncle de Rainier Ier Grimaldi de Monaco) créant ainsi la dynastie des Grimaldi de Beuil *. Ils vont régner sur cette contrée pendant **trois cents ans**. La seigneurie dont Astruge est l'unique héritière et qu'elle apporte en dot est composée de nombreux fiefs sur la rive gauche du Var moyen.* En **1382**, la reine Jeanne, qui régnait sur Naples et la Provence depuis **1343**, est assassinée. Sa difficile succession provoque la ***partition*** de la Provence orientale : la région de Nice va entrer, pour **quatre siècles et demi** (à part une brève interruption sous la Révolution) dans les États de la maison de Savoie. En **1387**, Jean Grimaldi de Beuil possédait les territoires de *Péone, Beuil, Roubion, Roure, Ilonse, Bairols, Touët-de-Beuil, Rigaud, Pierlas*. Il était également « *gouverneur de la Provence entre la Siagne et les Alpes* ». Il joua un rôle décisif dans la ***dédition de 1388*** en apportant son soutien au Comte de Savoie et en lui remettant les vigueries de Nice, Vintimille/val de Lantosque, Puget-Théniers, et la baillie de Barcelonnette. Pendant deux siècles et demi, cette puissante famille sut manoeuvrer avec habileté. En **1561**, la baronnie de **Beuil** est érigée en comté. Elle comprend en plus les fiefs suivants : *Sauze, Marie, Thiéry, Lieuche, Tournefort, Massoins, La Tour, Villars, Ascros, la Cainée (commune de Pierrefeu), Malaussène, Toudon, Tourette-Revest*. Toutefois, en **1621**, la dynastie des Grimaldi de Beuil s'éteint avec Annibal, accusé de haute trahison par le duc de Savoie et exécuté. Les fiefs sont confisqués (pour être réinféodés) et les châteaux démantelés. Les pierres de celui de **Beuil** sont réutilisées dès 1633 dans le village. En **1623**, Beuil est inféodé (avec Péone et Sauze), au comte Cavalca de Parme avant d'échoir, par mariage, au baron de Chenillac. En **1793**, les troupes révolutionnaires françaises annexent la région. Le **15 mai 1796**, le roi de Piémont-Sardaigne renonce au comté de Nice qui va former le *85e département français*. Toutefois, par le traité de Paris du **30 mai 1814**, le comté redevient sarde. *Le comte Mattei de Turin, qui était le feudataire de **Beuil** à cette époque, abandonne ses droits sur le fief et vend ses possessions aux villageois pour la somme de 6.125 louis.*

* ***Les Grimaldi de Beuil****. Cette famille seigneuriale avait une ascendance prestigieuse. En effet, ses membres descendaient des Thorame-Glandèves ainsi que des Grimaldi de Gênes. Du **début du XIVe** siècle jusqu'en **1621**, ils ont tenu une place importante dans l'histoire de la région. Vers la **fin du XIVe** siècle, à l'époque où les prétendants à la succession de la reine Jeanne s'affrontent, les seigneurs de Beuil possèdent un vaste domaine comprenant tout ou partie des villages de Beuil, Ilonse, Lieuche, Péone, Pierlas, Roubion, Roure, Rigaud, Marie, Bairols, Thiéry et Puget-Rostang. Les enfants d'Astruge et Andaron Grimaldi, Guillaume-Rostaing et Barnabé, avaient su profiter des difficultés de la reine Jeanne pour recouvrer une partie des privilèges qu'ils avaient perdus sous la suzeraineté de ses prédécesseurs. Dès **1353**, ils obtiennent le droit de **haute justice** sur leurs terres, qui d'ailleurs ne tardent pas à être érigées en **baronnie. Jean Ier Grimaldi**, le fils de Barnabé, est probablement la personnalité la plus marquante de cette branche. En **1387**, il est lieutenant du roi de Naples, Charles de Duras, et en **1388**, il est sénéchal de Provence. C'est alors qu'il entame des tractations secrètes avec le Comte rouge, Amédée VII de Savoie. Il s'engage à lui remettre les vigueries de Nice, val de Lantosque et Puget-Théniers ainsi que la baillie de Barcelonnette. En septembre, le souverain savoyard entre dans Nice avec son armée et il reçoit l'hommage du pays niçois (Dédition. Voir Aiglun). À titre de récompense, Jean Grimaldi et son frère Louis sont gratifiés de nouveaux fiefs, parmi lesquels les terres de seigneurs hostiles à la Savoie. Ils deviennent les feudataires de Massoins, Villars, Malaussène, Tournefort, Sauze, Levens, Rimplas, Tourette, Revest, Roquette-sur-Var, Ascros, Roquesteron et Aiglun. En **1395**, ils se rendent maîtres de Monaco mais, à la suite de l'intervention de la France, ils en sont chassés en 1402. Ces grands seigneurs furent des vassaux incommodes, très souvent en conflit avec leur suzerain savoyard car ils revendiquaient l'entière souveraineté sur leurs terres. Toutefois, en **1581**, grâce aux bons rapports qu'entretenait Honoré II avec le duc de Savoie, la baronnie de Beuil est **érigée en comté**. Cette dynastie va s'éteindre avec la fin dramatique de son fils Annibal. En effet, ce dernier accentua la politique d'indépendance de certains de ses prédecesseurs. Il entama des négociations avec les ennemis du duc de Savoie, en l'occurrence le roi d'Espagne et le roi de France. Charles-Emmanuel Ier fit traduire son vassal devant le Sénat de Nice. Le 2 janvier **1621, Annibal est condamné à mort pour trahison,** et c'est au château de Tourette-Revest que la sentence sera exécutée (Voir ce nom) : le 9 janvier 1621, Annibal est étranglé par deux Turcs. Son fils André prend la fuite pour échapper au même sort. Leurs biens sont confisqués, la plupart des forteresses sont démantelées et leurs fiefs, réinféodés à de nouveaux seigneurs.*

À voir

*Village de montagne, en nid d'aigle, accroché sur un promontoire rocheux. Il est composé de maisons de type alpin, hautes et regroupées autour de l'église. Nombreuses ruelles étroites et passages sous arcades. Route des **gorges du Cians**. **Parc national du Mercantour, voir pages 210 et 211.***

* **Vestiges de l'ancien château** du XIIe siècle, fortifié par les Grimaldi en 1365, détruit en 1631.

* **Arcade de la Reine-Jeanne** (XIIe-XIIIe). * **Linteau de porte** en pierre noire (1523), situé rue du Coulet.

* **Lavoir** (début XXe). Il est composé de trois bassins séparés, sous trois voûtes distinctes : le premier sert de réserve d'eau claire, celui du milieu pour le rinçage, le troisième pour savonner et battre le linge.

* **Église Notre-Dame-du-Rosaire** (XVIe). Ancienne chapelle érigée en église paroissiale en 1794. Elle possède un maître-autel du XVIIe siècle et un retable baroque de stuc orné de quatre chérubins et de colonnes torses.

* **Chapelles** : des **Pénitents-Blancs** (XVIe - IMH 1984), **Saint-Jean** (1820), **Saint-Ginié** (1830).

* **Buste de Joseph Garnier** (1885), né à Beuil en 1813, décédé en 1882. Sénateur des Alpes-Maritimes en 1876. Il est à l'origine du désenclavement de la vallée. La route des gorges du Cians fut ouverte onze ans après sa mort.

* **Caserne des chasseurs alpins** (1930-1932). Elle servit de base d'entraînement d'hiver aux sections d'élite des *éclaireurs skieurs des chasseurs alpins*. Après plusieurs changements d'affectation, de 1962 à 1976, elle revient au 22e BCA. Actuellement, elle est gérée par la 6e DLB et organisée en centre de montagne.

* **Ancien tremplin de ski** (1930). Quartier de la Condamine. Il fut fréquenté par les meilleurs skieurs de l'entre-deux-guerres. Après sa mise en conformité avec les normes qu'exige la Fédération internationale de ski, il a accueilli plusieurs coupes de France et une coupe d'Europe.

* **LES LAUNES :** *très belles **pistes de ski de fond**.*

Une bonne adresse

Hôtel Restaurant LE MILLOU 30, bd M.-Pourchier Tél. 04 93 02 30 03 *hotel.lemillou@yahoo.fr*

ces colons. Le village est fortifié, l'église reconstruite, les terres de nouveau cultivées. L' activité des *potiers* permet à ces derniers de devenir célèbres par leur fabrication de *jarres** servant à la conservation de l'huile et au transport. *Une autre activité, spécifique de **Biot**, démarra également : l'exploitation des **carrières de cinérite**, pour la production de **pierres à four** (la cinérite est une cendre volcanique devenue pierre). En Provence, **la plupart des fours** sont construits en pierre de cinérite **provenant des carrières de Biot**, qui sont réputées.* En **1969**, les communes de **Biot**, Valbonne et Antibes se sont associées pour créer le pôle de recherche et d'activités de **Sophia-Antipolis** (Voir Valbonne). Elles sont rejointes en **1972** par les communes de Vallauris et Mougins.

* ***Les grandes compagnies** étaient composées de soldats démobilisés qui avaient été chassés du royaume de France. Ces bandes armées sillonnaient la Provence et y semaient la terreur et la désolation.*

À voir

Ce bourg pittoresque est construit sur un piton dominant la plaine littorale de la Brague. Les maisons anciennes sont entourées par des murs d'enceinte.

* **Verreries et poteries** *(jarres tournées au cordage). * Ces **jarres**, nées à la fin du **XVe** siècle, étaient modelées à la main et leur contenance pouvait dépasser 300 litres. Elles étaient en terre cuite et glaçure au plomb (alquifoux). Leur forme, bombée à l'origine, évolua au cours des siècles et devint ovoïde. Elles furent exportées par milliers dans tout le bassin méditerranéen, en Amérique et aux Antilles, et ce, jusqu'à ce que de nouveaux moyens de conservation les remplacent (milieu du **XIXe**). Au **XXe** siècle, l'**activité céramique renaît** grâce à des artistes (dont Fernand Léger), qui créent des **poteries décorées**. En ce qui concerne la **verrerie**, la première fabrique artisanale est recréée en 1956, et le procédé de fabrication de **verre à bulles** est découvert peu après.*

* **Mausolée de la Chèvre d'Or** (IIe-IIIe - CMH 1943). Monumental tombeau romain.

* **Musée d'Histoire et de Céramique biotoises**. On peut y admirer une *stèle* du dieu Arbugio (Ie ou IIe), une collection de jarres datant du XVIe au XIXe siècle, et de fontaines d'intérieur (XVIIIe et XIXe).

* **Église Sainte-Marie-Madeleine** (1155 - CMH 1984), détruite en 1387 et reconstruite selon les mêmes plans. Le retable du grand autel, *Ecce Homo* pourrait être de Giovanni Canavesio (XVe). Le grand *tableau d'autel* (peinture sur bois) est attribué, avec quasi certitude, à Ludovic Brea (début XVIe). À voir également, le *bras reliquaire* de saint Julien, en métal et argent (XVIe).

* **Chapelle Saint-Roch** (1587 - IMH 1949). Cet oratoire de style gothique fut transformé en chapelle. Sa construction est probablement antérieure à la date de 1580 figurant sur la façade. Il est peut-être d'avant 1387.

* **Place des Arcades** (XVe et XVIe). * **Fontaine** publique (1851).

* **Porte des Tines** (1565) * **Porte des Migraniers** (1566). *Migranié ou miougranié* (*grenadier,* en provençal).

* **Musée national Fernand-Léger** (1960). En 1969, ses fondateurs l'offrent à l'État avec 348 œuvres. On peut y admirer la célèbre *Joconde aux clefs,* peinte en 1930 par Fernand Léger.

* **Calade** (1683). Mosaïque primitive formée de galets plats posés sur un chant.

* **Chapelle** (1587) dédiée à saint Roch, après la terrible épidémie de peste de 1580. *Saint Roch et saint Sébastien étaient les **saints prophylactiques** les plus souvent invoqués.*

* **Clocheton** triangulaire, vestige de l'ancienne chapelle des Pénitents-Blancs (1612).

Quelques bonnes adresses

LA POTERIE PROVENÇALE 1689, route de la Mer Tél. 04 93 65 63 30 Fax 04 93 65 02 82

Raphaël FARINELLI 465, route de la Mer **VERRERIE D'ART** 04 93 65 17 29 *www.farinelli.fr*

À l'OFFICE DE TOURISME *vous trouverez différents **dépliants** dont, **le Chemin Historique**, **le Chemin Géologique**, **le Chemin des Métiers d'Art**, **le Chemin des Verriers**, ainsi que la liste des restaurants et des hébergements de la commune. Pour tous renseignements : **04 93 65 78 00***

BIOT
par Christian Watine

06440 BLAUSASC Plan: D 4

Hameaux : LE COLLET **LA GRAVE**
Population : Insee 1999 **= 1.254** h. en 1926 = **490** h. variation **+ 155,92%** (**1.260** en 2005)
Rang de la commune par rapport au nombre d'habitants au niveau dépt : **66 -** au niveau national: **6.962** Les habitants sont les **Blausascois**
Superficie : 1.021 ha - **Altitude** : 108 / 310 / 661 m - **Canton : L'Escarène** - **Arrondt** : Nice
Distance de Nice : à vol d'oiseau = 15 km - par la route = 18 km - **Longitude** = 7,37° **- Latitude** = 43,80°
Accès : D 2204C - D 2204 - D221 - D 321 - **Desserte** : TAM 300 - 301 - 303 - 340 - 360
Fête patronale : 8 septembre - **Église** : Saint-Pierre - **Paroisse** : Saint-Pierre-et-Saint-Paul
N° téléphone de la MAIRIE : 04.93.79.51.04

Origine du nom

Le suffixe *asc* est celto-ligure. La racine *bl-ew-is* (hauteur, éminence) est probablement préceltique. Le *tranché* du blason fait allusion à une *pente herbeuse*, la *rose* rappelle que les Blausascois sont placés sous la protection de la Vierge. Quant à la *molette* et aux *couleurs*, elles évoquent la famille Tonduti (Voir L'Escarène). Cette appellation pourrait également être d'origine languedocienne. Pas de formes anciennes. Une carte *sarde* de 1760 mentionne *castel de Bleusasc* à côté de *Blausasc*. Autres mentions : *Bleusasco* en 1835 et *Blausasco* en 1860.

Histoire

Des origines jusqu'en **1926**, année de son détachement de **Peille** (voir ce nom), **Blausasc** en fut un hameau et en partagea l'histoire. Au **XIIe** siècle, Peille est une *commune libre sous administration consulaire** (voir Peille et Utelle). En **1176**, le comte de Provence, à qui la cité avait apporté son aide, confirme la confédération qu'elle forme avec Lucéram et Utelle. Au **XIIIe** siècle, la commune de Peille appartient à la *viguerie* de Nice avant d'être rattachée, en **1347**, à celle de Vintimille, qui avait Sospel pour chef-lieu. En **1621**, elle devient une seigneurie érigée en comté en faveur des Lascaris-Vintimille qui détiendront ce fief jusqu'à la **Révolution**. À partir de la ***dédition de 1388*** et jusqu'en **1720**, le comté de Nice est sous la haute autorité de la Savoie, puis du royaume de Piémont-Sardaigne de **1720** à **1792**. C'est alors annexé qu'il est annexé par la France, qui fait de la région le *85e département français* jusqu'en **1814**, date de sa réintégration dans les États sardes. Il faut attendre le plébiscite de **1860** pour que Peille devienne, comme le comté de Nice, définitivement français.

En **1760**, **Blausasc** est mentionné sur les cartes sardes sous le nom de *Castel de Bleusasc*. Ce hameau, qui est autonome de fait car il possède depuis longtemps une école, une cure, une mairie et un registre d'état-civil, demande son indépendance pour la première fois en **1872**. Après une deuxième requête, acceptée à l'unanimité par la commission syndicale de Peille en **1921**, les *Blausascois* obtiennent leur autonomie communale. Par la loi du **13 janvier 1926**, après une attente de plus de cinquante ans, **Blausasc** est officiellement détaché de sa commune tutélaire. Dans le passé, les activités des villageois étaient essentiellement liées à l'agriculture, en particulier la culture de l'olivier, et à la sériciculture. L'exploitation d'une carrière de ciment sur le territoire de la commune, une activité très ancienne, s'est beaucoup développée depuis **1921** avec la Cimenterie Vicat. Actuellement, sa proximité de Nice a fait de **Blausasc** un village résidentiel. Toutefois, la commune a conservé son caractère rural et elle possède plusieurs *gîtes* ainsi qu'un *moulin à huile*. De nombreuses festivités sont organisées tout au long de l'année : la **Limaciera**, la **fête du Four à pain**, les **Journées de la Nativité,** ainsi que des **expositions**.

À voir

Village entouré de collines boisées et qui s'étale sur une pente verdoyante exposée au sud-ouest.

* **Chapelle Notre-Dame-du-Terron** (1650). Construite à l'emplacement d'une source miraculeuse désormais tarie. Les malades s'y lavaient et en buvaient l'eau. Elle abrite une statue qui, d'après la légende, après avoir été volée, serait revenue seule la nuit suivante en laissant des traces de pas dans la roche.

* **Oratoire** (XVIIIe) abritant une *Vierge à l'Enfant*.

* **Palais des comtes Saïssi de Châteauneuf** (XIXe). Louis-Alexandre fut premier consul de Nice (1823, 1832, 1833, 1834). La fresque en trompe-l'œil qui décore ce beau bâtiment a été récemment restaurée.

* **Église Saint-Pierre** (XIXe), de style classique italien (baroque) avec clocher à lanternon et escaliers à double volée. Elle a été récemment restaurée et ornée de fresques intérieures.

* **Ancienne Mairie-École** (jusqu'en 1987). Elle abrite des fresques et, à l'extérieur, des frises de rinceaux végétaux avec des angelots.

* **Fontaine** (XIXe) à trois bouches, comprend un abreuvoir.

* **Croix des Termes** (XXe). En fer forgé. Avec pour décor les instruments de la *Passion du Christ*.

Une bonne adresse

Restaurant LE MOULIN DE L'OLIVERAIE quartier La Torre **Tél. 04 93 79 59 16** Fax 04 93 79 55 98
Dans une grande salle attenante au restaurant, on peut admirer les deux meules d'un moulin à huile du XIXe siècle. **De type « génois », ce moulin, devenu communal, n'est plus en activité.**

OLIVIERS

L'*olivier* serait originaire de **Syrie**, puis il serait passé en **Égypte** avant d'être apporté en **Grèce**, seize siècles avant notre ère. Il aurait ensuite été importé par les *Phocéens* lorsqu'ils fondèrent **Marseille**, vers l'an 600 avant J.-C. Ce sont des arbres qui poussent généralement sur les versants les plus ensoleillés (sud, est et ouest) et jusqu'à une altitude de 700 à 800 m. Jadis, ils étaient cultivés en association aves les céréales (surtout le blé), ou les légumineuses, en culture sèche. L'***olivier à huile*** n'existe pas à l'état sauvage. Au fil des milliers d'années, l'homme l'a fait évoluer en conservant, génération après génération, les modifications qui présentaient de l'intérêt pour lui. Les peuples « cueilleurs » de la Préhistoire utilisaient les graisses provenant des végétaux. Il est probable que l'*Oléastre* (*Olea europea oleaster*), un arbuste buissonnant et épineux, ait été le « fournisseur » de matière grasse végétale qui a abouti à l'olivier actuel. Ce dernier, qui peut atteindre 12 m de hauteur, vit également très longtemps. À Cnossos (Crète) on trouve, sur des fresques datant de plus de 3.500 ans, de très vieux oliviers. L'olivier du temple d'Agrigente (Sicile) serait âgé de plus de 5.000 ans. Quant aux oliviers du jardin de Gethsemani, peut-être sont-ils ceux sous lesquels le Christ a prié avant d'être arrêté. La tradition veut que l'olivier soit le symbole de la paix. L'origine de ce symbole se trouve dans la Bible. on en parle pour la première fois dans la Genèse 8,11). En effet, après le Déluge, Noé rend sa liberté à la colombe, et lorsqu'elle revient, elle tient un petit rameau d'olivier dans son bec. De nos jours, on pratique la culture de l'olivier dans une trentaine de pays répartis sur les cinq continents. Rien qu'en Espagne, 180 millions de ces arbres seraient cultivés.

06450 BOLLÈNE-VÉSUBIE (LA) Plan: D 3

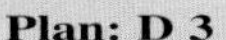

TURINI - CAMP D'ARGENT

Population : Insee 1999 **= 413** h. en 1900 = **600** h. variation **- 31,17%** (**561** en 2006)
Rang de la commune par rapport au nombre d'habitants au niveau départemental : **96**
Les habitants sont les **Bollénois**
Superficie : 3.557 ha - **Altitude** : 465 / 650 / 2122 m - **Canton : Roquebillière** - **Arrondt** : Nice
Distance de Nice : à vol d'oiseau = 32 km - par la route = 55 km - **Longitude** = 7,33° - **Latitude** = 43,98°
Accès : N 202 - D 2565 - D 70 et GR 52 - **Desserte** : TAM 731 - 746 (via Lantosque)
Fête patronale : 10 août - **Église** : Saint-Laurent - **Paroisse** : Saint-Bernard-de-Menthon
N° Tél. de la MAIRIE : 04.93.03.01.02 Fax 04.93.03.60.59 **OFFICE de TOURISME** : 04.93.03.60.54
www.labollenevesubie.fr **e-mail : labollenevesubie@wanadoo.fr**

Origine du nom

Bollène est probablement tiré de la racine préceltique *bal* (hauteur, rocher) qui fut employée, comme ses variantes *bel* et *bel*, dans toutes les Alpes. En ce qui concerne la voyelle initiale ***a***, il s'agit probablement d'une addition non étymologique, que ce soit pour une harmonie des sons (préposition latine ***ad*** devenue ***a***) ou à cause d'une segmentation de l'article. Ce fut souvent le cas dans les parlers piémontais où de nombreux mots latins ont évolué : *buris* > *abu*, manche de charrue ; *mel* > *amel*, miel ; *lilium* > *alis*, lis ; *ad heri* > *ayer*, hier. Il est probable que cette appellation a subi également l'influence du niçois *boulina* (éboulement, rouler comme une boule). Formes anciennes : *Castrum de Abolena* (1140), *in castro de Abolena* (enquête de Charles Ier, 1252), *villa Bolene* (Caïs, 1388), *villa Abolenae* (1533).

Quant au terme **Vésubie**, il viendrait de celui des Ligures *Vesubiani* (*Esubiani*). Avant l'an mille, il n'existait aucun document traitant de la vallée de la Vésubie. C'est uniquement grâce à une inscription sur le Trophée des Alpes, à La Turbie, que les *Esubianii* ont pu être identifiés. Formes anciennes : *Castrum de Abolena* (1140), *in castro de Abolena* (enquête de Charles Ier, 1252), *villa Bolene* (Caïs, 1388), *villa Abolenae* (1533). En **juin 1908**, la commune a pris le nom de **La Bollène-Vésubie**.

Histoire

Cette région fut probablement occupée dès le **IIIe siècle** avant notre ère par les *Vesubiani*. Des tessons de poterie sigillée datant du **Ier siècle** après J.-C. attestent que ces peuplades autochtones étaient en contact avec les *Romains*. Il est probable qu'elles commercialisaient leurs excédents agricoles pour acquérir des objets manufacturés. Ce n'est qu'en **1140** que le site de **Bollène** est mentionné sous l'appellation *Castrum de Abolena*. Au **XIIIe** siècle, l'existence d'un château est confirmée. Au **XIVe** siècle, le village fait partie de la viguerie de Vintimille/Val de Lantosque, avec Sospel comme chef-lieu, sous la suzeraineté du comte de Provence. Après la ***dédition de 1388***, cette viguerie, sous l'autorité du gouverneur et du diocèse de Nice, est englobée dans les *Terres-Neuves de Provence* (futur comté de Nice) dépendantes de la maison de Savoie. Cette souveraineté est effective en **1391**, lorsque les habitants rendent hommage au comte Amédée VII. En **1514**, le duc de Savoie Charles III, puis en **1566** le duc Emmanuel-Philibert, confirment aux *Bollénois* le droit de s'administrer eux-mêmes. *Toutefois, à la fin du **XVIIe** siècle, le village, **très endetté**, est dans l'impossibilité de rembourser. Malgré l'opposition des habitants, il est mis en vente par le duc de Savoie. En effet, son duché étant également dans une situation financière catastrophique, Victor-Amédée II ne respecte pas les engagements de ses prédécesseurs. **Pour renflouer ses caisses**, il décide de **vendre des fiefs non inféodés**. C'est ainsi qu'en **1699**, **La Bollène**, Venanson, Isola, Utelle, Breil, Saorge, le Val de Blore, Levens et Contes sont inféodés, pour la somme de 159.580 livres, à*

Jean Ribotti, un médecin exerçant à Milan mais originaire de Pierlas. En procès avec la communauté villageoise, il ne conserve pas ***La Bollène****. Devant le refus des autres localités, le duc réaffirme leurs libertés municipales et leurs droits. De surcroît, il décerne à chacune le titre de « comtesse d'elle-même ». Jean Ribotti ne conserva que le Val de Blore (Voir Contes). Dès septembre* ***1700****, le fief comtal de* ***La Bollène*** *a redressé la situation et retrouvé ses privilèges.* Aux **XVIe** et **XVIIe** siècles, le village a subi plusieurs tremblements de terre. Il fut détruit par ceux de 1564 et du 18 janvier 1618. Au début du **XVIIIe** siècle, **La Bollène** est occupé par les troupes françaises de Louis XIV. Les pillages recommencèrent en **1744** et **1747**, lorsque la vallée de la Vésubie fut envahie par les Gallispans en lutte contre les Austro-Sardes. À la fin du **XIXe** siècle, le village devient une station d'été très prisée. Après la Première Guerre mondiale, la présence des militaires va relancer l'économie locale, mais le processus d'exode rural recommence après celle de 1939-1945. Il semble être enrayé depuis 1975.

Dans le passé, les *Bollénois* tiraient leurs principales ressources de la culture des céréales (blé et maïs), des fruits (figues, noix, châtaignes, cerises), ainsi que de l'exploitation forestière et de l'élevage de bovins, d'ovins et de caprins (fromagerie de la Dorgane et vacherie de Mantégas). Actuellement, seuls perdurent l'élevage et l'expoitation forestière. Chaque 30 octobre, on fête le **retour des bergers**. La proximité du **Parc national du Mercantour** et de la **vallée des Merveilles** confère au village un fort potentiel écologique et agro-pastoral qui attirent de nombreux visiteurs. Avec Nice, **La Bollène** est le seul endroit où l'on fête la Sainte-Réparate (en octobre). *Afin d'améliorer les conditions de vie des habitants et de faire du* ***tourisme*** *le moteur de son développement, la commune a entrepris de nombreux travaux : réfection de plusieurs places et rues afin d'embellir le village ; rénovation de certains bâtiments communaux ; construction d'un complexe culturel ; remise en état et création de canalisations d'eau potable, pluviale et d'assainissement ; création de centrales d'épuration. À Turini, les gîtes communaux et les vacheries ont été mis aux normes, d'autres aménagements vont être ajoutés sous peu (aires d'accueil, parkings, piste de luge d'été, circuit sur glace).*

À voir

Village ancien composé de hautes maisons de style alpin. Situé sur un promontoire entouré de terrasses de cultures, de châtaigniers et de mélèzes, il domine la vallée de la Vésubie. Il possède une source réputée pour sa pureté. C'est un centre d'excursions vers Turini, Camp d'Argent et l'Authion.

* **Chapelle Saint-Honorat** (XVIIe), sur la route du col de Turini. * **Chapelle Saint-Sauveur.**

* **Église Saint-Laurent** (XVIe). Elle domine le village. Clocher carré de style Renaissance et tuiles vernissées. Elle comporte deux *retables* huile sur bois (XVIe - classés en 1908), représentant saint Blaise et sainte Appolonie, une *tête de Christ* (panneau peint au XVIe, classé en 1908), un *reliquaire* de saint Cyriaque (1734, un os long posé sur du velours rouge), un *reliquaire* de sainte Réparate. La voûte est décorée de *fresques* réalisées par le peintre Ange Bosio (début XXe). Elles représentent saint Laurent et un gril, instrument de son martyre. Lors du tremblement de terre du 15 janvier 1884, il y eut beaucoup de dégâts mais aucune victime. Depuis, le conseil municipal a fait le vœu de célébrer la Saint-Maur chaque 15 janvier. Il est représenté dans l'église et, comme saint Laurent, il est considéré comme le patron et le gardien du village.

* **Maison Thaon** (XVIIe) avec sa grille de protection (1796).

* **Fontaine** (XIXe). Contrairement à l'habitude, elle n'est pas associée à un lavoir. C'est une borne verticale, et la goulotte déverse l'eau dans une auge. L'adduction d'eau fut installée en 1875.

* **Moulin à grains**. On peut le visiter pour y découvrir les méthodes employées par les « anciens ».

* **Musée d'Entomologie.** Importante **collection d'insectes**, en particulier **papillons** et **scarabées**. Espèces régionales et exotiques provenant du monde entier. Visite sur rendez-vous. Tél. au 04 93 03 60 52 / 54

* **Vallée de la Planchette** et ses roches striées.

* **COL DE TURINI** (1.604 m). *Chaque année, de célèbres* ***rallyes automobiles*** *(dont celui de Monte-Carlo) empruntent les routes qui passent par ce col. En hiver, il devient un* ***centre de ski nordique ou alpin.*** *Le reste de l'année, c'est le point de départ de nombreuses* ***randonnées pédestres*** *à travers la forêt. C'est aussi le paradis des chercheurs de* ***champignons*** *(cèpes, sanguins etc.).* ***Parc national du Mercantour, voir pages 210 et 211.***

* **FORÊT DE TURINI.** *Cette magnifique* ***forêt de 3.500 hectares*** *s'étend sur le territoire de* ***La Bollène-Vésubie****,* ***Lantosque****,* ***Lucéram*** *et* ***Moulinet****. Les pentes de ce massif forestier sont couvertes de* ***pins maritimes****,* ***épicéas****,* ***sapins****, chênes pubescents, châtaigniers, érables, hêtres... À partir d'une certaine altitude (1.500 à 2.000 m), c'est le règne du* ***mélèze****. Les nombreux* ***chemins forestiers*** *permettent de faire des* ***parcours pédestres variés****. De juillet à septembre, dégustation et vente de* ***spécialités fromagères*** *(tomme et brousse) à la* ***Vacherie de Mantégas****.*

* **MASSIF DE L'AUTHION.** *Cabane de Tueis (1889). Cabanes Vieilles.* ***Pointe des trois communes*** *vers la* ***vallée des Merveilles****. Au départ du* ***col de Turini****, une* ***route circulaire*** *(17 km) permet de faire le tour du massif et de visiter les* ***casernes*** *de Cabanes Vieilles ainsi que les* ***ruines des forts*** *de Plan Caval, la Forca, Mille Fourches et la Redoute. Ces casernements, qui ont été construits en 1888-1891 et en 1929-1935 (ligne Maginot),*

*ont hébergé les **Chasseurs alpins**. Plusieurs opérations militaires se sont déroulées sur ce bastion défensif : en 1793 (les troupes révolutionnaires françaises contre les Austro-Sardes), et en mars-avril 1945, la 1re DFL contre les Allemands. **Vues magnifiques sur les montagnes et la côte**.*

STATION DE SKI DE TURINI - CAMP D'ARGENT 1.607-1.920 m. Située à **La Bollène-Vésubie**, à la limite des territoires de **Moulinet, L'Escarène, Lucéram - Peïra-Cava**. *À une heure de route de Nice*. Ski alpin, ski de fond, raquettes. **Camp d'Argent** : 3 remontées mécaniques, 3 pistes. **Turini :** 1 remontée, 3 pistes.

Quelques bonnes adresses à TURINI - CAMP D'ARGENT

Restaurant de L'AUTHION Chez Jean Jean *Spécialités du Pays* 04 93 91 57 61 *chezjeanjean@hotmail.com*
Hôtel-Restaurant LE YETY *Cuisine locale Spécialités du Pays Champignons* 04 93 91 57 01
Hôtel-Restaurant LES TROIS VALLÉES ** *Col de Turini 1.607 m* Tél. 04 93 04 23 23 Fax 04 93 04 06 00

06830 BONSON Plan: C 4

Population : Insee 1999 **= 601** h. en 1901 = **393** h. variation **+ 52,92%** (**603** en 2005)
Rang de la commune par rapport au nombre d'habitants au niveau départemental : **85**
Les habitants sont les **Bonsonnois**
Superficie : 672 ha - **Altitude** : 119 / 400 / 841 m - **Canton : Roquestéron** - **Arrondt** : Nice
Distance de Nice : à vol d'oiseau = 19 km - par la route = 35 km - **Longitude** = 7,20 ° - **Latitude** = 43,87°
Accès : RN 202 - D 2209 - D 17 - D 27 - **Desserte** : TAM 721
Fête patronale : dernier dimanche d'août - **Église** : Saint-Benoît - **Paroisse** : Notre-Dame-de-la-Miséricorde
N° téléphone de la MAIRIE : 04.93.08.58.39 **OFFICE de TOURISME** : 04.92.08.98.08
www.bonson.org

Origine du nom

Bonson est souvent rapproché du terme occitan médiéval *bo (n) son,* bélier. Toutefois, le site sur lequel est édifié le village incite à choisir l'étymologie suivante : *bouzon* (ancien français) et *bonso* (provençal) : verrou, barre, replat. En patois local, *baus*, *bausson* signifie petit escarpement et en dialecte niçois, *bausse*, rocher escarpé.
Formes anciennes : *Amencus de Buzono* (cartulaire de Lérins, 1089), *Castrum de Bousono* (vers 1200), *de Bonsono* et *in castro de Bonsons* (enquête de Charles Ier, 1252). Ce nom de lieu est proche du patronyme *Boissonus* et de ses formes médiévales, *Boisoni, Boixoni, Boysonii* (*obituaires** de la cathédrale de Nice, de 1035 à 1545). Dans le cartulaire de Saint-Pons, en 1362 et 1368, on trouve : *Bertrandus de Boysono*, *B. de Boissono*, *Berto de Boysono*. En 1691, le nom du village était devenu *Bausson*. Depuis **1760**, il s'appelle **Bonson**.
** **Les obituaires** sont des **registres** qui donnent la **liste des défunts** pour lesquels on célèbre un service funèbre.*

Histoire

Le village, bâti sur une crête rocheuse, domine la vallée du Var et une partie de la Vésubie. Des vestiges de postes de surveillance attestent que le site fut occupé par les *Romains*. Des manuscrits de **1209** mentionnent l'existence d'un château ainsi que l'octroi d'un *droit de gué* * au commandeur des Hospitaliers de Saint-Jean-de-Jérusalem.

En **1271**, Guillaume Olivari acquiert les fiefs de **Bonson** et de Tourette-Revest qui, avant cette date, avaient appartenu aux seigneurs d'Ascros et de Glandèves (Entrevaux). En **1293**, Charles II comte de Provence, donne la concession d'un bac à péage au baron Liti, seigneur de Bonson et de La Roquette. Dans un acte d'avril **1380**, nous apprenons que les Liti sont également seigneurs de Saint-Alban, de Dosfraires (ce village n'existe plus), et coseigneurs de Bouyon. À partir de la ***dédition de 1388***, Bonson est englobé dans les *Terres-Neuves de Provence*, dépendantes de la maison de Savoie, mais fait toujours partie du diocèse de Glandèves. Le 26 novembre **1446**, Charles Lascaris de Vintimille, coseigneur de La Brigue, épouse la fille de Pierre Liti, seigneur de Saint-Alban et de La Roquette. De ce fait, il reçoit les châteaux de **Bonson**, La Roquette et d'une partie de Bouyon. En **1554**, Pierre Lascaris est investi par le duc de Savoie Emmanuel-Philibert des *castra* de **Bonson**, La Roquette, la troisième partie de Bouyon, La Brigue et Dosfraires. À la fin du **XVIe** siècle et au cours du **XVIIe**, **Bonson** passe, toujours par mariage, aux Laugieri puis aux Chabaud de Tourette avant d'être vendu, en **1661**, à Jean-Baptiste de Andréis de Sospel. En **1685**, il est revendu à Jérôme Marcel de Gubernatis, apparenté aux comtes de Vintimille et aux seigneurs de Castellane. En **1688**, la seigneurie est érigée en comté pour Jean de Gubernatis, le président du Sénat, puis elle passe aux Ferraro. En **1860**, les habitants votèrent pour le *Rattachement** à la France.

La vie du village est rythmée par de nombreuses **fêtes** : **Saint-Benoît** (août), **Saint-Hospice** (octobre), **de l'Olivier** en juin, **Festival d'art contemporain** en été. *L'huile d'olive de Bonson est d'appellation d'origine contrôlée « Olives de Nice ».*

*** Gués, Bacs et Ponts.** *Jusqu'à une époque toute récente, le Var avait un large lit qui débouchait sur des marais. Les Romains traversaient probablement le fleuve à gué car nulle trace de pont n'a été retrouvée. Il était possible de le franchir à Saint-Laurent-du-Var, Gattières, Bonson, Le Broc et Gilette. La traversée s'effectuait à dos d'homme, sur des chevaux ou sur des bacs. Les **droits de gué** et les **concessions octroyées** sur ces divers points de passage ont été la cause de fréquentes querelles et même de procès entre les villages, en particulier entre **Bonson** et **Gilette**. Entre le **XIVe** siècle et la fin du **XVIIIe**, Bonson construisit plusieurs **ponts**, mais ils étaient régulièrement emportés par les crues du Var.*

*Pour le passage des troupes, on établissait des ponts de bateaux qui étaient démontés dès que cette opération était terminée. En **1792**, un pont pour diligences est construit à Saint-Laurent-du-Var mais en **1807**, il est en grande partie emporté par une crue. En **1860**, la construction du **pont Charles-Albert**, un véritable pont en pierre et en fer, établit un passage permanent et sûr. Il met fin à la discorde entre les communautés. La voie ferrée l'emprunte et, le 18 août 1864, une locomotive franchit le fleuve pour la première fois. (Voir aussi Saint-Laurent-du-Var).*

* ***Rattachement de la Savoie et du comté de Nice à la France :***

*Le traité de Turin de **mars 1860** stipule qu'en échange du soutien de Napoléon III à Victor-Emmanuel II (qui cherche à réaliser l'unité italienne), la France recevra la **Savoie** et le **comté de Nice**. Étant entendu que ce **rattachement** ne pourra se faire qu'avec l'**accord des populations concernées**. Les **15** et **16 avril 1860,** elles s'expriment par un plébiscite.*

Inscrits : 30.712 ***votants : 25.933*** ***abstentions : 4.779***

OUI : 25.743 ***NON : 160*** ***NULS : 30***

*Pour mémoire : la consultation se fit par **suffrage universel masculin**, comme en France.*

À voir

*Ce village ancien situé sur un promontoire dominant la vallée du Var (à-pic de 350 m) est un **belvédère** exceptionnel. De la terrasse de l'église, **beau panorama** sur la confluence du Var et de la Vésubie ainsi que sur de nombreux villages perchés.*

* **La partie ancienne du village**, au sommet du promontoire (autrefois siège d'une forteresse militaire).

* **Vestiges du château féodal** (XIe). Très endommagé en 1536, abandonné en 1794. Il ne subsiste qu'une tour qui permettait de surveiller la plaine du Var jusqu'à la mer.

* **Fontaines-abreuvoirs.** Celle de la place Maurice-Scoffier possède deux bacs : le premier était réservé aux habitants et le deuxième, plus bas, au bétail. *L'**eau courante** fut installée à Bonson en **1960**.*

* **Gare du tramway,** route de Gilette. Il fonctionna du 1er décembre 1924 au 13 avril 1929.

* **Église Saint-Benoît** (XIe). À l'origine, elle était accolée au château. Elle fut agrandie au XIIe siècle. Le clocher à deux étages fut rajouté au XIXe siècle. *Retable* dédié à *saint Benoît* (XVe), *peinture sur bois* de Jacques Durandi. *Retable* dédié à *saint Jean-Baptiste* (XVIe), peint par Antoine Brea (frère de Louis).

* **Chapelle Saint-Hospice** (XVIIe). Ce saint vécut en ermite, à la pointe du cap Ferrat. ***Magnifique panorama***.

* **Moulin à huile :** il traite près de 100 tonnes d'olives par an. Au début du XXe siècle, la quasi-totalité des villages possédaient un moulin à huile. *L'**huile d'olive** produite est d'**AOC « Olives de Nice »**.*

06510 **BOUYON** **Plan: C 4**

Population : Insee 1999 **= 352** h. en 1901 = **301** h. variation **+ 16,94%** (**356** en 2005)
Rang de la commune par rapport au nombre d'habitants au niveau départemental : **100**
Les habitants sont les **Bouyonnais**
Superficie :1.229 ha - **Altitude** :159 / 637 / 1260 m - **Canton : Grasse-Sud Coursegoules** - **Arrondt** : Grasse
Distance de Nice : à vol d'oiseau = 18 km - par la route = 36 km - **Longitude** = 7,12° - **Latitude** = 43,83°
Accès : RN 202 - D 2210 - D 1 - **Desserte** : TAM 710
Fête patronale : 15 août - **Église** : Saint-Roch - **Paroisse** : Saint-Véran-et-Saint-Lambert
N° téléphone de la MAIRIE : 04.93.59.07.07

Origine du nom

La racine celtique *bud* signifie promontoire, mais il n'est pas impossible que ce toponyme vienne du latin *buxetum* (de *buxus*, buis), avec le suffixe *onem*. Le blason du village porte un *peson* (petite balance à levier coudé) nommé *bouyon*, dans la langue du pays. Formes anciennes : *in Buzido (*cart. de l'abbaye de Lérins, 1155), *Castrum de Bosisone* (1200), *P. de Boisesono* (cart. de Lérins, 1238), *Condominus de Boiono* (1496).

Histoire

In Buzido est cité pour la première fois en **1155** lorsque Bertrand Engilran, « *épouvanté par la masse de ses péchés* » * (expression qu'il employa dans son testament olographe), fait don à l'abbaye de Lérins des biens qu'il possède à **Bouyon**, La Gaude, Coursegoules et Bézaudun-les-Alpes. L'église paroissiale du village est mentionnée dès **1312**. En **1351**, le territoire est inféodé à Jean et Charles Laugier. Il relève alors du comté de Provence. En **1364**, la reine Jeanne de Sicile, comtesse de Provence, le cède à Rainier II Grimaldi de Monaco qui ne le conserve que peu de temps (jusqu'en **1385**). En effet, lors du conflit qui oppose Louis d'Anjou et Charles de Duras, ce dernier récupère la seigneurie et en donne une partie aux Laugier. En **1388** (***dédition***) la Provence orientale opte pour la maison de Savoie et **Bouyon** devient *savoyard*. En **1760**, lors du Ier traité de Turin qui rectifie certaines anomalies de frontières entre la France et le royaume de Piémont-Sardaigne, la localité, comme toutes celles situées entre le Var et l'Estéron (Gattières, Les Ferres, Conségudes, Aiglun et une partie de Roquesteron), redevient *française*. En **1790**, elle est rattachée au canton de Coursegoules, et au printemps **1860**, le village de **Bouyon** est finalement intégré dans le département des Alpes-Maritimes. Le 23 février 1887, l'église et quelques maisons du village sont détruites par un tremblement de terre. Au début du **XXe** siècle, **Bouyon** acquiert une certaine prospérité économique grâce à la culture de l'olivier (on en dénombre alors plus de 10.000) et à l'élevage.

** Vers la fin du **IXe** siècle se répand le bruit que **la fin du monde** est proche. La crainte de l'**apocalypse**, qui s'ajoute aux multiples fléaux sévissant à cette époque (peste et autres épidémies, famines, insécurité, inondations...) provoque un élan de ferveur religieuse qui se concrétise par des **donations** en faveur des églises et des abbayes. Grâce aux innombrables dons et legs testamentaires effectués par les fidèles **« pour la rémission de leurs péchés »**, l'**Église** s'enrichit rapidement et devient l'un des plus gros propriétaires terriens de la région.*

À voir

** Ce village est un **belvédère** dominant le **Cheiron**, les **vallées de l'Estéron**, **du Var** et les **Alpes franco-italiennes**. Situé à mi-pente sur une barre rocheuse, il est construit tout en longueur et possède des ruelles, escaliers et placettes pittoresques. Nombreux portails sculptés.*

* **Chapelle Saint-Pons** (1602). La plus ancienne de la commune.

* **Chapelle Saint-Roch** (1714). Construite pour éradiquer une épidémie de peste.

* **Passage voûté** (*portissole*). Place de l'Église. À l'emplacement de l'ancienne porte nord (XIVe-XVe).

* **Four à pain communal** (début XXe). Place du Four. L'enseigne est d'origine. Il n'est plus en fonction, contrairement à celui qui est situé place de la Fontaine.
* **Porte en noyer (1804)**. Place de la Fontaine. Probablement réalisée par le *menuisier-ébéniste Falibois*.
* **Église Saint-Trophime-et-Notre-Dame-de-l'Assomption**. L'église primitive (début XIVe), détruite lors du tremblement de terre de février 1887, fut reconstruite entre 1889 et 1891. Elle abrite un *retable* (XVe) représentant la Vierge à l'Enfant entourée de saint Jean-Baptiste et de Marie-Madeleine. Elle possède également un *buste reliquaire* de saint Trophime en bois polychrome (1683).
* **Fontaine hexagonale** avec une colonne centrale (1822), de l'architecte Goby.
* **Pont du Moul et vestiges du château des Grimaldi** (avec grille en fer forgé).

Une bonne adresse

06540 BREIL-SUR-ROYA Plan: E 3

Hameaux : **COL DE BROUIS LA GIANDOLA LIBRE LA MAGLIA PIÈNE SAINT-ANTOINE**
Population : Insee 1999 **= 2.028** h. en 1901 = **2.728 h.** variation **- 25,66%** (**2.069** en 2005
Rang de la commune par rapport au nombre d'habitants au niveau dépt : **52 -** au niveau national: **4.411**
Les habitants sont les **Breillois** ou **Brellois**
Superficie : 8.131 ha - **Altitude** : 151 / 310 / 2080 m - **Canton : Breil-sur-Roya** - **Arrondt** : Nice
Distance de Nice : à vol d'oiseau = 33 km - par la route = 58 km - **Longitude** = 7,50° - **Latitude** = 43,93°
Accès : A 8 - Vintimille - S 20 - RN 204 et GR 52 -210- **Desserte** : SNCF - TAD 0 800 06 01 06
Fête patronale :15 août - **Églises** : Sancta-Maria-in-Albis / St-Michel / St-Marc- **Paroisse** : N.-D. de-la-Roya
N° téléphone de la MAIRIE : 04.93.04.99.99 - **OFFICE du TOURISME** : 04.93.04.99.76
www.breil-sur-roya.fr

Origine du nom

Pendant la *paix romaine*, de nombreux *Gaulois* se sont établis en dehors de leur territoire d'origine et ont apporté des noms communs de leur pays. Dans des *capitulaires** de Charlemagne datés de l'an 800, le terme *brogilo* désigne un verger. En bas latin, *brojlus* avait la même signification. La forme la plus ancienne de **Breil**, ***Brehl*** (où ***hl*** représente un ***l*** mouillé), se trouve dans des documents de 1157. Toujours au XIIe siècle, la commune de **Le Breil-sur-Merize** s'appellait *Brolio*. De cette dernière forme, tirée du gaulois *brogilo*, dérivent également l'ancien français *breuil* et l'ancien provençal *brohl* qui désignent un *petit bois entouré d'une haie*. D'après une autre source, le terme *brejl* (ou *brejhl*) aurait été rapporté d'Orient par les Croisés. Il viendrait d'un mot grec désignant également un *verger* ou un *jardin cultivé*. Quant au **col de Brouis** il s'est, jusqu'au XIXe siècle, orthographié *Broijs*. Les *Brodionti*, lointains ancêtres des Breillois, ont-ils occupé ce col ?

Formes anciennes : *Guillelmus de Brello* (cart. de la cathédrale de Nice, 1164), *de Brelli* (1185), *Petri de Brellio* (cart. de l'abbaye de Saint-Pons, 1302), *Auberti de Brelio* (1322), *de Brelli* (1383).

* ***Les capitulaires*** *étaient les* ***ordonnances*** *ou* ***actes législatifs*** *des souverains caroligiens.*

Histoire

Des vestiges archéologiques attestent une présence humaine dès le **néolithique**. La vallée de la Roya (la *Rutuba* des Romains) ainsi que les hautes terres situées entre le col de Brouis et l'Authion sont ensuite occupées par des Celto-Ligures : les *Brodionti* (castel de Brodo, *Brouis*), les *Brigiani* (rive gauche de la Roya), les *Sogionti* (Saorge). Ces tribus alpines sont soumises lors des conquêtes d'Auguste, vers l'**an 14 avant J.-C**., et leur territoire rattaché au *municipe* romain d'*Albintimilium* (Vintimille). Toutefois, leur romanisation ne fut complète qu'à partir du **IIIe** siècle. Pendant les *siècles obscurs* (haut Moyen Âge), les habitants subissent de nombreuses invasions (*gothes, lombardes*) puis les incursions dévastatrices des *pirates musulmans*. En **973**, les *Sarrasins* sont définitivement chassés de la région grâce à une coalition formée par Guillaume Ier de Provence, le comte d'Arles et Ardoin de Suze. C'est à cette époque que le roi d'Italie concède à Ardoin la Marche de Turin érigée en *marquisat*, lequel comprend les comtés de Turin, Cuneo/Saluzzo (*Auriate)*, Mondovi (*Bredulo*), Albenga et Vintimille. Désormais, les territoires de *Breil*, *Saorge*, *Tende* et *La Brigue* sont inféodés aux comtes de Vintimille, vassaux du marquis de Turin, lui-même sous la suzeraineté du Saint Empire romain germanique. Le comté de Vintimille est cité pour la première fois dans une charte de **962** concernant San Remo. C'est à cette époque que l'habitat dispersé sur la rive droite de la Roya est abandonné pour un site mieux protégé de la rive gauche, et que les seigneurs du fief construisent la *Turris Cruellam* du *Castrum de Brehl*. En **1258**, les comtes Georges et Boniface de Vintimille cèdent leurs droits sur Breil et Saorge au comte de Provence Charles d'Anjou. Lors de la ***dédition de 1388***, le village passe sous la domination du comte de Savoie. Il devient français de **1692** à **1697**. En **1699**, *Jean Ribotti** fait l'acquisition de **Breil** (voir La Bollène-Vésubie, Contes...) mais en **1700**, il le cède à Octave Solaro, comte de Govone (ou Gouvon) pour lequel le fief est érigé en marquisat par le duc de Savoie. ***Jean-Jacques Rousseau*** *fut au service de son fils aîné, Joseph Robert, comte de Govone, marquis de Breil. Il tomba amoureux de la fille de ce dernier, Pauline Gabrielle, ce qui mit fin à ses fonctions (« Confessions », pages 92 à 97)*. **Breil** redevient français sous la **Révolution** et l'**Empire**. En **1814**, dès que Napoléon abdique, le village revient au royaume de Piémont-Sardaigne. Après le **rattachemen**t à la France du 24 mars **1860**, il devient chef-lieu de canton du département des Alpes-Maritimes. **Breil-sur-Roya** étant situé sur un des grands axes de communication qui relient le littoral, l'Italie du Nord, la Suisse et les pays d'Europe du Nord, il fut occupé par les Italiens puis par les Allemands pendant la **Seconde Guerre mondial**e. En **octobre 1944**, la population est déplacée à Turin par l'occupant allemand qui détruit les diverses voies de communication, les ponts et les installations ferroviaires. En **1947**, après référendum, les hameaux de **Libre** et de **Piene-Haute** sont rattachés à **Breil** (Voir Valdeblore). Le **11 novembre 1948, le village est cité à l'ordre du corps d'armée.**

La ville, située sur une des *routes du sel**, a longtemps vécu des ***échanges commerciaux*** entre l'Italie du Nord et le comté de Nice, mais également de l'***oléiculture***.

* ***Route du sel.*** *En* ***1178****, les comtes de Vintimille font aménager le* ***chemin de la Roya*** *pour l'acheminement du* ***sel*** *et autres marchandises vers le Piémont et la Lombardie. Breil fut le lieu de passage obligé de cette* ***Via Salaria****, nommée également* ***Via Municipalis****. À la fin du* ***XVIe*** *siècle, les comtes de Vintimille-Tende vendent leurs droits sur leurs fiefs au duc de Savoie. En* ***1593****, Charles-Emmanuel Ier fait alors construire le* ***Grand Chemin ducal****, une route carrossable reliant Nice à Turin par le col de Tende (de Lucéram à Limone, ce ne fut qu'un chemin muletier). Dès son ouverture, en* ***1618****, Breil est pénalisé car le tracé de cet axe routier évite la localité au profit de son hameau de la Giandola, ce qui n'est pas sans conséquences pour les artisans breillois. Après l'accession des ducs de Savoie au trône de Sicile (****1713****), le* ***Grand Chemin ducal*** *devient la* ***Route royale****. En* ***1780****, des travaux sont entrepris pour rendre charriable (carrossable) la portion entre Lucéram et Limone (Voir aussi Drap, Coursegoules, Fontan, Èze, Escragnolles, Gars, Lantosque, Mougins, Pierrefeu).*

Les ***gabeliers*** *détenaient le* ***monopole*** *de la vente du sel. La population était obligée de s'approvisionner auprès d'eux et ce système favorisait le développement de la* ***contrebande du sel*** *provenant de Ligurie, moins cher. Celui qui était produit par les* ***salines de Provence*** *était acheminé vers le haut pays et le Piémont à dos de mulets. Les muletiers qui conduisaient ces caravanes étaient regroupés en* ***confréries.*** *Saint Éloi était leur patron.*

À voir

Village ancien construit en forme de croissant au pied d'un piton, sur la rive gauche de la Roya. Nombreuses maisons peintes en trompe-l'œil. Étape sur la ***route du Baroque nisso-ligure****.*

* **Mur de Rempart** (XIe-XIIe - IMH 1986), unique vestige du *castrum* de Brehl.

* **Tour de la Cruella** (XIe-XIIe). En patois local, la *cruella* est une variété d'oiseau de proie.

* **Vestige du château fort Redoute** (XIe). *Le château primitif fut incendié par les habitants de Vintimille, en révolte contre le comte Othon II qui refusait de leur confirmer les libertés communales concédées par ses prédécesseurs. Il fut renforcé par les Provençaux, puis par les ducs de Savoie.*

* **Clocher Saint-Jean** (XIe-XIIe - IMH 1935). Caractéristique de l'art roman primitif, et seul vestige du prieuré

bénédictin Saint-Jean, détruit en 1707.

* **Chapelle Notre-Dame-du-Mont** : arcades du XIIIe siècle, clocher du XVIe siècle (CMH 1978).

* **Ancien four communal** (XIIe). Il fonctionna jusqu'au début des années 1900.

* **Chapelles** : **Saint-Antoine-Ermite** (1431 - CMH 1936), de la **Visitation** (XVe - CMH 1992), **Notre-Dame-des-Grâces** (XVIIe - CMH 1937), **Disciplinants-de-Sainte-Catherine-et-des-Pénitents-Blancs** (XVIIe - CMH 1979) avec un autel et un retable en gypserie polychrome ainsi qu'un clocher en tuiles vernissées, de la **Décollation de Saint-Jean-Baptiste et des Pénitents-Noirs** (1650 - CMH 1978), accolée à l'église paroissiale.

* **Château de Piène-Haute** (XIe).

* **Maison Cachiardy** (XVIIe). *Cette famille de notables a reçu sous son toit de nombreuses personnalités : en 1701, Louise Gabrielle de Savoie, future* ***reine d'Espagne*** *et, en 1794, le* ***général Bonaparte****.*

* **Église paroissiale Sancta-Maria-in-Albis** (1633-1699 - CMH 1978). Construite sur le site d'une ancienne église romane, elle est en *forme de croix grecque*. Porte principale à deux vanteaux, bénitier (XIe) provenant de l'église primitive, retable primitif de Saint-Pierre-et-Saint-Paul (1507), retable du Rosaire, autel de la Crucifixion (XVIIe) en gypserie polychrome, peinture sur bois (XVIIe) représentant le saint-suaire, orgues (XVIIIe), appui de communion (XVIIIe - CMH 1989).

* **Oratoires : Notre-Dame-de-la-Limozina** (1780), **Saint-Pierre** (XIXe), **Sainte-Marie-Madeleine** (XVIIIe).

* ***Crottés d'Ar Casté*** (milieu du XIXe). Ces petits abris voûtés servaient au séchage des prunes et des figues. Ils furent bâtis avec les pierres du château fort d' *Ar Casté* après qu'il eut été abandonné.

* ***Couréou da banca*** (XVIe) : La *banque du sel* se trouvait dans ce passage couvert.

* **Fontaine Bischoffsheim** (1883). En marbre de Breil. *Le baron Bischoffsheim finança la construction de l'**Observatoire de Nice** dont il assura, sa vie durant, le fonctionnement.*

* **Double tête de tunnels** de Caranca et de Gignes. Détruite par les Allemands en 1945, elle fut reconstruite sur le même modèle en 1979.

* **Hameau de PIÈNE-HAUTE.** Perché sur une arête, à 613 m d'altitude, dans un superbe environnement, avec vue sur la Roya. Il comporte quelques maisons anciennes, une jolie place, des ruelles pavées en escalier. L'église Saint-Marc (CMH) abrite des retables, des gypseries polychromes, des toiles des XVIIIe et XIXe siècles.

* **Hameau de LIBRE.** Il est situé à 470 m d'altitude et on y accède par une route tracée au milieu d'oliveraies. Beau panorama sur la vallée et Piène-Haute.

* **Parc national du Mercantour**. Le tiers du territoire de Breil est situé dans la *zone d'adhésion* (périphérique) de ce parc. Voir pages 210 et 211.

Quelques bonnes adresses

LA BONNE AUBERGE *Spécialités breilloises* **PENSION DE FAMILLE** 52, rue Pasteur 04 93 04 41 50

GALERIE Marine Jeannard *Sculpteur Modeleur* 26, rue Pasteur 04 93 04 41 69 *marinejeannard@aol.com*

LE PETIT GOURMAND Boulangerie Pâtisserie *Spécialités du Pays* 48, rue Pasteur 04 93 04 40 23

LE DAUPHIN Restaurant Glacier 39, rue Rouvier 04 93 04 41 18

HOTEL LE ROYA ** 04 93 04 48 10 *hotele-roya@wanadoo.fr*

Tour de la Cruella

06850 BRIANÇONNET Plan: B 4

Hameaux : LE PRIGNOLET **LA SAGNE**
Population : Insee 1999 **= 170** h. en 1901 = **427** h. variation **- 60,19%**
Rang de la commune par rapport au nombre d'habitants au niveau départemental : **120**
Les habitants sont les **Briançonnards**
Superficie : 2.432 ha - **Altitude** : 740 / 1010 / 1600 m - **Canton : Saint-Auban** - **Arrondt** : Grasse
Distance de Nice : à vol d'oiseau = 43 km - par la route = 95 km - **Longitude** = 6,77° - **Latitude** = 43,87°
Accès: A 8 -D 2085-N 85-D 2211ou N202-D 610-D 10-D911-D 2211 -**Desserte** : Réserv: TAD 0 800 06 01 06
Fête patronale : 15 août - **Église** : Notre-Dame-de-l'Assomption - **Paroisse** : Sainte-Marie-des-Sources
N° téléphone de la MAIRIE : 04.93.60.42.71

Origine du nom

Le toponyme celto-ligure *briga* désignait une hauteur, une montagne fortifiée, une place forte. Les formes *Brigantion, Brigantium, Brigantione*, qui dérivent de *briga* + *antione* (suffixe ligure ***ant***) furent très répandues en Gaule. Quant au suffixe diminutif ***et***, il apparaît au XVIIe siècle pour distinguer ce village de la ville de **Briançon** située dans les Hautes-Alpes. Formes anciennes : la *civitas Brigantiensis* des Romains, *de Brianzo* (cart. de Lérins, 997-1027), i*n pago Brianzun* (idem, 1081), *ecclesia S. Saturnini de Briansono* (idem, 1259).

Histoire

Située sur un col, à plus de 1.000 m d'altitude et au carrefour de plusieurs voies de communication romaines, l'ancienne *civitas Brigantiensis* (*Brigomagus*) fut fondée par les *Romains*. N'étant pas un site stratégique, sa vocation était essentiellement commerciale, et elle n'a jamais eu de remparts. Le village actuel occupe en partie l'emplacement de la cité antique. Il en a d'ailleurs gardé le plan d'origine, octogonal, en damier, typiquement romain et tout à fait inhabituel dans les localités de la région. En **63**, la ville devient un *municipe* (Municipium Brigantio)*, c'est-à-dire une *cité de droit latin* (**V**oir Antibes). La place principale (anciennement « des Ormeaux ») occupe probablement le terrain où se trouvait le *forum*. À la fin du **IIe** siècle, ce centre administratif et commercial très actif est dirigé par des *duumvirs** (**V**oir Carros). Il fut à son apogée au **IIIe** siècle mais périclita au haut Moyen Âge. L'évêché y siégea probablement avant de s'installer à Glandèves (Entrevaux) au début du **VIe** siècle. *Brianzo* est mentionné dans un texte daté du **18 octobre 1022,** stipulant qu'un certain *Constantin et sa femme Isingarde, de la maison de Castellane,* lèguent les propriétés qu'ils possèdent sur ce terroir à l'abbaye de Lérins. En **1081** et **1092**, les frères *Hugues* et *Abellonius* donnent à cette dernière la moitié du *Castellum Briancionis*. Au **XIIe** siècle, ce château abritait un groupe de chevaliers qui revendiquaient leurs droits face au moines de Lérins. En **1137**, l'évêque de Glandèves (Entrevaux) fait don à **Briançonnet** de l'église paroissiale Notre-Dame-de-l'Assomption qui, à l'origine, appartenait à l'abbaye. En **1158**, l'abbé Boson de Lérins, donne le fief de **Gars** aux chevaliers de Briançonnet. Suit une longue période de calamités qui ruinent l'agglomération : des intempéries catastrophiques (1337 et 1439), la peste (1350-1352 et 1471), les guerres (1380-1400). En **1383**, le comte de Provence donne cette seigneurie à Pierre de Terminis. À la fin du **XVe** siècle (1474 ou 1499), elle devient la propriété de Jean de Grasse lorsqu'il en hérite, ainsi que de **Gars**, **Amirat** et **Sallagriffon**. Les Grasse-Briançon s'illustrèrent au service des rois de France mais aussi de l'ordre de Malte. Jusqu'à la **Révolution**, le château de **Briançonnet** fut la résidence de cette famille dont le dernier représentant, Gustave, lieutenant-colonel de dragons sous Charles X, mourut en 1858 sans descendance. Au **XIXe** siècle, la localité comptait *800* habitants.

À voir

Briançonnet, groupé sur un replat environné de roches nues et de pâturages, est représentatif des villages de moyenne montagne provençale. Il est dominé par les ruines de son château fort. Maisons à linteaux sculptés, ruelles, passages voûtés. Du cimetière jouxtant l'église, ***jolie vue au nord, sur les sommets des Alpes****.*

* **Croix du cimetière de La Sagne** (1870), fixée sur une **borne milliaire** romaine retaillée (IIe-IIIe). De la même époque, une **stèle** funéraire à fronton : *Primus, fils de Justus et de Sura.*

* **Fontaine** : elle est constituée de deux anciens **sarcophages** romains, en calcaire (IIe-IIIe).

* **Cippes** des IIe et IIIe siècles (du latin *cippus*, colonne)

* **Linteau sculpté** (XIe), sur la *Maison de la Traverse de Jardins.*

* **Vestiges du château féodal**, le *castellum Briancionis* (1080), situé sur la colline Saint-Pierre. À proximité se trouve la **chapelle Saint-Pierre**, qui fut reconstruite au XVIIe siècle.

* **« Nouveau château »** (XIVe-XVIIIe). Quatre tours sont ajoutées au XVIe siècle mais détruites en 1794. Aujourd'hui, ce bâtiment est transformé en appartements.

* **Église Notre-Dame-de-l'Assomption** (1137). Originellement possession de l'abbaye de Lérins. Elle abrite un *retable,* huile sur bois, dédié à la *Vierge de Miséricorde* et attribué à Ludovic Brea (1513), *ainsi qu'une huile sur toile peinte par Mimault en 1640. Elle représente le* ***« Vœu de Louis XIII »****. Le roi et Anne d'Autriche se sont mariés en* ***1615****. En* ***1638****, ils n'avaient toujours pas d'enfant. C'est alors que Louis XIII* ***« voue le royaume à la Vierge »****, dans l'espoir d'obtenir un* ***dauphin****. Ce vœu fut exaucé car le futur* ***Louis XIV naquit la même année****.* L'église possède également une *statue de la Vierge*, récemment restaurée, et une *croix processionnelle* (XVIe).

* **Chapelle Saint-Martin** ou **Chapelle des-Pénitents-Blancs** (XVIe - CMH 1936). Elle abrite une *statue* de la Vierge en bois polychrome.

* **Musée de l'outillage ancien et des traditions.** *Il fut créé grâce aux dons des habitants. Il présente de nombreux outils anciens, des vieux jouets, des costumes féminins traditionnels.*

* **Chapelles Saint-Joseph**, **Saint-Roch** et **Sainte-Anne** (XVIIe-XVIIIe).

* **Fours à pain** (1945), au nouveau château. Celui de La Sagne est caractéristique des constructions voûtées.

* **Baignoire à moutons** (1956 - ferme de Bartouille). *Avant de partir en* ***transhumance****, les moutons sont* ***tondus*** *puis* ***baignés*** *pour les débarrasser de leurs parasites : canalisés, ils sautent dans le bac. Le berger leur maintient un instant la tête sous l'eau avec une large fourche à deux dents. Ils ressortent du bain par un pan incliné pour aller s'égoutter. Les moutons sont de nouveau* ***baignés*** *à leur* ***retour de transhumance****.*

* **Hameau du PRIGNOLET**. Il est situé au pied de la crête des Ferriers, sur un replat exposé au sud-ouest. Il possède une église à petit clocher (**Notre-Dame-du-Mont-Carmel** - XIXe) et deux oratoires.

* **Hameau de LA SAGNE.** Ancien habitat romain. **La Sagne** est mentionné en **1022**, dans le cartulaire de Lérins, à la suite d'une donation. Belles maisons groupées, petite place avec fontaine. L'**église Sainte-Anne**, à clocher carré, domine un site exceptionnel.

Musée de l'Outillage

Retable de Ludovic Brea

06430 BRIGUE (LA) Plan: E 2

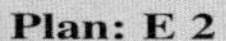

Hameaux : ENCLAVE DE FRASSO MORIGNOLE
Population : Insee 1999 = **595** h. en 1900 = h. variation % (**600** en 2005)
Rang de la commune par rapport au nombre d'habitants au niveau départemental: **86**
Les habitants sont les **Brigasques**
Superficie : 9.177 ha - **Altitude** : 559 / 812 / 2650 m - **Canton : Tende** - **Arrondt** : Nice
Distance de Nice : à vol d'oiseau = 50 km - par la route = 75 km - **Longitude** = 7,62° - **Latitude** = 44,07°
Accès : A 8 -Vintimille - S 20 - RN 204 - D 43 et GR 52 A - **Desserte** : SNCF
Fête patronale : 15 août **Église** : Saint-Martin - **Paroisse** : Notre-Dame-de-la-Roya
N° Tél. de la MAIRIE : 04.93.04.36.00 - **Bureau municipal du tourisme** : 04.93.79.09.34

Origine du nom

Les racines celtiques *briga* et *brica* signifient « hauteur », et ont donné par la suite « forteresse naturelle » (Voir Briançonnet). L'origine est la même pour le village de **Brig**, dans le Valais suisse. Formes anciennes : *de Brica* (1002), *Pontius de Brica* (1304), *Briga-de-Nissa* (en langue d'oc), *Briga-Nicensium*.

Histoire

Le territoire de *Brigantio* était occupé par la tribu celto-ligure des *Brigiani*. Mentionnés sur le Trophée d'Auguste, à La Turbie, qui conserve la liste complète des tribus vaincues, ils furent parmi ceux qui résistèrent le plus longtemps aux *Romains*. Dans un acte du **XIe** siècle, Ardoin, marquis de Suse et possesseur du Piémont occidental, accorde certaines libertés et garanties aux habitants de Tende, **La Brigue** et Saorge : *le droit de pêche, de chasse, d'irriguer, de faire paître les troupeaux*. Cette charte est souscrite par ses vassaux, les *comtes de Vintimille** auxquels sont inféodés ces fiefs. En **1257**, Guillaume III comte de Vintimille, dit Guillaumin, cède au comte de Provence Charles Ier d'Anjou, *Gorbio*, *Tende*, *La Brigue*, *Castellar*, *Sainte-Agnès* et le *Val de Lantosque*. En **1258**, Georges et Boniface de Vintimille (neveux de Guillaume III) lui cèdent également *Breil*, *Saorge* et *Sospel*. Quant au sud de l'ancien comté de Vintimille, il est désormais inféodé à la République de Gênes. Les territoires acquis par la Provence vont constituer la viguerie de Vintimille/Val de Lantosque. Toutefois, certains membres de la famille des Vintimille (Guillaume-Pierre et Pierre-Balbe, les frères de Guillaumin) qui conservent des territoires au nord de Tende n'acceptent pas ces cessions. En **1261**, Guillaume-Pierre de Vintimille-Tende, envoyé à Constantinople par la République de Gênes, épouse Eudoxie Lascaris, fille de feu l'empereur. À partir de **1285**, les seigneurs de Tende ajoutent ce patronyme à leur nom et se font appeler *Lascaris-Vintimille* (au **XVe** siècle, une autre branche des comtes de Vintimille adoptent également ce patronyme : ce sont les seigneurs *Lascaris de Castellar* et *Lascaris de Gorbio*). En **1360**, la seigneurie de **La Brigue** devient indépendante. En **1406**, ses coseigneurs, les Lascaris, se rallient au comte de Savoie. Aux **XVIIe** et **XVIIIe** siècles, **La Brigue** est épargnée par les guerres auxquelles est mêlée la maison de Savoie, mais à partir de **1794**, elle est occupée par les troupes révolutionnaires de *Masséna*. En **1814**, le comté de Nice, dont faisaient partie **La Brigue** et Tende, est rendu au royaume de Piémont-Sardaigne. Par contre, en **1860**, ces deux communes ne furent pas comprises dans les territoires rattachés à la France. Malgré le plébiscite en faveur de la France (à **La Brigue**, il y eut 323 *oui* et 0 *non*), considérées comme *terres de chasse* du souverain d'Italie, elles ne devinrent définitivement françaises que par le traité de **1947** (Voir Valdeblore). Seuls quatre hameaux de montagne restèrent italiens : trois d'entre eux formèrent la commune de Briga-Alta et le quatrième, Realdo, fut rattaché à Triora. Sous l'Empire, **La Brigue**, avec ses 2.000 habitants, est l'une des communes les plus peuplées de la région niçoise.

*Pendant longtemps les Brigasques ont tiré leurs principales ressources de l'**agriculture** et de l'**élevage** : brebis et chèvres pour leur production laitière, grands troupeaux de moutons pour la **production et la vente de la laine que les fabricants niçois et marseillais venaient acheter sur place**. Quant à l'élevage des bovins, il s'est développé à partir du XIXe siècle. Actuellement, le cheptel du canton de Tende est d'environ 1.500 vaches (pour la viande, le beurre et un fromage fabriqué sur place) et de 10.000 moutons (pour la viande, la laine et le lait).*

** À partir du XVIe siècle, l'**élevage des abeilles** représenta également une activité importante et lucrative pour les bergers et paysans apiculteurs de la vallée de la Roya. Le **miel** de La Brigue (ainsi que celui de Tende) était **exporté** dans de nombreux pays dont l'Angleterre et l'Algérie. Les apiculteurs construisirent des amphithéâtres en pierre pour protéger les ruches des **ours bruns**. Ces **maisons des abeilles** (**cà d'arbinee** en brigasque) au nombre d'une cinquantaine sur le territoire de la commune, datent des XVIe et XVIIe siècles. Situés sur le flanc des montagnes, exposés au soleil levant, ces amphithéâtres abritaient de **50 à 100 ruches** fabriquées à partir de troncs de mélèzes ou de châtaigniers évidés. **Aujourd'hui, à La Brigue, cette activité est toujours bien vivante**. (Voir également Peille et Rigaud).*

** **Comtes de Vintimille.** Le plus ancien document mentionnant le **comté de Vintimille** est une charte de **962** relative à San Remo. À la fin du **Xe** siècle, Conrad Ier (996-1041) est mis en possession du fief : il est comte de Vintimille, seigneur de Breil et Saorge. Au **XIe** siècle, le **territoire du comté** s'étend de **San Remo jusqu'au Rocher de Monaco. Il comprend la Roya, la Nervia, mais également Peille, Lucéram, les vallées de la Bévéra, de la haute Vésubie et de la haute Tinée**. C'est un État-tampon avec, à l'est, la République de Gênes et, à l'ouest, le comté de Provence. Pendant un siècle et demi, les comtes vont régir leur fief à leur gré. Le déclin de leur pouvoir commence en **1140**, lorsque Obert Ier est vaincu par les Génois et devient leur vassal. De plus, cette famille va être progressivement affaiblie par le régime successoral de la dévolution simple qui entraîne le partage des droits et la déperdition du patrimoine. Les terres des Vintimille ne tardent pas à être convoitées par leur autre puissant voisin. En effet, Charles Ier d'Anjou, devenu comte de Provence en **1246**, mène une politique expansionniste vers l'est, et le comté de Vintimille fait partie de ses ambitions territoriales. Les Vintimille se trouvent devant une alternative : se soumettre totalement à Gênes ou se rapprocher du comte de Provence, adversaire potentiel des Génois. Ils finissent par choisir cette deuxième solution : en **1258**, Guillaume III, dit Guillaumin, donne à Charles Ier d'Anjou les « castra » de Sainte-Agnès, Gorbio, Tende, La Brigue, Castellar, Castillon, Lamenour et Quous, ainsi que ses possessions du val de Lantosque. Il reçoit en échange 1.000 livres tournois (Voir Gorbio) ainsi qu'une terre en Provence (c'est ainsi qu'il devient seigneur du Puget). Ses neveux, Boniface et Georges, cèdent les biens et droits qu'ils possèdent à Sospel, Breil, Saorge, Pigna, Dolceaqua, Castillon, Lamenour, Quous, Roquebrune, Monaco, Ceriana et San Remo. Toutefois, il existe une restriction : les comtes de Vintimille sont contestés par leurs propres sujets, et avant de livrer la plupart de ces fiefs à Charles Ier d'Anjou, ils ont besoin de son aide pour s'en rendre maîtres ! La moyenne et la haute Roya ne sont terres provençales qu'en théorie... Pendant ce temps, les comtes Pierre-Balbe et Guillaume-Pierre (les frères de Guillaumin), qui n'acceptent pas ces cessions, investissent Tende, La Brigue, Saorge et Breil, où ils se fortifient. Néanmoins, les Provençaux et les Génois ne souhaitent pas s'affronter par les armes et ils finissent par conclure un accord. Le traité d'Aix du **21 juillet 1262** délimite leur zone d'influence respective sans tenir compte des Vintimille dont le comté est démembré. La frontière qui sépare leurs possessions part de Cap-d'Ail, passe à La Turbie, Peille, Castillon et Breil avant d'atteindre La Brigue. Quant à Pierre-Balbe, il se retranche à Tende dont il fortifie le château et où il fonde la seigneurie des Vintimille-Tende. Après une période de troubles qui va durer plusieurs décennies, **le comté de Vintimille est partagé entre trois souverains** : la **République de Gênes** (la basse Roya, de la mer jusqu'au vallon du Riou et Piene comme poste avancé), la **Provence** (la moyenne Roya jusqu'aux gorges de Saint-Dalmas, avec Breil et Saorge), et Tende et la Brigue qui restent des possessions des **seigneurs de Vintimille-Tende**.*

À voir

Ce village médiéval des XIVe et XVe siècles possède de belles maisons anciennes avec de hautes façades sur arcades peintes en trompe-l'œil. Il est situé à la confluence de deux torrents et est environné de terrasses de cultures.

* **Vestiges du château des Lascaris** (XIVe - CMH 1949). Agrandi par Ludovic Lascaris vers 1370. Abandonné au XVIIIe siècle, il tombe peu à peu en ruine. Seule la grande tour a été restaurée.

* **Place médiévale du Rattachement** (XVe). *À partir du XVe siècle, elle a accueilli des **foires** ainsi qu'un important **marché de la laine**.* De plan irrégulier, comme de nombreuses places médiévales. Galeries à arcades.

* **Pont du Coq** (XVe). Un *itinéraire muletier* partait de la cité, par la vallée de la Levenza, vers le Piémont.

* **Gouffre du Mont Marguareis** : profond de 300 m et d'une grande richesse spéléologique.

* **Église Saint-Martin** (XIIIe - CMH 1949). De style roman lombard. Partiellement reconstruite fin XVe

(clocher). Le linteau du portail latéral, daté de 1234, proviendrait de l'église primitive. Elle abrite un *orgue* de 1849 (25 registres, de nombreux jeux de concert - CMH 1973) ainsi que trois retables : *Notre-Dame-des-Neiges* (1507) de Sébastien Fuseri, *Nativité* (1510) sans doute de Ludovic Brea, et *Vierge du Rosaire* (XVIIIe).

* **Chapelle Notre-Dame-des Fontaines** (XIVe - CMH 1951). Décoration intérieure réalisée par Canavesio et Baleison. Fresques du *Reniement de Saint-Pierre* et de la *Crucifixion* (1492), de Giovanni Canavesio.

* **Nombreux linteaux de portes** des XVe et XVIe siècles. En schiste vert, ardoise noire ou verte.

* **Maisons des abeilles.** *Ces « cà d'arbinee », au nombre d'une cinquantaine, datent des XVIe et XVIIe siècles.*

* **Moulin à farine de Cianesse** (XVIIe). En 1900, il fut transformé en usine hydroélectrique puis en habitations.

* **Les chapelles Saint-Michel** (1700), **de l'Assomption** (XVIIIe), **de l'Annonciation** (1730) aménagée en un musée d'Art religieux paroissial (fresque *Le Père Éternel et l'Archange Gabriel).* Classées MH depuis 1949.

* **Église Saint-Jacques-le-Majeur** (1830).

* **Maison du Patrimoine.** *Elle présente les **activités traditionnelles** locales : activités **forestières** et **vinicoles**, **élevage**, **fabrication** du **fromage**. Des **ateliers d'antan**, fidèlement **reconstitués,** présentent divers **métiers** (cordonnier, menuisier...). Une salle est réservée à un **artiste local**. Quant au **Musée apicole**, il explique la récolte du miel (pour les **abeilles**, voir également Peille et Rigaud).*

* **Fontaine et monument à l'Abbé Jacques Spinelli** (XIXe), bienfaiteur de La Brigue.

* **Via Ferrata**. *Itinéraire de 600 m. Dénivelée + 160 m. Cotation : très difficile.* ***Autres Vie Ferrate** : La Colmiane (Valdeblore), Auron (Saint-Étienne-de-Tinée), Lantosque, Puget-Théniers, Tende, Peille. **Via Souterrata**, Caille.*

* **Four à chaux** (XIXe), route de Morignole. Partiellement en ruines.

* **MORIGNOLE.** C'est un pittoresque **hameau** de style alpin, perché sur un piton à 985 m d'altitude, au milieu de vallons verdoyants. Maisons anciennes en schiste. Église à clocher carré. Four communal encore utilisé pour la fête patronale de la Saint-Jacques, en juillet.

Une bonne adresse

Hôtel Restaurant LE MIRVAL ** *Logis de France* 3, rue V.-Ferrier 04 93 04 63 71 *www.lemirval.com*

06510	BROC (LE)	Plan: C 4

LE BROC

Hameau : CLOS MARTEL

Population : Insee 1999 **= 1.023** h. en 1901 = **564** h. variation **+ 81,38%** (**1.029** en 2005)

Rang de la commune par rapport au nombre d'habitants au niveau départemental: **76 -** au niveau national: **8.362**

Les habitants sont les **Brocois**

Superficie : 1.865 ha - **Altitude** : 91 / 450 / 1024 m - **Canton : Carros** - **Arrondt** : Grasse

Distance de Nice : à vol d'oiseau = 15 km - par la route = 27 km - **Longitude** = 7,17° - **Latitude** = 43,82°

Accès : RN 202 - D 2210 - D 1 - **Desserte** : TAM 710

Fête patronale : 5 juillet - **Église** : Saint-Antoine-Ermite - **Paroisse** : Saint-Sébastien

N° téléphone de la MAIRIE : 04.92.08.27.30

Origine du nom

La racine *br* est préceltique. *Broccos* : éperon, pointe, ou encore *lou Brec*, éperon rocheux. Formes anciennes : *Castrum de Broco* (1235), *castrum et villa de Broco* (Caïs,1388).

Histoire

Le site fut occupé dès la **préhistoire**. La présence des *Ligures* puis des *Romains* y est également attestée par des vestiges d'*oppida*. Le *Castrum de Broco*, ainsi que ceux de *Dosfraires*, *Saint-Pierre-de-l'Olive* et *Fougassière* sont mentionnés dès **1245**. Le cartulaire de l'abbaye de Lérins nous apprend qu'au **XIIe** siècle, les Templiers, seigneurs du *Castrum Olivum*, percevaient un péage pour le passage du Var et qu'ils en firent don aux moines. Après la dissolution de l'Ordre, en **1312,** leurs biens sont dévolus aux Hospitaliers de Saint-Jean-de-Jérusalem. En **1354**, des documents écrits mentionnent les *consuls* de la *communauté* du **Broc** ainsi que ses coseigneurs, Fulco de Ranulphe, seigneur de Dosfraires, et l'évêque de Vence. En **1370**, le fief appartient en coseigneurie à Pierre de Giraud, à l'évêque de Vence et à Raymond Chabaud, seigneur d'Aspremont. Lors de la ***dédition de 1388***, **Le Broc** *reste provençal* et conserve les droits de péage du pont sur le Var. *Saint-Pierre-d'Oliva* va dépendre de l'abbaye de Saint-Pons jusqu'en **1792**. Par contre, le *castrum de Dosfraires* (qui n'existe plus) et le *château de Fougassière* deviennent dépendants de la maison de Savoie. En **1391**, *Fougassière*, qui appartenait aux Giraud, passe aux Lascaris-Vintimille. Pour les souverains savoyards, ces deux citadelles vont constituer une enclave avancée du comté de Nice sur la rive droite de l'Estéron, en territoire provençal. Au **XVe** siècle, ces communautés médiévales fusionnent. Au **Moyen Âge**, grâce aux privilèges dont il bénéficie et à ses activités agropastorales, **Le Broc** jouit d'une relative prospérité. À partir du **XVe** siècle, le village subit un certain déclin dû à son enclavement dans le comté de Nice, aux épidémies de peste, aux famines et aux guerres, qui finissent par provoquer l'exode d'une partie de la population. En **1515**, **Le Broc** est toujours inféodé à l'évêché de Vence, en coseigneurie avec le sieur Giraud. Des documents de **1576** mentionnent la convention par laquelle l'évêque autorise les habitants à construire des moulins à huile et à blé, ainsi que des fours à pain. L'évêque de Vence va rester le principal feudataire de cette seigneurie jusqu'à la **Révolution**.

En **1760**, lors du Ier traité de Turin portant sur les rectifications de frontières, Dosfraires et Fougassière, comme Gattières, sont restitués à la France. Cette cession, qui provoque son désenclavement, va permettre au **Broc** de se développer à nouveau jusqu'à la fin du **XIXe** siècle, et ce, grâce à sa position frontalière stratégique. En effet, le commerce interfrontalier avec Saint-Martin est alors très actif. **Le Broc** possède un hôpital et une douane. Il est le siège d'un marché hebdomadaire et d'une grande foire de huit jours, en octobre. De surcroît, la culture de l'olivier et ses cinq moulins lui procurent des ressources non négligeables. En **1841**, les territoires de *Saint-Pierre-d'Oliva*, *Fougassière* et *Dosfraires* sont intégrés à celui du **Broc**. À partir de **1860**, la disparition de la frontière vide le village, mais dans les années **1970-1980**, l'essor de la **zone industrielle de Carros-Le Broc** provoque une véritable renaissance démographique.

À voir

*Ce village médiéval est perché sur une avancée de la montagne du Chiers, au milieu de terrasses complantées d'oliviers. Les maisons sont groupées autour d'une place à arcades. Ruelles pittoresques, passages voûtés. Belle vue sur la vallée du Var. La **route du Broc à Carros** offre des **vues magnifiques** sur l'Estéron et la vallée du Var.*

* **Rocher des Deux Soleils**, ainsi nommé car il prive le village de deux heures de soleil en hiver.

* **Ruines du château de Fougassière**. Ce fief médiéval appartint aux Lascaris.

* **Église Sainte-Marie-Madeleine-et-Saint-Antoine** (XVe-XVIe). Elle abrite un *retable* (XVIe) dédié à sainte Claire, saint Antoine et sainte Marguerite, une *huile sur toile et bois* doré polychrome *Mort de saint Joseph et l'Enfant Jésus* (XVIIIe), un *tableau sur bois* derrière l'autel, une *fresque* intitulée *La Montée au Calvaire*.

* **Vestiges de la chapelle Saint-Michel** (XIIIe). Au XIIe siècle, une petite communauté d'habitants était regroupée sur le site. La paroisse de **Saint-Pierre-d'Oliva** et son ***castrum*** **Oliva** furent abandonnés au XVe siècle, à la suite d'une épidémie de peste.

* **Chapelles** * **Sainte-Marguerite** (XVe), église paroissiale de Dos Fraires, et * **Saint-Antoine** (XVIIe).

* **Vestiges du Moulin de la Ressence** (1774). Ancien moulin à huile remplacé en 1939 par le moulin communal.

* **Fontaine** de 1812.

06530 **CABRIS** **Plan: B 5**

Population : Insee 1999 = **1.472** h. en 1901 = **718** h. variation **+ 105,01%** (**1.512** en 2005)
Rang de la commune par rapport au nombre d'habitants au niveau départemental: **62 -** au niveau national: **6.002**
Les habitants sont les **Cabriens**
Superficie : 543 ha - **Altitude** : 240 / 550 / 762 m - **Canton : Saint-Vallier-de-Thiey** - **Arrondt** : Grasse
Distance de Nice : à vol d'oiseau = 30 km - par la route = 35 km - **Longitude** = 6,87° - **Latitude** = 43,67°
Accès : A 8 - RN 85 - D 4 et GR 51 - **Desserte** : TAM 520 (ligne Grasse - Saint-Cézaire)
Fête patronale : août - **Église** : N.-D. de-l'Assomption - **Paroisse** : Saint-Honorat
N° téléphone de la MAIRIE : 04.93.60.50.14 - **OFFICE du TOURISME** : 04.93.60.55.63

Origine du nom

Cette appellation peut venir du latin *capra*, chèvre + suffixe *itium*. En provençal, le mot *cabres* signifie *chèvre*. Elle peut également être tirée (comme **Cabrières**, **Cabriès**, **Cabrolles**, **Caprie**, **Chabrand**, **Chabrillan**, **Chèvre**, **Chevrens** ...) de la racine pré-indo-européenne *gab, gav, jab, jav* : ravin, gorge, rivière encaissée, endroit montagneux. En effet, ces localités sont toutes situées en *surplomb* ou en *contrebas* d'un ravin. Formes anciennes : *castrum de Cabriis* (vers 1220), *Cabrias* (1235), *colles de Cabriis* (1235), *Cabriès* (1535).

Histoire

Des sépultures sous tumulus ainsi que des dolmens contenant des ossements et du mobilier témoignent d'une occupation humaine dès le **néolithique** (et même au **paléolithique**, pour la station des Luchous). Le territoire, qui englobait les terres de **Spéracèdes**, de **Peymeinade** et du **Tignet,** possède également des vestiges de *castellaras* celto-ligures et de stèles funéraires romaines. À l'*époque romaine*, des *villae* avaient été créées sur les terres de ces trois communes. À la suite des *invasions lombardes* et des *raids sarrasins*, le territoire est abandonné. Vers l'**an mille**, les moines de Lérins y exploitent de grands domaines agricoles et y fondent un monastère. Mentionné pour la première fois vers **1220**, le *Castrum de Cabriis* fait partie du fief de la puissante famille seigneuriale des Grasse-Bar. En **1350**, c'est devenu un *lieu inhabité*, les habitants ayant été décimés par l'épidémie de *Peste noire* qui avait débarqué à Marseille en **1348**. Toutefois, en mars **1385**, Jean de Grasse est investi des « *villages ou domaines de Cabriis, du Mostayret de Saint-Pandoise, du Tignet...* » par le comte de Provence. **Cabris** n'est repeuplé qu'en **1496**, à la suite d'un *acte d'habitation* établi par Balthazar de Grasse qui fit venir 52 familles de Menton, Sainte-Agnès et Oneille (actuelle Imperia). En **1531**, la marquise Antoinette de Réquiston fait assassiner son mari, Jean II de Grasse-Cabris, puis son fils Pierre en 1536 et son fils Henri en 1539. Elle réussit à s'enfuir à Gênes. En **1655**, le baron de Gréoulx épouse Véronique de Grasse-Cabris, c'est ainsi que la seigneurie passe aux Clapiers de Gréoulx qui vont la conserver jusqu'en **1789**. L'épouse du dernier marquis de Clapiers-Cabris, Louise, était la sœur de *Mirabeau*, lequel séjourna souvent à **Cabris**. Le château fut en grande partie détruit à la **Révolution**. Le versant sud de la commune était voué à la culture des céréales, de la vigne et de l'olivier ; sur le versant nord, les *Cabriencs* élevaient des moutons et des chèvres. Le territoire de **Cabris** perdit 1322 ha lorsque furent créés **Peymeinade** (1868) et **Spéracèdes** (1910).

À voir

Ce vieux village provençal, perché en nid d'aigle et adossé aux Préalpes, possède de ***nombreux points de vue****, en particulier l'esplanade du château, d'où l'on peut admirer un* ***panorama*** *splendide qui s'étend du* ***Cap-Ferrat*** *jusqu'à **Toulon**, avec les îles de Lérins et le lac de Saint-Cassien. Par temps clair on aperçoit la **Corse**. Grâce à son exposition sud, le côteau de **Cabris** bénéficie d'un ensoleillement maximum et, malgré les 550 m d'altitude, la douceur du climat a permis l'**acclimatation de palmiers et autres plantes de pays chauds**.*

* **Vieilles maisons, ruelles et passages sous voûtes**.

* **Tour de l'Horloge** (XVIe).

* **Ruines du château féodal** (XIIe-XIIIe). Probablement construit lorsque les Grasse reçoivent le fief de Cabris. Le dernier seigneur fut le marquis de Clapiers-Cabris. En 1797, le château est détruit par les révolutionnaires.

* **Croix de Cabris**. 2.500-700 avant J.-C. *Nécropole* contenant des ossements, des dents, des silex, des tessons de poterie, des fragments d'objets en bronze et en étain.

* **Dolmen de Stramousse**. 2.500-700 avant J.-C. Il abrite une *chambre* dans laquelle furent retrouvés les restes d'une quarantaine d'individus, du petit mobilier, des objets et outils en silex, en os, en bronze, des céramiques.

* **Vestiges de l'église Saint-Pandoise** (XIe-XIIe).

* **Chapelle Sainte-Marguerite** (1516). *Retable* en bois polychrome, dédié à sainte Marguerite (XVIe).

* **Chapelle Saint-Jean** (XVIIe). Elle serait construite à l'emplacement d'un *ancien temple romain*. Sa forme octogonale rend vraisemblable cette supposition. Elle abrite une *stèle romaine* du Ier siècle.

* **Église Saint-Roch** (1616). Elle renferme une *chaire* de 1653 en *buis* polychrome, une *reproduction* de la *Cène* en marbre pilé (XVIIe), et un *bénitier* (1622).

* **Oratoire de Saint-Claude** (1867). *Il fut évêque de Besançon au VIIe siècle. Il est le patron des **faïenciers**.*

* **Lavoir** (XIXe). Il comporte un bassin en pierre de taille qui est alimenté en continu par une source

PALMIERS

La ***famille des palmiers*** (*palmacées*) compte 235 genres regroupant près de 4.000 espèces qui sont toutes typiques des régions chaudes du globe. Dans certains pays, c'est une *plante providence* car elle tient une place très importante sur le plan économique. En voici quelques exemples :

Le ***Palmier dattier*** (*Phoenix dactylifera*) produit des dattes qui nourissent les Égyptiens depuis plus de 7.000 ans. Dans les oasis, c'est un véritable arbre de survie. Le ***Palmier « universel »*** *(Sagoutier, Raphia vinifera)* qui pousse dans les régions tropicales du sud de l'Asie, procure aux autochtones, matériau de construction, vêtements, nourriture. Le *sagou*, une sorte de farine fournie par la moelle de l'arbre, se consommait avec de l'huile de palme. On y mélangeait des larves vivant sur ces mêmes palmiers. Le ***Cocotier*** (*cocos nucifera*) : la *noix de coco* fournit l'huile de coprah, et les fibres qui entourent le fruit servent à fabriquer des paniers, chapeaux, vêtements. Le *raphia* provient des immenses feuilles (15 à 20 m de long) du ***Palmier Raphia ruffa***. Madagascar est un centre important de fabrication de *raphia*. Le ***Palmier Rotang*** produit une sorte de liane (*Calamus rotang*, d'où est tiré le mot *rotin*) qui est utilisée pour la fabrication de mobiliers divers. Le ***Palmier-à-Bétel*** (*Aréquier : Areca catechu*) est originaire de Cochinchine et de Malaisie, mais cela fait plus de 1.000 ans qu'il est cultivé en Inde, Birmanie et Chine. Cet arbre de 15 à 18 m de haut produit un fruit, la *noix d'arec*, qui entre dans la préparation du ***bétel***, un masticatoire aux vertus astringentes et tonifiantes. Pour la fabrication du ***bétel***, on utilise également du ***gambier*** (une sorte de gomme-résine) et du ***cachou*** (*Acacia catechu*). On reconnaît les mâcheurs de bétel à leurs dents noires et à leurs lèvres brunes ou rouge sang. Pour eux, les dents blanches des Occidentaux sont affreuses car comparables à celles des chiens ! En Asie tropicale, on a retrouvé des manuscrits du Ve siècle après J.-C. écrits sur des feuilles de palmiers, séchées et découpées en rectangle.

06800 CAGNES-SUR-MER Plan: C 5

Photo: Patrick Bouvet

Quartier : **CROS-DE-CAGNES**
Population : Insee 1999 **= 44.207** h. en 1901 = **3.381** h. variation **+ 1.199,67%** (Est. 2004 : 66.100)
Rang de la commune par rapport au nombre d'habitants au niveau dépt : **4** - au niveau national: **128**
Les habitants sont les **Cagnois**
Superficie : 1.800 ha - **Altitude** : 0 / 77 /187 m
2 Cantons : Cagnes-Centre et Cagnes-Ouest - **Arrondt** : Grasse
Distance de Nice : à vol d'oiseau = 9 km - par la route = 13 km - **Longitude** = 7,15° - **Latitude** = 43,67°
Accès : A 8 ou RN 7 - **Desserte** : SNCF - TAM 200 - 217 - 231 - 232 - 233 - 400 - 500 - Phocéens ligne 800
Fête patronale : 29 juin - **Église** : St-Pierre / Ste-Famille /St-Pierre-N.-D.- de-la-Mer - **Paroisse** : St-Mathieu
N° Tél. de la MAIRIE: 04.93.22.19.00 - **OFFICE du TOURISME**: 04.93.20.61.64 / **Cros** : 04.93.07.67.08
www.cagnes-sur-mer.fr

Origine du nom

Il est possible que **Cagnes** vienne de *cagna* (chienne) ou encore du prénom *Canius*. Toutefois, la racine celtique *kan* désigne un lieu habité sur une colline arrondie ou une butte : le site correspond à ce toponyme. Il est même probable que la rivière qui coule au pied du village, la **Cagne**, en tire son nom. Certains linguistes pensent que l'origine du nom est *canto* (flanc de colline). Formes anciennes : *ante castro Caina* (cart. de Lérins, 1032), *villa que nominant Cagna* (idem, 1033), *in castro Canea* (cart. Saint-Victor, 1045), *Enrico de Cagnia* (1191), *de Canha* (en 1351 et en 1449/1450). Quant à l'appellation **Cros de Cagnes** : *Cros* vient de *crosus* qui est d'origine celtique et signifie creux, fond, dépression (Voir Ascros). Primitivement, l'anse abritée du Cros de Cagnes était marécageuse.

Histoire

Le site primitif, *Onepe*, fut habité par la tribu celto-ligure des *Décéates*, puis investi par les *Romains* qui y construisent un *oppidum* et un poste d'observation sur la *Via Aurelia*. Au **Ve** siècle, saint Véran, moine de Lérins, fonde une abbaye dans la plaine littorale. Détruite par les *Sarrasins*, reconstruite par l'évêque de Vence, elle est finalement abandonnée au XIe siècle. En **1032**, le cartulaire de l'abbaye de Lérins mentionne le bourg fortifié de *Castrum Caina* ou *Canna* Un acte de **1152** nous apprend que ce *castrum* dispose d'un port : *In portu cannee*. Au **XIIIe** siècle, le *castrum* et une grande partie du territoire de **Cagnes** appartiennent au sénéchal Romée de Villeneuve. En **1252**, à la suite du testament qu'il avait rédigé en leur faveur le 15 décembre 1250, les comtes de Provence en deviennent les possesseurs. En **1309**, ce fief est cédé à *Rainier Grimaldi**, qui est également seigneur de Cannes (*il s'agit de Rainier Ier de Monaco*). En **1334**, son fils Charles Ier rachète la seigneurie de **Cagnes** à l'un de ses frères. Cette famille (branche de Cagnes / Antibes) fut chassée de la ville à la **Révolution**. Lors de la ***dédition de 1388***, les seigneurs Grimaldi de Cagnes et d'Antibes restent fidèles à la Provence. Le bourg devient un poste frontière important. Il est d'ailleurs assiégé et pillé plusieurs fois par : les Impériaux en 1524, Charles Quint en 1536, les Piémontais en 1704, les Hollandais en 1707, et de nouveau par les Impériaux en 1746 et les Piémontais en 1815. Quant au château, il fut pillé à la Révolution. En **1400**, cette localité comptait 17 *feux* (environ 70 maisons, regroupées autour du château) et les ressources des habitants étaient principalement agricoles : le vin, l'huile et le chanvre. Au **XIXe** siècle, la localité comptait *1.700* habitants et en **1900**, *3.000*. Ce n'est qu`à la fin du **XVIIIe** siècle que des *pêcheurs mentonnais* s'installent défintivement sur les rives de l'anse marécageuse, mais très poissonneuse, du *Cros-de-Cagnes*, et y créent un port. Des *charpentiers génois* et *napolitains* viennent sur place pour fabriquer une véritable flotille de *pointus*. Entre **1920** et **1930**, le petit port de pêche comptait une centaine de bateaux pour plus de deux cents pêcheurs et cette activité faisait vivre un millier de personnes. C'est au **Cros-de-Cagnes** que se trouve le plus ancien poste de *sauvetage en mer* de la Côte d'Azur. En **1922**, la commune est dénommée **Cagnes-sur-Mer**.

** **Grimaldi.** Les seigneurs de Cagnes et d'Antibes descendaient en ligne directe de **Grimaldo**, qui fut **consul de Gênes au XIIe** siècle. Pendant les guerres civiles qui embrasent leur cité, aux XIIIe et XIVe siècles, de nombreux membres de cette famille se regroupent dans la région niçoise. C'est ainsi qu'ils créent de **nouvelles branches**, à **Antibes, Beuil et Monaco**. Au **XIVe** siècle, les fils de l'illustre amiral Antoine Grimaldi, Luc et son frère Marc, font l'acquisition de nombreux fiefs aux alentours de Nice et de Monaco. Ils prêtent également d'importantes sommes d'argent au pape d'Avignon, Clément VII, avec pour garantie la **cession d'Antibes**. Le pape n'ayant pu rembourser sa dette, les deux frères revendiquent cette ville et, en **1384,** ils en deviennent les premiers seigneurs. Au **XVe** siècle, les petits-enfants de Luc, Gaspard, Jean-André et Lambert, surent renforcer la position et l'influence de leur famille. En **1465**, Lambert épouse sa cousine Claudine, la fille de Catalan Grimaldi, seigneur de Monaco. Ce mariage va resserrer les liens entre les deux branches. Lambert cède ses droits sur Antibes à son frère Gaspard. À partir de la **dédition de 1388,** Antibes est devenue une place forte d'une grande importance stratégique, car située à la frontière de la Provence et du comté de Nice. En **1608**, les Grimaldi cèdent leur ville à Henri IV et s'installent dans leur château de Cagnes. Cependant, à la **Révolution**, ils sont chassés de leurs possessions. La lignée des Grimaldi de Cagnes et Antibes a produit de nombreux officiers, évêques et chevaliers de Malte. Elle s'est éteinte en 1940, avec le décès du dernier marquis, à Bruxelles.*

À voir

***Vieille ville** : cité médiévale fortifiée, perchée sur une butte et dominée par un château fort du XIVe siècle. Placettes ombragées, ruelles en escaliers, passages voûtés. Les maisons à arcades datent des XVe et XVIe siècles. La ville nouvelle, le « **Cros de Cagnes** », occupe le site du village de pêcheurs primitif.*

* **Église Saint-Pierre-et-Saint-Paul** (XIIIe). *Fresque* (XIXe) dédiée à ces deux saints. Le *clocher* a été remplacé en 1797, grâce à une souscription des paroissiens.

* **Château** (XVe - CMH 1948). Il occupe l'emplacement du fortin primitif bâti par le comte Grimaldi en 1297. En 1625, Jean-Henri Grimaldi le fait transformer en un palais superbement décoré où il organise des réceptions fastueuses. *Cheminée* aux armes des Grimaldi (XVIIe), et au plafond, une *fresque* (*La Chute de Phaéton* - XVIIe).

* **Pontis** (XVIIe). Longue rue couverte, caractéristique des villages perchés.

* **La Tourelle** (XVIIe). Cet édifice, originellement élément de défense, est devenu un restaurant.

* **Chapelle Notre-Dame-de-Protection** (XVIe - CMH 1939). *Cloche* (1866) offerte par les Pénitents blancs. Grande *peinture murale* (probablement de 1560), découverte en 1936, *Le Mariage de la Vierge, statue* de saint Sébastien, en bois doré polychrome (XVIIIe).

* **Deux pierres tombales de l'époque gallo-romaine**. Scellées sur le mur de la *maison commune*.

* **Vestige du moulin à huile Blacas** (XVIIe).

* **Moulin du loup**, probablement construit sur le site d'un ancien moulin ligure, il est classé depuis 1965.

* **Portes de l'ancienne chapelle des Pénitents-Blancs** (XVIIe) et de **l'ancien moulin Lambert** (1782).

* **Chapelle Saint-Pierre** (XIXe). Abrite une *statue de saint Pierre* en bois doré et polychrome.

* **Musée Renoir**. ***Pierre-Auguste Renoir** est né en 1841 à Limoges. Vers 1895, il est atteint de rhumatismes, on lui conseille alors de s'installer dans le midi de la France. En **1907**, les époux Renoir acquièrent une propriété de plusieurs hectares complantés d'oliviers millénaires, **Les Collettes**, située à Cagnes. L'année suivante, ils font construire une vaste demeure en pierres. C'est là que le peintre se met à la sculpture. Il décède en 1919. En **1960**, la commune fait l'acquisition de la maison et l'aménage en **musée**. De nombreuses salles, dont son atelier et la salle à manger, ont été conservées en l'état. Plusieurs de ses œuvres peintes y sont exposées, ainsi que des sculptures et de nombreux objets familiers.*

* **Buste du général Charles Bérenger**, né à Cagnes en 1828. Il s'illustra lors des guerres de Crimée et de 1870.

* **Vestiges de la chapelle Notre-Dames-des-Pilotes**. Sa construction, entreprise en 1958, n'a pas été achevée.

* **Hippodrome**. Créé en 1948, les aménagements se sont succédé jusqu'en 1959.

Quelques bonnes adresses

Dans le vieux village :

ESTY Bijoux contemporains 12, rue du Dr-Provençal 04 92 13 20 90 *www.esty.net*

Les TERRASSES du SOLEIL *Chambres d'hôtes* pl.N.D.Protection 04 93 73 26 56 *www.terrassesdusoleil.com*

Sur le bord de mer :

Restaurant L'ENTRACTE *Cuisine traditionnelle soignée* 45, bd de la Plage 04 92 13 06 69

Hôtel TIERCÉ *** 33, bd Kennedy Tél. 04 93 20 02 09 Fax 04 93 20 31 55 *www. hoteltierce.com*
Restaurant IPANEMA Grill Steakhouse Churrascaria 1-2, bd de la Plage 04 93 22 82 99
Au Cros-de-Cagnes / sur le bord de mer :
Restaurant VIA VENETO *Terrasse panoramique* 92, bd de la Plage 04 93 31 26 25
Hôtel-Restaurant AUBERGE DU PORT 95, bd de la Plage 04 93 07 25 28 *www.hotel-auberge-du-port.com*
Restaurant LOULOU *Spécialités de poissons* 91, bd de la Plage 04 93 31 00 17

06750	CAILLE	Plan: A 4

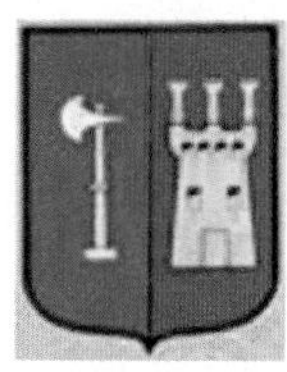

Hameau : **LA MOULIÈRE**
Population : Insee 1999 **= 220** h. en 1901 = **190** h. variation **+ 15,79%** (**223** en 2005)
Rang de la commune par rapport au nombre d'habitants au niveau départemental : **116**
Les habitants sont les **Caillois**
Superficie : 1.696 ha - **Altitude** : 1122 / 1160 / 1644 m - **Canton : Saint-Auban** - **Arrondt** : Grasse
Distance de Nice : à vol d'oiseau = 42 km - par la route = 65 km - **Longitude** = 6,73° - **Latitude** = 43,77°
Accès : A 8 - RN 85 - D 79 - **Desserte** : TAM 800 via Grasse
Fête patronale : dimanche suivant le 3 août - **Église** : St-Etienne - **Paroisse** : Ste-Marie-des-Sources
N° téléphone de la MAIRIE : 04.93.60.31.51

Origine du nom

La racine *cal*, avec les variantes *gal* et *jal* (dureté, pierre, habitation de montagne, construction en pierre) est répandue de l'Inde au bassin méditerranéen : en *dravidien** *kal*, *kala*, *kalu* désignent la pierre, la roche, la forteresse. Le mot provençal *calhô* signifie grossier, rugueux. Quant au latin *callum* (peau épaisse et dure) c'est un mot populaire sans étymologie mais que l'on peut rapprocher de *calx*, la chaux. Formes anciennes : *Pontius de Calia* (cartulaire de Saint-Victor, 1042), *de Caylla, de Calha, de Calya* (années 1312, 1351, 1376).

** Il s'agit de **langues** parlées dans le **sud de l'Inde** et le **nord du Sri Lanka (tamoul)**. Elles forment une famille linguistique originale, non apparentée aux langues indo-européennes ni à aucune autre.*

Histoire

La première mention de cet habitat, qui débordait les limites du diocèse de Vence, apparaît en **1042**, dans le cartulaire de l'abbaye Saint-Victor de Marseille. Au **Moyen Âge**, une nouvelle agglomération, *Calia*, s'est développée sur des terres situées à l'ouest d'Andon. De **1471** jusqu'au **XVIIIe** siècle, les territoires de **Caille** et d'Andon se confondent pour ne former qu'un seule commune. Au **XVIe** siècle, la seigneurie de **Caille** appartient à la famille des Castellane de Rougon. Vers **1672**, **Caille** et le fief de Rougon passent, par héritage, aux Brun de Castellane. En **1696**, les armoiries de **Caille** sont enregistrées à l'*Armorial général* ((hache d'armes pour les Brun et château pour les Castellane). À la fin du **XVIIe** siècle, à la suite de la révocation de l'édit de Nantes (1685), Scipion Brun de Castellane, protestant, préfère s'exiler en Suisse. En **1707**, un certain Pierre Mège qui a usurpé l'identité d'Isaac, le fils de Scipion, hérite de ses biens, mais il est démasqué en **1712**. Les terres sont alors restituées aux héritiers des Brun de Castellane, les Rolland et les Tardivy. En **1735**, Jean Tardivy procède à un échange avec Théas de Villeneuve, seigneur d'Andon et de Thorenc : **Caille** contre Thorenc. À la **Révolution**, les départements sont créés : Grasse compte 11 cantons, dont celui de **Séranon**. **Caille** en fait partie jusqu'en 1801, date à laquelle il est englobé dans celui de Saint-Auban.

Les activités économiques sont axées sur l'élevage de bovins et d'ovins, les pâturages, ainsi que sur la culture (céréales).

*Vers **1700**, une **météorite** est tombée sur la montagne de l'Audibergue, sur le territoire de Caille. Depuis 1828, ce bloc de fer de 625 kg, la « **Caillite** », est exposé au Museum national d'histoire naturelle de Paris.*

À voir

*Il s'agit d'un village de type pastoral, construit sur un plateau, à un peu plus de 1.000 m d'altitude. Les maisons sont dispersées le long de la route. Station climatique d'été. Classé au **répertoire des sites** en 1971.*

* ***Entre Caille et Andon : vallée glaciaire** à 1.000 mètres d'altitude, d'où l'on peut admirer un magnifique panorama sur l'**Audibergue**.*

* **Église Saint-Étienne** (1866). Elle est dotée d'une nef unique et d'un clocher carré. Elle abrite un *candélabre* en argent (XVIIIe), une *statue* de saint Étienne en plâtre polychrome (XIXe), et une *bannière* en satin et fil d'or dédiée à saint Étienne (XIXe).

* **Four communal** (début XVIIIe) situé au n°11, rue du Four.

* **Lavoir** (XXe). Il comporte deux bacs (lavage/rinçage) et est entouré d'une galerie de circulation.

* **Porte de l'ancien château** (1868) de style néo classique, située au n° 73, rue Principale.

* **STATION DE SKI DE l'AUDIBERGUE** (1.340-1.642 m). **Andon - Caille**

Ski alpin (8 remontées mécaniques, 1 télésiège, 14 pistes). **Ski de fond** (18 km de pistes). **Ski de randonnée**. À **Caille** : foyer de ski de fond et 25 km de pistes.

* **Avens du parc de la Moulière** sur la D 281. *C'est dans l'**aven de la Glacière** (-230 m) qu'a eu lieu l'expérience « hors du temps » de **Michel Siffre**. En 1962, ce **spéléologue** français vécut **62 jours** dans le **gouffre de Scarasson**, situé entre Tende et Limone (Italie). Et en 1972, il resta **205 jours** dans **Midnight Cave** (Texas).*

* **VIA SOUTERRATA.** Parc de la Moulière. Itinéraire de 380 m. Dénivelée négative : - 40 m. Cotation : assez difficile. Ouvert toute l'année. **Réservation : tél/fax 04 93 60 34 51** **loupais.caille@wanadoo.fr**

Vie Ferrate : voir La Brigue, La Colmiane (Valdeblore), Auron, Peille, Lantosque, Puget-Théniers, Tende.

Bisons** et **chevaux de Przewalski** - **Domaine du Haut-Thorenc (Andon)

« Pour la première fois au monde, ces deux espèces, sur un même espace, donnaient naissance à des petits...sauvages et libres ». *(Photos transmises par Alena et Patrice Longour)*

06400 **CANNES** **Plan: C 5**

Photo: Régis Herzfeld - Ville de Cannes

CANNES-LA BOCCA CALIFORNIE RANGUIN ÎLES DE LÉRINS

Population : Insee 1999 **= 67.304** h. en 1901 = **30.420** h. variation **+ 121,25%** (**68.214** en 2005)

Rang de la commune par rapport au nombre d'habitants au niveau dépt : **3 -** au niveau national: **62**

Les habitants sont les **Cannois**

Superficie : 1.962 ha - **Altitude** : 0 / 6 / 260 m

3 Cantons : Cannes centre - Cannes est - Mandelieu Cannes ouest - **Arrondt** : Grasse

Distance de Nice : à vol d'oiseau = 25 km - par la route = 32 km - **Longitude** = 7,02° - **Latitude** = 43,55°

Accès : A 8 ou RN 7 - **Desserte** : SNCF - TAM 200 - 210 - 600 - Bus Azur (urbain)

Midem : janvier **- Mip TV** : avril **- Festival du film** : mai **- Festival navigation plaisance** : septembre

Mipcom et Tax Free World Exhib. : octobre

Églises : N.-D. Bon-Voyage/N.-D.Espérance/N.-D.Pins/Christ-Roi/Sacré-Cœur-Prado - **Paroisse** : St-Nicolas

Églises de la Bocca : Ste-Marguerite / St-Jean-Bosco - **Paroisse**: St-Vincent-de-Lérins

N° Tél. de la MAIRIE : 04.97.06.40.00 **www.cannes.com** **OFFICE du TOURISME** : 04.93.99.19.77

Origine du nom

L'étymologie est la même que celle de **Cagnes** : la racine pré-indo-européenne *kan*, et ses variantes *kar*, *cam, can, cen, cant, gand,* est présente de l'Inde à l'Europe occidentale (site élevé, rocher, hauteur). L' ancien site de **Cannes** est *Lou Suquet*, un diminutif de *Suc* (tête, occiput). Toutefois, certains linguistes pensent que ce toponyme est tiré de *canto* (flanc de colline) ou de *canna* (roseau des marais). Formes anciennes : *de portu Canus* (cart. de Lérins, vers 990), *canuia egressus* (idem, 1030), *cellario de canuis* (cart. de Lérins, 1102-1110), *apud Canoas* (1227), *de canos* (1414), *lo terrador de Canos* (1470), *Canoas* (1450, 1506 et XVIIe), *Canohos* (XVIe).

Histoire

Le site fut occupé par la tribu ligure des *Oxybiens*, jusqu' à leur soumission par les *Romains*, suivie de leur exode, vers **154 avant J.-C**. Les vainqueurs confient d'abord le site aux *Phocéens* de Marseille qui le baptisent *Castrum Marcellinum*. Lorsque l'agglomération commence à s'étendre, les Romains construisent le *Castrum Canoïs* (ou *Canoas*) sur la colline du Suquet. Ils occupent également les *îles de Lérins* (*Lero* et *Lerina*). La région va bénéficier de la *paix romaine* pendant cinq siècles. Vers **410**, Honorat, un ermite qui vivait au cap Roux, s'établit sur *Lerina* et y fonde une abbaye. Quelques siècles plus tard, les incursions des *pirates musulmans* ruinent la région. En **730**, les *Sarrasins* massacrent les cinq cents moines qui vivent sur l'île. Ils envahissent également le littoral et détruisent la bourgade de pêcheurs qui occupait l'emplacement de l'ancien petit port ligure. Les habitants sont capturés et emmenés en esclavage. Le village ne fut rebâti qu'au **Xe** siècle. En **1035**, Guillaume, le fils du comte d'Antibes, prend l'habit monacal et fait don du territoire de *Canui*a (dont faisaient partie les collines de l'actuel **Le Cannet**) aux moines de Lérins. Ces derniers en restèrent les seigneurs jusqu'à la sécularisation du monastère, à la **Révolution**. Au **XIe** siècle, les abbayes de Lérins et de Saint-Pons sont *très puissantes*. Grâce aux innombrables dons et legs testamentaires effectués par les fidèles, elles deviennent parmi les plus grands propriétaires terriens de la région (Voir Bouyon). En **1070**, les moines de Lérins commencent à fortifier le *castrum* et à construire la grande tour de guet du Suquet (cette dernière fut terminée 300 ans plus tard). Ils reçurent l'aide des Templiers, puis des Hospitaliers de Saint-Jean-de-Jérusalem. En **1113**, le comte de Provence éxonère les habitants de toute imposition et *Canoïs* devient *Castellum Francorum* ou encore *Castrum Francum* (château franc). En **1481**, **Cannes**, avec toute la Provence, **devient francaise**. En **1580**, la population est décimée par une épidémie de *peste*. Elle subit encore bien des vicissitudes, en particulier lors des guerres de Succession d'Espagne (1707) et de Succession d'Autriche (1745), mais elle souffrit très peu de la Révolution. Jusqu'au **XIXe** siècle, la localité vécut principalement du commerce maritime et de la pêche des anchois et des sardines. C'était un port commercial très actif où les *tartanes* amenaient des céréales, des fruits secs et autres denrées agricoles, ainsi que des matières premières. Elles repartaient chargées de jarres d'huile d'olive, de vin et d'eau de vie. La région exportait également des fruits secs, des agrumes, des savons, des textiles et des peaux... En **1834**, *lord Brougham**, séduit par le site, s'installe à **Cannes** et y attire l'aristocratie anglaise. En devenant une des villégiatures préférées du gotha européen, la bourgade de pêcheurs se métamorphose en une ville résidentielle et touristique florissante. La population, qui comptait 4.000 habitants en **1834**, passe à 10.000 en **1870**.

À voir

* **Château du Suquet** (XIe-XIVe-XIXe - CMH 1937). Il abrite le **musée de la Castre** : archéologie régionale, antiquités méditerranéennes, orientales, précolombiennes, art primitif océanien. Section peinture : peintres provençaux et orientalistes. Voir également la *chapelle Sainte-Anne* (XIIe), le *banc du Duc d'Albany* en marbre blanc, situé dans le *jardin du musée*.

* **Chapelle de la Miséricorde** (XVIIe - IMH 1933).

* **Chapelle Saint-Georges** (1887) * **Chapelle Bellini** (1892)

* **Église Notre-Dame-de-l'Espérance** (1521-1643 - CMH 1937). Statue de la *Vierge à l'Enfant* (1679)

* **Chapelle Saint-Cassien** (XVIIe - CMH 1936). Sur la colline d'Arluc. Mise en vente comme bien national en 1791, elle est rachetée par vingt Cannois qui en font une propriété indivise.

* **Rue d'Antibes**. Son appellation originelle était *route d'Antibes*. Elle est réputée pour ses magasins.

* **Église Notre-Dame-de-Bon-Voyage** (1868-1879).

* **Nombreuses villas** : *Eléonore-Louise* (1835-1839) construite pour lord Brougham. *Marie-Thérèse* (1881 - IMH 1988). *Victoria*, *Beauregard*, *Rose-Lawn*, *Le Rouve*, *Kazbek*... Toutes datent de la fin du XIXe siècle.

* **Hôtels de la Croisette** : *Carlton* (1909-1913 - IMH 1989), *Majestic* (1924-1926), *Martinez* (1927), *Miramar* (1928-1929). * **Autres grands hôtels cannois** : *Des Pins* (1875), *Splendid* (1871). Les hôtels *La Californie* et *Le Continental* ont été transformés en appartements.

* **Château Scott** (1868-1872). Où furent tournés les films *Quasimodo* et *Le Mystère de la chambre jaune*.

* **Kiosque** (1880 - IMH 1990), en fonte. De l'architecte Louis Hourlier. Il est situé allée de la Marine.

* **Port** (1838-1843) dédié à la navigation de plaisance.

* **Square Prosper-Mérimée** : en hommage à cet écrivain, décédé le 28 septembre 1870, dans une maison située au n° 5 de la rue Jean-de-Riouffe, en face du square.

* **Square Lord-Brougham**. *Ce lord écossais fut grand chancelier du roi d'Angleterre. En **1834**, alors qu'il fait route vers l'Italie, il ne peut franchir la frontière du Var, car l'accès au comté de Nice est interdit en raison d'une épidémie de choléra sévissant en territoire provençal. Il rebrousse chemin et s'arrête à Cannes. Cet endroit lui plaît tellement qu'il décide de s'y installer. Cet homme influent participa beaucoup au développement de la ville : construction du port, arrivée de la ligne de chemin de fer, adduction d'eau.*

Quelques bonnes adresses

06400 ÎLES de LÉRINS (Cne de Cannes) Plan: C 6

Population : Insee 1999 = **48** h. en 1900 = **301** h. variation **-29,33%**
Comprend les îles de : **SAINT-HONORAT et SAINTE-MARGUERITE**
Superficie : 270 ha - **Altitude** : 3 m - **Canton** : Cannes - **Arrondt** : Grasse

*Ce petit **archipel** est composé de deux îles (leur superficie est respectivement de 60 et 210 hectares) ainsi que des îlots Saint-Ferréol et La Tardelière. L'île de **Lerina** a pris le nom de **saint Honorat** et l'île de **Lero** celui de la chapelle dédiée à **sainte Marguerite d'Antioche**.*

Origine du nom et Histoire

Dans l'**Antiquité**, ces îles étaient connues comme escale maritime. Elles sont mentionnées par le géographe grec *Strabon* (qui situe un sanctuaire à *Lero)*, par *Pline* (il cite *Lero, Lerina* et l'*oppidum* disparu de *Vergoanum*), ainsi que dans l'*Itinéraire d'Antonin* (Voir Èze). *Lero* devient une station romaine sur la route maritime entre l'Italie et l'Espagne. Les *Romains* y construisent un port ainsi que des bâtiments publics et religieux. Vers la fin du **IVe** siècle, un *tremblement de terre suivi d'un raz-de-marée* provoque un affaissement de terrain de plusieurs mètres et modifie la configuration des îles : de nombreux édifices romains, ainsi qu'une nécropole de l'**âge du fer**, sont submergés. Au début du **Ve siècle**, *saint Honorat* fonde un monastère sur *Lero* (d'où l'origine du nom). Quant à *Lerina*, une chapelle érigée sur cette île, et dédiée à *sainte Marguerite d'Antioche*, lui a donné son nom. Le monastère devient l'un des plus illustres de la chrétienté. Véritable pépinière de théologiens et d'évêques, il anime une soixantaine de prieurés et attire une foule de pèlerins. La règle bénédictine y est introduite en **660** par saint Aygulphe. Vers **730**, les *Sarrasins* massacrent cinq cents moines. En **1066**, l'abbé de Lérins, Aldebert II, entreprend la construction d'un donjon fortifié. Les travaux sont terminés en **1215**. Toutefois, son emplacement géographique rend l'abbaye de Lérins vulnérable et elle continue à être victime de pillages et d'actes de piraterie. Sa mise en *commende** en **1464** amorce son déclin. À partir du **XVIe** siècle, cette île-sentinelle qui signale l'arrivée des navires ennemis aux villes de Cannes et d'Antibes, devient un *enjeu stratégique* entre les Français, les Espagnols et les Autrichiens. En **1791**, le monastère est sécularisé par les révolutionnaires et la communauté religieuse, dissoute. Rebaptisée « île Pelletier », Saint-Honorat devient une propriété privée pendant près d'un siècle. En **1859**, l'évêque de Fréjus la rachète et en **1869**, le monastère est repris par les Cisterciens de Sénanque, qui l'occupent toujours.

Quant à *l'île Sainte-Marguerite*, entre les **Ve** et **XVe** siècle, elle dépendit du monastère fondé par saint Honorat. Toutefois, en **1633**, après diverses inféodations, elle devient *place royale*. Le *fort Royal*, construit entre 1624 et 1627, est renforcé par Vauban et devient prison d'État en 1685 (le *Masque de Fer* y aurait été emprisonné).

* ***Commende.*** *Ce mot vient du latin **commendare** qui signifie **confier**. Il s'applique à l'administration ou à la concession d'un bénéfice ecclésiastique (abbaye ou évêché), à un **laïc** ou à un **ecclésiastique séculier.***

À voir

* **Forêt domaniale** de l'île Sainte-Marguerite. *Belles promenades* dans un cadre enchanteur. Les140 hectares de bois ont été aménagés par l'Office national des forêts, avec des sentiers au milieu d'eucalyptus, de pins et de nombreuses variétés de plantes. Arboretum. Faisans en liberté.

* **Fort Royal**, sur l'île Sainte-Marguerite. (1687 - CMH 1927). Vestiges de *remparts* de l'époque romaine et des XVIIe-XVIIIe siècles, *citernes* (Ier au IIIe), *puits* (XVIIe). Ce fort abrite le *musée de la Mer*.

* **Monastère Notre-Dame-de-Lérins.** L'île porte le nom d'Honorat qui fonde le monastère en 410. Au VIIIe siècle, plus de 500 moines s'y recueillaient. Le donjon fortifié, dont la constructioin fut achevée en 1215, a subi de multiples transformations et, au XVe siècle, il est devenu ce monastère de 86 pièces. Construit sur des *ruines gallo-romaines*, il en garde de *nombreux vestiges*. *Cloîtres* des XIe et XIVe siècles, *salle capitulaire* (XIIe).

* **Chapelle de la Trinité**, sur Saint-Honorat (Xe - CMH 1886).

L'île comporte les vestiges de sept chapelles, construites à partir du VIIe siècle et dédiées à différents saints. Au XIIe siècle, Sainte-Marguerite devint un lieu de pèlerinage. La chapelle de la Trinité, en forme de *trèfle* (qui rappelle son vocable), est bâtie avec des *matériaux romains*. Son *abside* est inspiré de l'*art byzantin*.

Photo: Régis Herzfeld - Ville de Cannes

06110 # CANNET (LE) **Plan: C 5**

LES FADES ROCHEVILLE LES GOURINS

Population : Insee 1999 = **42.158** h. en 1900 = **3.097** h. variation **+ 1.261,25%** (**42.492** en 2005)

Rang de la commune par rapport au nombre d'habitants au niveau dépt : **6 -** au niveau national: **141**

Les habitants sont les **Cannétans** *ou* **Cannettans**

Superficie : 771 ha - **Altitude** : 12 /100 / 285 m

2 cantons : une partie sur Le Cannet, l'autre sur Mougins - Arrondt : Grasse

Distance de Nice : à vol d'oiseau = 24 km - par la route = 32 km - **Longitude** = 7,02° - **Latitude** = 43,57°

Accès : A 8 - N 285 - **Desserte** : TAM 210 - 600 (via Cannes) -Bus Azur 10 - 11 - 11A - 12 - 13

Fêtes : Saint-Claude / Saint-Jean en juin - Saint-Didier en juillet - « Naissance du Cannet » en août

Églises : Sainte-Philomène / Saint-Charles (Rocheville) - **Paroisse** : Notre-Dame-de-Vie

N° Tél. de la MAIRIE : 04.92.18.20.00 **www.mairie-le-cannet.fr OFFICE du TOURISME** : 04.93.45.34.27

Origine du nom

Bien que l'étymologie soit la même, ce toponyme n'est pas un diminutif de **Cannes** car la présence de l'article n'est apparue qu'au XVIe siècle : *lo Canet*. Quant au suffixe, il vient du latin ***ittum*** ou du celtique ***et (um)***. Formes anciennes : *in castro Canneto* (cartulaire de Lérins, 1025-1032), *via de Canneto* (idem), *F. de Canneto* (1251), *ad Cannetum* (abbaye de Lérins, 1281).

Histoire

Les collines du **Cannet**, que traversait la *Via Julia Augusta*, furent plantées d'oliviers et baptisées *Olivetum* par les *Romains*. L'histoire de cette commune se confond avec celle de **Cannes** jusqu'au **9 août 1774**, date à laquelle le Conseil d'État lui accorde son autonomie. En **1035**, le comte d'Antibes fait don du territoire de *Canuia* (et des collines du **Cannet**) à l'abbaye de Lérins. Un acte de Lérins, daté de **1281**, nous apprend qu'une terre située *ad Cannetum*, est donnée en *emphytéose* (bail de longue durée) à un certain Olivier Isnard. À partir de **1348** et pendant un siècle, les populations de la région sont décimées par les épidémies de peste, les exactions des *grandes compagnies*[*] (Voir Biot) et les razzias incessantes des *pirates musulmans*. En **1441**, le roi René, comte de Provence, entame une politique d'immigration : des actes d'habitation favorisent la venue de familles originaires de l'actuelle Ligurie italienne pour repeupler la région, défricher et cultiver les terres. Entre **1441** et **1500**, les moines de Lérins font venir 140 familles, principalement du val d'Oneille (*Oneglia/Imperia*), à qui ils concèdent des terrains. C'est à partir de cette période qu'apparaît un habitat permanent près des terres exploitées. Ces hameaux, véritables *communautés familiales*, prennent le nom de leurs fondateurs. Les rapports furent toujours difficiles entres les *Cannois*, marins, commerçants, et les *Cannettans*, agriculteurs. Vers le milieu du **XVIe** siècle, la construction de l'église Sainte-Catherine, en renforçant la solidarité entre les Cannettans, amplifie la discorde avec Cannes jusqu'à la séparation des deux communes, un siècle plus tard (arrêt du Conseil d'État du 7 août 1774). À partir de ce moment-là, **Le Cannet** va se développer vers le sud et vers le nord. La ville, qui avait *1.500* habitants en 1850, se transforme progressivement en station touristique, et elle en comptait *11.601* en 1954.

À voir

*Cette station climatique domine la baie de Cannes, la corniche de l'Esterel et les îles de Lérins. Entourée de sept collines couvertes d'eucalyptus, d'orangers, d'oliviers et de mimosas, l'agglomération est protégée des vents du nord et de l'est et bénéficie d'un bel ensoleillement. Elle mérite son surnom de « **Madère de France** » Le vieux Cannet comporte de belles demeures du XVIIIe siècle et des placettes ombragées reliées par des calades.*

* **Église Sainte-Catherine** (1556-1558 - IMH 1926). Elle se confond avec la chapelle des Pénitents-Blancs qui la jouxte. Elle abrite un *ossuaire*, un *confessionnal* (XVIIe), deux *huiles sur toile* (XVIIe et XVIIIe). On y trouve également une *statue de la Vierge à l'Enfant* en bois polychrome et doré (XVIIIe), des *fonts baptismaux* (1756), un *tabernacle* (fin XVIIe), un *buste reliquaire de saint Honorat*, un *autel des âmes du purgatoire* (XIXe).

* **Tour des Danys** (XVe). Haute de 9 mètres. Elle fermait l'entrée de la ville au niveau de la route de Cannes.

* **Chapelle Notre-Dames-des-Anges** (1557 - IMH 1941). Actuellement, elle sert au culte orthodoxe.

* **Pont de Lyon** (1850). À l'origine, il fut construit pour le passage de la ligne ferroviaire Marseille-Italie. Mais la voie ayant été détournée au profit de Cannes, jamais un seul train ne passa sur ce pont.

* **Fontaine de la Croix** (1839). La croix a été déplacée en 1864, car elle gênait la manœuvre des charrettes.

* **Espace Pierre-Bonnard** (début XXe). Cette ancienne chapelle anglicane accueille désormais des expositions de peintures. *Le peintre **Pierre Bonnard** (un coloriste post-impressionniste qui fit partie du groupe des nabis) passa les dernières années de sa vie au Cannet*. Il repose au cimetière *Notre-Dames-des-Anges*.

* **Vieux Cannet,** *avec ses maisons des XVIIIe et XIXe siècles et ses ruelles typiques. La **Maison du tourisme** propose des visites guidées et commentées, gratuites. Tél. 04 93 45 34 27*

* **Place des Paramideaux** * **Rue des Voûtes** * **Ancienne Mairie** * **Rue de la Placette**

* **Rue Saint-Sauveur** * **Place Bellevue** *Beau panorama sur le village et les environs*

* **Murs peints :** *« Les Amoureux de Peynet »* (fresque peinte par Peynet en 1990) ; *« L'Oranger du Patrimoine »*, représente l'arbre généalogique des vieilles familles du Cannet, par Sarraf Amooghli.

* **Chapelle Saint-Sauveur** (XVIIe). Décorée par Théo Tobiasse sur le thème « La vie est une fête ».

* **Église Sainte-Philomène** de 1877. Construite grâce à l'abbé Bovis et aux dons des fidèles.

* **Tour des Calvis** (XVIe). En 1940, le sceau des moines de Lérins fut reproduit sur la porte d'entrée.

Quelques bonnes adresses dans le Vieux Cannet

VIDA-PARME Sculpteur *Bronzes Terres cuites* 412, rue Saint-Sauveur 04 93 46 45 03 *www.vidaparme.com*

L'ENVIE D'AILLEURS *Restaurant Cave à vins Dégustation* 243, rue Saint-Sauveur 04 92 18 19 70

MARC MARONI Orfèvre Sculpteur 372, rue Saint-Sauveur 06 62 76 05 20 *www.maroni-orfevrerie.com*

INTÉRIEUR DE SOIE *Conseil en décoration Patine Peinture décorative* 216, rue St-Sauveur 06 80 06 17 53

06340 CANTARON Plan: D 4

Population : Insee 1999 = **1.258** h. en 1936 = **442** h. variation **+ 184,62%** (**1.266** en 2005)

Rang de la commune par rapport au nombre d'habitants au niveau dépt : **65 -** au niveau national: **6.962**

Les habitants sont les **Cantaronnais**

Superficie : 738 ha - **Altitude** : 90 / 101 / 780 m - **Canton : Contes** - **Arrondt** : Nice

Distance de Nice : à vol d'oiseau = 9 km - par la route = 11 km - **Longitude** = 7,32° - **Latitude** = 43,77°

Accès : D 2204C et GR 51 - **Desserte** : SNCF - TAM 340 - 360

Fête patronale :Ier mai - **Église** : Saint-Joseph - **Paroisse** : Bx-Amédée-IX-de-Savoie

N° téléphone de la MAIRIE : 04.93.27.64.60

Origine du nom

Certains linguistes pensent que **Cantaron** tire son origine du terme *cantharus* (mesure de capacité), de *canthus* (cercle de fer), ou encore de l'italien *cantare rana (Canto-Rane*, chant des grenouilles). Or, le *Castrum de Cetaro* est mentionné dès 1252, dans une enquête du comte de Provence, Charles Ier d'Anjou. Ce n'est qu'à partir de 1760 qu'il est cité sous sa forme actuelle. Il pourrait donc dériver de la racine pré-indo-européenne *set* (montagne, colline). Toutefois, il existe un *mont Cantaro* en Italie, ainsi que le *roc de Candelon* (Brignoles). Ces trois toponymes pourraient aussi avoir comme origine la racine pré-indo-européenne *cant* (hauteur, rocher). Quant au double suffixe *ar - on*, il représente un élargissement sonore.

Histoire

L'histoire de **Cantaron** et de **Bendejun** se confond avec celle de **Châteauneuf-Villevieille** (Voir ce nom) dont ils furent les hameaux jusqu'au **25 juin 1911**. Cette commune est constituée de plusieurs habitats anciens (Bordinas, La Bégude, Les Cognas, La Lauvette, Le Villars, Saut-de-Millo), implantés sur des sites entourant une source. Le Villars conserve les vestiges du château fort de Fougassière qui appartint à l'un des coseigneurs de Châteauneuf. En **1714**, Ignace de Torrini de Fougassière, dont le père fut sénateur de Turin puis de Nice, le reçoit par mariage. Son fils fut également sénateur de Nice. En **1788**, Mgr Valperga de Maglione, évêque de Nice et comte de Drap, institue la chapelle Saint-Joseph comme succursale de celle de Châteauneuf-Villevieille.
Les activités des habitants furent longtemps axées sur l'agriculture et l'oléiculture. *C'est à **La Bégude** qu'était préparée la **teinture** destinée aux étoffes que fabriquaient les **tisserands de Drap***. En **1873**, à la suite d'une souscription volontaire, un pont est construit sur le Paillon. À partir de **1922**, grâce à l'ouverture de la ligne ferroviaire Nice-Sospel-Breil, et à la construction d'une gare à **Cantaron** (elle desservait également Drap), les *Cantaronnais* furent de plus en plus nombreux à aller travailler à Nice.

À voir

Village ancien de style provencal. Il est constitué de plusieurs hameaux dispersés dans la vallée du Paillon. Il comporte des maisons anciennes, des ruelles pittoresques et des passages voûtés.
* **Panorama** sur le litttoral, au *Saut de Millo*.
* **Église Saint-Joseph** (XVIIIe). En 1788, elle est instituée comme succursale de l'église de Châteauneuf-de-Contes qui, jusqu'à cette date, était l'église paroissiale des Cantaronnais. À cette époque, il n'y avait pas de cimetière. Le clocher est triangulaire, ce qui est rare. L'église abrite une *huile sur toile* (XVIIIe) représentant saint Pierre à qui le Christ a remis les clefs de l'Église, et une *statue de saint Grat* en plâtre polychrome.
* **Passage voûté** (XVIIe) en grès et bois, situé 29, rue du Four.
* **Four à pain domestique** *(1815), rue du Pontin. Son utilisation était régie par un cahier des charges : le coût de la chauffe était réparti entre les utilisateurs. En raison de l'habitat dispersé, la commune en comptait 50.*
* **Frise** dite de « génoise » (XXe). Peinture murale, aux Cognas.
* **Croix.** Elle s'élève sur un fragment de meule de moulin à huile. En commémoration du jubilé de 1901.
* **Encadrement de porte** (XVIIIe), place de l'École.
* **Fontaine Carrara** (1905). Elle est alimentée par la source de la Bégude.
* **Four à pain communal** *(XXe), rue du Four. **En 1789**, après l'abolition des privilèges féodaux, les **fours communaux** remplacent les **fours banaux** (Voir Rigaud). Celui-ci est construit au centre du village. Il était géré par un **fournier** (ce poste était mis en adjudication). Les familles y faisaient cuire leur pain tous les quinze jours. Le **droit de fournage**, qui variait de 1/40 à 1/60 de pains cuits, était basé sur le coût de la chauffe.*

Rue Masséna (NICE)
par Christian Watine

06320	CAP-D'AIL	Plan: D 4

Population : Insee 1999 **= 4.532** h. en 1908 = **892** h. variation **+ 408.07%** **(4.905** en 2005)
Rang de la commune par rapport au nombre d'habitants au niveau dépt : **28 -** au niveau national: **1.995**
Les habitants sont les **Cap-d'Aillois**
Superficie : 204 ha - **Altitude** : 0 / 50 / 540 m - **Canton : Villefranche-sur-Mer** - **Arrondt** : Nice
Distance de Nice : à vol d'oiseau = 12 km - par la route = 16 km - **Longitude** = 7,40° - **Latitude** = 43,72°
Accès : RN 98 (Basse Corniche) - RN 7 - D 45 - N 98 - **Desserte**: SNCF -TAM 100 - 112 -115-79
Fête patronale : 15 juillet - **Église** : Notre-Dame-du-Cap-Fleuri - **Paroisse** : Saint-Esprit
N° Tél. de la MAIRIE : 04.92.10.59.59 **www.cap-dail.com** **OFFICE du TOURISME** : 04.93.78.02.33

Origine du nom

Formes anciennes : *in loco qui dicitur in Cabo d'Ail* (1259), *in Capboal*, *in Campboal*, *Cabdal* (1301), *in Capbauel*, *in Campboal* (1318), *loco dicto caput Agli* (1365), *terra parte di Capo d'Aglio* (1407), *Cabiel* (1678) et *Capo d'Aglio* en 1699. L'étymologie de *caput* est simple, et quand il est utilisé avec un déterminatif, on obtient par exemple *capbal* et *capboal* (extrémité inférieure, côté plat d'un relief). La topographie, **Cap-d'Ail** étant une petite péninsule, confirme cette hypothèse.

Histoire

L'histoire de **Cap-d'Ail**, qui fut longtemps un **hameau** de **La Turbie** (Voir ce nom) se confond jusqu'au début du **XXe** siècle avec celle de sa commune de tutelle. En effet, cette localité ne fut créée qu'en **1908**, après division du territoire turbiasque. Du **XIe** au **XIIIe** siècle, **La Turbie** et les terres environnantes relèvent du *consulat de Peille*. En **1265**, le comte de Provence Charles Ier d'Anjou abandonne définitivement Vintimille, Monaco et Roquebrune aux Génois. Au cours des **XIIe** et **XIIIe** siècles, **La Turbie** et ses hameaux sont, au gré des conflits entre *Guelfes* et *Gibelins**, possessions des Grimaldi de Monaco et des Spinola de Gênes. Les Richelmi de Levens et les Gastaud de La Turbie en furent également propriétaires. En **1331**, Daniel Marquesan, coseigneur du fief, le cède au comte de Provence *Robert le Sage*, qui le rattache directement au domaine comtal. Son successeur, la reine Jeanne, donne ensuite **La Turbie** et ses hameaux au seigneur de Monaco. À partir de **1388** (***dédition***) et jusqu'en **1860**, la région passe sous la haute autorité de la maison de Savoie puis du royaume de Piémont-Sardaigne. En **1419**, la seigneurie de Monaco, dont font partie Roquebrune et Menton, devient une possession des Grimaldi, mais **La Turbie et ses hameaux** sont inclus dans le comté de Nice.

En **1879**, le baron de Pauville s'attache à faire de **Cap-d'Ail** une station climatique destinée à accueillir des hivernants fortunés. En effet, le territoire, traversé par la route nationale et rattaché au réseau ferroviaire, est doté d'un indéniable potentiel touristique car il est à proximité de Nice et de Monaco. Ce financier fait l'acquisition d'un *domaine de 26 hectares* (pâturages et champs), situé en bord de mer, et il lance une vaste opération immobilière. L'ensemble est divisé en parcelles de 3.000 à 5.000 m2 sur lesquelles sont construites de luxueuses villas avec vue sur mer et dotées du tout-à-l'égout (élément de confort nouveau pour l'époque), ainsi qu'un palace, l'Hôtel Eden, dont les jardins descendent jusqu'à la mer. Un sentier est également aménagé en bord de mer.

** **Guelfes** et **Gibelins**. Jusqu'à la fin du XIIIe siècle, **Monaco** resta sous le contrôle de la République de Gênes. Le conflit qui, du XIIIe au XVe siècle, opposa la papauté et le Saint Empire romain germanique, eut des* *répercussions dans toute l'Italie du Nord et ensanglanta de nombreuses villes. À partir de 1270, des guerres civiles ont opposé les grandes familles aristocratiques génoises. Les partisans du pape formaient le parti **guelfe**, ceux de l'empereur, le parti **gibelin**. À Gênes, les **Grimaldi** et les Fieschi dirigeaient la faction **guelfe**, les Doria et les **Spinola**, le parti **gibelin**.*

À voir

Le territoire de la commune s'étale à flanc de coteaux, sous la « Tête de Chien », et sur d'anciennes planches de culture, actuellement complètement urbanisées. C'est une station de bord de mer dont les habitations fleuries sont dispersées au milieu des pins, des palmiers et des cyprès. Elle possède un port de plaisance et des plages.

* **Chemin romain.** Il part du littoral et mène au magnifique belvédère de la *Tête de Chien*.

* **Pointe des Douaniers.** Site volcanique classé. L'ancien volcan est à quelques encablures de la côte.

* **Sentier du bord de mer**. *En **1910**, les maires de toutes les communes **de Menton à Nice** décident de créer trente kilomètres de **sentier en bord de mer**. Jusqu'en 1940, ce sentier permit aux douaniers de contrôler cette bande de littoral, d'où l'appellation souvent utilisée de **sentier des Douaniers**. Celui-ci est accessible à divers endroits du parcours : au niveau de la **plage de la Mala**, du **cap Rognoso**, de la **pointe des Douaniers** (en passant par « **La Pinède** ») ou encore de la **plage Marquet**, par Fontvieille.*

* **Carrière de meules.** Située au bord de la mer. Elle comporte une vingtaine d'empreintes de meules qui ont été extraites. Elles sont probablement parties par voie maritime.

* **Tour d'Abeglio** (*Abeille*). Elle date du Moyen Âge. Cette tour fortifiée était un excellent poste d'observation car elle permettait de surveiller la côte vers Èze aussi bien que vers Monaco. Elle fut souvent l'objet de luttes et appartint à tour de rôle aux *Guelfes*, aux *Gibelins*, et même aux comtes de Provence.

* **Église paroissiale Notre-Dame-du-Cap-Fleuri**. Construite en 1909, après la création de la commune. Le terrain, les fonts baptismaux et les cloches ont été offerts par des familles de Cap-d'Ail.

* Un **circuit** permet de découvrir et d'admirer (de l'extérieur), les **magnifiques villas** du **quartier de La Mala**. *Mirasol* (1908), *Lumière* (1902) 8, av. Ch.-Blanc, *Les Violettes* (1905) 15, av. F.-de-May, *Paloma* (1903), *Les Funambules* (1905), *Les Mouettes* (1908), *Les Roses*, *Castel Mare* (1911), *Mazzarine* et *Papillon* (début XXe)... Châteaux *« de l'Hermitage »* (1894) avec un portail style Louis XV, et *« des Terrasses »* (1896).

* **Ancien Hôtel Eden** (1892). En 1945, il est transformé en appartements et devient l'*Eden Résidence*.

* **Amphithéâtre Jean-Cocteau**. (*Centre méditerranéen universitaire)*. Le poète y a réalisé une mosaïque.

Quelques bonnes adresses

Restaurant LA PINÈDE 10, bd Gramaglia *Sentier des Douaniers* 04 93 78 37 10 *www.restaurantlapinede.com*
Hôtel-Restaurant-Brasserie EDMOND'S 87, av. du 3-septembre 04 93 78 01 01 *www.hotel-edmonds.com*
Hôtel DE MONACO avenue Pierre-Weck 04 92 41 31 00 site : *www.hoteldemonaco.com*
LA RÉSERVE DE LA MALA *Plage d'exception* allée Mala 04 93 78 21 56
LE CABANON *Le goût de l'authentique* *Pointe des Douaniers* 04 93 78 01 94
EDEN PLAGE *Cuisine provençale* La Mala Tél. 04 93 78 17 06 site : *www.edenplage.com*

AGRUMES

Les ***citrons***, ***oranges***, ***mandarines*** et ***cédrats*** appartiennent au genre *Citrus* et sont originaires de l'Inde, de Malaisie, de Chine et du Vietnam. Le ***cédrat***, un gros citron à peau épaisse dont le zeste est utilisé en confiserie, était cultivé par les Chinois, voici plus de quatre mille ans. En 1493, Christophe Colomb apporta des graines d'oranges, de citrons et de cédrats dans l'île d'Haïti. Quant à l'introduction et à l'acclimatation des agrumes dans les Amériques, elles sont le fait des explorateurs portugais et espagnols. Tout comme l'***orange*** et l'***olive***, le ***citron*** a eu une grande importance dans l'économie de certaines cités de la région. À Menton, pendant la première moitié du XIXe siècle, les citronniers furent intensivement cultivés tout au long de l'année, et les récoltes exportées. L'exploitation de ces arbres était réglementée par ordonnance du prince de Monaco. Elle s'effectuait sous le contrôle d'un comité dont les membres étaient assermentés : il était interdit de casser des branches lors de la cueillette et de monter sur les arbres avec des souliers. Ce commerce, très florissant aux alentours de 1830 (15 millions de citrons) et de 1840 (plus de 30 millions), a périclité vers 1930 pour disparaître avant la Deuxième Guerre mondiale. Actuellement, il n'en reste plus assez pour décorer les magnifiques chars de la célèbre ***fête du citron*** de Menton, et les fruits sont importés d'Espagne. Cette fête se tient tous les ans, en février-mars. Le premier ***carnaval*** eut lieu en février 1878, et le premier ***corso de Fruits d'Or***, en 1934. À la fin du carnaval, les agrumes qui sont pas abîmés sont distribués à des maisons de retraite, à des associations caritatives ou bien vendus à bas prix sur le marché. Après la ***fête du citron*** de l'hiver 2004, les agrumes ont été vendus 1 euro les 3 kilos lors d'une « grande braderie ».

06510	CARROS	Plan: C 4

PLAN DE CARROS LES SELVES

Population : Insee 1999 **= 10.710** h. en 1901 = **443** h. variation **+ 2.317,61%** (**10.762** en 2005)

Rang de la commune par rapport au nombre d'habitants au niveau dépt : **17 -** au niveau national : **793**

Les habitants sont les **Carrossois**

Superficie :1.511 ha - **Altitude** : 63 / 385 / 945 m - **Canton : Carros** - **Arrondt** : Grasse

Distance de Nice : à vol d'oiseau = 12 km - par la route = 19 km - **Longitude** = 7,18° - **Latitude** = 43,80°

Accès : RN 202 - Pont de la Manda D 2210 - D 1 et GR 51 - **Desserte** : SNCF - TAM 710

Fête patronale à Pâques - **Église** : St-Claude / Ste-Colombe (village)- St-Paul (le Neuf) - **Paroisse** : St-Sébastien

N° téléphone de la MAIRIE : 04.92.08.44.70 - **OFFICE du TOURISME** : 04.92.08.72.59

Origine du nom

Il est dérivé de la racine pré-indo-européenne *car* (pierre, rocher, hauteur). On la retrouve dans plus d'une centaine de langues, de l'Europe à l'Inde (en *dravidien**, *kara* signifie pierre, falaise, hauteur), et jusqu'en Indonésie avec le mot *karang* (falaise, rocher). En provençal, *carros* signifie rocher. Formes anciennes : *Rostagnus de Carroz* (1156), *castrum de Carrocio* (vers 1200), *castrum et villa Carosii* (1388). (**Voir Caille).*

Histoire

Le site possède des vestiges attestant une occupation humaine dès la **préhistoire**. Au **IIe** siècle de notre ère, *Vicus Lavaratensis* (Carros), qui fait partie du territoire de Vence, possède une administration municipale, un sénat et des *duumvirs**. Des actes de **1156** mentionnent l'existence de Rostaing de Carros (*Rostagnus de Carroz)* et du château qu'il a bâti (*castrum Carrosi)*. En **1180**, un autre feudataire, Guigues de Blacas-Carros, est également cité. En **1263-1264**, le village compte 25 *feux* (environ 160 habitants) et en **1315**, 56 *feux* (360 habitants). Au **XIIIe** siècle, la seigneurie appartient aux Blacas. Au **XIVe** siècle, les Durand en sont les coseigneurs, avec les Giraud du Broc, puis avec les Ronciglioni, au siècle suivant. En **1635**, **Carros** est inféodé à 6 coseigneurs, et en **1668**, il redevient une seigneurie des Blacas. En janvier **1704**, les troupes du duc de Savoie mettent à sac le château et le village, mais Louis XIV les libère quelques mois plus tard. En **1790**, les communes de **Carros**, **Le Broc** et **Gattières** sont rattachées au département du Var. Au début du **XXe** siècle, le développement des cultures maraîchères entraîne une forte immigration italienne. Les travaux d'endiguement du Var, qui débutèrent en 1950, ont fait perdre à la localité environ 360 hectares de terrain. Dans les années **1962-1970**, la création d'une zone industrielle et d'une agglomération nouvelle (**Carros-le-Neuf**), est suivie d'une importante poussée démographique : moins de 1.000 habitants en 1968, près de 11.000 en 2004.

** Dans la Rome antique, les* ***duumvirs*** *étaient les membres d'une commission de deux personnes (un collège de deux magistrats) qui exerçaient conjointement une charge.*

À voir

La localité est divisée en ***trois*** *parties : le* ***village médiéval****, perché sur un site remarquable, est regroupé autour de son château.* ***Carros-le-Neuf*** *est un ensemble résidentiel moderne, entouré de cultures maraîchères et horticoles. Quant à la* ***zone d'activités****, elle est située sur la rive droite du Var et s'étale sur 25 hectares. C'est la plus importante zone industrielle des Alpes-Maritimes.*

En contrebas du village, à proximité du moulin à vent, une plate-forme a été aménagée sur un belvédère dominant la vallée du Var. Table d'orientation et beau panorama. La ***route du Broc*** *à* ***Carros*** *offre des* ***vues magnifiques*** *sur l'Estéron et la vallée du Var.*

* **Château féodal** (XIIe) avec tours et courtines datant du XIVe siècle. Partiellement restauré.

* **Oratoire Saint-Joseph** (XIXe). Décoration florale restaurée par Guy Ceppa.
* **Four à pain** (XVIIIe). Près de la mairie annexe de Carros-le-Vieux. Il a cessé son activité en 1926.
* **Banc de l'époque paléochrétienne**. Il provient d'un site romain et porte des inscriptions antiques. Le territoire de Carros recèle de nombreuses pierres de cette époque qui ont été réemployées.
* **Cinq monolithes**. Ces blocs de forme parallélépipédique se trouvent dans une **carrière de calcaire**, route Jean-Natale. Ils étaient probablement destinés au monument funéraire élevé à Gattières, au IIe ou IIIe siècle.
* **Chapelle des Pénitents-Blancs** (1772). * **Croix en fer forgé** (1805), route de l'Ubac.
* **Clocher-tour** (XIe). Vestige de l'église Notre-Dame-de-la-Cola (détruite vers 1750).
* **Église Saint-Claude** (XIIe). Restaurée en 1887, après un tremblement de terre. Elle abrite l'*autel Saint-Claude* et un *buste reliquaire* en bois doré (XVIIIe), le *buste reliquaire de sainte Colombe* (XVIIe), la *croix reliquaire de la vraie croix*, *châsse de sainte-Victoire* (l'urne contient un tibia), et *un tableau* représentant le Christ sur la croix.
* **Chapelle des Selves** (XVIe). Un des centres religieux les plus anciens de la région car cette chapelle occupe un site romain sur lequel furent construits, avant l'an mille, plusieurs édifices religieux successifs.
* **Oratoire Saint-Joseph** (XIXe). C'est le plus grand des quatre oratoires que possède la commune.
* **Vieux moulin à vent**. Ancienne tour de guet transformée en moulin par maître Briquet au début du XIXe siècle. L'édifice est bien conservé, mais il a perdu ses ailes.
* **Oratoire Notre-Dame-de-Bonvillar**. Construit par un particulier, il ne comporte pas de statue.
* **Villa Barbary**. Beaux plafonds et carrelages (XIXe). Cette maison accueille des expositions.

Une bonne adresse

LOU CASTELET Restaurant - Résidence hôtelière Plan-de-Carros 04 93 29 16 66 *www.loucastelet.com*

06670	**CASTAGNIERS**	**Plan: C 4**

LE BOUGE LES MOULINS MARTINET LE MASAGE LA MORIÉE PORCIO

Population : Insee 1999 **= 1.359** h. en 1901 = **388** h. variation **+ 250,26%**

Rang de la commune par rapport au nombre d'habitants au niveau dépt: **63 -** au niveau national: **6.448**

Les habitants sont les **Castagnérenques / Castagnerencs**

Superficie : 752 ha - **Altitude** : 68 / 382 / 881 m - **Canton : Levens** - **Arrondt** : Nice

Distance de Nice : à vol d'oiseau = 11 km - par la route = 17 km - **Longitude** = 7,23° - **Latitude** = 43,80°

Accès: N 202 -D 614 et GR 5 -**Desserte**: CANCA/TAM 700 -TAM 730 -740 - 750 - 770 - 790 Ligne Azur 76

Fête patronale : 24 juin - **Église** : Saint-Michel - **Paroisse** : Saint-Benoît-les-Oliviers

N° téléphone de la MAIRIE : 04.93.08.05.11 **www.mairie-de-castagniers.com**

Origine du nom

Ce toponyme vient du mot latin *castanea* (+ les suffixes *arium*, *aria)* qui signifie châtaigne, châtaignier et, par extension : châtaigneraie (en latin : *castanetum*). En langue d'oc : *castanhet*, *castanher*. L'habitat primitif, *le Masage*, était alimenté en eau par une fontaine qui sourdait à proximité d'un châtaignier séculaire sous lequel les artisans ambulants avaient coutume de s'installer. Parmi eux, il y avait les *rétameurs* ou *magnins* : d'où le nom *castadai maignins*.

Histoire

L'histoire de **Castagniers** (et de **Colomars**) se confondit, jusqu'au **2 juin 1874**, avec celle d'**Aspremont** (Voir ce nom). En effet, cette année-là, à la suite de nombreuses et anciennes dissensions, en particulier sur la gestion de pâturages, elles deviennent des communes distinctes (décret du président Mac-Mahon). L'habitat primitif de **Castagniers**, le *Masage*, date du **Moyen Âge**. Il est situé à flanc de colline, en contrebas de l'église paroissiale Saint-Michel. L'autre partie du village, *Les Moulins*, abritait les moulins qui desservaient l'ensemble de cette communauté, c'est pour cette raison qu'elle porte ce nom. En **1250**, l'approvisionnement en eau provoque des conflits entre les habitants. Pendant la **Révolution**, considérés comme biens nationaux, ils furent vendus pour plus de 23.000 francs à un certain Annibal Curti. Actuellement, un de ces moulins à huile, le plus ancien de la région car datant du XIIIe siècle, est toujours en activité. En **1874**, lors de leur séparation, **Castagniers** comptait *477* habitants et Aspremont, *535*.

À voir

Village constitué de hameaux dispersés sur des collines verdoyantes.

* **La croix de cuivre** et la **grotte**, au nord-ouest du village.

* **Alambic** *(XIXe-XXe). Quartier des Moulins. Cet appareil sert à la distillation. Les* ***bouilleurs de cru*** *ont le* ***droit de l'utiliser*** *pour distiller leur propre récolte de fruits ou de grains afin d'obtenir de l'eau-de-vie. La* ***distillation de l'eau de vie artisanale****, déjà sévèrement réglementée, est en train de disparaître car les bouilleurs de cru sont de moins en moins nombreux. En effet, ce* ***privilège n'est plus transmissible depuis 1960****.*

* **Moulin à huile** traditionnel (1250), chemin des Moulins. Il appartint aux seigneurs d'Aspremont jusqu'à la Révolution. La piste, la meule et le mécanisme ont été placés devant l'édifice après sa modernisation. *Ce moulin est toujours en activité.*

* **Abbaye Notre-Dame-de-la-Paix** (1929-1932). Elle fut fondée à l'initiative de l'abbé de Lérins et de l'évêque de Nice. En 1950, les religieuses cisterciennes qui y sont installées ont créé un petit artisanat de chocolaterie.

* **Le quartier du Masage**, le plus ancien du village, est situé en contrebas de l'église.

* **Église Saint-Michel** (début XIXe). Elle abrite une *statue de saint Michel*, huile sur toile de 1818, une *statue en plâtre doré* (XIXe) représentant la Vierge de l'Apocalypse, une *statue* en bois doré polychrome de saint Vincent (XIXe) ainsi qu'une *huile sur toile* représentant sainte Catherine d'Alexandrie (patronne des jeunes filles), saint Vincent (patron des vignerons) et saint Roch (protecteur contre la peste).

* ***La croix de mission*** *(1861) en fer forgé (route de Saint-Blaise). Au* ***XIXe*** *siècle, des* ***missions*** *sillonnèrent le pays afin d'effacer les traces laissées par la Révolution et provoquer un* ***renouveau*** *de ferveur religieuse.*

Quelques bonnes adresses

Hôtel Résidences SERVOTEL** *Logis de France* 1976, route de Grenoble 04 93 08 22 00 *www.servotel.fr*

Restaurant SERVELLA route de Grenoble (RN 202) 04 93 08 10 62 / **04 93 08 13 87** Fax 04 93 29 03 66

MOULINS

Dès que les exploitants avaient stocké suffisamment d'olives, ils les transportaient dans des sacs, à dos de mulets, chez le *moulinier*. Les olives étaient déversées dans les « *gombas* » pour être écrasées par d'énormes meules. C'était la « trituration ». Les meules étaient actionnées par un système de rouages entraînés par une grande roue à aubes mue par l'eau du canal ou de la rivière (les canaux étaient supervisés par un *aïguie* qui réglait le débit et l'arrivée de l'eau). Les moulins qui n'étaient pas situés dans les vallées ne pouvaient pas être alimentés avec l'eau des torrents, et le meunier était obligé de faire tourner la meule au moyen d'un mulet ou d'un cheval : on les appelait *moulins à bras*, ou encore *moulins à sang*. Sous l'**Ancien Régime**, la plupart des moulins à huile (et à grains) étaient propriété seigneuriale. Les villageois avaient pour obligation d'y apporter leurs olives, sinon, ils étaient sanctionnés. À partir de **1789**, tous les titres, fiefs et redevances féodales furent supprimés et les exploitants purent apporter leurs olives au moulin de leur choix. De leur côté, les autorités communales se préoccupèrent de l'activité des moulins et de la production d'huile. Elles firent remettre en état les *édifices** mal entretenus ou endommagés pendant la Révolution et favorisèrent la construction de nouveaux moulins en concédant facilement l'eau des torrents. Le *moulinier* n'était pas rémunéré pour son travail, il tirait son bénéfice des produits dérivés de la trituration. *Le bail des moulins à huile de 1795 stipule en son article Ier que : « les locataires ne prendront des particuliers qui feront moudre leurs olives, que les grignons, les cendres et les eaux qui sortiront du sebbe. »* Les *grignons* sont des noyaux d'olives concassés, ils sont transformés en tourteaux que l'on utilise pour entretenir le feu. * *Édifices : aux XVIIIe et XIXe siècles, les moulins à huile étaient appelés « édifices » (defissi) parce qu'ils étaient les constructions les plus importantes ; les meuniers étaient les « édificiers ».*

06500 CASTELLAR Plan: E 4

Population : Insee 1999 = **833** h. en 1901 = **668** h. variation **+ 24,70%**
Rang de la commune par rapport au nombre d'habitants au niveau départemental : **80**
Les habitants sont les **Castellarois**
Superficie : 1.224 ha - **Altitude** : 00 / 363 / 1382 m - **Canton : Menton** - **Arrondt** : Nice
Distance de Nice : à vol d'oiseau = 23 km - par la route = 22 km - **Longitude** = 7,50° - **Latitude** = 43,80°
Accès : RN 7 - RN 98 ou A 8 -D 2566 - D 52 - D 24 et GR 51 - 52 - **Desserte** : TAM 903 via Menton
Fête patronale Saint-Sébastien le 20 janvier - **Église** : Saint-Pierre - **Paroisse** : Notre-Dame-des-Rencontres
N° téléphone de la MAIRIE : 04.92.10.59.00 **www.castellar.fr**

Origine du nom

À l'époque romaine, le *castellum* était le poste de garde du *castrum* (camp fortifié). Ce diminutif de *castrum* est à l'origine des mots *castèl*, *chastèl*, *château*. Il représente l'unique appellation de la *demeure féodale fortifiée*, ou *château fort*. Ce mot n'a pratiquement pas évolué depuis le XIIIe siècle : en ancien provençal, *lo castelar* désigne le château. Outre *château* et *castel*, de nombreux toponymes sont dérivés de *castellum* : Chastel, Casteil, Castet, Castex, Castellet, Castillon, Castellar, Castellane, Castellas et Casteras, mais aussi Le Caylar, Le Cheylard, Le Chalard. Par contre, aux XIe et XIIe siècles, le *castrum* désignait un *village fortifié* et non pas un *château fort*.

Histoire

Les vestiges d'une occupation humaine, qui s'est échelonnée du **IXe** au **Ve** millénaire avant notre ère, ont été retrouvés sur le territoire de la commune, dans l'*abri Pendimoun*, au pied du massif de l'Orméa. Le *castrum* primitif était situé sur un éperon rocheux, à 870 m d'altitude, probablement sur les ruines d'un *castellaras* ligure qui fut réutilisé par les Romains. Ce *bourg fortifié* aurait été édifié au **XIIe siècle** par le *municipe* de **Peille**, dans un contexte politique troublé : conflits entre les comtes de Vintimille, le comté de Provence et la République de Gênes ; querelles entre *Guelfes* et *Gibelins* (Voir Cap-d'Ail). À cette époque, Peille était une *commune libre* administrée par des consuls, elle possédait les fiefs de *Sainte-Agnès, Castellar, Gorbio, La Turbie, Contes, L'Escarène* et *Peillon*. C'est le tribunal de Peille qui faisait autorité sur ces villages. Le *Castrum de Castellar* est mentionné en **1258**, dans un acte de cession du comte Guillaume de Vintimille au comte de Provence, Charles Ier d'Anjou. En **1274**, ce dernier accorde au village des statuts municipaux puis, en **1283**, il en redonne l'investiture à des membres de la famille des Vintimille, bannis de leur comté. Au **XVe** siècle, ces seigneurs *Vintimille de Castellar*, qui étaient les descendants de Guillaumin, dont le frère Guillaume-Pierre avait, en 1261, épousé Eudoxie Lascaris, prirent le nom de *Lascaris* (Voir La Brigue). Les *Lascaris-Vintimille de Castellar* conservèrent ce fief jusqu'à la **Révolution**. Lors de la ***dédition de 1388***, **Castellar** devient dépendant de la maison de Savoie, tout en gardant son autonomie : les Lascaris ne prêtèrent hommage au duc de Savoie qu'en **1468**. En **1435**, une convention est établie entre les habitants et leur seigneur afin que le village soit déplacé vers un lieu plus accessible, la colline Saint-Sébastien. Aux **XVIe**, **XVIIe** et **XVIIIe** siècles, **Castellar** subit, comme toute la région, les conflits entre François Ier et Charles Quint, puis les guerres de Succession d'Espagne et d'Autriche. Il fut occupé par les *Gallispans** en **1747**, mais resta *savoisien* (la maison de Savoie est devenue royaume de Piémont-Sardaigne à partir de 1720) jusqu'à la **Révolution**. De 1636 à 1657, Jean-Paul Lascaris (natif de ce village) fut grand maître de l'ordre de Malte. En **1771**, le fief est érigé en comté, et Jean-Paul Augustin Lascaris (1720-1797) en fut le dernier seigneur. En **1814**, **Castellar** fut restitué au royaume de Piémont-Sardaigne et demeura *sarde* jusqu'au **rattachement de 1860**. C'est à **Castellar** et à **Gorbio** qu'il y a eu la plus forte proportion de *votes contre* le rattachement à la France.

** Pendant la guerre de Succession d'Autriche (1744-1748) qui opposa la France et l'Espagne à l'Autriche et à la Savoie, le terme de* ***Gallispans*** *désignait les* ***troupes franco-espagnoles****.*

À voir

Village à enceinte fortifiée, perché sur un éperon de la colline Saint-Sébastien. Trois rues parallèles reliées par des passages sous voûtes, maisons à tourelles. Il domine les vallées du Fossan et du Careï. Jolie vue sur la mer et les collines environnantes. Au départ de Castellar, nombreuses excursions pédestres.

* **Palais des Lascaris** (XVe-XVIIe-XIXe - IMH 1997), rue de la République. Il fut probablement construit à l'époque de la création du village sur la colline Saint-Sébastien, au XVe siècle. À la suite de tensions entre les héritiers des Lascaris, au XVIIe siècle, un mur est construit entre les logements des deux branches de cette famille. Une partie du bâtiment possède un dôme à lanterneau. Le porche donne accès à un escalier monumental.

* **Cascade de la Condamine** : lieu-dit le « Gourg de l'Oura ». **La « grotte de l'Ermite Bernardo »** (avec une inscripion de 1528), est située après la cascade de la Condamine, à la limite de Castellar et de Castillon (plutôt sur le territoire de Castillon). **L'abri de Pendimoun** (5.000 avant J.-C.) est au pied de l'Orméa. Lors d'une 2e campagne de fouilles, on y a retrouvé un squelette de femme vieux d'environ 7.000 ans. Son crâne porte la trace d'une lésion qui pourrait être la conséquence d'une trépanation.

* **Chapelle Saint-Sébastien** (XIIIe - IMH 1925). Style roman tardif. Elle fut beaucoup remaniée. Son *clocher-mur* (XVIIIe) comporte deux baies géminées soutenues par une colonne centrale (IMH 1925). Une chapelle primitive existait à cet emplacement bien avant 1567 (archives paroissiales).

* **Remparts** (XVe siècle). Ne subsistent que deux tours rondes incluses dans les habitations (rue Arson et place G.-Clemenceau).

* **Chapelle du Saint-Esprit (XVIe)**. *Construite par les Pénitents blancs, en partie détruite lors du tremblement de terre de 1887, sa restauration fut décidée et assumée par la municipalité.* ***Elle accueille un Espace culturel.***

* **Chapelle Notre-Dame-de-la-Miséricorde** (XVIIe). Autrefois régie par les *Pénitents noirs**, actuellement elle accueille des expositions et des réunions. À signaler : *voûte, fresque, clocheton carré* (XVIIIe).

* **Chapelle Saint-Bernard** (XVIIe-XVIIIe). Elle est probablement d'origine médiévale. Les habitants se réunissaient près de cette chapelle rurale pour y célébrer la Saint-Bernard (20 août).

* **Saint-Roch** (XVIIe). Autrefois, les villageois et les confréries s'y rendaient en procession, le 16 août, et faisaient bénir leurs animaux (aussi bien de trait que de bât, ou domestiques).

* **Chapelle Saint-Antoine** (1578). *En 1623, une* ***sorcière fut brûlée vive*** *sur le parvis de cette église. Elle aurait,* ***sous la forme d'une chatte****, causé* ***la mort*** *de plusieurs* ***garçonnets****. Le recteur de la paroisse tenta en vain de convaincre les jurés qu'elle n'était qu'une simple d'esprit.*

Dans l'Égypte ancienne, le ***chat****, divinisé, était associé à la déesse Bastet qui protégeait les familles et présidait aux naissances. En général, les civilisations orientales ont été plutôt favorables à cet animal. Par contre, en Europe, du Moyen Âge jusqu'à la fin du XVIIe siècle, le chat a été le symbole de puissances maléfiques ; on l'associait au diable et il était souvent victime de sacrifices rituels.*

* **Passages voûtés** (XVIIIe). Ils relient les rues de la République, Arson, du Général-Sarrail, et Garibaldi.

* **Église Saint-Pierre** (XVIIIe). De style baroque, construite à l'emplacement d'une église plus ancienne. Elle possède *deux cloches* (XVIIe et 1900), une *huile sur toile* (XVIIe) représentant le baptême du Christ, une *statue de saint Sébastien* en plâtre polychrome (XIXe), ainsi qu'une *statue de la Vierge du Rosaire* en bois doré polychrome, encadrée de *quinze médaillons* représentant les *mystères du Rosaire*.

* **Lavoir** couvert (XIXe). Il a pour particularité de posséder une cheminée. On utilisait la cendre, qui contient de la potasse, pour laver le linge qui était ensuite soigneusement rincé.

**** Les confréries de Pénitents*** *sont des* ***associations de laïcs*** *qui se sont regroupés dans le but de s'imposer des pratiques de pénitence, des actes de charité chrétienne et de secours mutuel. Comme en témoignent leurs statuts, ces associations pieuses étaient régies par des règles strictes. Elles avaient de nombreuses obligations morales et cultuelles. Grâce à leur existence juridique et civile, elles pouvaient acquérir des biens, les léguer par testament ainsi que procéder à des transactions immobilières. Dès qu'elles en avaient la possibilité matérielle, elles s'établissaient dans une chapelle ne relevant pas du clergé local. Ces lieux de culte pouvaient être de simples oratoires, d'autres ressemblaient à de véritables églises par leurs proportions et la richesse de leur décoration intérieure, contribuant ainsi à constituer le patrimoine culturel de la région. Les diverses confréries se distinguaient entre elles par la* ***couleur de la cappa****, une longue robe à cordelière serrée à la taille et à capuche. L'utilité de cet habit (qui pouvait être blanc, noir, rouge, bleu, vert, violet, marron...) était de souligner l'égalité du pénitent avec les autres, et la cagoule permettait de préserver son anonymat, par souci d'humilité. C'est la*

***couleur blanche** qui a été choisie par les trois quarts des confréries recensées en Provence et dans le comté de Nice. Quant aux Pénitents, ils appartenaient à toutes les catégories sociales.*
*Dès le XIVe siècle, ces « corporations charitables » ont eu un rôle social très important. En effet, leurs membres remplissaient de multiples devoirs : chanter lors des offices, participer aux processions, défilés et pèlerinages, faire la toilette des morts et les ensevelir, assister les malades et les pauvres, s'occuper des orphelins, gérer des monts-de-piété, entretenir et diriger des hôpitaux, et même prêter les grains nécessaires aux semailles... Depuis **1306**, la mission des **Pénitents blancs** de Nice a été de diriger **l'hôpital** communal. En 1636, cette confrérie fonde l'hôpital Sainte-Croix (qui fut démoli en 1996). La vocation des **Pénitents noirs** était l'**aide aux mourants** et la direction d'un **mont-de-piété** ; les **Pénitents bleus** ont dirigé l'hôpital communal avant que sa gestion ne soit reprise par les Pénitents blancs. Ils ont également dirigé l'hospice des Orphelines ainsi que l'hôpital des Pauvres infirmes. Quant aux **Pénitents rouges**, ils se consacraient à l'aide aux orphelins. **Au début du XXe siècle, les confréries qui ont perduré se sont constituées en associations régies par la loi de 1901.***

Quelques bonnes adresses
Glacier Restaurant Hôtel* DES ALPES *Vue panoramique mer montagne* place Clemenceau 04 93 35 82 83
PALAIS LASCARIS *Bar Restaurant panoramique Cuisine régionale* 58, r. de la République 04 93 57 13 63
LA FERME AUBERGE SAINT-BERNARD *GR 52 / 2600, chemin Saint-Bernard* 04 93 28 28 31

06500 CASTILLON Plan: D 4

Population : Insee 1999 = **282** h. en 1901 = **293** h. variation **- 3,75%**
Rang de la commune par rapport au nombre d'habitants au niveau départemental : **108**
Les habitants sont les **Castillonnais**
Superficie : 751 ha - **Altitude** : 275 / 535 / 1289 m - **Canton : Sospel** - **Arrondt** : Nice
Distance de Nice : à vol d'oiseau = 23 km - par la route = 43 km - **Longitude** = 7,47° - **Latitude** = 43,83 °
Accès : A 8 - D 2566 et GR 52 - **Desserte** : TAM 910 via Menton
Fête patronale : 1er dimanche d'août - **Église** : Saint-Julien - **Paroisse** : Saint-Étienne-de-la-Bévéra
N° téléphone de la MAIRIE : 04.93.04.32.00 - **OFFICE du TOURISME** : 04.93.04.32.03

Origine du nom
C'est un diminutif de *castel* (Voir Castellar). En patois, *castiglione* désigne un *petit château.*

Histoire
Fief des comtes de Vintimille au **Xe** siècle, *Castillionum* est mentionné en **1157**, lorsque le comte de Vintimille, seigneur de Sospel, le cède à la puissante famille génoise des Vento (qui possédaient également *Puypin*, le village primitif de Menton, et *Roquebrune*). Il le récupère vingt ans plus tard : en **1176**, **Castillon** est de nouveau inféodé à Sospel. En **1258**, le comte Boniface de Vintimille cède ses possessions (*Breil*, *Saorge*, *Sospel*) à Charles Ier d'Anjou, comte de Provence : Sospel devient chef-lieu de la *viguerie* de Vintimille/Val de Lantosque. En **1348**, le dernier seigneur Vento, Manuel, vend son fief de Castillon à Charles Ier Grimaldi, seigneur de Monaco (en **1346**, il lui avait vendu Menton pour 16.000 florins d'or). En **1376**, les *consuls* de Sospel rachètent au seigneur de Monaco, pour 770 florins d'or, les droits qu'il possède à **Castillon**. Puis ils fortifient le village primitif afin d'en faire un site défensif contre les *Lombards*. Lors de la ***dédition de 1388***, Sospel et Castillon deviennent dépendants de la maison de Savoie. En **1793**, les troupes révolutionnaires françaises détruisent les fortifications de **Castillon**. Les deux communes réintègrent les Etats sardes en **1814**, après vingt ans d'occupation française. Elles sont

définitivement rattachées à la France en **1860**. **Castillon** est détruit lors du *tremblement de terre de 1887**. Reconstruit, il est de nouveau détruit pendant la Seconde Guerre mondiale (Croix de guerre 1939-1945). En **1951**, un nouveau village, de *style provençal*, est recréé un peu plus bas.

** **Le tremblement de terre du 23 février 1887** dévasta de nombreux villages de la région, jusqu'à Gênes. Des maisons, des églises s'effondrèrent à la Tour-sur-Tinée, Tournefort, Bairols, Clans, Roubion ... Castillon fut détruit, et à Menton, les voûtes des églises furent très endommagées et des centaines de maisons disloquées. Il y eut 2.000 victimes de Vintimille à Savone. Ce fut le dernier grand tremblement de terre sur la Côte d'Azur. Les précédents séismes répertoriés eurent lieu en 1348, 1494, 1564, 1612, 1618, 1644, 1818, 1854.*

Celui de 1564 fut particulièrement intense. De nombreuses maisons et édifices furent fortement endommagés ou lézardés dans tout le comté de Nice, plusieurs villages furent partiellement ou totalement détruits (La Bollène, Venanson, Saint-Martin-Vésubie, Belvédère, Roquebillière...) et l'on compta près de 600 morts.

À voir

*Les ruines du château féodal et du village aux maisons taillées dans le roc sont situées sur un piton au nord-ouest, perchées comme un nid d'aigle. Le village actuel, recréé à mi-pente, date de 1951. Il est de style provençal. Ses maisons sont en pierre de taille. En 1952, **Castillon** a obtenu le prix du « **Plus Beau Village de France** ».*

* **Vieux village** * **Vestiges du château féodal**.

* **Échoppes d'artisans d'art et d'artistes**, aux Arcades du Serre. Cet ensemble de style provençal accueille maîtres-verriers, sculpteurs, céramistes et ébénistes.

* **Viaduc du Caramel** (1910). Long de 120 mètres, il comprend treize arches. Construit selon un schéma militaire qui prévoyait, en cas d'invasion, une destruction rapide du viaduc afin de couper cette voie d'accès.

* **Église Saint-Michel**, au col de Castillon. Construite après le tremblement de terre de 1887, elle fut bombardée pendant la guerre de 1939-1945. Il ne reste qu'une partie du clocher et les murs.

* **Croix de Sù Serre** (1896) en fer forgé.

* **Fontaine** (XIXe), place Sidi-Brahim.

* **Four à chaux** (début XXe). *Les **pierres** extraites de la carrière du Caramel étaient **cuites** dans cette excavation. Après une semaine de cuisson, cela donnait la **chaux vive** que l'on utilisait pour construire les maisons.*

* **Gros ouvrage au col de Castillon** (1931-1934). Ces cinq blocs sur deux étages contenaient *375* hommes.

* **Four à pain** (1950). Il est installé dans l'ancienne gare de tramway.

* **Chapelle Saint-Antonin.** Elle comporte un linteau monolithe de 1612, orné d'une inscription.

06460	**CAUSSOLS**	**Plan: B 4**

Hameau : **SAINT-LAMBERT**

Population : Insee 1999 **= 150** h. en 1901 = **97** h. variation **+ 54,64%**

Rang de la commune par rapport au nombre d'habitants au niveau départemental : **125**

Les habitants sont les **Caussolois**

Superficie : 2.739 ha - **Altitude** : 895 / 1200 / 1458 m - **Canton : Le Bar-sur-Loup** - **Arrondt** : Grasse

Distance de Nice : à vol d'oiseau = 28 km - par la route = 57 km - **Longitude** = 6,90° - **Latitude** = 43,73°

Accès: A 8 - N 85 - D 5 - D 12 et GR 4 - **Desserte** : Envibus 12D et Réserv: TAD 0 800 06 01 06

Fête patronale : 3e dimanche d'août - **Église** : Saint-Louis-Roi - **Paroisse** : Sainte-Marie-des-Sources

N° téléphone de la MAIRIE : 04.93.09.29.6

Origine du nom

Ce toponyme est lié à la nature du sol et il vient du latin *calx, calcis* qui désigne la chaux. En provençal, terrain calcaire se dit *causse*. Formes anciennes : *ecclesia de Calsolis* (1158), *ecclesia de Causols* (1189).

Histoire

La présence de l'homme est attestée, dès l'**âge du bronze**, sur ce plateau calcaire creusé de gouffres et de grottes qui constituaient d'excellents abris. Il existe également de nombreux vestiges de *castellaras*, d'habitats et de sépultures datant de l'époque *ligure*. En **1158**, l'église de *Calsolis* apparaît dans des textes. Et c'est au **XIIIe** siècle, qu'est mentionnée pour la première fois la seigneurie de Guillaume de Caussols. À cette époque, **Caussols** et Cipières formaient deux territoires distincts mais dépendants des sires de Grasse, seigneurs d'Antibes, sous la suzeraineté des comtes de Provence. Au **XIVe** siècle, la commune de **Caussols** est rattachée à Cipières. Elle ne redevint indépendante qu'en **1790**. Au cours des siècles, **Caussols** fut plusieurs fois recensé comme *lieu inhabité*. L'émigration de ses habitants a été provoquée par les guerres, les épidémies et la famine. Aujourd'hui, le centre communal est à Saint-Lambert, mais l'habitat reste dispersé. Avec les cultures céréalières et maraîchères, l'élevage par transhumance des ovins représente actuellement une des principales activités des *Caussolois*. Le cheptel est d'environ 5.000 moutons. Ces derniers sont en majorité de *race brigasque*, d'origine italienne, car ils sont tout à fait adaptés aux pacages pauvres.

*En **1974**, grâce à son microclimat sans brume et à la pureté exceptionnelle de l'air, un **Observatoire de la Côte d'Azur** (OCA) a été construit sur le **plateau de Calern** qui domine Caussols. Il abrite le **CERGA** (Centre d'études et de recherches géodynamiques et astronomiques). On y effectue des « observations systématiques en géodésie spatiale, en photographie stellaire à grand champ et en interférométrie optique ».*

À voir

*Situé à 1.100 m d'altitude, le haut **plateau** karstique **de Caussols** est creusé de nombreux gouffres, grottes, failles et crevasses très appréciés des adeptes de la **spéléologie**. Il se prête également à de **très belles promenades**, dans une nature encore sauvage.*

* **Plaine de rochers** : champs de pierres sculptées par les intempéries.

* **Nombreux avens**. Il y en a plus de 130. L'aven Marthe (-135 m) est le plus profond.

* **Observatoire de la Côte d'Azur** (1974). Il abrite le **CERGA**.

* **Fontaine des Gleirettes** (route de Canaux) aménagée en 1933 par le génie rural pour alimenter le village avec l'eau de la source des Gleirettes. Le village compte trois autres sources (des Chasseurs, de Castel, de Cresp).

* **Deux bergeries** (XIXe), au Plan de Gast et chemin des Claps. Elles sont entourées d'un enclos en pierres sèches prévu pour trier et protéger les moutons.

* **Église Saint-Lambert** (XIIe) de style roman. Elle abrite une *huile sur toile* (1777) représentant le *Christ entouré de saint Lambert et de saint Pons*.

* **Vestiges du Camp de Villevieille**. D'époque protohistorique, celui-ci fut utilisé par les Ligures, à l'époque romaine et également au Moyen Âge. De ce village disparu ne subsistent que des vestiges de mur d'enceinte et d'une tour.

* **Bories**. En provençal, *bori* signifie *cahute, ferme*. En français, *borie* désigne ces structures coniques en pierres sèches, construites en grand nombre par les bergers, aux XVIIIe et XIXe siècles. Elles servaient d'abri temporaire.

* **Citerne** (XIXe), route des Claps. Destinée à recueillir les eaux pluviales (l'eau est rare dans ce secteur aride).

06740 CHÂTEAUNEUF Plan: B 5

Hameau : **PRÉ-DU-LAC**
Population : Insee 1999 **= 2.968** h. en 1901 = **556** h. variation **+ 433,81%** (**3.300** en 2005)
Rang de la commune par rapport au nombre d'habitants au niveau dépt : **40 -** au niveau national: **3.048**
Les habitants sont les **Châteauneuvois / Castelnovois / Castelnoviens**
Superficie : 895 ha - **Altitude** :197 / 410 / 662 m - **Canton : Le Bar-sur-Loup** - **Arrondt** : Grasse
Distance de Nice : à vol d'oiseau = 23 km - par la route = 32 km - **Longitude** = 6,97° - **Latitude** = 43,67°
Accès: RN 7-A8-D2D-D 2-D 2085-D 203 - **Desserte** : TAM 500 - 511 - Envibus 11 - 12bis - 12 - TAD - 26R
Fête patronale : 1er dimanche après Pentecôte - Fête pastorale du Brusc : 1er dimanche après Pâques
Église : Saint-Martin - **Paroisse** : Saint-Pierre-du-Brusc
N° téléphone de la MAIRIE : 04.92.603.603 - **BUREAU du TOURISME** : 04.93.42.50.32
www.ville-chateauneuf.fr

Origine du nom

Ce toponyme a pour origine les appellations *castello novo*, *castro novo* : château neuf (Voir également Castellar).

Histoire

Des vestiges prouvant une occupation très ancienne (environ **2.500 ans avant J.-C**.) ont été retrouvés sur le territoire de cette commune. Elle fut suivie par celle des *Celto-Ligures* (probablement les *Décéates*) et des *Romains*. Vers le **Ve** siècle, une église et un baptistère sont construits au *Brusc*, où coule une source intermittente. À la fin des *siècles obscurs* (XIe), la source est captée dans une crypte, et une imposante basilique, qui devient un haut lieu de culte, s'élève à l'emplacement de l'église primitive. En **1153**, des textes mentionnent *Castrum de Castello* et *Castrum novo*. En effet, pour des raisons stratégiques, les seigneurs d'Opio ont édifié un nouveau château, sur le site le plus élevé de leurs terres, et à l'emplacement des ruines d'un *castellaras*. Il fut nommé *Château Neuf d'Opio*. De nombreux habitants d'Opio créent un village fortifié au pied de ce château fort. En **1257**, **Châteauneuf** finit par se détacher de sa commune de tutelle et devient un fief indépendant. À l'issue de cette division, l'église du Brusc fit partie de son territoire (ultérieurement les processions au sanctuaire du Brusc provoquèrent des dissensions entre les gens de Châteauneuf et les villageois des alentours). En **1306**, la seigneurie appartient à la puissante famille des Grasse-Cabris. Par mariage, elle passe aux Lascaris-Vintimille en **1400**, puis aux Puget de Saint-Marc au **XVIIe** siècle. À cette époque, le village comptait 2.400 habitants. Ils vendaient le produit de leurs cultures (principalement le vin, l'huile, le blé et les figues) aux Génois, via les ports d'Antibes et de Cannes. Quant au ravitaillement en eau qui se faisait aux sources de la Brague, longtemps problématique, il fut régularisé en 1892, grâce au canal de Foulon. En **1822**, le quartier de *Clermont,* qui était une commune indépendante depuis **1789**, a été rattaché à **Châteauneuf**. Par contre, en **1830**, les *hameaux des Bergiers* ont été rattachés au **Rouret**.

À voir

Châteauneuf est inscrit à l'inventaire des sites historiques. Village de type provençal aux maisons anciennes à hautes façades. Étroites ruelles en escaliers et passages voûtés. Il a conservé des vestiges de ses anciens remparts.
* **Notre-Dame-du-Brusc** (XIe siècle - CMH 1986). Cette église est construite sur un site archéologique occupé depuis plus de quatre mille ans. Elle abrite une *crypte* (XIe) dans laquelle coule une *source intermittente*, un *baptispère à immersion* (Ve), une *Vierge de pitié* en bois doré (XVe).

* **Chapelle de la Trinité** (XIe- XVIIe), chemin des Groules. Sur l'ancien site romain de la colline du Clermont s'est élevé un village (aujourd'hui disparu), qui fut abandonné au XIVe siècle. De l'église primitive ne subsiste qu'un seul mur à arcades.

* **Linteau de porte** (1555), rue de Buissonne. Le plus ancien linteau daté du village.

* **Église Saint-Martin** (XVIIe). Elle remplace la petite église que les chevaliers d'Opio avaient érigée lors de la création du village. Elle abrite un *maître-autel* et un *retable-tabernacle* en bois doré (fin XVIIe), un *Christ en Croix* (XVIIIe) provenant d'une chapelle de pénitents.

* **Fontaine** (1892), place de la Vieille-Mairie. Vasque semi-circulaire adossée à une borne verticale.

* **Grande Fontaine** (XVIIe). Elle a donné son nom au chemin qui y mène. Jusqu'à la fin du XIXe siècle, elle fut l'unique point d'eau du village. L'ensemble, alimenté par la source de la Brague, comprend la fontaine, un lavoir et un abreuvoir.

** **Ancienne Magnanerie** (XVIIIe). Au XIXe siècle, ces **élevages de vers à soie** ont été abandonnés à cause de la concurrence étrangère. Des plantations de mûriers entouraient les bâtiments à plusieurs étages. Pratiquement toute la **production de soie** de cette région était destinée aux **soieries lyonnaises**.*

06470 CHÂTEAUNEUF-D'ENTRAUNES Plan: B 2

Hameau : **LES TOURRES**
Population : Insee 1999 **= 56** h. en 1901 = **215** h. variation **- 73,95%**
Rang de la commune par rapport au nombre d'habitants au niveau départemental : **156**
Les habitants sont les **Châteauneuvois / Ecureuils** (**Squirotu** en patois)
Superficie : 2.991 ha - **Altitude** : 880 / 1 281 / 2813 m - **Canton : Guillaumes** - **Arrondt** : Nice
Distance de Nice : à vol d'oiseau = 59 km - par la route = 107 km - **Longitude** = 6,83° - **Latitude** = 44,13°
Accès : RN 202 -D 2202 -D 74 et GR 52 A -**Desserte** :TAM 790 et Réserv: TAD 0 800 06 01 06
Fête patronale: dernier dim. juillet - **Église**: St-Nicolas / Ste-Anne (Les Tourres) - **Paroisse**: St-Jean-Baptiste
N° Tél. de la MAIRIE : 04.93.05.54.76 **Fax** : 04.93.05.58.91

Origine du nom

Châteauneuf a pour origine les appellations : *castello novo*, *castro novo* : château neuf. Le village aurait été reconstruit à la suite d'un sinistre (Voir également Castellar). Formes anciennes : *ad oppidum de Castronovo* (vers 1200), *villa Castrinovi* (Caïs, 1388).

Entraunes. Cette appellation vient probablement de l'expression latine *inter amnes* : entre deux cours d'eau. L'emplacement du village, situé à la confluence du Var et du Bourdous, confirme cette hypothèse. Vers l'*an mille*, lorsque les *paroisses* * ont été réorganisées, le toponyme **Entraunes** a été ajouté au nom de trois villages moins importants administrativement et moins peuplés : **Châteauneuf**, **Villeneuve** et **Saint-Martin**. Toutefois, cette adjonction officielle, qui a été faite pour des raisons administratives, n'apparaît définitivement qu'au XVIIe siècle.

* ***Paroisses / communes.*** *Au XIe siècle, dans l'arrière-pays, la population s'était regroupée en* ***communautés d'habitants (comunitates)****. À une époque plus reculée, ces associations, unies religieusement et placées sous la juridiction spirituelle d'un curé, formaient des* ***paroisses****. Les familles avaient des terres qu'elles exploitaient en commun et leurs activités agricoles et pastorales étaient soumises à des servitudes collectives. Elles s'étaient dotées d'une assemblée de chefs de familles pour se gouverner elles-mêmes, acquérant ainsi une existence juridique et administrative. Face à la tutelle féodale, l'indépendance de ces* ***comunitates*** *(qui sont devenues nos* ***communes****) pouvait être partielle ou totale.*

* ***Libertés et franchises :*** *voir Entraunes et Utelle* * ***Villes de Consulat - Universitas :*** *voir Peille et Utelle*

Histoire

Vers l'**an mille**, les **villages du val d'Entraunes** étaient inféodés à de grandes familles seigneuriales (les Glandèves, puis les Balb, Rostaing et Féraud de Thorame) sous la dépendance des comtes de Provence. Au **XIIe** siècle, les habitants se font accorder d'importantes franchises par leur suzerain et jouissent de véritables libertés administratives, comparables à celles de *villes consulaires* comme Grasse et Nice (Voir Peille). Leur petite cité était gérée par des *consuls* élus chaque année par un *conseil des chefs de familles*. L'agglomération primitive de **Châteauneuf** occupait probablement le site des Tourrès, perché dans la montagne, à 1.680 m d'altitude. Au **XIIIe** siècle, des textes mentionnent le *Castrum de Castro novo*, édifié en contrebas, plus près de la vallée principale. En **1388**, le val d'Entraunes passe sous la haute autorité du *Comte rouge*, Amédée VII de Savoie. Toutefois, les habitants obtiennent de Jean Grimaldi de Beuil, représentant officiel de la Savoie, que la *charte* garantissant leurs libertés ainsi que leurs droits et devoirs soit reconduite par leur nouveau suzerain. Ils demandent également à être rattachés à la viguerie de Puget-Théniers. En effet, le val d'Entraunes faisait partie de celle de Barcelonnette, or les voies de communication entre le haut Var et l'Ubaye étaient coupées six mois par an, en raison de l'enneigement. **Saint-Martin** et **Entraunes** n'obtiennent pas gain de cause, contrairement à **Châteauneuf** et **Villeneuve** qui sont rattachés à Puget-Théniers. En **1597**, pendant les guerres de la « Ligue », les villageois et le capitaine *Bonfiglio* (Bonfils), un officier chargé de la défense du château, résistent aux troupes françaises. En **1616**, Charles-Emmanuel Ier de Savoie cède ses droits sur diverses terres du comté de Nice, dont le val d'Entraunes, à Annibal Badat (le gouverneur de Villefranche). Les **communautés** rachetèrent leur indépendance contre 1.500 *ducatons*. Par lettre-patente du **4 juin 1621**, le duc s'engagea à ne plus les inféoder. Toutefois, en **1696**, Victor-Amédée II, dans le but de *renflouer les caisses de son duché *(Voir La Bollène-Vésubie, Contes, Valdeblore)* réclame aux quatre **communautés** un rappel d'impôts impayés entre 1388 et 1645. Étant dans l'impossibilité de payer ces arriérés, elles sont *vendues :* **Châteauneuf** à l'abbé Collet-Papachino, **Entraunes** au gentilhomme entraunois Louiquy, **Saint-Martin** à un Chenillat de Péone et **Villeneuve** à un certain Michel-Ange Codi, de Turin. L'ensemble des juridictions fut adjugé pour 8.000 livres. Après deux ans de négociations, lesdites communautés purent racheter leur liberté. En **1702**, elles sont pratiquement libérées de leurs éphémères seigneurs et réinvesties du titre de « *comtesse d'elle-même* ». En **1793**, lorsque le comté de Nice est annexé par la France et forme le *85e département* français, le **val d'Entraunes** est rattaché au canton de Guillaumes, qui dépendait du district de Puget-Théniers. En **1814**, lors de la *Restauration sarde*, il est réintégré dans le royaume de Piémont-Sardaigne. Les **15 et 16 avril 1860**, les *Entraunois* votent à l'unanimité pour le **rattachement.** ***Le val d'Entraunes****, situé à plus de 100 km de la côte, à proximité des sources du Var, est la vallée la plus reculée des Alpes-Maritimes. Jusqu'à une époque relativement récente, ses habitants ont vécu presque en autarcie, sauf pour certaines denrées comme le sel, le vin et l'huile d'olive. Ils tiraient leurs principales ressources de l'***agriculture** *et de l'***élevage de moutons***. Ils* ***tissaient*** *le chanvre et la laine produits sur place, mais uniquement pour les besoins locaux. Toutefois, dès le* ***XVIIe siècle****, le travail des textiles se développa et les habitants se spécialisèrent dans la fabrication de draps (Voir Entraunes).*

Actuellement, les activités de cette localité, dont une partie du territoire est incluse dans la *zone d'adhésion* (périphérique) du *Parc national du Mercantour*, sont axées sur le tourisme : elle possède des gîtes, une ferme-auberge et un musée ethographique. Un *moulin à farine* et un *four* ont été restaurés et sont accessibles aux visiteurs.

À voir

Le village, situé à 6,5 km de la vallée du Var, est perché sur une crête, dans un environnement assez sévère de schistes noirs. Il est composé de maisons anciennes aux balcons en fer forgé et aux toitures en bardeaux de mélèze. Nombreux linteaux gravés de la croix de Malte. ***Parc national du Mercantour, voir pages 210 et 211***.

* **Église Saint-Nicolas** (XVIIe). De style roman avec un intérieur baroque. Nef unique et clocher carré ajouté en 1934. *Polyptyque* huile sur bois, le *Christ aux cinq plaies* (vers 1550). On l'attribue à François Brea car il présente de grandes similitudes avec celui de Saint-Martin-d'Entraunes, signé de l'artiste. *Détrempe sur bois* (XVIe) intitulée *Le Père Éternel,* deux *huiles sur toile*, *Vierge du Rosaire* (1622) et *Les Âmes du Purgatoire et le Sacré-Cœur* (1735).

* **Moulin à farine de la Barlatte** (XVIIIe). Il a conservé les godets en bois de la turbine, qui sont d'origine.

* **Chapelle Saint-Joseph**. *La Mort de Saint Joseph*, une huile sur toile de Jean-André de Castellane (1663).

* **Chapelle Sainte-Anne des Tourrès** (XVIIIe). Clocher à deux arcatures laissant apparaître les 2 cloches.

* **Au Tourrès : la maison Cazon**. Cette bâtisse, flanquée de deux tours-pigeonniers (une seule subsiste) possède une imposte sur la façade : une *sculpture de femme* portant un collier à cinq rangs et une coiffure *Louis XV*.

* **Four à pain communal**. Situé sur la place principale. Il fut construit après l'abolition des privilèges seigneuriaux (1789). Sa toiture est en bardeaux de mélèze.

* **Monument aux Morts** (1921). Il fut érigé en souvenir des soldats tués pendant la Première Guerre mondiale. La perte d'une quinzaine de jeunes hommes, importante pour un hameau comme celui de Tourrès, provoqua son dépeuplement.

Quelques bonnes adresses

L'AUBERGE de Châteauneuf d'Entraunes GÎTE Place de la Fontaine Tél. 04 93 02 93 25 / 06 98 77 72 47

Le CARRÉ du MERCANTOUR GÎTE Tél. 04 93 05 54 42

06390 CHÂTEAUNEUF-VILLEVIEILLE Plan: D 4

Hameaux : **LE PREIT LE RAMADAN**

Population : Insee 1999 **= 684** h. en 1901 = **1.144** h. variation **- 40,21%** (**687** en 2005)

Rang de la commune par rapport au nombre d'habitants au niveau départemental : **82**

Les habitants sont les **Madounencs / Madonnencs**

Superficie : 838 ha - **Altitude** : 234 / 650 / 901 m - **Canton : Contes** - **Arrondt** : Nice

Distance de Nice : à vol d'oiseau = 11 km - par la route = 22 km - **Longitude** = 7,28° - **Latitude** = 43,80°

Accès : D 2204C - D 15 - D 815 - **Desserte** :TAM 360 et Réserv: TAD 0 800 06 01 06

Fête patronale : 15 août - **Église** : N.-D.-de-l'Assomption - **Paroisse** : Saint-Vincent-de-Paul

N° téléphone de la MAIRIE : 04.93.79.03.65

Origine du nom

Il est tiré du mot latin *castellum* qui est un diminutif de *castrum* (Voir Castellar) et de l'appellation romaine *Villa Vetus* qui signifie Villevieille. Formes anciennes : *Oppidum qui nominatur Castello novo* (cart. de Saint-Pons, 1030), *Castenou* (cart. de la cathédrale de Nice, XIIe), *in castro novo* (enquête de Charles Ier comte de Provence, 1252), *Villa Castrinovi / Villa Castri Novi* (Caïs, 1388).

Histoire

De nombreux vestiges de *castellaras ligures* prouvent une implantation très ancienne. Le site est ensuite occupé par les *Romains* qui y créent un important poste militaire, *Villa Vetus / Villa Vetula* (Villevieille). Ce *castrum* de *Villa Vetula*, très prospère pendant la *paix romaine*, fut abandonné au **VIe** siècle, lorsque commencèrent les invasions des *Lombards* et les incursions des *Sarrasins*. La population se regroupe alors sur un piton rocheux des environs et y construit, en **576**, le village fortifié de *Castel Nuovo*, **Châteauneuf**. Le cartulaire de l'abbaye de Saint-Pons stipule qu'en **1030**, les terres furent données aux moines. Quant à l'église, citée en **1109**, c'était un ancien prieuré qui relevait de la cathédrale de Nice. Lors de l'*affouage* de **1408** (*impôt sur les feux*), *15 foyers* sont recensés (environ 80 personnes). Ce fief couvrait un vaste territoire car il comprenait **Cantaron** et **Bendejun**. En **1249**, il est partagé entre les descendants des premiers seigneurs, puis une seconde fois en **1311**. Le morcellement le plus important est effectué en **1769**, avec 45 coseigneurs : les Berre, Grimaldi, Blacas, Galléan, Riquier, Lascaris, Tondutti, Cessole, entre autres. *Toutefois, à cette époque, le **titre**, simplement **honorifique**, n'était plus lié à des droits seigneuriaux.* En **1748**, les villageois abandonnent *Castel-Nuovo-da-Nizza* pour réoccuper le site primitif de *Villevieille* (qu'ils nomment *Villevieille-Châteauneuf*) car il est plus proche des terres cultivables. Ce nouveau village se caractérise par des habitations dispersées. En **1793**, le bourg médiéval est dévasté par les troupes révolutionnaires françaises, puis complètement abandonné en **1803**. En **1825**, le fief est érigé en marquisat au profit de Félix de Constantin de Châteauneuf. Les habitants tiraient leurs ressources de l'élevage et de certaines cultures (haricots, cerises, huile d'olive et olives à saler). Le **25 juin 1911**, **Bendejun** et **Cantaron** deviennent des communes indépendantes. Quant à **Châteauneuf-Villevieille**, elle fut baptisée **Châteauneuf-de-Contes** en 1877, mais reprit son nom d'origine en **1992**.

*Deux personnages célèbres sont nés à Châteauneuf : le **troubadour Pierre Boyer**, qui vécut au XIIIe siècle, et **Mgr Louis Martini**, évêque d'Aoste (1566-1621).*

À voir

*Village à l'habitat dispersé, orienté au sud-est à mi-pente de la crête du Férion, au milieu des oliviers et des vergers. Les ruines de Châteauneuf sont à un quart d'heure à pied. Au sommet de la butte : **vaste et remarquable panorama** avec, à l'ouest, le **mont Chauve et le Férion**, au nord et à l'est, les **cimes des Alpes**.*

* **Cascade et château du Rémaurian**.

* **Grottes : aven de la Peneta**, d'une profondeur de 40 m, et de 170 m de long.

* **Castellaras de la Barre du Midi**. Camps protohistoriques ligures.

* **Vestiges du Castel-Nuovo** (IXe - MH 1939). Nombreuses *voûtes* (XIIe), *porte* (XVIe) avec *loge de fermeture* prévue pour y faire coulisser des poutres en bois, *citerne* (XVIIe) d'une contenance de 80.000 litres, rendue étanche grâce à une épaisseur de mortier de chaux de 8 cm. Système de remplissage et de puisage encore visible.

** **Tour-pigeonnier**, crénelée. Un nombre impressionnant de boulins (nichoirs) est aménagé dans les murailles. Les **pigeons** étaient élevés pour leur chair mais aussi pour la fiente (colombine) qui servait d'engrais. **Le droit de construire et d'exploiter un colombier était un privilège féodal qui fut aboli en 1789.***

* **Église Sainte-Marie** (XIe - IMH 1928) Art roman méridional. Sa façade est ornée d'une *plaque funéraire romaine* où est gravée l'épitaphe d'Antestia Polla, et d'une *sculpture* du IIIe siècle représentant une tête de taureau. Le *tabernacle* (XVIe), de style basilical et les *fonts baptismaux* (XVIIe) proviennent de l'église Saint-Pierre de Castel-Nuovo. Le *chœur* (XVIIe) en stuc et bois doré polychrome, comprend un *retable* baroque dont la niche abrite la *Madone de Villevieille* (XVe).

* **Chapelle Saint-Joseph** (Xe - CMH 1939). Plusieurs fois remaniée. Elle abrite deux *sculptures* de Jean-Pierre Augier, ainsi que des reproductions photographiques *des œuvres des **Brea**, une illustre famille de **peintres primitifs** qui vécurent aux XVe et XVIe siècles et qui réalisèrent de très nombreux **retables**. **Louis Brea** (1450-1523) était le fils d'un tonnelier niçois. Parmi tous les polyptyques qu'il exécuta, 14 sont restés dans la région. Il travailla avec son frère **Antoine** (1470-1526 ou 27). Le fils de ce dernier, **François** (1495-1562) s'établit et travailla à Taggia, en Ligurie. Leur œuvre est considérable.*

* **Chapelle de l'Immaculée-Conception** (XVIIIe), fondée par le chanoine Jean Bermondi et léguée à sa famille en 1743. Fortement endommagée lors du tremblement de terre du 23 février 1887, elle fut aussitôt restaurée par le comte Édouard Bermondi.

* **Mur de fortification** (XVIIIe), à la Barre du Midi. Vestige de la guerre de Succession d'Autriche entre les troupes franco-espagnoles et les Austro-Sardes en 1794. *Ce fut un haut-lieu du **Barbetisme*** (voir Bendejun).
* **Four à pain domestique**. Le Ramadan (XIXe). En grès tiré de la vallée du Paillon. Il a fonctionné jusqu'à la Seconde Guerre mondiale.

06620	CIPIÈRES	Plan: B 4

Population : Insee 1999 **= 269** h. en 1901 = **344** h. variation **- 21,80%**
Rang de la commune par rapport au nombre d'habitants au niveau départemental: **109**
Les habitants sont les **Cipiérois**
Superficie : 3.815 h - **Altitude** : 459 / 780 /1381 m **- Canton : Grasse Sud-Coursegoules - Arrondt** : Grasse
Distance de Nice : à vol d'oiseau = 26 km - par la route = 45 km - **Longitude** = 6,95° - **Latitude** = 43,78°
Accès:RN 7-D 2D-D 2-D 2085-D2210-D 6-D 3-D 603 et GR 4 - **Desserte** Réserv: TAD 0 800 06 01 06
Fête patronale : 1er dimanche de juin - **Église** : Saint-Maïeul - **Paroisse** : Saint-Antoine-de-Padoue
N° téléphone de la MAIRIE et OFFICE du TOURISME : 04.93.59.96.48

Origine du nom

Ce toponyme est tiré du bas latin *cipparia* lui-même dérivé du latin *cippus* qui désigne une borne de pierre, une stèle, une borne militaire. Formes anciennes : *Domus de Cipeiras* (cart. de Lérins, XIe siècle), *ecclesia de Ciperiis* (1158), *Castrum de Cipieras* (1234). Le terme *cippe* apparaît dans le *Dictionnaire de Trévoux,* en 1732, qui en donne la définition suivante : « *petite colonne que les Anciens plaçaient en divers endroits des grandes routes pour indiquer le chemin* ».

Histoire

La découverte sur le site d'une hache en pierre polie datant du **néolithique** atteste une très ancienne présence humaine. En **1152**, des textes mentionnent un certain *Pons de Cipières* et il est probable qu'à cette époque, un château existait déjà. Au **XIIe** siècle, **Cipières** et Caussols formaient deux territoires distincts, mais dépendants des sires de Grasse, seigneurs d'Antibes. Ils furent réunis au **XIVe** siècle et Caussols ne redevint une commune indépendante qu'en **1790**. Au début du **XIIIe** siècle, **Cipières** est une possession du comte de Provence qui, en **1235**, le cède à son sénéchal Romée de Villeneuve. Raibaude de Caussols en devient ensuite propriétaire. Entre les **XIVe** et **XIXe** siècles, le fief, qui a été érigé en baronnie, passe entre les mains de plusieurs grandes familles (par vente ou par héritage). Au **XIVe** siècle, il appartient à la maison de Grasse, puis il devient possession des d'Agoult en **1370**. Au **XVe** siècle, la baronnie est transmise à la famille des Bolliers qui la vend, en **1510**, à René de Savoie (le *Grand Batard* légitimé), devenu comte de Tende par mariage. En **1646**, ce sont les Bouthillier de Chavigny qui en font l'acquisition. **Cipières**, qui a été érigé en marquisat, a pour dernier propriétaire le marquis de Panisse-Passis. En **1851**, il vend le château à des *Cipiérois* qui le transforment en bergerie. L'édifice est restauré en 1951, il devient un hôtel de grand standing en 1989, puis il est de nouveau vendu à des particuliers. La **fête des Moissons** est célébrée le deuxième dimanche d'août.

À voir

Ce pittoresque village ancien possède de belles demeures bien conservées. Il est construit sur un promontoire dominant la vallée du Loup.

* **Château de Cipières** (XIIIe). Construit sur les ruines d'un édifice du XIIIe dont il reste une partie des murs d'enceinte et une tour. Il a appartenu au baron René de Tende, chef du parti protestant de Provence. Le château a été renové au XVIIIe siècle, puis entièrement restauré en 1951.

* **Murs d'enceinte** (XIVe), seuls vestiges de l'ancien château.

* **Vieux pont du Loup** (1763), dit « romain ». Il est sur le tracé de l'ancien chemin muletier reliant Gréolières et Cipières. Il remplace un pont construit en 1665.

* ***Aires à battre le blé*** *(XVIIIe). Elles sont* ***pavées*** *et leur* ***grand nombre*** *rappelle qu'aux* ***XVIIe, XVIIIe*** *et* ***XIXe*** *siècles, le territoire de la commune était* ***intensivement aménagé pour la culture des céréales****. Le battage du blé se faisait à l'aide de* ***chevaux*** *ou de* ***mulets****. Chaque ferme isolée possédait une aire de foulage qui fut utilisée jusqu'au début des années* ***1960****.*

* **Église Saint-Mayeul** (XVIIIe - IMH 1989). *Clocher* à quatre pentes, aux tuiles vernissées. Il porte un *campanile* en fer forgé (1750), avec un *drapeau-girouette* et une *croix*. *Nef* unique à trois travées (XVIe), complétée par un *chœur* en hémicycle. L'église abrite un *bras reliquaire* de saint Mayeul (XVe) en argent et cuivre doré ainsi qu'un *buste reliquaire* de ce saint (XVIIe). À voir également, une *croix de procession* (1504) en argent et métal doré, une *huile sur bois* de saint Pacifique (1694).

* **Avens** (on en dénombre 15). À l'est du plateau de Caussols.

* **Bories**. Cabanes de bergers, en pierres et de forme conique. Il y en a plus de 100 sur le territoire de la commune.

* **Fontaine circulaire** (1893) sur la place du village. Elle est alimentée par la source de la «Fontaine».

* **Chapelle Saint-Claude** (XVIIe - IMH1979). *Chœur* de style baroque. Elle abrite un *reliquaire* de saint Claude (XVII), *une huile sur toile (1647) représentant la Descente de Croix. Il s'agit de la copie inversée d'une œuvre que* ***Rubens*** *réalisa en 1610, et qui est conservée à Anvers.* ***Petrus Paulus Rubens****, peintre flamand (1577-1640), dirigeait un important atelier à Anvers. Son œuvre est représentative du* ***réalisme flamand*** *et du* ***baroque italien****.*

* **Passage couvert** (XIXe), rue de la Loge. Ces passages couverts auraient été construits pour consolider les maisons riveraines ayant souffert du tremblement de terre de 1887.

06420 CLANS Plan: C 3

Hameaux : **PONT-DE-CLANS TREMAGNE BANCAIRON**

Population : Insee 1999 **= 532** h. en 1901 = **692** h. variation **- 23,12%** **(536** en 2005)

Rang de la commune par rapport au nombre d'habitants au niveau départemental : **90**

Les habitants sont les **Clansois**

Superficie : 3.779 ha - **Altitude** : 264 / 700 / 2082 m - **Canton : Saint-Sauveur-sur-Tinée** - **Arrondt** : Nice

Distance de Nice : à vol d'oiseau = 34 km - par la route = 54 km - **Longitude** = 7,15° - **Latitude** = 44,00°

Accès : RN 202 - D 2205 - D 55 et GR 5 - **Desserte** : TAM 740 - 750

Fête patronale : fin août - **Église** : Nativité-de-la-Sainte-Vierge - **Paroisse** : Notre-Dame-de-la-Tinée

N° téléphone de la MAIRIE : 04.93.02.90.08

Origine du nom

Il vient probablement du latin *clantium* lui-même dérivé de la racine pré-indo-européenne *kala* (rocher) + le suffixe *antium* (après contraction de *cal-antium*). On peut rapprocher ce toponyme d'Esclans (La Motte, dans le Var) et du nom de deux cours d'eau : Clans dans l'Hérault et Clans dans le Piémont. Formes anciennes : *de Sancta Maria de Clancio* (cart. de la cathédrale de Nice,1066), *Clancius* et *Clanz* (XIIe), *in castro de Clans* (enquête de Charles Ier, 1252), *Johan de Clans* (rationnaire de Charles II, 1297), *Johan de Clantio* (enquête de Léopard de Fulginet, 1333), *Raymundus de Clans* (cart. de l'abbaye de Saint-Pons, 1370), *Villa de Clans* (Caïs, 1388).

Histoire

La présence de l'homme sur ce territoire est attestée par des vestiges datant de l'**âge du bronze**. Cette occupation fut d'ailleurs permanente jusqu'à nos jours. Le village est situé sur une ancienne voie de communication qui reliait Nice à Barcelonnette en passant par Levens, le Cros d'Utelle, Utelle, La Tour, Clans, Marie, Saint-Sauveur, Isola, Saint-Étienne-de-Tinée et Saint-Dalmas-le-Selvage. Au **XIe** siècle, **Clans** (et son hameau de **Marie**) appartient aux Thorame-Glandèves. Il est regroupé autour de son église paroissiale qui, en **1066**, a été donnée à l'évêque de Nice. En 1137, cette église, sous le vocable de sainte Marie, est la seule du diocèse à être instituée en collégiale. En **1349**, le village est affranchi par la reine Jeanne qui y installe un juge et une gabelle. En **1389**, le comte de Savoie confisque le fief à Jacques de Revest et Florent de Castellane, qui en sont les coseigneurs, après les avoir déclarés rebelles. Heureusement, les privilèges que **Clans** avait obtenus à l'époque où il faisait partie du comté de Provence sont maintenus par la maison de Savoie, ce qui permet aux habitants de continuer à développer leurs activités agricoles, principalement oléicoles et forestières. En effet, la *forêt domaniale** de la commune, sur les pentes du mont Tournairet, est mentionnée dans des textes très anciens. En **1635**, Honoré Orsier acquiert des biens à **Clans** (fours, moulins, pâturages) et devient le seigneur du fief, lequel est érigé en comté dix ans plus tard. L'ours représenté sur le blason de la commune rappelle cette famille. **Marie** obtient son autonomie en **1427**, mais le partage des terres ne fut terminé qu'en **1673**. Par contre, les hameaux de **Pont-de-Clans** et de **Bancairon** ont été créés à partir de **1880**, à la suite de la construction de la route. Chaque été, les *Clansois* célèbrent la **fête du Bois** et la **fête du Patrimoin**e.

** Exploitées dès le Moyen Âge, les vastes* ***forêts de résineux*** *(sapins, épicéas, pins et mélèzes) ont été pendant longtemps une source de revenus importants pour les communes qui en possédaient. Toutefois, leur exploitation souvent abusive conduisit très tôt les seigneurs et les communautés d'habitants à établir une sévère réglementation.* ***Clans*** *et sa forêt du Tournairet,* ***Valdeblore*** *avec la Serena,* ***Saint-Sauveur*** *et son Bois noir, étaient les principaux producteurs de la vallée de la Tinée. Pendant des siècles, les grumes furent acheminées jusqu'aux chantiers navals de Toulon par flottage sur la Tinée et ses affluents, puis sur le Var. De petites écluses permettaient de pallier le manque d'eau pendant les périodes d'étiage. À partir de* ***1860,*** *la création de nouvelles routes et l'amélioration des voies de communications existantes intensifia le développement des exploitations forestières et l'implantation d'unités de transformation. Les scieries de* ***Saint-Sauveur*** *et de la* ***Courbaisse*** *(sur le territoire de* ***Tournefort****), étaient particulièrement importantes. Les superbes billes de bois étaient très prisées des armateurs génois et toulonnais. De nos jours, les coupes sont rares et par conséquent, les revenus qu'elles procurent sont faibles. De nombreuses pistes et routes ont été tracées, mais les magnifiques étendues boisées contribuent surtout à la protection de l'environnement et elles sont devenues de célèbres centres touristiques : Turini, le Boréon, Peïra-Cava... Actuellement, ces forêts sont exploitées par l'ONF.*

À voir

Ce village médiéval, perché sur un contrefort du mont Castéo, est entouré de montagnes boisées et de pâturages. Il possède des maisons des XIIIe et XIVe siècles.

* **Vestiges préhistoriques**. Au nord-est (cachette de Clans), et le temple d'Hercule.

* **Collégiale Sainte-Marie** (XIe - CMH 1986). L'église actuelle(1680) est construite à l'emplacement des églises Saint-Pierre et Sainte-Marie (1066). L'abside et le clocher ont probablement été construits par un *atelier lombard* (Voir Isola). Fresques murales : *scènes de chasse* et *vie de saint Pierre* (XIVe). Le *retable* du maître-autel, en stuc, faux marbre et gypserie, date de 1780 ; l'*orgue* (1792) provient de l'atelier d'Honoré Grinda (avec ce type d'orgue on peut obtenir des effets de *bel canto* aussi bien que de *marche militaire*). L'église abrite également un *retable du Rosaire* (1650) peint par Jean Rocca, et un *triptyque de la Vierge*, sur bois polychrome daté de 1520.

Église paroissiale Notre-Dame-de-la-Nativité.

* **Chapelle Saint-Antoine** (XVe - CMH 1942). Elle possède une *fresque, sur trente panneaux*, qui retrace la vie de saint Antoine (1480).

* **Chapelle Saint-Michel** (1500 - CMH 1964). La *fresque* du chœur (1515) est d'Andrea de Cella.

* **Maison de la Reine Jeanne** (1510). Elle possède une *façade gothique* (à l'ouest) et une autre *Renaissance* (au nord). C'est peut-être là que résidait le juge et qu'était installé le dépôt de sel.

* **Fontaine-abreuvoir** (1807). Sur la place du village.

* **Scierie du Pont-de-Clans** (XXe) * **Usine hydroélectrique du Bancairon** (1929).
L'Office national des forêts a aménagé 40 km de promenades pour la visite de ces sites.
* **Ex-voto de la chapelle Sainte-Anne**. Elle est perchée sur un promontoire, en pleine forêt, au lieu-dit Le Mounar. Cette chapelle est un lieu de pèlerinage.

06390	COARAZE	Plan: D 4

Population : Insee 1999 = **654** h. en 1901 = **562** h. variation **+ 16,37%** (**659** en 2005)
Rang de la commune par rapport au nombre d'habitants au niveau départemental: **84**
Les habitants sont les **Coaraziens**
Superficie : 1.714 ha - **Altitude** : 313 / 620 /1414 m - **Canton : Contes** - **Arrondt** : Nice
Distance de Nice : à vol d'oiseau = 19 km - par la route = 26 km - **Longitude** = 7,30° - **Latitude** = 43,87 °
Accès : D 2204C - D 15 - **Desserte** : TAM 303
Fête patronale : 24 juin - **Église** : Saint-Jean-Baptiste - **Paroisse** : Saint-Vincent-de-Paul
N° téléphone de la MAIRIE : 04.93.79.34.80 - **OFFICE du TOURISME** : 04.93.79.37.47

Origine du nom

Blason de Coaraze : « *D'or au lézard d'azur, montant, la queue défaite, haute en pointe* ». Cette appellation pourrait venir : **1)** du latin *cauda rasa* (queue coupée). En effet, d'après une légende, le diable, pris dans un piège, aurait eu la queue coupée ; **2)** de *cauda + rasus* qui désigne un terrain dénudé ; **3)** plus vraisemblablement, d'un mot prélatin dérivé du pré-indo-européen *kos* (éminence) à valeur hydronymique. En effet, il existe un **Coarraze** dans les Pyrénées-Atlantiques. Il est situé sur un *éperon rocheux* dominant le *gave* de Pau.

Formes anciennes : *Cosarasa* (chartrier de Saint-Pons, 1030), *Castellum Caude rase* (1108), *Caudarasa* (1156), *Coarasa* (1235), *Cosarasa* (cart. de Saint-Pons, 1240), *de Causarasa* (enquête de Charles Ier, 1252), *v. de Caudarasa* (cart. de Saint-Pons, 1376), *C. Cadarose* (Caïs, 1388), *Caudarasa* (cart. de Saint-Pons, 1415), *de Coaraza* (doc. ligure, 1598). En langue d'oc : *Couarasa*.

Histoire

Le site fut occupé par les *Ligures*, puis par les *Romains* qui y établirent un camp fortifié. Une voie romaine reliant *Cemenelum* (Cimiez) à la vallée de la Vésubie passait par le col Saint-Michel. En **1325**, le roi Robert le Sage, comte de Provence, fait l'acquisition de **Coaraze**. En **1331**, il cède à Daniel Marquesan (consul de Nice en 1326, 1330 et 1339) les deux tiers du château et de la seigneurie de **Coaraze** contre la moitié de la seigneurie de La Turbie. En **1337**, nouvel échange : le roi Robert donne à D. Marquesan le dernier tiers de la seigneurie de Coaraze contre des fiefs situés dans le Var. En **1338**, Daniel Marquesan rend l'hommage vassalique au roi Robert pour la totalité du fief. En **1364**, **Coaraze** et **Roca Sparvièra** (Voir Duranus) sont érigés en baronnie par la reine Jeanne. Après la ***dédition de 1388***, la région devient dépendante de la maison de Savoie. Lors de l'*affouage* de **1408** (*impôt sur les feux*), 16 *foyers* sont recensés. En **1629**, le fief, toujours inféodé aux Marquesan, est érigé en baronnie par le duc de Savoie. À la suite de l'invasion du comté de Nice par les Français (mars à mai 1629), les Espagnols, alliés de la Savoie, l'occupent pour une douzaine d'années. Joseph Marquesan, ne pouvant assumer les dettes de la succession, vend la baronnie de **Coaraze** aux Barralis et à Pierre Chioattero. En **1735**, c'est le comte Valperga de Revara, majordome du roi de Sardaigne, qui en hérite. En **1744**, pendant la guerre de Succession d'Autriche, les *Gallispans* (Voir Castellar) envahissent le comté de Nice. Jusqu'en **1749** (traité d'Aix-la-Chapelle qui rend le comté à la Savoie), **Coaraze** va être administré par une délégation franco-espagnole.

De tout temps, les *châtaigniers* ont représenté la principale ressource des villageois, mais à partir du XVe siècle, la *culture de l'olivier* s'est beaucoup développée. Dans le passé, les Coaraziens ont possédé jusqu'à 3.000 chèvres. Comme il n'y avait ni fontaine ni citerne dans le village, il fallait aller chercher l'eau dans le vallon de Terron (à environ 1 km). Ce n'est qu'en **1875** que seront effectués des travaux d'adduction d'eau. En **1876**, la route de Nice parvient au village. Il ne fallait plus que quatre heures de diligence, alors que précédemment il fallait sept heures de marche! Le premier week end de juin, **Coaraze** organise des **Journées médiévales**. Plusieurs autres **fêtes** sont célébrées chaque été : de **l'Olivier** (15 août), de la **Peinture et du Patrimoine** (5 septembre). Superbement restauré, le village s'est ouvert au tourisme et est devenu un lieu de villégiature toute l'année. Il propose des *auberges, des restaurants et des gîtes ruraux. Actuellement, la municipalité travaille à la réalisation de* ***six cadrans solaires*** *initialement prévus en 1961, mais non exécutés. Des* ***artistes prestigieux*** *s'y emploient activement. C'est* ***Jean Cocteau*** *qui fut à l'origine du projet.*

À voir

Ce village médiéval est répertorié dans « ***Les Plus Beaux Villages de France*** *». Il est construit sur un éperon ensoleillé à mi-pente du Férion, et est entouré de montagnes couvertes d'oliveraies et de châtaigneraies. Il comporte des passages voûtés, des ruelles pittoresques, des placettes. Nombreux linteaux sculptés et armoriés.*

* **Promenades sur le mont Férion** et à **Roccasparvièra** (site primitif de la chapelle Saint-Michel). ***Beau panorama sur le haut pays niçois et la mer****. Nombreux circuits pédestres :* ***Roccasparvièra*** *(dénivelée : 500 m, durée 4 h, niveau : moyen),* ***Crête du Férion*** *(dénivelée : 700 m, durée 5 h, niveau : sportif).*

* **Ruisseau de Planfaé : Canyoning,** descente d'environ 2h 30 (se renseigner à l'Office de Tourisme).

* **Cadrans solaires** *(1961). Au nombre de* ***six****, réalisés en céramique et fer forgé, par plusieurs artistes : « La Chevauchée du Temps » de* ***Mona Christie****, « Les Animaux fabuleux » de* ***Douking****, « Les Lézards » dessin de* ***Jean Cocteau****, « Les Tournesols » du céramiste* ***Gilbert Valentin****, « Blue Time » (dessin d'****Angel Ponce de Léon****, céramiste* ***Gilbert Valentin****), « Piton et sa couronne en vert et or » (céramiste* ***Henri Goetz****). Ferronniers :* ***G. et F. Thevenin-Sidotti****.*

* **Chapelle Saint-Sébastien** (1530 - CMH 1986). Elle fut édifiée pour protéger Coaraze de la peste. Elle est ornées de deux *fresques* (XVIe) sur l'ensevelissement du saint.

* **Chapelle Notre-Dame-du-Gressier** (**Chapelle-des-Sept-Douleurs** - XVIIe), *dite* ***chapelle bleue*** *car elle abrite une fresque dans un camaïeu de bleu représentant la Crucifixion. Réalisée en 1962 par Angel Ponce de Léon.*

* **Église Saint-Jean-Baptiste** (XVIIe). De style baroque, façade néo-romane. Elle abrite un statuette en albâtre, *La Vierge à l'Enfant* (1600).

* **Croix** (1875). En fer forgé. Elle est située à l'entrée du village.

* **Porte** datant du Moyen Âge, rue Caïre de la Farja.

* **Emblème de forgeron** (1533). Carrière Sobrana. Linteau de porte représentant un marteau et une enclume.

* **Emblème de maçon** (1525), rue du Four. Comporte une figure semblable au dessin d'un compas.

* **Ferme de la Parra**. (une ancienne ferme-auberge). À 3 km, sur la route du col Saint-Roch. Cette superbe bâtisse fut construite au XVIIe siècle, probablement en réemployant les matériaux d'une construction du XIIe siècle. *On y produit et on y vend un excellent fromages de chèvre ainsi que d'autres produits régionaux.*

La Chapelle bleue de Coaraze
par Christian Watine

06480 COLLE-SUR-LOUP (LA) Plan: C 5

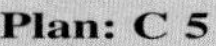

Population : Insee 1999 **= 6.697** h. en 1901 = **1.458** h. variation **+ 359,33% (6.763** en 2005)
Rang de la commune par rapport au nombre d'habitants au niveau dépt : **23 -** au niveau national: **1.310**
Les habitants sont les **Collois**
Superficie : 982 ha - **Altitude** : 10 / 103 / 351 m - **Canton : Cagnes-sur-Mer Ouest** - **Arrondt** : Grasse
Distance de Nice : à vol d'oiseau = 12 km - par la route = 16 km - **Longitude** = 7,10° - **Latitude** = 43,68°
Accès : A 8 - D 336 - D 436 - D 6 - **Desserte** : TAM 233 - 400 - Envibus 23 - 23D - 24 - 25 - 26
Fête patronale : 6 juillet - **Église** : Saint-Jacques - **Paroisse** : Saint-Mathieu
N° téléphone de la MAIRIE : 04.93.32.83.25 - **OFFICE du TOURISME** : 04.93.32.68.36
www.mairie-lacollesurloup.fr

Origine du nom

L'appellation **Colle** vient du latin *collis (*colline) qui a donné *colla* en bas latin. Formes anciennes : *Johannes de Colla* (cart. de Saint-Pons, 1362). En provençal : *couala*.
Loup : un certain nombre d'appellations (Loup, Loube, Loubet, Pra-Loup, Villeneuve-Loubet) ainsi que celles qui sont doublées avec la racine *cant* et ses dérivés (Cantalupa, Chaloup, Chanteloup, Combelouve, Grateloup...), font parfois référence aux **bandes de loups** qui rôdaient dans les campagnes et terrorisaient les villageois.
Toutefois, il semble plus probable que l'*hydronyme* **Loup** des Alpes-Maritimes vienne de la racine *lap*, *lep*, *lip*, *lup* (dalle de pierre, hauteur, ravin, éboulement) et de ses formes dérivées *lavo*, *lauso*. En effet, de nombreux lieux élevés et rocheux ont donné leur nom aux sources qui en jaillissent et aux torrents qui dévalent leurs pentes. Plusieurs exemples confirment cette hypothèse : **1)** le nom de la montagne de la Loube est tiré de l'oronyme *Lup (*en occitan, *loba*, crête de montagne) ; **2)** le mot latin *lapis*, (pierre) dérive de la racine *lapp* (de *k-lapp*). Quant au grec *lepas* (rocher) et au dauphinois *lepa* (gros caillou), ils ont pour origine le pré-indo-européen *lepp*.

Histoire

Le site fut occupé par la tribu ligure des *Décéates*, puis par les *Romains* qui construisirent un poste de guet sur les ruines du *castellaras* ligure (dans la *grotte Bianchi*, nombreux vestiges archéologiques de l'époque romaine). À la chute de l'*Empire romain*, ce territoire est, comme toute la Provence, dévasté par des hordes d'*envahisseurs barbares* et les incursions des *Sarrasins*. Vers **973**, Guillaume Ier de Provence le Libérateur chasse ces derniers de la région qui devient un comté unique. Au **Xe** siècle, un prieuré est fondé au Canadel, sur les ruines d'un petit monastère qui avait été détruit par les *Sarrasins* en **730**. Vers **1050**, l'évêque de Vence le cède, ainsi que la chapelle Saint-Donat, à l'abbaye de Lérins. Vers **1219**, leur autorité étant contestée, les comtes de Provence matent durement une rebellion et le village de *La Colle*, situé dans la plaine, est rattaché, sous l'appellation de *Bourg-de-la-Colle*, à la communauté de *Saint-Paul*. En **1537**, François Ier fait construire une seconde enceinte fortifiée autour de Saint-Paul, et de nombreuses maisons sont démolies. Les habitants expropriés s'installent sur une colline alentour et fondent **La Colle** actuelle. À partir de la deuxième moitié du **XVIe** siècle, la seigneurie est partagée entre l'évêque de Vence et la famille des Villeneuve (branche de Thorenc, puis de Tourette). Le village obtient le statut de commune en **1792**, sous l'appellation de **La Colle-du-Var**. Une première église est construite en 1623, la deuxième en 1726. Quant à l'hôpital, il date de 1723. Situées dans la plaine alluvionnaire, les terres cultivables sont fertiles : les ressources agricoles (vin, agrumes, céréales, oliviers) ainsi que celles tirées de l'élevage, sont abondantes. Aux **XIXe** et **XXe** siècles, les agriculteurs produisirent également des fleurs à parfum (rose et fleur d'oranger) d'où l'appellation de *Cité des roses*. Actuellement, la culture des fruits et légumes perdure, mais les activités de **La Colle-sur-Loup** sont principalement orientées vers le tourisme et l'artisanat.

À voir

Village construit sur un site légèrement surélevé, au pied des collines de Saint-Paul-de-Vence. Il comporte des placettes ombragées et ses ruelles sont bordées de maisons anciennes avec de beaux porches.

* **Canyon de Saint-Donnat**. Cette gorge profonde, dans laquelle coule le *Loup*, est un but de promenades.

* **Château du Canadel** (XIIe siècle). À l'origine, il s'agissait d'un *prieuré* auquel on ajouta des tours et des mâchicoulis. Il fut racheté par Jean de Villeneuve en 1569, et resta la propriété de cette famille jusqu'à la Révolution. Ce site comporte un *cloître*, *une chapelle* (XIIe - IMH 1927), un *pigeonnier* (XIIIe). Le château est devenu une résidence privée d'un côté, et un hôtel-restaurant côté village. Cette *hostellerie* accueillit de nombreuses célébrités du monde des arts, du cinéma et des lettres. Son livre d'or porte l'autographe de Jacques Prévert (1951) et un dessin de Jean Miro. (1955).

* **Porte** (XVIIe), rue G.-Clemenceau. Seul vestige de la chapelle des Pénitents-Blancs (1610) dite chapelle du Rosaire. Elle fut restaurée car le linteau est daté de 1776.

* **Pontis**. Il s'agit de l' ancienne porte cochère du château du Canadel.

* **Église Saint-Jacques-le-Majeur** (1575). Façade de style Renaissance, *clocher* carré à baie unique et *campanile*. La *porte en noyer* (1766) a été posée lors d'un agrandissement. L'église abrite une huile sur toile *La Transfiguration* (XIXe), un *panneau en noyer* représentant saint Marc. Les *vitraux* (XIXe) représentent saint Jacques le Majeur, saint Éloi et saint Roch.

* **Chapelle Saint-Roch** (1842). De style classique, construite à l'aide de dons privés.

* **Four à chaux** (1855). Situé à proximité d'une carrière de calcaire qui était déjà exploitée à l'époque romaine.

* **Porte de l'ancien « Hôtel-Dieu »** (1722), rue de la Victoire.

06910 COLLONGUES Plan: B 4

Population : Insee 1999 **= 102** h. en 1901 = **106** h. variation **- 3,77%**
Rang de la commune par rapport au nombre d'habitants au niveau départemental : **142**
Les habitants sont les **Collonguois**
Superficie : 1.078 ha - **Altitude** : 574 / 628 / 1200 m - **Canton : Saint-Auban** - **Arrondt** : Grasse
Distance de Nice : à vol d'oiseau = 37 km - par la route = 83 km - **Longitude =** 6,87° **- Latitude =** 43,88°
Accès : RN 202 - D 2211A - A 8 - RN 85 - D 2211A) - **Desserte** : Réserv: TAD 0 800 06 01 06
Fête patronale : dimanche suivant le 15 août - **Église** : Saint-Roch - **Paroisse** : Sainte-Marie-des-Sources
N° téléphone de la MAIRIE : 04.93.05.60.25

Origine du nom

Il pourrait venir des mots provençaux : *collalonga* (longues collines) ou *codalonga* (paon). En fait, comme l'atteste le poète et grammairien latin *Ausone* (IVe), **Collongues** est dérivé du latin *colonica* qui désigne une *terre cultivée par un colonicus*, colon. À l'époque médiévale, la *colonge* (une terre concédée à un colon), était un terme fréquemment utilisé en droit féodal, et représentait un mode de *tenure**. Il est distinct de *colonia*, qui signifie une *colonie romaine*. Formes anciennes : *Castrum de Cosalonga* (vers 1200), *lo senhor de Coalonga* (1397), *per portar de saqs a Coalonga* (1548).

* ***Tenure.*** *Au Moyen Âge, il s'agissait de la concession d'une exploitation agricole à un tenancier, en échange de services et moyennant des redevances. Cela pouvait être également un fief concédé par un seigneur à un autre.*

Histoire

Les nombreux objets et pierres polies retrouvés sur le site attestent qu'il était déjà habité par l'homme au **néolithique**. Les *Ligures* édifièrent des enceintes fortifiées sur les hauteurs. Plus tard, les *Romains* occupèrent et exploitèrent les terrains situés en plaine ou sur les plateaux. Toutefois, ces sites plus accessibles mais non protégés furent abandonnés lorsque commencèrent les incursions des *Sarrasins*. Le *Castrum de Cosalonga,* mentionné en **1232**, fut vraisemblablement construit par Pierre de Glandèves, dit *Balb*. Le cadastre de **1835** montre bien, sur une butte rocheuse au sommet du village, les vestiges d'une enceinte oblongue. L'histoire de **Collongues** se confondit longtemps avec celle des **Mujouls** dont il était un hameau. Au XVIIIe siècle, l'église paroissiale Saint-Roch est encore une succursale de celle des Mujouls. Au début du **XVIe** siècle, le village fait partie de la seigneurie des Chabaud de Berre. Cette famille comptait quatre branches : les seigneurs de *Berre*, *Collongues*, *Châteauneuf / Tourette*, *Gilette*. Le fief passe ensuite aux Villeneuve-Beauregard qui vont le conserver jusqu'à la **Révolution**. Pendant longtemps, le pastoralisme bovin a tenu une grande place dans l'économie locale, mais la fermeture, en **1980**, de la coopérative laitière de Puget-Théniers y mit un terme. Jusqu'aux années **1970**, il y eut d'importantes exploitations agricoles et forestières. À l'époque de la Seconde Guerre mondiale, une centaine de bûcherons travaillèrent pour alimenter les gazogènes et les piquets de mines.

À voir

Ce village perché, de forme circulaire, possède de belles maisons anciennes, des passages sous voûtes et les vestiges d'un château fort. Le territoire montagneux de la commune est couvert de forêts de pins.

* **Église paroissiale Saint-Sépulcre** (XIIIe). Son plan en *croix latine* (avec des bras presque égaux) est rare. Elle est à nef unique, deux travées et une abside semi-circulaire. Le *campanile* est à double clocheton. Elle abrite une huile sur toile représentant *saint Roch, saint Honoré et saint Joseph*, peinte par Joseph Maurier (1730) et une autre intitulée *Donation du Rosaire*, ainsi qu'une statue de la *Vierge à l'Enfant*, en bois doré (XVIIIe).

* **Oratoire Saint-Roch** (XXe) situé chemin Fontaine. *Le culte pour ce saint s'est beaucoup développé au XVe siècle. Il naquit à Montpellier vers 1295 et mourut vers 1327. On le* ***reconnaît*** *facilement* ***à ses attributs*** *: le bourdon, la gourde, la panetière de pèlerin, la coquille Saint-Jacques, le* ***chien*** *et le* ***bubon de peste*** *(en effet, on* ***l'invoquait contre cette maladie****). D'après la légende, lorsque s****aint Roch****, atteint de* ***la peste****, se retira dans un bois pour attendre la mort,* ***son chien****, qui s'appelait* ***Roquet****, lui* ***apporta tous les jours un pain****.* .

* **Vestiges du moulin à farine**. * **Hameau de Fontane**.

06670	COLOMARS	Plan: C 4

Hameaux : **LES CABANES   LA MANDA   LA SIROLE   VALLIÈRE**
Population : Insee 1999 **= 2 876** h. en 1901 = **542** h. variation **+ 430,63% (3.100** en 2005)
Rang de la commune par rapport au nombre d'habitants au niveau dépt : **42 -** au niveau national: **3.161**
Les habitants sont les **Colomarçois** ou les **Couloumassiés**
Superficie : 672 ha - **Altitude** : 57 / 300 / 402 m - **Canton : Levens** - **Arrondt** : Nice
Distance de Nice : à vol d'oiseau = 8 km - par la route = 15 km - **Longitude** = 7,22° - **Latitude** = 43,77°
Accès : RN 202 - D 414 -**Desserte** :Train des Pignes -TAM 730-740 -750 -770-790- Ligne d'Azur 57-62
Fête patronale : 8 septembre - **Église** : Nativité-de-la-Sainte-Vierge - **Paroisse** : Saint-Vincent-Diacre
N° téléphone de la MAIRIE : 04.92.15.18.50 - **OFFICE du TOURISME** : 04.93.37.92.33

Origine du nom

Cette appellation est dérivée du latin *columbarium*, pigeonnier (*columba*, colombe, pigeon). En ancien provençal, *lo colombat* et *lo colomat* désignent le pigeon. Par contre, aucun lien entre les toponymes **Colomars** et **Colmars** (Alpes-de-Haute-Provence) en effet, ce dernier vient du latin *collem Martis*, la colline de Mars.

Formes anciennes : *Columbaris* (cart. de la cathédrale de Nice, 1070), *Columar* (idem, XIIe), *locum de Collomacio* (1400), *Colomas* (1760).

Histoire

L'histoire de **Colomars** (et de **Castagniers**) se confondit, jusqu'au **2 juin 1874**, avec celle d'**Aspremont** (Voir ce nom). En effet, ce jour-là, à la suite de nombreuses et anciennes dissensions, en particulier sur la gestion des pâturages, elles deviennent des communes distinctes (décret du président Mac-Mahon). À l'époque, Colomars comptait *572* habitants, Aspremont, *513* et Castagniers, *461*.

Columbaris est mentionné pour la première fois dans une charte datée de **1070**, lorsque les enfants de *Raimbaud* de Nice et ceux de *Rostaing* de Gréolières garantissent des biens au monastère de Saint-Pons. **Aspremont** et ses hameaux furent un fief des Châteauneuf, Chabaud, Marquesan puis des Borriglione, jusqu'à la **Révolution**. L'habitat primitif de **Colomars**, regroupé autour de son église, sur la partie haute du territoire, date du **Moyen Âge**. Quant au quartier de *la Manda*, situé au bord du Var, il s'est développé à la suite de l'endiguement du fleuve.

À voir

Le vieux Colomars est perché sur une colline, au milieu des oliviers et des pins. La commune est devenue résidentielle, avec un habitat dispersé en hameaux.

* **Salle des Arts** (à la mairie). **Toute l'année :** expositions d'oeuvres d'artistes.
* **Église paroissiale Notre-Dame-de-la-Nativité** (1830). De style néoclassique, elle est placée sous le patronage de la Vierge Marie. Colomars ne fut érigé en paroisse qu'en 1803 (le bâtiment primitif a disparu).
* **Fresques en trompe-l'œil**, au parking des Arts. Elles ont été réalisées par Jackie Decroix.
* **Fort Casal** (1887). Une des fortifications de la frontière franco-italienne (ligne défensive de Séré de Rivières). En 1910, le fort est équipé de trois canons de 120, puis il est abandonné en 1939. Depuis, il a été transformé en *espace de loisirs* d'où l'on peut admirer un ***panorama exceptionnel***.
* **Chapelle Saint-Roch** (1857), à la Sirole. Avec clocheton. Elle a été décorée par le peintre Jackie Decroix.

* **Gare de Colomars - la Manda** (fin XIXe). *Jusqu'à la Seconde Guerre mondiale, la* ***gare de la Manda*** *était à l'****embranchement*** *des deux principales lignes ferroviaires du Sud-Est : Nice-Digne et Nice-Provence centrale vers Aix-en-Provence. Pour aller de Grasse à Puget-Théniers, on changeait de train à Colomars. C'est la raison pour laquelle cette gare possédait un* ***buffet****.*

* **TRAIN DES PIGNES :** *le projet de relier Nice à Grenoble, via la vallée du Var, Digne et Gap date de* ***1861*** *(le comté de Nice venait d'être annexé à la France), mais il ne voit le jour qu'en* ***1882****. L'exploitation de la ligne fut confiée à la* ***Compagnie des chemins de fer de Provence*** *et la première liaison Nice-Digne fut inaugurée le* ***3 juillet 1911****. Actuellement, un* ***Train des Pignes « diesel »*** *assure toujours la liaison Nice-Digne (la ligne a pris le nom du petit train à vapeur qui circulait à l'origine). Ce sont* ***quatre trains*** *quotidiens qui parcourent les 151 km de voie métrique et qui traversent cinquante tunnels, ponts et viaducs. Cette ligne, qui monte à plus de 1.000 mètres d'altitude, dessert de nombreux villages.* ***Chemins de fer de Provence*** *: 04 97 03 80 80*

Le Train des Pignes « à vapeur » *ne fonctionne plus que sur le* ***tronçon Puget-Théniers - Annot****. (voir Puget-Théniers).*

* **Pont de la Manda**. Cet ouvrage, construit en 1960, remplace un pont métallique à deux niveaux (routier et ferroviaire) réalisé à la fin du XIXe siècle.

Quelques bonnes adresses

AUBERGE du REDIER*** ***Logis de France*** *3 cheminées* 04 92 15 19 00 *www.aubergeduredier.com*

RESTAURANT L'ESCAPADE *Vue dominante Terrasse ombragée Jeu de boules* Tél./Fax 04 93 37 88 62

06510 CONSÉGUDES Plan: C 4

Population : Insee 1999 = **63** h. en 1901 = **145** h. variation **- 56,55%**

Rang de la commune par rapport au nombre d'habitants au niveau départemental : **154**

Les habitants sont les **Conségudois**

Superficie : 247 ha - **Altitude** : 256 / 650 /1464 m - **Canton : Grasse Sud-Coursegoules - Arrondt** : Grasse

Distance de Nice : à vol d'oiseau = 23 km - par la route = 47 km - **Longitude** = 7,05° - **Latitude** = 43,85°

Accès : RN 202 - D 2210 - D 1 - D 501 - **Desserte** : Réserv: TAD 0 800 06 01 06

Fête patronale : 4e dimanche d'avril - **Église** : Saint-Laurent - **Paroisse** : Saint-Véran-et-Saint-Lambert

N° téléphone de la MAIRIE : 04.93.59.07.41

Origine du nom

Il est dérivé de l'association de deux racines pré-indo-européennes : **1)** *cam, can, cen, cant, gand* (hauteur, rocher, lieu escarpé) et leurs variantes *con* et *gon* (Contes, Conségudes) ; **2)** *sek* (fort, puissant) cette dernière ayant évolué en *sag, seg, sig* (Coursegoules, Sigale, Conségudes). Formes anciennes : *Guillelmus de Consecuta* (cart. de Lérins, 1159), *Castrum de Consegudis* (vers 1200), *Villa de las Consecudas* (Caïs, 1388).

Histoire

L'histoire des seigneuries de **Conségudes** et des **Ferres** fut commune pendant très longtemps, probablement jusqu'au début du **XIIIe** siècle. L'ancienne place forte de **Conségudes** a été fondée au **XIIe** siècle par les *Templiers*. Les moines de l'abbaye Saint-Victor de Marseille possédaient également des biens sur ce territoire. Un acte de **1159** mentionne *Guillaume*, seigneur éponyme du *Castrum de Conségudes*. Des vestiges du château sont encore visibles au sommet du mont Saint-Paul. Lors de la ***dédition de 1388***, ce fief, jusqu'alors sous la suzeraineté des comtes de Provence, est rattaché à la maison de Savoie. Entre les **XIVe** et **XVIe** siècles, la seigneurie appartient aux Laugier, puis aux Drago. Toutefois, à la fin du **XIVe** siècle, victime des troubles provoqués par la ***dédition de 1388***, auxquels s'ajoutèrent ceux de la guerre de Cent Ans, le château est détruit. Bien que son église soit encore mentionnée au **XVIe** siècle, le village est également abandonné. Au **XVIIe** siècle, il est recréé sur les pentes du mont Saint-Paul. Lors du traité de Turin (**1760**) qui rectifia quelques anomalies de frontières entre la France et le comté de Nice, **Conségudes redevint français**. En **1789**, le fief appartenait à la famille des Baronnie. Sous la **Révolution**, le village fut proclamé chef-lieu de canton (en l'an III, 1794-1795). Sous la **Restauration**, la baronne de Conségudes fut dame d'honneur à la cour de Louis XVIII. Actuellement, les activités des habitants sont essentiellement tournées vers l'agriculture (en particulier l'oléiculture), et l'élevage.

À voir

Ce village est situé près d'un col, sur le versant sud du mont Saint-Paul. Les maisons, de type bas alpin, possèdent des auvents et des granges à l'étage supérieur.

* **Four communal**. Il fonctionne encore. On y cuit du pain de campagne et des pissaladières au feu de bois.

* ***Ancien lavoir****, au pont de la Bouisse. On y* ***rouissait*** *le* ***chanvre*** *qui était cultivé dans la Bouisse : on immergeait cette plante textile afin de débarrasser les fibres de la matière gommeuse qui les soude. Les* ***bugadières*** *s'y rendaient pour faire la* ***bugade*** *(grande lessive). On y faisait également tremper le* ***stockfisch*** *avant de le préparer. Ce mets, un des plus populaires de la cuisine niçoise typique, est un* ***poisson séché*** *(aiglefin, morue). Il a été apporté, il y a plus de deux siècles, par les navigateurs* ***norvégiens*** *qui venaient chercher l'huile d'olive. Initialement élaboré avec des sauces à base de laitages par les Scandinaves, le* ***stockfisch*** *ou* ***estocafic****, est préparé avec une sauce à la tomate par les Niçois, c'est la fameuse* ***estocaficada****.*

* **Gouffre de l'Infernet.**

* **Chapelle du Mont-Saint-Paul**. Vue panoramique sur la vallée de l'Esteron.

* **Église paroissiale Saint-Georges** (XVIIe). Construite à l'extérieur du village. Nef à trois *vaisseaux*, tour à clocher carré. Elle abrite un *buste* reliquaire qui est peut-être celui de sainte Marguerite et une *statue* de la *Vierge à l'Enfant*, tous deux en bois polychrome (XVIIIe).

* **Chapelle Sainte-Marguerite** (XVIIIe), place Jean-Amic. Surmontée d'un clocher-mur à une seule cloche.

* **Oratoires** : **Saint-Michel** (XIXe) et **Saint-Jean** (XVIIIe).

* **Fontaine à têtes de lions** (1930), place de la Mairie. Ellle est contemporaine des travaux d'adduction d'eau.

* **Deux anciens abreuvoirs** en pierre.

06390 CONTES Plan: D 4

Quartiers : LA COLLE **LE SERRE** LE VIGNAL
POINTE-de-CONTES (Mairie annexe 04.93.91.15.17) **SCLOS-de-CONTES** (Mairie annexe 04.93.79.06.15)
LA VERNÉA (Mairie annexe 04.93.79.00.53)
Population : Insee 1999 **= 6.551** h. en 1901 = **1.589** h. variation **+ 312,27%** (**6.644** en 2005)
Rang de la commune par rapport au nombre d'habitants au niveau dépt : **24 -** au niveau national: **1.340**
Les habitants sont les **Contois**
Superficie : 1.947 ha - **Altitude** :123 / 290 / 642 m - **Canton : Contes** - **Arrondt** : Nice
Distance de Nice : à vol d'oiseau = 14 km - par la route = 17 km - **Longitude** = 7,32° - **Latitude** = 43,82°
Accès : D 2204C - D 15 **-** D 615 - **Desserte** : TAM 300 - 301 - 302 - 303 - 340 - 360
Fête patronale : 4e dimanche de juillet - **Églises** Contes : Ste-Marie-Madeleine - Sclos : Ste-Hélène
La Vernéa : St-Pierre/St-Paul - La Pointe : St-Maurice - **Paroisse** : St-Vincent-de-Paul
N° téléphone de la MAIRIE : 04.93.79.00.01 - **OFFICE du TOURISME** : 04.93.79.13.99

Origine du nom

Il dérive probablement des racines pré-indo-européennes *cam, can, cen, cant, gand* (hauteur, rocher, lieu escarpé) et de leurs variantes *con* et *gon* (Contes, Conségudes). L'emplacement du village confirme cette hypothèse, car il est perché sur une colline dominant le Paillon. Toutefois, il pourrait également être rattaché à un nom de personne, ligure ou gaulois : *Contio*. Certains linguistes pensent que **Contes** tire son nom de ses habitants ligures, *Contenos*, latinisé en *Cuntinus* par les Romains. Formes anciennes : *Contenes* (cart. Saint-Victor de Marseille, et Saint-Pons de Nice, 1057), *Castellum Comitis* (1108), *Comtes et Castelnou* (XIIe), *Castrum Commitis* (1137), *Comites* (1156), *Comptes* (1159), *Castrum de Computis* (vers 1200), *de castro de Comptos* (enquête de Charles Ier, 1252), *in castro de Coptes* (idem, 1252), *Contemps* (cart. de Saint-Pons, 1324), *senteges de Contes* (1547).
La Vernéa : cette appellation est tirée de : *verne, aulne...*

Histoire

Une inscription mentionnant *Vicus Cuntinus* sur une stèle funéraire romaine datant du **Ier** siècle, ainsi que des citations latines du **IIe** siècle, attestent que le site fut occupé par les *Ligures* puis par les *Romains*. Le cartulaire de l'abbaye de Saint-Pons nous apprend qu'en **1057**, les moines possédaient des terres à *Contenes*. En **1108**, elles sont placées sous la juridiction du chapitre de la cathédrale de Nice. À cette époque, le village occupait deux sites : le *castrum* défensif, bâti sur un éperon rocheux, et le *villum* en contrebas, au bord du Paillon. Au **Moyen Age**, **Contes** (ainsi que *Castellar*, *Gorbio*, *Sainte-Agnès*, *Berre-les-Alpes*, *L'Escarène*, *Peillon*, *La Turbie*) était sous la suzeraineté de la *commune libre* de **Peille**. Aux **XIIe** et **XIIIe** siècle, ces différents villages se séparent. Après la ***dédition de 1388***, la localité, qui faisait partie de la viguerie de Nice, se soumet à l'autorité de la maison de Savoie. Toutefois, en **1471**, les *Contois* rachètent le fief au duc de Savoie et en acquièrent les droits seigneuriaux : à partir de**1482**, ils sont directement inféodés aux ducs. Lors de l'*affouage* de **1408** (*impôt sur les feux*), *15* foyers sont recensés. En **1530**, le *villum* est détruit par une crue du Paillon ; les habitants s'installent autour du *castrum*.
*En **1699**, son duché étant dans une situation financière catastrophique, Victor Amédée II de Savoie décide, pour renflouer ses caisses, de **vendre des fiefs non inféodés**. C'est ainsi que **Contes**, **Venanson**, **Isola**, **Utelle**, **Breil**, **Saorge**, **La Bollène**, **Valdeblore** et **Levens** sont inféodés à un certain **Jean Ribotti** (un médecin exerçant à Milan*

mais originaire de Pierlas) pour la somme de 159.580 livres. Devant le refus des villageois, le duc réaffirme leurs libertés municipales et leurs droits. De surcroît, certaines communautés d'habitants reçoivent le titre de « comtesse d'elle-même » ou « comtesse de Contes ». Finalement, Jean Ribotti ne conserva que le ***val de Blore****.* (Voir également Bollène-Vésubie). Pendant la guerre de Succession d'Autriche (1744-1748), ainsi que pendant la **Révolution** française, les habitants de la vallée subissent les exactions des différentes armées. Les *Barbets* (Voir Bendejun) furent présents jusqu'en 1802. Au **Moyen Âge**, le hameau de **La Pointe-de-Contes**, situé au carrefour du Paillon et du Rio de La Garde, était un relais-étape sur la *route du sel*. **Contes** était à l'écart des différentes voies de communication (*voies romaines, routes du sel, Grand Chemin ducal*) car elles passaient à l'ouest ou à l'est du village. Ce dernier ne s'est vraiment développé qu'à partir du **XVIIIe** siècle, grâce à la construction de la route Nice-Coni (Cuneo). En **1875**, deux travaux importants sont réalisés : l'endiguement du Paillon et la route reliant la commune à Nice. Jusqu'au **XIXe** siècle, les activités des habitants furent essentiellement tournées vers l'agriculture. L'*olivier* et la *vigne* constituaient leurs principales ressources.

À voir

La ville haute, à caractère médiéval, est construite sur un éperon rocheux dominant le Paillon. Elle comporte des vestiges de remparts et de chemin de ronde, des ruelles avec passages sous voûtes.

* **Pierre gravée**, rue du Castel. Datation indéterminée. La signification des gravures et des signes dont elle est couverte n'a pas été élucidée. L'original de cette pierre est désormais au musée des Merveilles de Tende. Une copie est visible à la mairie de Contes.

* **Fontaine Renaissance** (1587 - CMH 1906). Elle fut construite pour commémorer la captation de l'eau de la source du Riodam, et sa canalisation jusqu'au village, en 1551.

* **Voûte** (XIIIe) située rue du Fraou, la plus ancienne du village et qui menait à la ville basse.

* **Moulin à fer** (XIe - CMH 1979). Il était activé par la force hydraulique et fonctionna jusqu'en 1951. Le bâtiment abritait une forge. Le marteau permettait la fabrication de matériel agricole. Désormais, ce moulin est aménagé en musée des Arts et Traditions populaires.

** **Moulin à huile de la Laouza** (XVIIIe - IMH 1992). Il est toujours en activité pour la **production d'huile d'olive à l'ancienne**. Son mécanisme date des XIIIe et XIVe siècles. Des textes de 1108 attestent l'existence d'un moulin primitif. À l'étage, une salle est aménagée en musée (jarres, mesures à olives, lampes).*

* **Vestiges des remparts et du chemin de ronde** (XVIe), rue du Fraou.

* **Musée de la Vigne et du Vin**, rue Scudéri. Il retrace la fabrication du vin, de la culture à la mise en bouteilles. Il abrite de nombreux mobiliers, outils et instruments datant de la fin du XVIIIe-début XIXe : houes, serpes, banc de tonnelier, pressoir à vin...

* **Église paroissiale Sainte-Marie-Madeleine** (1577 - CMH 1943). Elle remplace l'église du XIIe siècle qui fut détruite par une crue en 1530. Elle renferme un retable de *Sainte Marie Madeleine,* réalisé par un peintre de l'école de Brea (1550) et celui de l'autel, *Le Saint Sacrement* (bois doré -XVIIe), de belles *boiseries*, de *l'orfèvrerie*. Les morts furent enterrés sous la crypte de l'église jusqu'en 1782. Sur la façade extérieure, un bas-relief représente *L'Agneau Pascal*.

* **Maison Lou Castel** (XVIe). Ce bâtiment fortifié était flanqué de deux tours dont une seule subsite. Il servait de refuge pour la population en cas d'attaque.

* **Linteau de porte** (XVIe-XVIIe), place de la République. Le motif sculpté représente le monogramme du Christ : *IHS (Jésus sauveur des hommes*). De nombreux linteaux portaient cette inscription, qui était censée protéger les habitants des épidémies, nombreuses au Moyen Âge.

* **LA VERNÉA** : église de style italien, avec un fronton à niches et un clocher à lanternon.

* **SCLOS-DE-CONTES** : église Sainte-Hélène.

* **Route du soleil**, vers Coaraze.

06620 COURMES Plan: C 4

Hameau : BRAMAFAN **LE COLOMBIER** SAINT-BARNABÉ
Population : Insee 1999 = **88** h. en 1901 = **110** h. variation **- 20,00%**
Rang de la commune par rapport au nombre d'habitants au niveau départemental : **147**
Les habitants sont les **Courmians**
Superficie :1.571 ha - **Altitude** : 260 / 630 /1263 m - **Canton : Le Bar-sur-Loup** - **Arrondt** : Grasse
Distance de Nice : à vol d'oiseau = 20 km - par la route = 45 km - **Longitude** = 7,02° - **Latitude** = 43,75°
Accès: A 8- D2D- D 2- D 2085- D 2210 -D 6 -D503 et GR 51-**Desserte** : Bus à 4 km (pont de Bramafan) - 12 D
Fête patronale : dernier dimanche d'août - **Église** : Sainte-Madeleine - **Paroisse** : Saint-Félix
N° téléphone de la MAIRIE : 04.93.09.68.77

Origine du nom

Il a pour base les racines pré-indo-européennes : *car, gar, var* (rocher, hauteur, site surélevé) et leurs variantes ***cor****, gor, cra, cre, gra, gre.* Ce toponyme peut être rapproché du provençal *courmo*, sommité. Il est peu probable qu'il soit tiré de l'ancien provençal *corma*, cornouiller. Formes anciennes : *P. de Corma* (1176), *castrum de Corma* (vers 1200), *Petri de Corma* (cart. de l'abbaye de Saint-Pons, 1331). **Bramafan** signifie « crie la faim ».

Histoire

Des découvertes archéologiques dans la vallée attestent la présence de l'homme dès le **néolithique**. Elle fut permanente jusqu'au **Moyen Âge** : on a retrouvé les vestiges de *castellaras celto-ligures*, d'un camp *romain* et du village primitif, à La Serre-Madeleine (abandonné à la fin du Moyen Âge). Vers la fin du **XIIe** siècle, des textes mentionnent *P. de Corma* et le *castrum de Corma*. En **1235**, le comte de Provence donne ce fief à Romée de Villeneuve. Ce sont ensuite les Cormis qui en deviennent les seigneurs puis, en **1421**, Bertrand de Grasse-Bar. En **1596**, le fief passe aux Lombard de Gourdon, puis aux Bancillon. Des archives ecclésiastiques nous apprennent qu'à la suite de l'abandon de **Courmes** par ses habitants, à la fin du **XVe** siècle, le terroir est réuni à **Coursegoules**. Peu avant **1770**, un hameau s'est reconstitué à une centaine de mètres en contrebas du village primitif. Il est détaché de Coursegoules à la **Révolution**. Les habitants tiraient principalement leurs ressources de l'agriculture et de l'élevage des ovins et des caprins.

À voir

Ce village ancien est construit sur un éperon verdoyant, sur le flanc de la montagne. Le ***GR 51*** *traverse ce territoire, ainsi que de nombreux* ***sentiers balisés****. Possibilité de faire de l'****escalade****.*

* **Habitat primitif**. *Enceinte celto-ligure*, réutilisée par les *Romains* qui en font un *castrum*. Le site fut habité jusqu'au Moyen Âge. En 1176, *Corma*. Le village primitif et le château étaient situés 1.000 m plus haut, à la Serre de la Madeleine.

* **Cascade de Courmes.** Elle tombe d'une hauteur de 40 mètres.

* **Cascades des Demoiselles**. Les eaux sont calcifiantes car fortement carbonatées.

* **Église paroissiale Sainte-Madeleine,** dédiée à **saint Félix**. La date de 1781, gravée sur la clé de la porte d'entrée pourrait être celle de sa reconstruction (les ruines d'une chapelle Sainte-Madeleine subsistent, à environ 1 km au nord du village). Clocheton carré. Elle abrite un *buste reliquaire* (XVIIIe) qui contient quelques ossements de saint Félix, un autel-retable avec une *huile sur toile* représentant *saint Joseph* (XVIIIe). L'église renferme les tombeaux des anciens seigneurs de Cormis.

* **Oratoires** : **saint Joseph** (XVIIIe) et deux de **saint Jean-Baptiste** (XIXe et 1778).

* **Four communal** (XIXe), situé rue du Four. *Il est construit en **pierre de cinérite** provenant des carrières de **Biot**.*
* **Lavoir**. À l'origine, il était situé en contrebas du village. Il fut déplacé en 1990 et reconstruit dans un style provençal, près de l'ancienne fontaine.
* **Plaque du Touring-Club** (1906). Elle commémore la construction de la route, entre 1904 et 1906.

06140 COURSEGOULES Plan: C 4

Hameau : **SAINT-BARNABÉ**
Population : Insee 1999 **= 322** h. en 1901 = **405** h. variation **- 20,49%**
Rang de la commune par rapport au nombre d'habitants au niveau départemental : **104**
Les habitants sont les **Coursegoulois**
Superficie : 4.098 h - **Altitude** : 640 /1020 /1700 m - **Canton** : **Grasse Sud-Coursegoules** - **Arrondt** : Grasse
Distance de Nice : à vol d'oiseau = 21 km - par la route = 37 km - **Longitude** = 7,03° - **Latitude** = 43,80°
Accès : A 8 ou RN 7 - D 336 - D 36 - D 236 - D 2 - D 8 - **Desserte** : Réserv: TAD 0 800 06 01 06
Fête patronale : 1er dimanche d'août - **Église** : Ste-Marie-Madeleine - **Paroisse** : St-Véran-et-St-Lambert
N° téléphone de la MAIRIE : 04.93.59.11.60

Origine du nom

Cette appellation vient de l'association de deux racines pré-indo-européennes à valeur oronymique : *car, gar, var* (rocher, hauteur, site surélevé) et leurs variantes ***cor**, gor, cra, cre, gra, gre* **+** *sek* (fort, puissant), cette dernière ayant évolué en *sag, **seg**, sig* (Coursegoules, Sigale, Conségudes). Formes anciennes : *in territorio de Corsegola* (1156), *a ung magiste de Cosegolhos* (1547), *Corsegulas* (archives du XIe siècle).

Histoire

Le territoire possède de nombreux vestiges d'enceintes datant du **néolithique**. Certaines furent réutilisées et rénovées par les *Celto-Ligures* lorsqu'ils édifièrent leurs *castellaras*, puis par les *Romains* pour leurs *oppida*. Lors de la construction de la *Via Vintiana**, les *Romains* fondent un village sur le site d'*Autreville*. Après la chute de l'*Empire romain*, les habitants se déplacent vers la chapelle Saint-Michel. Le *castrum de Corsegolis* est mentionné pour la première fois au **XIIe** siècle, mais ce n'est que vers **1224-1231** qu'un château fort est édifié, sur un autre emplacement, avec l'église et les habitations en contrebas. Ce fief fut l'enjeu de luttes entre les vicomtes de Nice et le comte de Provence, représenté par Romée de Villeneuve. En **1233**, ce dernier, qui avait fini par l'emporter, reçoit de l'évêque de Vence, à la suite d'un échange, une partie du fief de **Coursegoules**. Malgré une courte période d'occcupation espagnole (1524-1536), le château et le fief restent entre les mains des Villeneuve de Vence jusqu'en **1620**. Lorsque tous les biens de ces derniers, en cessation de paiement, sont mis en *Générale distribution*, les *Coursegoulois* rachètent le village et l'offrent au roi Louis XIII en échange de sa protection. C'est ainsi que **Coursegoules** devient, jusqu'à la **Révolution**, une *ville royale* avec privilèges. À la fin du **XIVe** siècle, une enceinte de plan carré avait été édifiée autour des habitations. Deux siècles plus tard, un nouveau rempart ceinture l'habitat qui a largement débordé ses limites médiévales. En **1642**, le château est transformé en chapelle des Pénitents. Dès **1633**, la population avait commencé à émigrer vers Grasse, mais l'exode rural ne commence réellement qu'à partir de **1850**. Il est accentué par des épidémies de *fièvre jaune* et les *guerres* de 1870 et 1914-1918. À la fin du **XVIIIe** siècle, **Coursegoules** comptait *850* habitants, il y en avait moins de *150* en **1980**. La région était le grenier à blé de Vence. Les habitants vivaient, presque en autarcie, de l'agriculture et de l'élevage de leurs moutons. Le village fut longtemps alimenté en eau par un aqueduc romain du IIe siècle.

* ***Via Vintiana :*** *cet axe routier secondaire, qui reliait Vence (Vintium) à Digne en passant par Castellane, fut créé*

au IIe siècle. ***Voies de communication*** *: voir Breil, Drap, Èze, Escragnolles, Fontan, Gars, Lantosque, Mougins, Pierrefeu.*

À voir

Ce pittoresque village fortifié se dresse sur un éperon surplombant la Cagne. Les ruelles sont bordées de hautes maisons. Nombreux passages voûtés, montées en escaliers, placettes et courtines. ***Site classé****.*

* **Porte Nord** (XIIe), place de la Mairie. C'était l'entrée principale du village et du château.
* **Porte Est** (XVIe). Construite lors de la deuxième campagne de fortifications.
* **Fontaine romaine** (Ier). Elle capte les eaux de la source de la Cagne.
* **Puits de la voie romaine** (IIe). Construits le long de la *Via Vintiana*, ils constituaient l'unique point d'eau du hameau de Saint-Barnabé. Les troupeaux d'ovins venaient également s'y abreuver.
* **Aqueduc romain** (IIe siècle). Cet ouvrage à ciel ouvert alimentait le village avec l'eau de la source Font Foussa.
* **Église paroissiale Sainte-Marie-Madeleine** (XIIe - IMH 1982). De style roman provençal, elle fut remaniée au XVIe siècle. Elle abritait un *retable* de Ludovic Brea, *Saint Jean-Baptiste* (1517), retiré en 1999.
* **Chapelle des Pénitents-Blancs** (1677). Construite sur le site de l'ancien château qui fut cédé aux Pénitents blancs en 1620, lorsque Coursegoules est devenue *ville royale*. Un logis et une tour sont ajoutés au XIXe siècle.
* **Moulins médiévaux**. Tous deux cessent de fonctionner en 1920.
* **Maison de Diane de Poitiers** (XVIIe). Elle aurait appartenu à la favorite d'Henri II. Les comédiennes Pauline Sainval et Blanche Alziari, deux sœurs qui vécurent au XVIIIe siècle, y sont nées.
* **École Freinet** (*Voir Gars et Vence). En 1920, la* ***façade fut décorée*** *par les* ***élèves*** *d'****Élise et Célestin Freinet****.*
* **Lavoir-fontaine** (XIXe). Il est constitué de deux bassins couverts d'une voûte.
* **Chapelle Saint-Michel** (XIIe - IMH 1978). Romane, à nef unique. L'abside pourrait dater du VIe siècle et remplacer un temple païen.
* **Chapelles** : * **Sainte-Anne,** * **Saint-Antoine,** * **Saint-Jean-Baptiste**. Elles datent du XVIIe siècle.
* **Bornes milliaires**.
* **Chapelle Saint-Barnabé** (XVIIe). Elle abrite une peinture réalisée en 1664 par le vicaire de Coursegoules.
* **Plateau Saint-Barnabé.** Ce plateau karstique offre un surprenant paysage lunaire : *« village des idoles », monticules de pierres, bories, dolines, lapiaz et avens.*

06260 CROIX-SUR-ROUDOULE (LA) Plan: B 3

Hameaux : AMARINES **LÉOUVÉ** ROUDOULE **VILLARS-LA-CROIX**

Population : Insee 1999 **= 97** h. en 1901 = **301** h. variation **- 67,77%**

Rang de la commune par rapport au nombre d'habitants au niveau départemental : **144**

Les habitants sont les **Crousencs**

Superficie : 3.005 ha - **Altitude** : 495 / 800 /1743 m - **Canton : Puget-Théniers** - **Arrondt** : Nice

Distance de Nice : à vol d'oiseau = 44 km - par la route = 71 km - **Longitude** = 6,87° - **Latitude** = 43,98°

Accès : RN 202 - D 16 - D 416 - **Desserte** : Réserv: TAD 0 800 06 01 06

Fête patronale : Saint-Arnoux, 2e quinzaine d'août - **Église** : Saint-Michel - **Paroisse** : Notre-Dame-du-Var

N° téléphone de la MAIRIE : 04.93.05.05.70 Fax : 04 93 05 06 32

e-mail : lacroixsurroudoule@wanadoo.fr

Origine du nom

On donne cette appellation (dans le sens de *Crotz, Crous)* à une agglomération quand une croix y a été érigée, que ce soit pour un acte de piété, marquer un carrefour, signaler une limite ou l'emplacement d'un oratoire. Quelques lieux-dits : *las tres crous* (Roquebillière), *couol de Crous* (Beuil), *cou de la Crous* (Levens).

Formes anciennes : *Castrum de Cruce* (vers 1200), *la Cros* (rationnaire de Charles II comte de Provence, 1297), *apud Crucem* (idem), *de Cruce* (enquête de Léopard de Fulginet, 1333), *la Cros* (1547-48). En langue d'oc : *La Crotz*. Une forme proche, *crocis* (Voir Ascros), qui n'a rien à voir avec *crosis*, peut prêter à confusion.

Histoire

Des pièces de monnaie à l'effigie de l'empereur Auguste et des *tegulae* (tuiles romaines) retrouvées sur le territoire attestent la présence des *Romains*. D'après certains écrits, au début du **XIIIe** siècle, le *Castrum de Cruce* était un fief des *Templiers*. Un document de **1262** signale également la présence des *Hospitaliers de Saint-Jean-de-Jérusalem*. Ce sont ces derniers qui édifièrent au sommet du village un château fort surmonté d'une immense croix : elle a probablement donné son nom au village. À cette époque, ils participaient aux guerres que menaient les comtes de Provence (Catalans) contre les comtes de Castellane et de Glandèves. **La Croix** occupait une position stratégique sur l'axe reliant Puget-Théniers à Guillaumes. Lorsqu'en **1312**, sous la pression de Philippe le Bel, le pape Clément V prononce la dissolution de l'ordre des *Templiers*, ce sont les *Hospitaliers* qui récupèrent leurs possessions d'*Annot, Ascros,* ***la commanderie de La Croix****, Guillaumes, Isola, Pierlas, Saint-Dalmas-le-Selvage, Saint-Étienne-de-Tinée*. **La Croix** garda son statut de commanderie jusqu'en 1491 et dépendit du commandeur de Nice jusqu'à la Révolution. Depuis **1453**, les prévôts de Glandèves revendiquaient une partie des droits seigneuriaux sur ce fief, ils obtiennent gain de cause en **1585**, et ce dernier est partagé entre plusieurs coseigneurs (Villeneuve, Corporandi d'Auvare ...). En **1760**, lors du Ier traité de Turin, **La Croix** (comme Auvare) est réuni au royaume de Piémont-Sardaigne. À l'époque des ducs de Savoie, une *route muletière* passait par le col de Roua et continuait jusqu'à Barcelonnette par le col de la Cayolle. Elle fut utilisée jusqu'à l'aménagement des gorges, en 1883, et faisait de **La Croix** une étape obligée pour les voyageurs. Le village connut une longue période de disette entre 1804 et 1814. Puis il bénéficia d'une grande prospérité, de 1860 à 1886, grâce à l'exploitation de mines de cuivre au hameau de Léouvé. Elles représentaient 70% de la production française. Le village comptait alors plus de 500 habitants, mais la fermeture de ces mines, peu rentables, entraîna le départ d'une partie de la population. **La Croix-sur-Roudoule** est le nom officiel du village depuis **1937**. De nombreuses fêtes sont célébrées tout au long de l'année : la **fête patronale de la Saint-Arnoux**, à la mi-août, avec la coutume ancestrale de la procession à la chapelle ; la **Pentecôte** est le deuxième rendez-vous traditionnel réunissant l'ensemble des villageois. À cette occasion on sert la *soupe du Saint-Esprit* (préparée avec des haricots, de l'huile d'olive), accompagnée de pain béni. En dehors du tourisme (plusieurs *gîtes* et *chambres d'hôtes*) l'agriculture ainsi que l'élevage de bovins et d'ovins (dont un *élevage label bio*) font partie des autres activités économiques du village.

Parmi les projets de la municipalité : optimaliser les structures existantes (musée et gîte de la mine) ; poursuivre la politique de restauration du patrimoine architectural ainsi que la modernisation des équipements ; créér un parcours de minéralogie et une auberge communale ; aménager les abords du village.

À voir

Village de type bas alpin, perché sur une crête rocheuse. Beau territoire, à la limite des cultures méditerranéennes. Les hautes maisons ont des auvents à l'étage supérieur. Au départ du hameau de ***Léouvé*** *et en remontant la* ***vallée de la Roudoule****, de* ***belles excursions*** *à faire, pour admirer des* ***paysages aux colorations particulières****. En effet, le cirque de Léouvé est dans les* ***tons de rouges primaires****.*

* **Pont médiéval** (du XIVe à fin XXe). Construit sur des *assises romaines*. La voie romaine, de part et d'autre, est bien conservée. Il permet d'atteindre Saint-Léger et de redescendre vers Daluis.

* **Pont suspendu.** *Sur la Roudoule, qu'il surplombe de 90 mètres. Construit en* ***1899*** *par l'ingénieur* ***Ferdinand Arnodin****, l'inventeur du* ***câble à torsion alternative****. Cet ouvrage témoigne de l'avancée des innovations techniques (poutres métalliques en I, dispositifs de fixation et câbles de suspension amovibles, fils de câbles tressés et non plus parallèles). L'entreprise créée par cet ingénieur était célèbre pour ses ponts transbordeurs.*

* **Croix de Malte** (à 8 branches). La croix des Hospitaliers est gravée sur une pierre, à la base d'une maison.

* **Ancienne mine de cuivre de Léouvé**. Ruines d'une fonderie qui fut en activité jusqu'en 1886. Elle traitait également le minerai d'Auvare, Rigaud, Daluis. À cette époque, 230 ouvriers y travaillaient. La production était de 2.500 tonnes de cuivre métal par an. La mine comptait 5.000 mètres de galeries.

* **Maison de la mine**. Ce **musée du cuivre** retrace l'exploitation de la mine et présente une collection de minerais de cuivre du monde entier, des objets usuels anciens, ainsi que de vieux outils. Le **demi-haut-fourneau** augmentait la rentabilité de la production. En exposition : un bloc de cuivre de 155 kilos.

* **Porte fortifiée** (XVe). Vestige de l'enceinte médiévale.

* **Maison seigneuriale** du XVIIe, remaniée au XIXe. Elle appartient toujours aux Corporandi d'Auvare.
* **Église paroissiale Saint-Michel** (XIIIe - XVIe). De style roman, elle fut agrandie et surélevée au XVIe siècle. Clocheton à double arceau. Elle abrite trois retables du XVIe siècle.
* **Voie muletière pavée**, *Col de Roua. Elle reliait **Nice à Barcelonnette**, par les crêtes et les cols. Elle fut utilisée jusqu'en **1883**, date à laquelle les **gorges de Daluis**, jusqu'alors infranchissables, furent aménagées.*
* **Chapelle Notre-Dame-du-Rosaire** (XVIIe). Elle abrite une exposition d'œuvres d'art religieux et traditionnel. Elle possède un retable en stuc de 1608.

06910	CUÉBRIS	Plan: C 3

Hameau : **LA GRAVIÈRE**
Population : Insee 1999 **= 180** h. en 1901 = **197** h. variation **- 8,63%**
Rang de la commune par rapport au nombre d'habitants au niveau départemental : **118**
Les habitants sont les **Cuébrois**
Superficie : 2.310 ha - **Altitude** : 320 / 500 / 1108 m - **Canton : Roquestéron - Arrondt** : Nice
Distance de Nice : à vol d'oiseau = 28 km - par la route = 65 km - **Longitude** = 7,02° - **Latitude** = 43,88°
Accès : RN 202 - D 2209 - D 17 - D 317 - **Desserte** : Réserv: TAD 0 800 06 01 06
Fête patronale : 1er dim. d'août - **Église**: N.-D.-de-Consolation/St-Victor - **Paroisse** : N.-D.-de-Miséricorde
N° téléphone de la MAIRIE : 04.93.05.90.77

Origine du nom

Cette appellation pourrait dériver des mots latins *cupreus*, cuivre, ou *cupa*, cuve (appliquée à une hauteur). Formes anciennes : *Cobrium* (cart. de Lérins, années 1028-1046), *de Cobrio* (enquête de Charles Ier, 1252), *de Cobriis* (cart. de Saint-Pons, 1343), *Cuebri* (1430), *Cuebris* (1605). Dans des textes du XIe siècle, le village apparaît sous le nom de *Codolis* ou encore *Codols*.

Histoire

Le territoire fut habité sans interruption du **néolithique** jusqu'à la période **gallo-romaine**. Au début du **XIe** siècle, le premier seigneur de *Cobrium*, Laugier Le Roux, est cité dans un acte de donation du cartulaire de l'abbaye de Lérins. Plusieurs familles seigneuriales lui succèdent. Des documents de **1176** mentionnent la présence des Templiers. Vers **1320**, Geoffroi de Châteauneuf, alors seigneur du lieu, fit édifier un château qui dominait le village. Au début du **XIVe** siècle, **Cuebris**, avec ses *101 feux* (recensement de 1315), est la localité la plus peuplée de la région. Toutefois, avant la fin du siècle, le village s'était à moitié dépeuplé à cause de plusieurs épidémies de peste, suivies de violentes intempéries qui provoquèrent des famines. Au recensement de 1364, il ne restait plus que *49 feux*, et *28* à celui de 1471. Au **XIVe** siècle, le fief appartenait à la famille Flotte. Elle le conserva jusqu'en **1760**. Lors de la ***dédition de 1388***, **Cuébris** demeura provençal. En **1394**, Guillaume Flotte est confirmé dans son titre de seigneur par sa suzeraine, la reine Marie. Cette enclave provençale dans le comté de Nice posait des problèmes de circulation et de passage. À la suite du Ier traité de Turin (**1760**), **Cuébris** est rattaché au comté et, dans le même temps, devient une possession des Isnardi, seigneurs de Coursegoules. La localité fait partie du royaume de Piémont-Sardaigne pendant 32 ans, puis elle redevient française en **1793** lorsque, par décret de la Convention, les Alpes-Maritimes sont institués *85e département* de la République. En **1815**, après l'effondrement de l'Empire, **Cuébris** est de nouveau sarde jusqu'au rattachement de **1860**.

À voir

Ce village fortifié est construit sur un col, à l'extrémité d'une crête. Il est dominé par les ruines du château féodal.

* **Église paroissiale Notre-Dame-de-la-Consolation** (XIVe). L'abside est intégrée aux murailles. Clocher de style gothique. Elle abrite une *huile sur toile* (XVIIe) représentant la *Vierge du Rosaire*.
* **Rocher gravé**. Une inscription, sur un rocher de la rivière, commémore la rectification de frontière effectuée en 1814 entre le comté de Nice et le Royaume sarde.
* **Route forestière**. On rejoint le hameau du Pali (vers Sigale) en passant par les bois de Cagia et Sauma Longa.
* **Vestiges du château** (XIVe). Détruit par les Sardes en 1793, lors de leur retraite.
* **Porte du Moyen-Âge**. C'était l'unique porte du village fortifié.
* **Chapelle Notre-Dame**, sur la route de Roquesteron.
* **Fontaine**, place du village (1841). Elle fut construite pendant la Restauration sarde.
* ***Frise florale*** *(1920). Les* ***façades peintes****, nombreuses dans les localités de l'****ancien comté de Nice****, sont caractéristiques de* ***Ligurie*** *(couleurs saturées, motifs floraux ou animaliers) et du* ***Piémont*** *(ordonnancements architecturaux redessinant les frises, encadrements de fenêtres et autres motifs architectoniques).*
* **Four communal** (XVIIe). Installé dans une ancienne chapelle, rue du Cimetière.

06470 DALUIS Plan: B 3

Hameau : **SAINT-MARTIN**

Population : Inscc 1999 = **132** h. en 1901 = **377** h. variation **- 64,99%**

Rang de la commune par rapport au nombre d'habitants au niveau départemental : **131**

Les habitants sont les **Daluisiens**

Superficie : 4.003 ha - **Altitude** : 590 / 673 / 2502 m - **Canton : Guillaumes** - **Arrondt** : Nice

Distance de Nice : à vol d'oiseau = 49 km - par la route = 84 km - **Longitude** = 6,82° - **Latitude** = 44,02°

Accès : RN 202 - D 2202 - **Desserte** : TAM 790

Fête patronale : 4 juillet - **Église** : Saint-Célestin/Saint-Martin - **Paroisse** : Saint-Jean-Baptiste

N° téléphone de la MAIRIE : 04.93.05.42.66

Origine du nom

À l'origine, de nombreux villages ont d'abord été des domaines agricoles (*villae*) et ils portaient souvent le nom de leur fondateur et/ou propriétaire. L'appellation **Daluis** serait dérivée de *Caïus Aliens Severus*, un centurion romain. Formes anciennes : *Castrum de Adalueiso* (vers 1200), *de Adolosio* (cart. de l'abbaye Saint-Victor,1234), *de Adaloxio* - *Adaloys* (enquête de Léopard de Fulginet, 1233), *Dalueis* (1497-1537), *Daluis* (1578).

Histoire

Au début du **XIIIe** siècle, des textes mentionnent le *Castrum de Adalueiso* et en **1252**, le *Castrum de Adalosio*. Ce château féodal fut détruit au **XIVe** siècle, restauré, puis complètement ruiné en **1793** par les révolutionnaires français. Primitivement seigneurie des Castellane-Thorame (branche de Daluis), le fief passe aux *Templiers* puis aux *Hospitaliers de Saint-Jean-de-Jérusalem*. Lors de la ***dédition de 1388***, **Daluis** (comme Guillaumes, Sausses et Le Castellet) reste provençal. Les Hospitaliers et les Corporandi d'Auvare en furent les coseigneurs jusqu'au **XVIIIe** siècle. Le fief échoit ensuite aux Villeneuve-Beauregard qui avaient obtenu de Louis XIV une concession pour l'exploitation des gisements de cuivre. Lors du Ier traité de Turin (**1760**), le village est cédé au royaume de Piémont-Sardaigne. Son histoire va se confondre avec celle du comté de Nice, auquel il est intégré, jusqu'en **1860**.

Daluis est situé sur un éperon rocheux, à l'entrée des gorges de schistes rouges du Var ; à cet endroit un pont permet aux différentes *routes muletières* de franchir le fleuve. Ce sont également les itinéraires empruntés par les grands troupeaux lorsqu'ils effectuent leur transhumance. La construction de la route nationale, entre **1880** et **1887**, a permis au quartier de la Salette de se développer : à cette époque, ses auberges et restaurants servaient de relais.

À voir

Ce petit village est perché sur un éperon dominant la vallée du Var, à l'entrée des ***gorges de Daluis****. Le hameau de Saint-Martin offre un splendide panorama. Un sentier mène au mont Saint-Honorat.*

* **Gorges de schistes rouges de Daluis**. *Entre* ***Guillaumes*** *et* ***Daluis****, la route offre de* ***très belles vues*** *sur les* ***gorges*** *creusées par le Var dans les* ***schistes rouges tachetés de verdure****.*

* **Source du Chaudan**. Réputée pour ses truites.

* **Vestiges de la tour du château féodal** (XIVe).

* **Église paroissiale Saint-Martin-et-Saint-Célestin**. Reconstruite après le tremblement de terre de 1887. On y accède par un large escalier. Sa cloche est l'une des plus anciennes du département. Elle abrite un *buste reliquaire* de saint Célestin, en bois doré et polychrome (XVIIe), une *Vierge du Rosaire* (1622) de Jean Maria d'Avignon.

* ***Pont de Saint-Léger*** *(1910). Reconstruit plusieurs fois. Il fut d'une grande* ***importance stratégique*** *après 1760, car il permettait de* ***relier Daluis à Saint-Léger sans passer par la France****.*

06340	**DRAP**	**Plan: D 4**

Hameau : **OURDAN**

Population : Insee 1999 **= 4.332** h. en 1901 = **701** h. variation **+ 517,97%** **(4.359** en 2005)

Rang de la commune par rapport au nombre d'habitants au niveau dépt : **30 -** au niveau national: **2.092**

Les habitants sont les **Drapois**

Superficie : 554 ha - **Altitude** : 75 /105 / 520 m - **Canton : Contes** - **Arrondt** : Nice

Distance de Nice : à vol d'oiseau = 8 km - par la route = 10 km - **Longitude** = 7,32° - **Latitude** = 43,75°

Accès : D 2204 - **Desserte** : SNCF - TAM 300 - 301 - 303 - 340 - 360

Fête patronale : 24 juin - **Église** : Saint-Jean-Baptiste - **Paroisse** : Bx-Amédée-de-Savoie

N° téléphone de la MAIRIE : 04.97.00.06.30

Origine du nom

Il vient probablement du latin *drappus* (morceau d'étoffe) dont dérive le latin populaire *drapum*, drap. En langue d'oc, de même qu'en ancien provençal et en nissart, le **drap**, dans le sens de toile, drap de lit, linceul et nappe, se dit *lançou, lansol, lensol, linsol*. Ces termes, qui sont tirés du latin *linteum* (toile de lin, toile, voile, tissu, étoffe) ne présentent aucune similitude avec *drapum*, drap. Par contre, en ancien provençal, le *moulin à foulon* se disait *lo molin draparier*, ce qui a donné *drapaier, drapier, drap*. De surcroît, toujours en ancien provençal, voici quelques termes propres à l'industrie textile : *drap*, morceau de drap de lit, *drapel*, vêtement, *drapilha*, hardes, *drapadas*, parures de lit, *draparia,* habit long, *adrapar*, couvrir d'un drap. Formes anciennes : *Castrum quod nominant Drapo* (1073), *Venerandus de Drapo* (cart. de Saint-Pons, 1025), *super Drapum* (cart. de Saint-Pons, 1075), *castrum quod vocatur Drappum* (1114), *del castel de Drap* (vers 1115), *c. de Drappo* (vers 1200), *De Drapo* (enquête de Léopard de Fulginet, 1333, et cartulaire de Saint-Pons, 1347), *villa Drapi* (Caïs, 1388).

Histoire

Les vestiges d'un *castellaras*, au sommet d'une colline boisée, attestent une occupation *ligure*. Le territoire conserve également les traces d'un château féodal du **Xe** siècle, construit à l'emplacement de fortifications *romaines*, non loin de la *Via Julia Augusta* qui reliait *Cemenelum* (Cimiez) à La Turbie. Dès **1025**, des textes signalent l'existence de teintureries, de fabriques de drap et étoffes de laine à *Drapum*. En **1073**, l'évêque de Vaison fait don de ce fief (avec l'ensemble de la rive droite du Laghet et une partie du territoire actuel de La Trinité) à l'évêque de Nice. Depuis **1560**, les évêques niçois portent le titre de *comte de Drap*. François Ier et Charles Quint *se seraient rencontrés* dans cette place forte, en juillet 1536. En **1564**, à la suite d'un tremblement de terre, la population déserte progressivement le site primitif et s'installe dans la vallée du Paillon. En **1585** et **1604**, les évêques de Nice donnent des terres à défricher, en contrepartie les familles bénéficiaires ont pour obligation d'y construire leur maison. En **1616**, le prélat cède toutes ses terres aux Drapois, moyennant une redevance annuelle de 300 louis d'or (en 1839, ils se libèrent de cette redevance en rachetant leurs droits à Mgr Galvano pour la somme de 30.000 francs). Plusieurs voies de communication essentielles, *les routes du sel**, reliaient le port de Nice et le Piémont. ***Deux** d'entre elles passaient par **Drap** : le **chemin de la Vésubie** (La Trinité, L'Escarène, Lucéram, Lantosque par les cols Saint-Roch et de Porte, Roquebillière et Saint-Martin, puis jonction avec la Tinée et Saint-Sauveur par Saint-Dalmas, La Roche, La Bollène et Rimplas), et la **route du col de Tende** (La Trinité, L'Escarène, Col de Braus, Sospel, Col de Brouis, Breil et la haute Roya). Sur ces axes de grande circulation empruntés par les caravanes de mulets (à la fin de l'Ancien Régime, seul celui de Tende était carrossable), **Drap** devient un relais-étape important*. De nombreuses maisons sont construites le long de cette route, de multiples corporations d'artisans (maçons, charpentiers, tailleurs de pierre...) ainsi que des auberges, s'y établissent aussi. L'activité des tisserands se développe et leur production est commercialisée dans toute la Provence et en Ligurie. La commune compte *100* habitants au début du **XVIIe** siècle, *500* au **XVIIIe** siècle et *800* en **1833**. En **1869**, une convention met fin à des querelles datant du XIe siècle, entre Drap, Èze et La Trinité. Elles concernaient la délimitation des territoires communaux. Ladite convention fut confirmée en 1892, lors de la révision du cadastre. La Trinité récupérait la rive droite du Laghet, et Drap conservait le reste du Tercier avec un droit de passage pour abreuver les bêtes dans le Laghet.

** **Routes du sel et voies de communication** : voir Breil, Coursegoules, Èze, Escragnolles, Fontan, Gars, Lantosque, Mougins, Pierrefeu.*

*En 1869, une **ammonite géante** (deux mètres de diamètre) fut découverte sur la colline Sainte-Catherine. Ce mollusque céphalopode fossile est l'un des plus grands spécimens qui aient été découverts à ce jour. Il se trouve au British Museum de Londres.*

À voir

Drap s'est développé en plaine, sur la rive gauche du Paillon. Ce village, de type industriel urbain, est devenu la grande banlieue de Nice.

* **Moulin à huile communal** (XVIIIe). De type *génois*. Il est en calcaire de La Turbie et bois de sorbier. Sa meule (*lou virant*), provient d'un ancien moulin d'Èze. Il fonctionne tous les samedis, de la mi-novembre à la mi-mars.

* **Vestiges du château** (Xe), au lieu dit *Concas*. Il s'agissait d'une maison seigneuriale située sur les contreforts du plateau Tercier. Le site fut progressivement abandonné à partir du XVIe siècle.

* **Église paroissiale Saint-Jean-Baptiste** (XVIIIe). Récemment restaurée. Elle abrite du mobilier et des toiles du XVIIIe siècle.

* **Ligne de fortification** (1744-1747). D'environ un kilomètre de long. Elle fut construite lors de la guerre de Succession d'Autriche opposant les troupes franco-espagnoles à celles des Austro-Sardes.

* **Chapelle Sainte-Catherine-d'Alexandrie** (Xe). C'était l'église paroissiale du village primitif. *Maître-autel* et *retable baroque* en marbre (1780), la *nef* comporte trois travées et plusieurs petites *chapelles* dont celle du *Suffrage* (XVIIe) et celle dite *de l'Évêque*. On y trouve également deux *huiles sur toile* : *Saint Eloi* (1739) et *Les Compagnons d'Emmaüs* (1650), dans la chapelle des Pénitents-Blancs.

* **Voûte du canal du moulin** (XIXe) au n° 74 de la rue Principale. Lavoirs aménagés dans les renfoncements.

* **Castellaras de la Colle des Castello**, sur le plateau Tercier. Ce camp protohistorique comporte trois murs d'enceinte ainsi que des vestiges d'habitats ligures .

* **Pont de Peille** (1780-1790-1838), à La Condamine. *Il est construit sur **la plus importante voie de communication** du comté de Nice, le **Grand Chemin ducal** (devenu **Route royale**), qui reliait Nice au Piémont par les cols de Braus, de Brouis et de **Tende**. Le pont fut achevé sous la Restauration sarde.*

* **Frise de génoise**, avenue du Général-de-Gaulle (début du XXe). Elle représente des glycines.

* **Croix de fonte** (1850), située à l'entrée du village.

06670 | **DURANUS** | **Plan: D 3**

DURANUS

Hameau : **L'ENGARVIN**
Population : Insee 1999 **= 156** h. en 1901 = **167** h. variation **- 6,59%**
Rang de la commune par rapport au nombre d'habitants au niveau départemental : **124**
Les habitants sont les **Duranussiens**
Superficie : 1.610 ha - **Altitude** : 194 / 480 / 1500 m - **Canton : Levens** - **Arrondt** : Nice
Distance de Nice : à vol d'oiseau = 22 km - par la route = 30 km - **Longitude = 7,27° - Latitude = 43,90°**
Accès : RN 202 - D 2565 - D 19 - **Desserte** : Ligne d'Azur C 59
Fête patronale : 29 septembre - **Église** : Saint-Michel - **Paroisse** : Saint-Pons
N° téléphone de la MAIRIE : 04.93.03.15.63

Origine du nom

Il est probablement dérivé de la racine pré-indo-européenne *dur* : relief abrupt et source. L'emplacement de **Duranus** confirme cette hypothèse : il s'agit d'un village perché surplombant la Vésubie. Il n'existe pas de formes anciennes car ce toponyme n'apparaît qu'en **1676** et **1742** (sur des cartes destinées à la création de nouvelles routes ou chemins) ainsi qu'en **1760**, lorsque des villages sont échangés entre la France et le royaume de Piémont-Sardaigne (Ier traité de Turin). Au Moyen Âge, le terroir de Duranus dépendait du *castrum* de Roccasparvièra.

Roccasparvièra : la *Roche aux Éperviers*. À l'époque romaine et pendant le haut Moyen Âge, ce toponyme s'est orthographié *Roca Sparvièra*. Le cartulaire de la cathédrale de Nice du XIIe siècle mentionne *Roca Esparvièra*. *À partir de 1562, lorsque l'**italien de Florence** devient la **langue officielle***, il s'écrit *Roccasparviera*. Sur les cadastres et cartes actuels : *Roccasparvièra*.

Histoire

Roca Sparvièra est cité dès le **XIIe** siècle, il appartient alors aux Riquier, une grande famille niçoise. Ce château est cité de nouveau au **XIIIe** siècle, dans les *Enquêtes sur les droits et les revenus de Charles Ier d'Anjou et de Provence* (**1252** et **1278**). Les habitants des villages alentour, dont celui de **Manquel**, s'y réfugiaient en cas de danger. En **1271**, les hommes de *Peille*, *Lucéram* et *Roca Sparvièra* prêtent serment de fidélité à Charles Ier (archives départementales des Bouches-du-Rhône). À cette époque, le territoire qu'occupe **Duranus** est inhabité mais cultivé. *D'après la légende, en 1348, la reine Jeanne, comtesse de Provence, aurait séjourné au château de Roca Sparvièra. Pendant qu'elle assistait à la messe à Coaraze, ses ennemis auraient égorgé ses enfants, restés au château. Elle aurait alors maudit la citadelle et prédit sa destruction*. En réalité, cette souveraine d'une grande beauté ne vint jamais dans l'arrière-pays niçois. En **1358**, elle vend le fief au seigneur de Coaraze, Pierre Marquesan. Cette famille va le conserver jusqu'en **1777**. Lors de la ***dédition de 1388***, le fief passe, comme toute la région, sous la dépendance de la maison de Savoie. Lors de l'*affouage* de **1408** (*impôt sur les feux*), 5 *foyers* sont recensés. En **1629**, il est érigé en baronnie par les ducs de Savoie. Toutefois, au début du **XVIIe** siècle, une série de calamités provoquent l'abandon du village de Manquel : guerres, épidémies et, pour finir, le tremblement de terre de **1618** qui détériore irrémédiablement la canalisation alimentant le village en eau. Les habitants se rapprochent des sources et s'établissent sur les terres de **Duranus**. Les actes officiels font état de *Rocasparvièra-Duranus* jusqu'au transfert de la paroisse, en **1723** (après avoir transporté leurs maisons, pierre par pierre avec l'aide de bêtes de somme, les habitants effectuent le déménagement de leur église vers le site de Duranus). En **1777**, Monery de Caylus, un cousin des Marquesan, hérite de la seigneurie. Sous la **Révolution** et l'**Empire**, les troupes révolutionnaires occupent la région. **Duranus** et le comté de Nice redeviennent *sardes* de **1814** à **1860**.

À voir

Le village primitif était situé sur le trajet d'un chemin muletier vers le Piémont. L'habitat actuel est de type résidentiel avec des maisons individuelles dispersées au milieu des vignes et des vergers.

* **Ancienne mine d'arsenic** (XIXe). L'exploitation d'arsenic sulfureux (*réalgar et orpiment*) commença en 1902, avec une production journalière de trois tonnes de minerai à 2-3% d'arsenic. On extrayait également un minéral : la *duranusite*. Dix-huit personnes travaillaient sur place. La mine cessa son activité en 1931 et depuis, l'accès aux galeries est interdit.

* ***Chapelle Saint-Michel et ruines du village primitif**, à **Roccasparvièra**. L'accès pédestre est d'environ trois heures aller-retour. Chaque année, le 29 septembre, un **pèlerinage** a lieu sur le site pour célébrer la Saint-Michel.*

* **Église Notre-Dame-de-l'Assomption.** Elle date de 1623. C'est à cette époque que les habitants de Roccasparvièra s'installent sur le territoire de Duranus. La statue de saint Michel, initialement dans la chapelle, y a été transférée.

* **Saut des Français** : à-pic de 200 mètres surplombant la Vésubie. D'après la tradition orale, les *Barbets* (**V**oir Bendejun) y auraient précipité les soldats révolutionnaires français qu'ils avaient faits prisonniers.

* **Aqueduc** (1880). D'une longueur de 1,5 km. Il amenait l'eau depuis *Les Sagnes* pour l'arrosage des cultures.

* **Chapelle Sainte-Eurosie** (XVIIe), à l' Engarvin. Elle abrite un tableau que l'on invoquait pour qu'il pleuve.

* ***Musée Figas**, à l'Engarvin. Ouvert le samedi et le dimanche après-midi (04 93 79 31 87). On y trouve les œuvres de l'artiste niçois Marcel Figas, un **peintre fantastique futuriste**.*

* **Fontaine du village** (XIXe). Elle est surmontée de la statue de *Jean de Duranus*, célèbre personnage comique incarné par André Brachetti (1908-1996).

* **Lavoir** (XIXe). Il a pour particularité d'être encastré dans le rocher.

06470	ENTRAUNES	Plan: A 2

Hameau : **ESTENC**

Population : Insee 1999 **= 125** h. en 1901 = **317** h. variation **- 60,57%**

Rang de la commune par rapport au nombre d'habitants au niveau départemental : **132**

Les habitants sont les **Entraunois**

Superficie : 8.145 ha - **Altitude** : 1100 / 1260 / 2880 m - **Canton : Guillaumes** - **Arrondt** : Nice

Distance de Nice : à vol d'oiseau = 67 km - par la route = 114 km - **Longitude** = 6,75° - **Latitude** = 44,18°

Accès : RN 202 - D 2202 et GR 52 A - **Desserte** : TAM 790

Fête patronale : avant dernier dimanche d'août - **Églises** : Entraunes : Notre-Dame-de-la-Nativité (ou Notre-Dame-de-Septembre) Estenc : Notre-Dame-des-Grâces *et* Saint-Sauveur **Paroisse** : Saint-Jean-Baptiste

N° téléphone de la MAIRIE : 04.93.05.51.26

Origine du nom

Ce toponyme vient probablement de l'expression latine *inter amnes* : entre deux cours d'eau. L'emplacement du village, situé à la confluence du Var et du Bourdous, confirme cette hypothèse. Formes anciennes : *Castrum de Antraulnis* (vers 1200), *Villa de Antrones* (1388), *Antreaunes* (1578), *Antraunes* (1611). En 1702, le ***A*** est remplacé par un ***E***. Vers l'*an mille*, lorsque les *paroisses*, nos futures communes (**V**oir Châteauneuf-d'Entraunes) ont été *réorganisées*, le toponyme **Entraunes** a été ajouté au nom de trois villages moins importants administrativement et moins peuplés : **Villeneuve-d'Entraunes**, **Châteauneuf-d'Entraunes**, **Saint-Martin-d'Entraunes**.

Histoire

Bien qu'aucune trace de leur présence n'ait été retrouvée, le territoire d'**Entraunes** fut probablement habité par des *Ligures*. Selon les historiens, il pouvait s'agir des *Eguituri* ou des *Gallitae*. Rien ne subsiste non plus d'une éventuelle occupation *romaine*. Vers l'**an mille**, les **villages du val d'Entraunes** étaient inféodés à de grandes familles seigneuriales (les Glandèves, puis les Balb, Rostaing et Féraud de Thorame) sous la dépendance des comtes de Provence. Au **XIIe** siècle, les habitants se font accorder d'importantes *franchises** par leur suzerain et jouissent de véritables *libertés administratives**, comparables à celles de *villes consulaires* comme Grasse et Nice (Voir Peille). À cette époque, l'abbaye de Saint-Saturnin d'Apt disposait d'un prieuré à **Entraunes** .

En **1388**, le val d'Entraunes passe sous la haute autorité du *Comte rouge*, Amédée VII. Toutefois, les habitants obtiennent de Jean Grimaldi de Beuil, représentant officiel de la Savoie, que la *charte* garantissant leurs libertés ainsi que leurs droits et devoirs, soit reconduite par leur nouveau suzerain. Ils demandent également à être rattachés à la viguerie de Puget-Théniers. En effet, le val d'Entraunes faisait partie de celle de Barcelonnette, or les voies de communication entre le haut Var et l'Ubaye étaient coupées six mois par an, en raison de l'enneigement. **Saint-Martin** et **Entraunes** n'obtiennent pas gain de cause, contrairement à **Villeneuve** et **Châteauneuf** qui sont rattachés à Puget-Théniers. *Lors du traité de Paris (1718), Louis XV récupère **Le Mas** mais en contrepartie, **Entraunes** et **Saint-Martin** sont détachés de la viguerie de Barcelonnette (devenue française en 1713, traité d'Utrecht), et sont maintenus dans le comté de Nice.* En **1616**, Charles-Emmanuel Ier de Savoie cède ses droits sur diverses terres du comté de Nice, dont le val d'Entraunes, à Annibal Badat (le gouverneur de Villefranche). Les **communautés** rachètent leur indépendance contre 1.500 ducatons. Par lettre-patente du 4 juin **1621**, le duc s'engage à ne plus les inféoder. Toutefois, en **1696**, Victor-Amédée II, dans le but de *renflouer les caisses de son duché*, réclame aux quatre **communautés** un rappel d'impôts impayés entre 1388 et 1645. Ne pouvant le payer, elles sont *vendues* : *Châteauneuf* à l'abbé Collet-Papachino, ***Entraunes*** au gentilhomme entraunois Louiquy, *Saint-Martin* à un Chenillat de Péone et *Villeneuve* à un certain Michel-Ange Codi, de Turin. L'ensemble des juridictions fut adjugé pour 8.000 livres. Après deux ans de négociations, les dites communautés purent racheter leur liberté. En **1702**, elles sont pratiquement libérées de leurs éphémères seigneurs et réinvesties du titre de « *comtesse d'elle-même* ».

Au cours des siècles, **Entraunes** a subi de nombreux maux : le village est incendié par des bandes gasconnes en **1446** et par Jean-Baptiste Grimaldi d'Ascros en **1546**. En **1598**, ce sont les troupes françaises qui le mettent à sac et qui démantèlent le château. En **1796**, l'éboulement du Penas provoque des dégâts importants. En janvier **1875**, le village est presque totalement détruit par un incendie. En **1793**, lorsque le comté de Nice est annexé par la France et forme le *85e* département français, le val d'Entraunes est rattaché au canton de Guillaumes, qui dépendait du district de Puget-Théniers. En **1814**, lors de la *Restauration sarde*, il réintègre le royaume de Piémont-Sardaigne. Les **15 et 16 avril 1860**, les *Entraunois* votent à l'unanimité pour leur **rattachement** à la France. En **1902**, la route atteint la commune. ***Le val d'Entraunes**, situé à plus de 100 km de la côte, à proximité des sources du Var, est la vallée la plus reculée des Alpes-Maritimes. Jusqu'à une époque relativement récente, ses habitants ont vécu presque en autosuffisance, sauf pour certaines denrées comme le sel, le vin et l'huile d'olive. Ils tiraient leurs principales ressources de l'**agriculture** et de l'**élevage de moutons**. Ils **tissaient** également le chanvre et la laine produits sur place, mais uniquement pour les besoins locaux. Toutefois, **dès le XVIIe siècle, le travail des textiles se développe** et **Entraunes** se spécialise dans la fabrication de draps de serge et de couvertures. Chaque foyer possédait un métier à tisser manuel (on utilisait le rouet). Les étoffes étaient ensuite passées au foulon, puis colorées avec des teintures fabriquées à partir de plantes locales (garance, épine-vinette, brou de noix, écorces d'aulne). Les produits finis furent d'abord exportés vers le Piémont puis, à partir du XVIIIe siècle, vers les ports de Provence et du comté de Nice. Les autres villages, en particulier **Saint-Martin-d'Entraunes,** s'étaient également lancés dans cette activité. L'**industrie lainière**, après avoir animé longtemps cette vallée alpine, va péricliter à partir du XIXe siècle puis disparaître tout à fait au début du XXe siècle.*

Actuellement, les activités de ce village pittoresque, dont une partie du territoire se trouve dans la *zone d'adhésion* (*périphérique*) du *Parc national du Mercantour*, sont axées sur le tourisme : il possède des gîtes et une ferme-auberge. Un *four*, récemment restauré, est accessible aux visiteurs. Un **circuit du patrimoine** (panneaux in situ et dépliant) propose de découvrir les richesses et l'histoire de ce pays « gavot ».

**** Libertés et franchises.** Au **XIIe** siècle, les comtes de Provence surent manœuvrer habilement pour assurer leur autorité. Afin d'affaiblir les **féodaux** et le **clergé**, trop puissants, ils **octroient** à de nombreuses agglomérations provençales de **larges libertés administratives**, sous leur suzeraineté directe. C'est ainsi que, libérées des servitudes seigneuriales, elles connurent, bien avant celles de France, une **réelle émancipation**. Nice (en 1144) et Grasse (vers 1155) sont instituées en villes consulaires, administrées par un parlement communal. Les villages du val d'Entraunes et du val de Lantosque, Sospel, Contes, Utelle, Lucéram, Breil, Saorge... font partie de ceux qui s'affranchissent. Ils réclament que les conventions établies avec les seigneurs soient mises par écrit. **Toutefois, aux XIIIe et XIVe siècles, les souverains provençaux vont réduire les libertés de certaines cités, devenues trop puissantes**. C'est* *ainsi qu'à la suite d'expéditions guerrières, le pouvoir des consulats de Nice (en 1229) et de Grasse (en 1227) va être fortement diminué (Voir également Utelle).*

*Quant aux **règles** régissant la **Charte communale des Entraunes**, elles devinrent les **statuts** de ces quatre communautés. Cet écrit solennel, qui établissait les privilèges, droits et titres, fut adapté par chacun des villages et régulièrement réactualisé selon les époques et les besoins.*

** **Paroisses/communes :** voir Châteauneuf-d'Entraunes. * **Villes de Consulat - Universitas :** voir Peille et Utelle.*

À voir

*Village groupé, en fond de vallée. Maisons avec auvents, de type alpin, ruelles et placette pavées. En empruntant le **sentier de la Porte (GR 52A), vue magnifique sur Entraunes.***

* **Église paroissiale Notre-Dame-de-la-Nativité** (1650). Clocher asymétrique et toiture en bardeaux de mélèze. En façade, un cadran solaire et le blason de Louiquy d'Entraunes. *Maître-autel* (1760) en bois doré, de style rococo. Deux *huiles sur toile* de Jean André : *Le Festin chez Simon le Magicien* (1655), qui est la copie d'une toile de Rubens, et *La Vierge en Gloire et le saint-suaire* (1690).

* **Chapelle Saint-Sébastien** (CMH). Elle fut construite après l'épidémie de peste de 1467. Le chevet présente des peintures réalisées en 1516 par Andrea de Cella.

* **Chapelle du Rosaire**. Elle abrite deux huiles sur toile, *Le couronnement de la Vierge* (1665), *La Transfiguration*(1804), ainsi que l'original d'une *borne-frontière* sur laquelle est gravée la date de **1760** (traité d'amitié entre Charles-Emmanuel III et Louis XV). En **1823**, le bornage fut réactualisé et les bornes remplacées. Celle-ci, située au *col de la Cayolle* (2.326 m d'altitude) fut simplement regravée.

* **Ancien couvent des Trinitaires**. Grande Rue. La porte est datée de 1720. À l'époque c'était un hôpital.

* **Lavoir et fontaine**. Construits après l'incendie de 1875 qui détruisit une grande partie du village.

* **HAMEAU D'ESTENC.** Il est situé à 1.888 m d'altitude et représente le dernier site verdoyant avant le col de la Cayolle (2.326 m) qui est fermé l'hiver. C'est ici que le fleuve Var prend sa source, dans un cadre paysager unique. **Estenc** est le point de départ idéal pour découvrir la montagne et le Parc national du Mercantour. Hiver comme été, la faune et la flore peuvent être observées facilement grâce à un réseau important de sentiers de promenades et de randonnées. Plusieurs gîtes. Refuge-auberge de la *Cantonnière*. ***Ski alpin et ski de fond** (1.780 m à 1.920 m) : une remontée mécanique permet l'initiation et la pratique familiale du ski de piste.*

* **Chapelles d'Estenc** : **Notre-Dame-des-Grâces**, avec clocheton en bois (1722) ; **Saint-Sauveur** (XVIe).

* **Cantonnière** (XXe). À Estenc, route du col de la Cayolle. Construite par les Ponts-et-Chaussées, pour leur personnel et le matériel. Aujourd'hui, c'est un refuge-auberge affecté au *Parc national du Mercantour*.

* **Promontoire** dit « *des Templiers* », au lieu-dit Les Gourrées. Il s'agit plutôt des *Trinitaires (chevaliers du Saint-Sépulcre)*. En effet, ces derniers avaient fondé un hôpital à cet endroit (*Voir Saint-Étienne-de-Tinée)*.

* **Parc national du Mercantour**. « *La puissante barrière de hauts sommets, entre 2.500 et 3.000 mètres d'altitude est remarquable. En effet, constitués de grès d'Annot, roche ocre et rose, ces véritables châteaux forts naturels s'enflamment au lever et au coucher du soleil pour un spectacle sans cesse renouvelé... Hiver comme été, c'est le royaume privilégié des bouquetins.* » ***Voir pages 210 et 211**.*

Estenc

Borne Cayolle

06440 ESCARÈNE (L') Plan: D 4

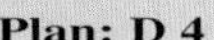

Population : Insee 1999 **= 2.128** h. en 1901 = **1.281** h. variation **+ 66,12%** (**2.138** en 2005)
Rang de la commune par rapport au nombre d'habitants au niveau départemental: **51 -** au niveau national: **4.235**
Les habitants sont les **Escarenois**
Superficie : 1.067 ha - **Altitude** : 220 / 345 / 1054 m - **Canton : L'Escarène** - **Arrondt** : Nice
Distance de Nice : à vol d'oiseau = 17 km - par la route = 21 km - **Longitude** = 7,35° - **Latitude** = 43,83°
Accès : D 2204C - D 2204 - **Desserte** : TAM 340 - 360
Fête patronale : 1er dim. d'août - **Église** : Saint-Pierre-aux-Liens - **Paroisse** : Saint-Pierre-et-Saint-Paul
N° téléphone de la MAIRIE : 04.93.91.64.00 - **OFFICE du TOURISME** : 04.93.79.62.93

Origine du nom

Deux possibilités : **1)** du latin *scala, scalae,* échelle, escalier ; **2)** de *scala*, par référence au dénivelé de la route reliant Nice au Piémont ; **3)** de *escareno* (pente raide), *escalino* et *escarino* (flanc raviné d'une montagne). Ces termes sont très proches du pré-latin *skarenna*, éboulis de rochers. Formes anciennes : *Scarena* (cart. de Saint-Pons, 1074), *Lescarena* (idem, 1081), *de Hescarena* (1156), *sancti Petri de la Escarena* (cart. de Saint-Pons, 1247), *de Scarena* (enquête de Léopard de Fulginet, 1333), *villa Scarene* (Caïs, 1388), *villa Squarinae* (Gioffredo,1533). Formes d'oc : *l'Escarèna* et *l'Escarèa*.

Histoire

Le territoire possède les vestiges d'un *castellaras ligure* et d'un *castrum romain*. La *communauté d'habitants* de *Scarena* est citée pour la première fois dans une charte de **1037** : un certain *Bonix* fait don à l'église Saint-Pierre de **L'Escarène** d'un bien situé dans une propriété rurale (la Saleta de Saraman), de l'autre côté du Var. À cette époque, le bourg possède un prieuré qui relève de l'abbaye de Saint-Pons. Lors de l'*affouage* de **1408** (*impôt sur les feux*), 6 foyers sont recensés. Il est un des nombreux fiefs de la *commune libre* de **Peille** (**V**oir ce nom) jusqu'en **1520**, date de son détachement. En **1570**, les habitants abandonnent le *site primitif** du village, sur le mont Pifourchier, et s'installent plus bas, près des rives du Paillon. Dès **1591**, **L'Escarène** est en plein essor car il est situé à la jonction des voies de communication reliant *Lucéram*, *Peille*, *Sospel* et *Nice*. Il est également sur le trajet d'une des *routes du sel* qui mènent de Nice au Piémont. À cette époque, 30.000 mulets transitent chaque année par le village qui possède un hôtel de la Gabelle situé à proximité du *Pont Vieux**, l'unique pont sur le Paillon. Les caravanes de mulets qui acheminent le sel en Italie en rapportent du blé, du vin et des peaux. Le village devient ainsi une importante ville d'étape, avec des écuries pour fournir chevaux et mulets aux voyageurs. À partir de l'ouverture, en **1624**, de la *route du col de Tende* qui mène de Nice à Turin, le village se développe encore plus. Il possède alors un tribunal et plusieurs hôtels. **L'Escarène** fut *une seigneurie des **Tonduti**, une vieille famille niçoise qui a été investie de nombreux fiefs et porta les titres suivants : comte de L'Escarène (érigée en comté en 1700), de Villefranche, seigneur de Châteauneuf, Peillon, Falicon, Touët-de-l'Escarène*. Jusqu'à la **Révolution**, le village fait partie de la viguerie de Vintimille/Val de Lantosque qui avait Sospel pour chef-lieu. Il devient *français* de **1792** à **1814**, et de nouveau *sarde* jusqu'au **rattachement**. L'inauguration de la voie ferrée Nice-Coni (Cuneo) via **L'Escarène**, a lieu en 1928. La commune possède un moulin à huile communal et les **olives**

escarènoises sont d'appellation d'origine contrôlée « **Olives de Nice** » sur leurs trois dérivés : olives, pâte d'olives et huile d'olive.

** Dans un but défensif, le **village primitif** était construit tout en hauteur. La première maison, qui donnait accès à toutes les autres, ne possédait ni porte ni fenêtre, seulement une ouverture sur le toit auquel on accédait grâce à une échelle (d'où l'origine probable du toponyme).*

** **Ce pont du XVe siècle** fut utilisé par les caravanes de mulets qui transportaient le sel vers le Piémont ainsi que par les armées napoléoniennes lors des campagnes d'Italie. Détruit pendant la Seconde Guerre mondiale, il est reconstruit à l'identique en 1961. Le pont permit également l'extension du village sur la rive gauche du Paillon.*

À voir

Village ancien possédant de belles demeures médiévales. Il est situé dans une plaine, au confluent de deux torrents qui forment le Paillon de L'Escarène, et au pied du col de Braus.

* **Ancien hôtel de la Gabelle** (XVIe). Ce bâtiment, à la fois entrepôt de sel et bureau des douanes, est situé à un endroit stratégique, près du Pont Vieux. Une large entrée, en arc de plein cintre et en pierres de taille, permettait aux charrettes en provenance de Nice de pénétrer dans l'entrepôt avec leur chargement de sel.

** **Sur la rive droite du Paillon**. Le quartier primitif du Serre, et la **maison Audiffret** où le **pape Pie VII** fit une halte d'une nuit, en **1804**, alors qu'il se rendait à Paris pour le **sacre de l'empereur Napoléon Ier**.*

* **Tour de Sainte-Brigitte**, crénelée. Elle est située sur un pic de la rive droite du Paillon.

* **Église paroissiale Saint-Pierre-aux-Liens** (XIIe - CMH 1978). Partiellement détruite par un tremblement de terre et un incendie au XVe siècle, elle est reconstruite en 1646. ***Façade baroque****. Elle abrite un *orgue* (1791) d'Antoine et Honoré Grinda (des *facteurs** niçois réputés) ainsi qu'un *autel gallo-romain* du IIIe siècle (voué au dieu païen Segomon), qui est utilisé comme *bénitier*, une *croix de procession* (XIVe) en argent doré. L'église est flanquée de deux chapelles (des Pénitents-Noirs et des Pénitents-Blancs). *On appelle « **facteurs** » les **fabricants** de **certains instruments de musique** (facteurs d'orgues, de pianos, de flûtes).*

** **La route du baroque nisso-ligure** est née du partenariat entre le Conseil général des Alpes-Maritimes et l'Azienda di Promozione Turistica Riviera dei Fiori. Le but est de mettre en valeur la vitalité artistique de cette région entre la fin du XVIe et le début du XVIIIe siècle, et de faire découvrir les édifices, sacrés et civils, de ce patrimoine architectural exceptionnel. Ce **style artistique** s'est développé dans de nombreux pays d'Europe ainsi qu'en Amérique latine, à la suite du concile de Trente (1545-1563) : le **baroque** est l'art de la Contre-Réforme. En effet, l'Église, en réaction à la Réforme protestante et pour tenter la **reconquête religieuse** de certains pays devenus protestants, s'appuya sur le nouvel ordre des Jésuites et, simultanément, **favorisa cet art** démonstratif et exubérant. Au départ de Nice, cette église est la première des Paillons, avant **Lucéram.** En Roya et Bévéra **: Sospel, Breil-sur-Roya, Saorge, Fontan, La Brigue, Tende.** Sur le bord de mer **: Nice, Villefranche, Èze, La Turbie, Menton**. De **nombreux autres sites** possèdent des monuments baroques. Les **Offices du tourisme** de l'itinéraire proposent un **guide pratique** (tél. au **04 93 04 92 05** en **France**, et au **00 39 01 84 571 571** en **Italie**). Le **Centre du Patrimoine** (75, quai des États-Unis, Nice) organise de **nombreux parcours guidés et commentés**, dont le **« Vieux-Nice baroque »**. Tél. au **04 92 00 41 90** **centre.patrimoine@ville-nice.fr***

* **Deux burettes** en verre d'Altare (XVIIe), à la mairie. Hautes de 10 cm, elles furent découvertes en 1986.

* **Chapelle Saint-Pancrace** (XVIIe). Elle servit de fortin lors de la guerre de Succession d'Autriche (17441747).

* **Moulin à huile** (XVIIIe). Au début du XXe siècle, il y en avait encore quatre. *Celui-ci, qui fonctionne encore, est un moulin traditionnel à deux pistes, de « **type grec** ». La première pression se fait **sans ajout d'eau**, c'est ainsi que l'on obtient l'**huile d'olive vierge**.*

* **Musée du Moulin** *(ancien moulin de la Placette). **Nombreuses collections**. Il accueille des **expositions**.*

* **Viaduc de la ligne de chemin de fer** (1928). Il domine de 40 mètres le vallon de Braus et possède 11 arches.

* **Mausolée de la Ire Division française libre**, inauguré en 1960 par le général de Gaulle. Il commémore l'action décisive de la Ire DFL sur le massif de l'Authion en 1945, et il honore les 260 soldats qui y sont morts.

Quelques bonnes adresses

Hôtel-Restaurant LES TROIS VALLÉES** *Col de Turini 1.607 m* Tél. 04 93 04 23 23 Fax 04 93 04 06 00

AUBERGE DU CHÂTEAU *Label Cuisine niçoise* 26, rue du Château Tél./Fax 04 93 79 57 13

06460 ESCRAGNOLLES Plan: B 4

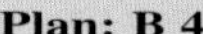

Photo P. Aimon

Hameaux : LES AMPHONS **BAIL** LA COLETTE **LES GALANTS**
LE CHÂTEAU LES GRAS **LES MOURLANS** CLARS

Population : Insee 1999 **= 384** h. en 1901 = **269 h.** variation **+ 42,75%** (**512** en 2005)

Rang de la commune par rapport au nombre d'habitants au niveau départemental : **98**

Les habitants sont les **Escragnollois**

Superficie : 2.548 ha **- Altitude** : 400 / 1 002 /1644 m - **Canton : Saint-Vallier-de-Thiey - Arrondt** : Grasse

Distance de Nice : à vol d'oiseau = 38 km - par la route = 64 km - **Longitude** = 6,78° - **Latitude** = 43,73°

Accès : A 8 - N 85 et GR 49 A - **Desserte** : TAM 800 via Grasse

Fête patronale : 11 mai - **Églises** : Saint-Martin et Saint-Pons - **Paroisse** : Sainte-Marie-des-Sources

N° téléphone de la MAIRIE : 04.93.09.29.09

Origine du nom

Trois possibilités : **1)** contraction de la racine pré-indo-européenne *cal* (pierre, rocher), avec le suffixe *ant-is,* **2)** ***aesculanea***, un diminutif bas latin de *aesculus* (chêne rouvre) ; **3)** ***skrann*** (en lombard : caverne habitée). Il s'agirait alors du nom d'un vestige troglodytique, or le territoire possède de nombreuses grottes et abris sous roches qui, dès l'**âge du bronze**, furent habités par l'homme ou servirent de sépultures. Formes anciennes : *G. de Sclannola* (1196), *Scagnolo et Esclangolo* (vers 1200), *Raimundus de Sclanola* (1209), *domini de Scragnola* (cartulaire de Lérins, 1341), *Esclangolo* (XVIe), *Escragnolles* à partir du XIXe siècle.

Histoire

De nombreux vestiges (tombes, dolmens, *castellaras*) témoignent d'une occupation du site s'étalant de la **protohistoire** à l'époque **médiévale**. Il fut colonisé par les *Romains* (monnaies, traces d'une villa romaine datant du **Ier** siècle), et la présence d'envahisseurs *celtes* est attestée également. *Sclannola* est cité pour la première fois en **1196**, lorsque l'évêque de Grasse en fait l'acquisition. Il est ensuite inféodé à plusieurs seigneurs. Au **XIV**e siècle, le fief appartient à la famille de Réquiston avant de passer, par mariage, aux Grasse. La *peste* de **1348** décime la population et **Escragnolles** n'est repeuplé qu'en **1565**, par des habitants de **Mons** à qui Françoise de Grasse a loué des terres (en 1468, Mons avait été repeuplé par des familles originaires du Piémont et de Ligurie ; un siècle plus tard, la surpopulation provoqua l'installation de Monsois à **Escragnolles**). En **1598**, le capitaine Antoine de Robert acquiert la seigneurie. Son fils Melchior, investi du fief en **1612**, fait construire un château et une chapelle. En **1792**, après la Révolution, le château et les terres d'Antoine-Joseph de Robert furent vendus par lots à des *Escragnollois*. En **1815**, Napoléon s'arrêta à **Escragnolles**, mais la route qu'il emprunta réellement est située en contrebas de celle que l'on nomme *route Napoléon**.

*Les principales **activités** du village sont axées sur la **culture des céréales, la production de lavande et l'élevage**. Pendant longtemps, le **blé annone** d'Escragnolles (pur froment) fut très recherché car, dans la région, on cultivait surtout le blé mitadier (mêlé d'avoine). Depuis quelques années, **Escragnolles** connaît un certain **développement démographique**. En effet, **l'école communale**, fermée en 1974, a été **rouverte en 1985**. En **2001**, elle a été transférée dans des **bâtiments neufs**, et à la **rentrée 2006**, une **troisième classe** va être créée. Actuellement, cette école compte environ **soixante élèves**.*

* ***La route Napoléon*** *retrace, depuis Golfe-Juan, le parcours historique qu'effectua l'Empereur à son retour de l'île d'Elbe. L'itinéraire traverse le pays grassois, puis il emprunte la N 85 à travers les Alpes, jusqu'à Digne et Grenoble. Les principales étapes furent Mouans-Sartoux, Grasse, Saint-Vallier-de-Thiey, Escragnolles, Séranon, Castellane...*

À voir

Le village s'étale dans une plaine, le long de la route Napoléon. L'habitat est dispersé en hameaux entourés de bois. Il possède quelques maisons anciennes.

* **Nombreuses grottes** : Elles sont appelées *balmes* ou *baumes*. Huit d'entre elles furent occupées par l'homme à l'**âge du bronze**.

* **Source de la Siagne**. Au lieu-dit *La Colette* se réunissent plusieurs *ruisseaux* qui vont former la *Siagne*.

* **Dolmen des Claps** (CMH 1921). Il comporte une chambre funéraire qui renfermait des restes humains ainsi que des pointes de flèche, des grattoirs, des objets en calcaire.

* **Ruines du château féodal** (1430).

* **Castellaras du Conrouan,** de **Cogolin** et de **Saint-Martin** . Il y en a seize en tout. L'occupation de certaines enceintes s'étale du néolithique au Moyen Âge.

* **Chapelle Saint-Martin** (XVIe). Située au bord de l'ancienne route Napoléon, elle est probablement construite sur les bases d'une chapelle primitive.

* ***Ancienne Route royale*** *(1445-1659-XIXe). Elle reliait* ***Nice à Grenoble****, via Grasse, Saint-Vallier, Escragnolles, Castellane, Digne et Sisteron. C'est en* ***1609*** *qu'elle est dénommée «* ***Route royale d'Antibes à Sisteron*** *». Elle était fréquentée par les* ***marchands*** *et servait pour l'acheminement du* ***blé*** *vers le littoral. Lorsque* ***Napoléon*** *l'emprunta, elle était en si mauvais état qu'il fut obligé de laisser les véhicules et les canons à Grasse et de continuer le voyage à cheval.* ***Voies de communication*** *: voir Breil, Coursegoules, Drap, Èze, Fontan, Gars, Lantosque, Mougins, Pierrefeu.*

* **Château** (1612- XXe). Il est racheté par la commune en 1980 et transformé en logements HLM.

* **Vestiges de la chapelle Sainte-Clair** (1612) Construite par Melchior de Robert, elle est abandonnée au début du XIXe siècle. Son mobilier fut transféré dans la nouvelle église.

* **Église Notre-Dame** (XIXe) à double clocheton. Elle abrite une huile sur toile représentant *saint Pierre, saint Pons et saint Jean-Baptiste*, et une autre dédiée à la *Vierge du Rosaire* (XVIIe).

* **Fontaine** (1812). Le lavoir fut ajouté en 1913.

* **Plaque commémorative de François Mireur**. *Il naquit à* ***Escragnolles*** *le 9 février 1770. Ce* ***maralpin*** *devient docteur en médecine à 22 ans puis général de Bonaparte à 26 ans. Le 22 juin* ***1792****, à l'issue d'un banquet,* ***François Mireur*** *entonne le* ***Chant de guerre pour l'armée du Rhin*** *dont Rouget de Lisle avait composé les paroles. L'interprète provoque l'enthousiasme de ses auditeurs. En* ***1795****, cet air prend le nom de* ***Marseillaise*** *et devient l'****hymne national****. François Mireur se distingua par sa bravoure lors des campagnes de Bonaparte. Il est mort en juillet 1798, pendant la campagne d'Égypte. Son nom est gravé sur l'Arc de Triomphe (à Paris).*

Domaine du Haut Thorenc *(Andon) -* ***Bisons*** *dans la nature enneigée, le 1er juin 2006*

Photo transmise par Alena et Patrice Longour

06360	ÈZE	Plan: D 4

Hameau : SAINT-LAURENT-D'ÈZE

Population : Insee 1999 = **2.509** h. en 1901 = **699** h. variation **+ 258,94%** (**3.095** en 2005)

Rang de la commune par rapport au nombre d'habitants au niveau dépt : **48 -** au niveau national: **3.617**

Les habitants sont les **Ézasques**

Superficie : 947 ha - **Altitude** : 0 / 427 / 700 m - **Canton : Villefranche-sur-Mer** - **Arrondt** : Nice

Distance de Nice : à vol d'oiseau = 10 km - par la route = 12 km - **Longitude** = 7,37° - **Latitude** = 43,72°

Accès : RN 7 (moyenne Corniche) - **Desserte** : SNCF - Ligne d'Azur 82 - 83 - TAM 112

Fête patronale : 15 août - **Église** : N.-D.- de-l'Assomption - **Paroisse** : N.-D.- de-L'Espérance

N° Tél. MAIRIE: 04.92.10.60.60

OFFICE MUNICIPAL DE TOURISME : 04.93.41.26.00 - **Bord de Mer** : 04.93.01.52.00 (en saison)

www.eze-riviera.com - **www.ville-eze.fr**

Origine du nom

1) Il est possible qu'il fasse référence à la déesse égyptienne ***Isis*** ou au dieu celte ***Esus***. **2)** Peut-être dérive-t-il du latin ***Avisio***, panorama (dont la racine est le pré-indo-européen *ab/av,* village perché, fortifié). Un des trois *oppida* situés sur le territoire d'Èze portait ce nom. Le port d' *Avisio*, au pied de cet *oppidum*, est cité dans *L'Itinéraire maritime d'Antonin**. Formes anciennes : *ab Avisione* (IVe), *Hese castellum* (1108), *Guillelmus de Esa* (1152), *Guillelmus d'Eze* (chevalier de Saint-Jean, 1164), *P. d'Esa* (cart. de Saint-Pons, 1208), *B. de Ysia nec frater ejus* (1230), *de Ysia* (enquête de Charles Ier, 1252), *de Isia* (cart. de Saint-Pons, 1272), *d'Èze / de Ysa* (enquête Léopard de Fulginet,1333).

* ***L'Itinéraire maritime d'Antonin :*** *réalisé sous le règne des empereurs romains de cette lignée (96 à 192 de notre ère), il indique les ports et les anses pouvant être utilisés par les navires. Cette* **carte** *mentionne, entre les ports de Monaco et d'Anao (Beaulieu), celui d'Avisio (Avisionis portus) : il s'agit de la petite baie de Saint-Laurent d'Èze, qui peut accueillir des bateaux de faible tirant d'eau et qui servit de* **port** *à Èze et à La Turbie jusqu'au milieu du XIXe siècle.*

Histoire

Le territoire ézasque, que traversait la *Voie héracléenne**, fut occupé par des *Celto-Ligures* (*castellaras* du mont Bastide), puis par les *Romains* qui créent le port d'*Avisio*. La chute de l'*Empire romain* est suivie de nombreuses vagues d'*invasions barbares* (en **578**, le site est investi par les *Lombards)* et d'incursions de *pirates sarrasins*. Les habitants se réfugient sur un piton rocheux dominant la mer et le transforment en site défensif. Au **Xe** siècle, ils subissent l'occupation des *Sarrasins* jusqu'à ce que la région soit libérée par Guillaume Ier de Provence (vers **973**). Ce n'est qu'à partir du **XIIe** siècle que sont mentionnés les premiers seigneurs d'Èze, originaires de Nice pour la plupart : les Riquier, les d'Èze, les Badat, les Blacas. Une enceinte fortifiée est alors construite autour du village, elle résista jusqu'au XVIIIe siècle. Au milieu du **Moyen Âge**, le territoire d'**Èze** s'étend des rives du Paillon jusqu'à **La Trinité** et au vallon de **Laghet** (en 1818, le hameau de La Trinité est érigé en commune indépendante). En **1229**, le comte de Provence Raymond Bérenger V confisque le *château*, qui devient possession des Anjou jusqu'en **1388**, et il en confie la garde à un *castellan* (Voir Guillaumes). Après la ***dédition***, ledit château échoit à la couronne de Savoie jusqu'en **1706**, date de son démantèlement par les troupes françaises. En **1543**, le village est occupé par celles du sultan ottoman Soliman le Magnifique, allié de François Ier. En **1414**, les *Ézasques* obtiennent leur autonomie à l'encontre de leurs feudataires, les Riquier, et forment une *communauté* : ils sont en possession des droits féodaux et placés sous la dépendance judiciaire directe des ducs de Savoie. Malheureusement, en **1590**, la *commune*, très endettée, perd tous les avantages acquis. En **1591**, le comte Antoine Valperga, en rachetant la dette, devient propriétaire d'**Èze**, et dans le même temps, le duc de Savoie lui concède le fief qui est érigé en comté. Les *Ézasques* s'opposent vainement à cette inféodation. En **1611**, **Èze** est vendu aux Cortina Saint-Martin qui vont le conserver jusqu'à la **Révolution**. Pendant la guerre de Succession d'Autriche (1744-1748), la région est de nouveau ruinée. **Èze** devient française de **1792** à **1814**, puis réintègre le royaume de Piémont-Sardaigne jusqu'en **1860**.

Les *Ézasques* élevaient des chèvres et des brebis et vivaient essentiellement de l'agriculture : oliviers, agrumes (mandarines utilisées en confiserie, cédrats, orangers, citronniers). Ces cultures vivrières furent complétées par celles des vers à soie et des œillets. Avec l'ouverture de la *Grande Corniche* en 1814, celle de la *Basse Corniche* en 1862 (elle atteint Menton en 1885), ainsi que l'arrivée du chemin de fer, le village s'ouvre au tourisme et les activités ancestrales sont progressivement abandonnées. La *Moyenne Corniche* fut ouverte en 1921.

** À l'époque **ligure**, la région était traversée d'est en ouest, de l'Italie à l'Espagne, par une voie de communication appelée **Voie héracléenne** (ou encore **chemin d'Hercule**). En effet, d'après la légende, sa construction serait due à **Hercule**. Le philosophe grec **Aristote** (384-322 avant J.-C.) connaissait son existence. Réutilisée par les **Romains**, elle devient (en 13 avant J.-C.) la **Via Julia Augusta**. Cet axe routier était dallé de pierres parfaitement ajustées et comportait, sur une grande partie de son parcours, des stries latérales pour éviter les dérapages, ainsi que des rainures parallèles et longitudinales adaptées aux roues des chariots afin de les guider. Caniveaux et rigoles avaient également été prévus. Les voies romaines étaient toutes jalonnées de **bornes milliaires** ainsi que de nombreux **relais**, **tours de surveillance**, **hôtelleries** et **gîtes d'étape**. Un mille romain = 1.478 m. **Voies de communication** : voir Breil, Drap, Coursegoules, Escragnolles, Fontan, Gars, Lantosque, Mougins, Pierrefeu.*

À voir

*Bâti selon un plan circulaire sur un piton rocheux, comme un nid d'aigle, ce beau village médiéval que dominent les ruines de son château fort, est classé monument historique depuis 1922. Maisons anciennes dont certaines sont voûtées. La **Moyenne Corniche** offre, en de multiples endroits, des **panoramas splendides** sur la côte de l'Italie jusqu'à l'Estérel, ainsi que sur les montagnes. Nombreuses et belles randonnées à faire également (voir les **Guides Rando** du Conseil général, dans les offices de tourisme et les mairies).*

* **Église paroissiale Notre-Dame-de-l'Assomption** (XVIIIe - CMH 1984). Construite sur les bases d'une église du XIIe siècle. Clocher carré à deux étages. Elle abrite un *retable* dédié à *saint Antoine l'Ermite* qui est entouré de *saint Sébastien* et de *saint Grat* (1660), des *fonts baptismaux* (XVe), une *statue* de l'*Assomption* attribuée à Muerto (XVIIIe).

***Jardin exotique**. Créé en 1949 par l'ingénieur-agronome Jean Gastaud. Nombreuses essences rares, belle collection de *cactus, aloès, agaves*, et autres plantes *succulentes*. Panorama magnifique sur la Riviera.

* **Ruines du château** (XIIIe). Cette forteresse fut démantelée sur ordre de Louis XIV en 1706. (CMH 1922).

* **Château Eza**. 1920. Devenu hôtel de luxe, il a été pendant trente ans la résidence de la famille royale de Suède.

* **Maison Riquier** (XIIIe). Restaurée en 1930, c'est une résidence privée. Les Riquier furent seigneurs d'Èze aux XIIIe et XIVe siècles. Au XVIe siècle, la demeure est partagée entre trois notables, dont les Fighiera.

* **Porte fortifiée**. Au XIVe siècle, elle contrôlait l'accès au village. Flanquée de deux tours, elle était précédée par un pont-levis (CMH 1922).

* **Poterne**. En réalité, il s'agit de la seconde tour protégeant l'accès au village.

* **Chapelle Sainte-Croix.** Probablement construite au XVIIe siècle plutôt qu'au XIVe, elle fut restaurée en 1954. Initialement chapelle des Pénitents-Blancs, elle accueillit ensuite la confrérie féminine du Rosaire. Elle est décorée de panneaux émaillés réalisés par Michel-Marie Poulain (1954). Elle abrite une *inscription funéraire* du IIe siècle, un *crucifix catalan* en bois (1258), une *Madone des Forêts* (XIVe), une *Crucifixion* (école Brea, XVIe).

** **Mont Bastide**. Les conclusions sur l'occupation du site sont contradictoires : d'après certains archéologues ayant mené des fouilles dans les années cinquante, il aurait été habité du **IIe millénaire** avant J.-C. jusqu'au **Ve** siècle. Pour d'autres, les plus anciennes traces d'occupation remontent à environ **225 avant J.-C**. Il comporte les vestiges d'un **oppidum celto-ligure** et d'**habitations gallo-romaines**.*

* **Avens Lieusera**, d'une profondeur de 70 mètres.

* **Viaduc de Gaffinel** (1911-1914). Il surplombe le ravin du Gaffinel de 80 mètres. Après l'achèvement, en 1927, de la route de la Moyenne Corniche entre Nice et Menton, il a permis le désenclavement d'Èze.

** **Astrorama**. Conférences et diaporamas. Observations astronomiques (Voir La Trinité)*

* **PARC DÉPARTEMENTAL FORESTIER DE LA GRANDE CORNICHE.** Il comprend le *plateau de la*

Justice, le *parc forestier de la Forna*, une *table d'orientation*, un *sentier botanique*, le *parc* et le *fort de la Revère* avec la *Maison de la nature*. Beaux panoramas vers les Alpes et vers la côte. Pour les amateurs de spéléologie, le *gouffre du Simboula*.

* **ÈZE-BORD-DE-MER**. Cette station balnéaire s'étire le long d'une jolie plage bordée de pins et surplombée de hautes falaises. La baie, bien abritée, bénéficie d'un microclimat qui a permis l'acclimatation de plantes méditerranéennes de pays chauds, dont un caroubier.

* **Sentier Friedrich-Nietzsche.** *C'est à partir de décembre 1883 que ce* ***philosophe*** *allemand (1844-1900) effectua cinq séjours consécutifs à Nice et à Èze. Il y trouva l'inspiration pour la troisième partie de son œuvre «* ***Ainsi parlait Zarathoustra*** *». Ce chemin, qui relie le* ***vieux Èze*** *à* ***Èze-sur-Mer****, était une des ascensions préférées de* ***Nietzsche****. Deux heures de marche aller-retour, au milieu des pins et des oliviers. Le dénivelé est d'environ 500 mètres.*

* **SAINT-LAURENT-D'ÈZE** : site du port antique d'*Avisio*.

* **Chapelle Saint-Laurent.** Du XIe au XVIIIe siècle, ce fut un prieuré rural. En 1115, il dépendait de l'abbaye de Saint-Pons. La chapelle, restaurée au XVIIe siècle, est décorée d'une fresque *Le Martyre de saint Laurent*.

Quelques bonnes adresses à ÈZE-Village

CHÂTEAU EZA ****Hôtel-Restaurant rue Pise, *ouvert tte l'année* 04 93 41 12 24 *www.chateaueza.com*

Sculpture sur bois d'olivier I. AICARDI - L'HERMINETTE ÉZASQUE 1, rue Principale 04 93 41 13 59

LE NID D'AIGLE Restaurant Salon de thé Snack *Terrasse Vue mer* Tel/fax 04 93 41 19 08

AU SOUFFLE D'ÈZE *Verrerie d'art Verre soufflé* 2, rue de la Paix 04 93 41 35 62 *souffleze@yahoo.fr*

Hôtel-Restaurant BELLA VISTA Moyenne Corniche 04 93 41 02 71 *www.hotelrestaurantbellavista.com*

06950	**FALICON**	**Plan: D 4**

Population : Insee 1999 **= 1.644** h. en 1901 = **409** h. variation **+ 301,96% (1.652** en 2005

Rang de la commune par rapport au nombre d'habitants au niveau départemental: **58 -** au niveau national: **5.429**

Les habitants sont les **Faliconnois**

Superficie : 517 ha - **Altitude** : 103 / 305 / 581 m - **Canton : Nice 13e** - **Arrondt** : Nice

Distance de Nice: à vol d'oiseau = 6 km - par la route = 10 km - **Longitude** = 7,28° - **Latitude** = 43,75°

Accès : D 19 - D 114 - **Desserte** : CANCA : 25 - 70

Fête patronale : 22 janvier - **Église** : Nativité-de-la-Sainte-Vierge - **Paroisse** : Sainte-Marie-des-Anges

N° téléphone de la MAIRIE : 04.92.07.92.70 **www.mairie-falicon.com**

Origine du nom

La racine celtique *fal* est probablement une variante de *pal* (hauteur, rocher). Plusieurs mots signifiant *hauteur rocheuse* en sont dérivés : l'ancien allemand *felisa*, l'allemand *fells*, l'anglais *fell*, le gaélique *fail* et le gallois *foel*. Cette variante a produit *falise*, *félizière* et *faloise* en ancien français, *falaise* en français et *falizon* en provençal (autre exemple : le latin *pater* est devenu *father* en anglais et *vater* en allemand). Formes anciennes : *castrum de Falicon* (vers 1200), *sancte Maria de Falicono* (1247), *villa Faliconi* (1388).

06540 FONTAN Plan: E 3

Hameaux : **BERGHE-INFÉRIEUR** - **BERGHE-SUPÉRIEUR**
Population : Insee 1999 **= 234** h. en 1901 = **1.103** h. variation **- 78,79%**
Rang de la commune par rapport au nombre d'habitants au niveau départemental : **114**
Les habitants sont les **Fontanais**
Superficie : 4.961 ha - **Altitude** : 405 / 430 / 2447 m - **Canton : Breil-sur-Roya** - **Arrondt** : Nice
Distance de Nice : à vol d'oiseau = 41 km - par la route = 67 km - **Longitude** = 7,55° - **Latitude** = 44,00°
Accès : A 8 ou RN 7 - Vintimille SS20 -RN 204 et GR 52 -52 A - **Desserte** : Réserv: TAD 0 800 06 01 06
Fête patronale :1er dimanche d'août - **Église** : Visitation - **Paroisse** : Saint-Étienne-de-la-Bevera
N° téléphone de la MAIRIE : 04.93.04.50.01

Origine du nom

Il dérive du latin *fons* ou *fontana* (source, fontaine), qui a donné *fontanum*.

Histoire

Cet ancien hameau de Saorge, situé sur la rive gauche de la Roya, et sur le trajet du *Grand Chemin ducal**, prend un essor important lorsque, par décret du **30 juin 1616**, le duc Charles-Emmanuel Ier de Savoie ordonne l'établissement d'un gîte d'étape pour les voyageurs au lieu dit *Fontana* (ou *le* ***Fontan****)*. Après la prise de Saorge, en **1692**, le village est rattaché à la France mais retourne sous la domination de la Savoie dès **1696**. En **1780**, le roi de Sardaigne Victor Amédée III fait transformer la *Route royale** (nouvelle appellation du *Grand Chemin ducal)*, qui est encore un *chemin muletier* entre Lucéram et Limone, en *route carrossable* sur la totalité de son parcours. Dès que cette *route charriable* est terminée, pratiquement tout le trafic commercial entre la zone côtière et le Piémont va s'y concentrer. À partir de cette époque, **Fontan** se développe beaucoup. Entre **1794** et **1814**, le village est rattaché à la France. Lorsqu'en **1860**, il devient définitivement français, sa position stratégique en fait une zone frontalière importante. Le **21 septembre 1870**, la commune obtient son détachement de Saorge. En juin **1940**, elle est annexée par les Italiens. Malgré les efforts de ces derniers, les *Fontanais* ne se rallièrent pas à Mussolini. En septembre **1943**, après la capitulation des Italiens, la région est occupée par les Allemands. Le **25 avril 1945**, le 29e RTA des FFL libère **Fontan**.

Les **eaux de la Fouze**, qui ont reçu le label « Eau de montagne », ont constitué pendant longtemps une des principales ressources du village. L'usine d'embouteillage est fermée depuis peu. Actuellement, parmi les activités des villageois, l'élevage de moutons et de chèvres ainsi que la pisciculture tiennent une place importante.

La végétation est variée : châtaigniers, landes, forêts de résineux et de feuillus. Le climat tempéré et la proximité de la Méditerranée permettent la culture de l'olivier. **Fontan** possède de nombreux *gîtes ruraux, chambres d'hôtes et appartements meublés,* ainsi qu'un *camping municipal* situé le long de la rivière, dans un cadre arboré.

** Dès la **protohistoire**, la région est traversée par de multiples sentiers jalonnés de camps **ligures**. Ces itinéraires, souvent tracés par les troupeaux se rendant vers les zones de transhumance, furent pour la plupart réutilisés par les **Romains**. Au **Moyen Âge**, ce sont les pèlerins et les marchands avec leurs caravanes de mulets qui les ont empruntés. Les **routes du sel** utiliseront les mêmes parcours. Le **Grand Chemin ducal** prend le nom de **Route royale** après l'accession des ducs de Savoie au trône de Sicile (**1713**). **Voies de communication :** voir Breil, Drap, Coursegoules, Escragnolles, Èze, Gars, Lantosque, Mougins, Pierrefeu.*

À voir

*Le territoire de cette commune est principalement composé de forêts et de pâturages. Plus de 2.000 hectares sont inclus dans la **zone d'adhésion** (périphérique) du **Parc national du Mercantour** (Voir pages 210 et 211). Le village, dont les maisons datent des XVIIe et XVIIIe siècles, est construit sur les berges de la Roya. Il est le point de départ de nombreuses **randonnées pédestres**.*

* **Église Notre-Dame-de-la-Visitation** (XVIIIe - CMH 1949). Le clocher aux façades recouvertes de stuc est coiffé d'un bulbe piriforme habillé de tuiles vernissées multicolores. *Horloge*, de 1825. L' *orgue* a été acheté en 1850 à un facteur d'orgues piémontais (M. Vittino).

* **Fontaine centrale** (1836). Surmontée d'un obélisque en schiste de Tende. Elle est alimentée par une eau de source qui serait curative. Dans le courant du XIXe siècle, plusieurs autres fontaines ont été créées (place des Platanes, de la Tourrette, en face du pont et en face de la mairie-école).

* **Chapelle Saint-Jacques** (1841-1842). Construite grâce à la participation de tous les *Fontanais*.

* **Château de la Causéga** (1890). Bâti par un industriel allemand, il est cédé par ses héritiers à la ville de Menton.

* **Monument aux morts** (1930). En mémoire des 46 *Fontanais* et *Berghais* tués pendant la guerre 1914-1918.

* **Stèle Liberator** sur le plateau de la Ceva. Il honore la mémoire des quatre aviateurs américains tués lorsque leur bombardier s'est écrasé contre une falaise, le 4 septembre 1944. Monument réalisé avec les restes de l'avion.

* **Usine hydroélectrique** (1912-1924-1947). En 1903, l'éclairage public (lanternes) de Fontan et de Saorge fut remplacé par des ampoules électriques. L'usine fonctionnait alors à la houille blanche. Actuellement, elle est équipée d'un seul alternateur raccordé au réseau national, et elle est télécommandée.

* Les charmants hameaux de **BERGHE-SUPERIEUR et BERGHE-INFERIEUR** sont encore habités en permanence. Ils sont situés sur les versants abrupts du vallon de Berghe, dans un superbe environnement de cultures en terrasses, créées jusqu'à la limite de rochers formant un cirque. Ils offrent aux randonneurs un **panorama magnifique** sur la vallée de la Roya. *Randonnées : www.royabevera.com*

* **Gorges de Berghe**. Taillées dans le schiste rouge et violet.

Une bonne adresse

Restaurant LES PLATANES *Spécialités italiennes* 17, avenue Maréchal-Foch Tél/fax 04 93 04 51 77

06850	**GARS**	**Plan: B 4**

Population : Insee 1999 **= 49** h. en 1901 = **189** h. variation **- 74,07%**
Rang de la commune par rapport au nombre d'habitants au niveau départemental : **158**
Les habitants sont les **Garcinois**
Superficie : 1.557 ha - **Altitude** : 640 / 732 / 1649 m - **Canton : Saint-Auban** - **Arrondt** : Grasse
Distance de Nice : à vol d'oiseau = 41 km - par la route = 114 km - **Longitude** = 6,80° - **Latitude** = 43,87°
Accès:N 7-RN 85 -D 2211-N 202-D 2211A-D 84 et GR 510 - **Desserte**: Réserv: TAD 0 800 06 01 06
Fête patronale : début août - **Église** : Saint-Sauveur - **Paroisse** : Sainte-Marie-des-Sources
N° téléphone de la MAIRIE : 04.93.05.80.80

Origine du nom

Il est dérivé de la base pré-indo-européenne *car, gar, var* (rocher, hauteur). En ligure : *Kar*, pierre. Formes anciennes : *quartone totius Briansoniis et Garzii* (cart. de Lérins, 1158), *Castrum de Gars* (vers 1200), *Willelmus de Gars* (cart. de Saint-Victor, 1231), *de Garsio* (1351).

Histoire

L'habitat fortifié ou *castrum* de **Gars** est cité dans une charte de **1158**, lorsque l'abbé Boson le donne aux chevaliers de Briançonnet. L'église Saint-Sauveur, qui relevait du prieuré de Briançonnet, une possession des moines de Lérins, est mentionnée en **1306**. Lors de l'*affouage* de **1315**, *60 feux* sont recensés (250 à 300 personnes), mais en **1471**, après plusieurs épidémies de peste, il n'y en avait plus que *9*. En **1383**, Pierre de Terminis est investi du fief par le comte de Provence. Au **XVe** siècle, cette seigneurie échoit aux Grasse-Bar (Voir Amirat), puis aux Grasse-Briançon et enfin aux Théas de Grasse. En **1400**, lorsque les Grimaldi se rebellent contre Amédée VIII, ils prennent puis rendent Sigale et Roquesteron. Quant aux villages de **Gars** et de Collongues, ils sont incendiés par les Niçois et les Gascons, alliés du comte de Savoie. En **1856**, l'agglomération comptait *311* habitants. Ils vivaient, presque en autarcie, de la culture des céréales et de l'élevage.
Parmi les prochaines réalisations de la municipalité, un ***musée dédié à Célestin Freinet.*** *Il sera installé dans l'ancien moulin à huile (on y fabriquait de l'huile de noix) qui a été rénové pour l'accueillir. Ce projet est en phase d'achèvement : « Il offrira une grande variété d'informations (livres, photos, bibliographie, témoignages, articles de presse...) tant sur la vie du personnage que sur son enseignement et son mouvement pédagogique. Une salle sera aménagée en salle de conférence pour y accueillir des groupes ».*
Avant la création, en ***1870****, d'un véritable* ***accès routier****, il fallait 4 à 6 heures de marche sur d'étroits sentiers de montagne pour se rendre, avec de petits ânes bâtés, aux foires d'Entrevaux (ex-Glandèves) et de Puget-Théniers.* ***Voies de communication :*** *voir Breil, Coursegoules, Drap, Escragnolles, Èze, Fontan, Lantosque, Mougins, Pierrefeu.*

À voir

Les maisons anciennes, de style alpin, sont bâties au pied d'une barrière rocheuse, au sud-ouest de la montagne de Gars (1.192 m). Nombreuses granges alpines, porches médiévaux. Bien que situé dans une région plutôt sèche, le village possède une ***source*** *exceptionnelle : une* ***cascade coule en permanence*** *dans un bassin sur la place.*

* **Église paroissiale Saint-Sauveur** (XIIe - IMH 1936). De style roman. Elle comporte un *clocher* double, une *nef unique* à trois travées, une *porte* en plein cintre brisé. Une pierre antique ou médiévale réemployée sert de *bénitier.* Elle abrite également une *statue* en carton doré de *Saint Joseph et l'Enfant Jésus* (XVIIIe), une huile sur toile *La Transfiguration du Christ* (XVIIIe), une *bannière* de la Vierge en satin blanc et fil d'or.

* **Cascade**, dans le village.

* **Poste de guet** (XIVe). Cet abri fortifié est situé au Barry, sur la falaise dominant l'Estéron. À partir de 1388, Gars s'est trouvé sur une frontière internationale, en face du Mas jusqu'en 1718, et d'Aiglun jusqu'au traité de 1760, qui porta sur certaines rectifications de frontières.

* **Pierre sculptée** de l'époque romaine. Récupérée en 1807, elle a été réemployée pour le portail du cimetière.

* **Linteau de porte** (1543), au n° 2 de la rue Célestin-Freinet.

* **Ancien moulin-paroir** (1609). Il traitait le chanvre (on y assouplissait et nettoyait les draps). Des registres municipaux de la fin du XVIIIe siècle signalent l'activité de cinq tisserands. Le paroir ferme en 1840.

* **Chapelle rurale Saint-Joseph** (XVIIIe- IMH 1937). Grand porche en plein cintre ouvert sur deux côtés.

* **Chapelle Saint-Pancrace** (1823) de style roman. Cette ancienne chapelle de Pénitents abrite une huile sur toile (XVIIIe) peinte par Augier et représentant *un naufrage et un miraculé remerciant saint Pancrace.*

* **Oratoire Notre-Dame-de-Lourdes** (1882).

* **Tombe de Célestin Freinet.** ***Gars*** *est le village natal de* ***Célestin Freinet*** *(1896-1966). Il fut élève à l'école normale d'instituteurs de Nice. Il enseigna ensuite à Bar-sur-Loup. Ce* ***pédagogue*** *inventa des techniques d'éducation basées sur l'expression libre et le travail en groupes. Il mit en œuvre de nombreuses expériences dont le but était de favoriser l'épanouissement de la personnalité, de stimuler la motivation et l'éveil aux activités artistiques (dans sa classe, il expérimenta « l'imprimerie à l'école »). En* ***1935****, à* ***Vence****, il fonde l'****École Freinet****. Depuis* ***1964****, cette dernière est* ***prise en charge*** *par l'****Éducation nationale*** *(Voir Coursegoules et Vence).*

06510 | **GATTIÈRES** | **Plan: C 4**

GATTIÈRES

Population : Insee 1999 **= 3.583** h. en 1901 = **535** h. variation **+ 569,72%** **(3.612** en 2005)
Rang de la commune par rapport au nombre d'habitants au niveau départemental: **37 -** au niveau national: **2.526**
Les habitants sont les **Gattiérois**
Superficie : 1.003 ha - **Altitude** : 48 / 295 / 950 m - **Canton : Carros** - **Arrondt** : Grasse
Distance de Nice : à vol d'oiseau = 9 km - par la route = 20 km - **Longitude** = 7,18° - **Latitude** = 43,77 °
Accès : RN 202 - D 2210 et GR 510 - **Desserte** : TAM 710
Fête patronale : 3 février - **Église** : Saint-Nicolas - **Paroisse** : Saint-Véran-et-Saint-Lambert
N° téléphone de la MAIRIE : 04.92.08.45.70

Origine du nom

Il pourrait être tiré du mot latin *cattus* (chat) + le suffixe *aria* (de même qu'**Asnières** est dérivé d'*asinaria* : lieu d'élevage des ânes). Toutefois, l'emplacement de cette agglomération, à proximité d'un gué sur le Var (qu'empruntaient les troupeaux lors des transhumances), mais également près d'une *voie romaine* et de son *gué*, fait plutôt penser au latin *vadum* (gué), *gat* en nissart. Formes anciennes : *villa Gaterias* (cart. Saint-Victor, 1037), *Sancto Martino ad Gateiras* (idem, 1060), *castrum de Gatteriis* (vers 1200), *villa de Gateras* (1388).

Histoire

Le territoire est d'abord occupé par les *Ligures* puis par les *Romains* (la *Via Aurelia* traversait le gué de **Gattières**). Vers l'**an mille**, on y mentionne la présence des *Sarrasins*. Ils en seront expulsés par les *Templiers*. *Gatieras* est cité en **1037**, lorsque son église est donnée à l'abbaye Saint-Victor de Marseille. En **1247**, Guillaume Riboti achète le *castrum* aux Moustiers d'Entrevennes. Le fief fait ensuite partie du comté de Provence. En **1388**, année de la ***dédition***, il appartient à l'évêque de Vence. Le capitaine Gaillardet de Mauléon, un aventurier gascon, s'en empare et le revend au comte Amédée VII de Savoie, pour la somme de 2.000 florins d'or (environ 28.000 livres). En **1390**, le fief est inféodé aux Grimaldi. Il devient ainsi une *enclave savoyarde* (puis sarde) sur la rive droite du Var, en territoire provençal. Il le resta jusqu'au Ier traité de Turin (**1760**). Au **XVIIIe** siècle, la seigneurie appartient aux Dal Pozzo. L'évêché de Vence, qui en avait été dépossédé en 1388, ne cessa de la revendiquer. À la **Révolution**, le conflit n'était pas encore réglé.

À voir

Ce beau village, dominé par les ruines de son château fort, est perché sur un éperon surplombant la plaine du Var. Les habitations sont construites selon un plan ovoïde et, vu du ciel, Gattières semble enroulé sur lui-même, comme un escargot. ***Beau panorama sur la vallée, la mer et les Alpes****.*

* **Rue des Étagères**. Un tunnel est aménagé sous certaines *maisons-remparts*.
* **Église paroissiale Saint-Nicolas**. Romano-gothique de type provençal. Construite sur les bases d'une église du XIIIe siècle. Elle abrite une statue de *saint Nicolas et trois enfants* (XIXe), une *huile sur toile* (XVIIIe) représentant saint Blaise. Les voûtes sont décorées de motifs en stuc.
* **Chapelle Notre-Dame du Var** (1248). Située à proximité d'un gué de la *Via Aurelia*.
* **Pierres tombales romaines**, des IIe et IIIe siècles.
* **Croix tréflée** (1806), en fer forgé. Elle porte les instruments de la Passion du Christ.

* **Meule de moulin** et **jarres à huile** en pierre calcaire (XIXe). Exposées dans le jardin de la Liberté.
* **Plan cadastral napoléonien** (1833) : à la mairie, service de l'Urbanisme.
* **Encadrement** d'un ancien magasin (XIXe). Il est constitué d'une porte entière et d'une demi-porte surmontant un comptoir en pierre de taille. Cette échoppe rurale abritait le four communal. La vente se faisait par le comptoir.
* **Viaduc d'Enghieri** (1890).
* **Fontaine du Pré** (1895), route de Vence, alimentée par la source Saint-Martin.
* **Grotte d'Emboule**. * **Cavités du Castéou** : concrétions.

06610 GAUDE (LA) Plan: C 4

Hameaux : **LA BARONNE LA MAURE**
Population : Insee 1999 **= 6.170** h. en 1901 = **592** h. variation **+ 942,23%** (**6.217** en 2005)
Rang de la commune par rapport au nombre d'habitants au niveau dépt : **25** - au niveau national: **1.434**
Les habitants sont les **Gaudois**
Superficie : 1.310 ha - **Altitude** : 24 / 236 / 349 m - **Canton : Vence** - **Arrondt** : Grasse
Distance de Nice : à vol d'oiseau = 8 km - par la route = 21 km - **Longitude** = 7,15° - **Latitude** = 43,72°
Accès : N 202 - D 2210 - D 18 - **Desserte** : Ligne d'Azur 49 via Cagnes et 55 via Saint-Laurent-du-Var
Fête patronale : 7 février - **Église** : Sainte-Victoire - **Paroisse** : Saint-Véran-et-Saint-Lambert
N° Tél. de la MAIRIE : 04.93.59.41.41 **www.mairie-lagaude.fr OFFICE du TOURISME** : 04.93.24.47.26

Origine du nom

Trois possibilités : **1)** du latin *gabata* (écuelle, jatte, auge, bassin, creux de terrain). Ce terme est attesté depuis le Ier siècle de notre ère ; **2)** du celte *Gaud* ou *Gode* (forêt, lieu boisé) dont est dérivé le mot *Alagauda* ; **3)** nettement plus sujet à caution : du latin *gaudere* (se réjouir) et *gaudium (*plaisir, satisfaction), à cause des vignes, déjà présentes à l'époque romaine ! Formes anciennes : *Sancte Maria Alagauda* (cart. de Saint-Pons, 1075), *in Alagaudam* (cart. de Lérins,1155), *Castrum de la Gauda* (1235), *Villa de la Gauda* (1388).

Histoire

La région fut initialement occupée par la tribu ligure des *Nerusiens*, puis par les *Romains* (la *Via Aurelia* passait au sud du village actuel). Après la chute de l'*Empire romain*, la région est en grande partie désertée par la population. **Alagauda** apparaît pour la première fois en **1075**, dans le cartulaire de l'abbaye de Saint-Pons, lorsque Raimbaud et Rostaing lui donnent le monastère de *Sancte Maria de Alagauda*. L'agglomération primitive était regroupée autour du château et de la chapelle Saint-Pierre (actuellement, territoire de Saint-Jeannet). En **1155**, le seigneur du fief, Bertrand Engilran, en fait don aux moines de Lérins. Dans la deuxième moitié du **XIIe** siècle et jusqu'en **1308** (abolition de l'Ordre), **La Gaude** est sous la juridiction des Templiers, sous la suzeraineté des comtes de Provence, et en coseigneurie avec Romée de Villeneuve puis avec ses descendants. Il appartient successivement aux Villeneuve-Vence, Villeneuve-Thorenc, Pisani, Villeneuve-Tourettes, Hospitaliers de Saint-Jean-de-Jérusalem. Les **XIVe** et **XVe** siècles sont troublés par les conflits entre les comtes de Provence et la maison de Savoie ainsi que par des épidémies de *peste*. **La Gaude** devient un *lieu inhabité*. Au **XVIe** siècle, le village, installé sur un nouveau site, est repeuplé par des familles génoises ainsi que par les populations autochtones survivantes qui s'étaient réfugiées au lieu-dit *Les Trigans*. En **1599**, grâce à une ordonnance du roi Henri IV, **La Gaude** est détachée de Saint-Jeannet et devient une *communauté d'habitants* indépendante.

Les *Gaudois* tiraient leurs principales ressources de l'agriculture : blé, oliviers, figuiers, vignes (jadis, le vin de La Gaude était réputé). Ils exploitaient également le chanvre sur les Canebiers. Plus récemment, ils se mirent à cultiver les orangers, la rose et l'œillet. L'implantation du **pôle informatique IBM** (en 1960) fut à l'origine du développement démographique de la commune. De **1962** à **1990**, la population est passée de *1.071* habitants à *5.127*, et à plus de *6.000* actuellement.

À voir

Village bâti sur une crête dominant la Cagne. Belle vue sur la vallée et les collines environnantes.

* **Sarcophage romain** (260 après J.-C.). Sur la *Via Aurelia* (route de Cagnes).

* **Église paroissiale Sainte-Victoire** (1629). Petite nef et clocher traditionnel décalé vers l'entrée.

* **Moulin à huile** (XIXe). *Les* ***moulins à huile*** *ont une mécanique plus lourde que ceux* ***à grains****. En effet, le broyage des olives nécessite l'emploi de* ***meules*** *pouvant peser jusqu'à* ***deux tonnes****. En général, ils utilisent la* ***force de l'eau****. Lorsque l'eau était insuffisante, comme à La Gaude, on avait recours à la* ***force d'un animal****. C'est de là que viennent les expressions : « **moulin à sang** » et « **moulin à eau** ».*

* **Chapelle Saint-Ange**, située au cœur du village. Elle a été restaurée par deux artistes, Alexis Obolensky, peintre et sculpteur, et Alain Peinado, maître verrier. Ils ont apporté à ce lieu douceur, lumière et poésie. Visite gratuite.

* **Eco-Musée vivant de Provence**, *créé par IB Schmedes. Visites guidées présentant des* ***insectes, batraciens*** *et* ***reptiles vivants****, dans leur* ***milieu naturel reconstitué****. « La Coupole »* ***04 93 24 97 47****.*

* **Croix de sainte Appolonie** (1895). À l'emplacement de l'ancienne chapelle paroissiale détruite en 1880. Elle est située sur la *Via Aurelia*.

* **Fontaine** (1903), place des Victoires. Elle fut érigée à l'époque où le village bénéficia de l'adduction d'eau.

* **Cimetière** du Mont-Gros.

* **Centre de recherches informatiques IBM** (1960). Réalisé par les architectes Brener et Laugier. Ce centre de réputation internationale s'est spécialisé dans la télécommunication.

Quelques bonnes adresses

AUBERGE DU MARRONNIER *Plat du jour Salades Sandwichs* 4, place du Marronnier 04 93 24 40 27

Restaurant Pizzeria LA GAUDRIOLE *Pâtes fraîches maison* 6, rue Centrale 04 93 24 88 88

Hôtel* Restaurant LES TROIS MOUSQUETAIRES 221, route de Saint-Laurent 04 93 24 40 60
www.les3mousquetaires.fr

La GAUDE *village fleuri*

06830 GILETTE Plan: C 4

Population : Insee 1999 **= 1.254** h. en 1901 = **664 h.** variation **+ 88,86%** (**1.260** en 2005)
Rang de la commune par rapport au nombre d'habitants au niveau dépt : **67 -** au niveau national: **6.990**
Les habitants sont les **Gilettois**
Superficie : 1.018 ha - **Altitude** : 108 / 459 / 808 m - **Canton : Roquesteron** - **Arrondt** : Nice
Distance de Nice : à vol d'oiseau = 18 km - par la route = 35 km - **Longitude** = 7,17° - **Latitude** = 43,85 °
Accès : RN 202 - D 2209 - D 17 - **Desserte** : TAM 720 - 721
Fête patronale en mai et en août - **Église** : N.-D.- de-l'Assomption - **Paroisse** : N.-D.- de-Miséricorde
N° téléphone de la MAIRIE : 04.93.08.57.19 - **OFFICE du TOURISME** : 04.92.08.98.08

Origine du nom

Il vient peut-être d'*Ægidius* (ermite provençal du VIIIe siècle), un nom dérivant du grec *aigidion* (petite chèvre). Toutefois, **Gilette** semble plutôt tiré de la racine pré-indo-européenne *gel* (sommet dominant), à valeur oronymique. Cela correspond à sa situation géographique : sur un éperon rocheux surplombant le confluent de deux cours d'eau. Formes anciennes : *Willelmus Gileta* (cart. de Saint-Pons, 1028), *Cella S. Petri de Gelata* / *Gelata* (cart. Saint-Victor, 1079 / 1135), *Ponza de Gileta* (cart. de la cathédrale de Nice,1150), *Fulco de Gileta* (1199), *Fulconis de Gileta* (1227), *R. de Gileta* (*in castro Revesteri*, enquête de Charles Ier, 1252).

Histoire

De nombreux vestiges datant de l'**âge du bronze** (enceinte fortifiée, tombes, traces d'habitats) témoignent de la présence des *Ligures* (tribu des *Gallites*). Le territoire de **Gilette** est ensuite investi par les *Romains* qui en font, comme à **Bonson**, un poste de surveillance (ruines de Colle Belle), et qui construisent un axe routier secondaire entre *Cemenelum* (Cimiez) et *Podium Tinearum (*Puget-Théniers). Cette *voie romaine* traversait l'Estéron par un gué situé entre **Le Broc** et **Gilette**. Vers l'**an 500**, le village primitif occupe un site ligure à Lou-Chier. D'abord attaqué par les *Lombards*, il est définitivement abandonné à la suite des raids incessants des *Sarrasins*. Entre les **VIe** et **VIIe** siècles, le village est reconstruit sur son emplacement actuel. *Gileta* est mentionné pour la première fois en **1028**, dans le cartulaire de Saint-Pons et de nouveau en **1079**, en tant que prieuré bénédictin relevant de l'abbaye Saint-Victor de Marseille. Le fief appartenait alors à la famille des Thorame-Castellane. Le château est édifié dans le courant du **XIIe** siècle par le comte de Provence Alphonse Ier. Entre les **XIIIe** et **XVe** siècles, la seigneurie relève successivement des Glandèves, Bras, Ranuffi et Berre. La position presque inaccessible de cette *sentinelle du Var* en fait une place forte très convoitée. Au début du **XVIe** siècle, elle a pour feudataire Honoré Laugier, seigneur des **Ferres**. Entre **1536** et **1544**, elle est occupée par les Français, puis est inféodée aux Orsiero et aux Caïs. Le 25 juillet 1635, **Gilette** est érigé en comté. Entre **1742** et **1748**, le village est investi alternativement par les troupes austro-sardes et françaises. En **1792**, les révolutionnaires français l'occupent de nouveau. Le **18 octobre 1793**, en prenant la forteresse, *Dugommier* remporte une victoire inattendue sur les Austro-Sardes (la fameuse *bataille de Gilette**). Elle fut suivie de la prise de Saorge par *Masséna*. Le comté de Nice ne tarde pas à être totalement annnexé par la France. Il va être français jusqu'en **1814**. Après la chute de l'Empire, **Gilette** réintègre le royaume de Sardaigne jusqu'à son vote unanime en faveur du rattachement à la France, en **1860** (*électeurs* : 230, *votants* : 230, *oui* : 230). *À* ***Gilette****, la culture des oliviers est attestée dans les statuts de 1467. Sous l'****Ancien***

***Régime**, elle représentait, avec le blé et la vigne, un élément de base de la vie économique.* **Culture et loisirs**, les manifestations sont nombreuses : **fête patronale de la Saint-Pancrace** (thème : *Olivier*) le 21 mai ; **Fête-Dieu** (journée *Patrimoine du Pays, Procession aux limaces*) le 18 juin ; **fête patronale** les 14 et 15 août ; **fête des Châtaignes** le 11 novembre. Exposition permanente de **peinture et de sculpture**, nombreux **concerts**...

**** Bataille de Gilette.** Au **soir du 18 octobre, Dugommier** est au Broc, avec 500 soldats. Malgré les 600 mètres de dénivelé pour descendre de cette position et presque autant pour remonter à l'Aiguille, il décide d'attaquer de nuit. Après une marche qui va durer près de sept heures, au petit matin, il surprend le général De Wins. Les Français capturent de nombreux soldats autrichiens et mettent les autres en déroute. Les Austro-Sardes sont pris de panique et s'enfuient, ainsi que leurs chefs. Grâce à cette manœuvre hardie, les troupes révolutionnaires récupèrent l'Estéron, l'ennemi ne conservant que les avant-postes de Clans et de Marie. Ensuite, les événements vont s'enchaîner très vite. À la fin du mois de **février 1794, Bonaparte**, qui vient d'être nommé général de brigade et commandant de l'artillerie de l'armée d'Italie, arrive à Nice. Moins de deux mois plus tard, la forteresse de **Saorge** est prise par **Masséna**, selon les plans élaborés par Bonaparte. Lors du traité de Paris du 15 mai 1796, le roi de Piémont-Sardaigne renonce au comté de Nice.*

À voir

*Village ancien possédant des maisons à étages avec loggias, des voûtes et des rues en escaliers. Nombreuses portes surmontées de linteaux en pierre. Gilette est bâti sur un éperon rocheux surplombant le confluent du Var et de l'Estéron. **Du site du château, superbe panorama sur la vallée du Var, la confluence des deux cours d'eau, les Préalpes de Nice**.*

* **Vestiges du château de l'Aiguille** (XIIe-XIIIe). Ne subsistent que le chemin de ronde et une arche (IMH 1933). Ce site domine l'Estéron de 300 mètres.

* **Cascade du Lati, grotte de la Salpêtrière** et **gorges** encaissées **de l'Estéron**.

* **Pont naturel de la Cerise**, au vallon des Roubines. Quelques scènes du film de Philippe de Broca, *Le Bossu* (1997), furent tournées ici.

* **Ancien sentier de la contrebande du sel avant 1860** (à proximité du pont).

* **Église paroissiale Saint-Pierre-et-de-l'Assomption**. Une église primitive, sous le vocable de ce saint, est mentionnée en 1079 dans une bulle du pape Grégoire VII. Celle-ci, qui est de style baroque, date du XVIIe. Elle a un clocher pyramidal à tuiles vernissées rouges et jaunes. Elle abrite des *fonts baptismaux* (1753) surmontés d'une croix de Malte, un *bénitier* (1757), une *chaire* en noyer et une huile sur toile (1640), *L'Assomption de la Vierge*, de Jacques Viany.

* **Chapelle Saint-Pancrace**, des Pénitents-Blancs. * **Croix de mission**, à proximité de la chapelle.

* **Linteau** (1764), rue de la Parra. *Les **linteaux** portent fréquemment la **date** de construction, le sigle **I.H.S.***, les **initiales** du propriétaire, parfois la marque du **métier** qu'il exerce, ainsi que les **armes de Savoie**.*

** Il s'agit du monogramme du Christ, ou chrisme. **I.H.S.** signifie «Iesus, Hominum, Salvator» c'est-à-dire «Jésus sauveur des hommes».*

* **Pigeonnier** (XVIIIe). Pré du Seigneur. Il servit de poste d'observation lors de la *bataille de Gilette*.

* **Moulin à huile** (XIXe). Sur sa façade, il comporte l'enseigne : *Moulin coopératif*. En 1980, la production était de 40 tonnes pour 8.000 litres d'huile. ***Coopérative oléicole** (olives, huile et pâte d'olive) 04 93 08 56 35*

*** Musée « Lou Ferouil »**, 3250, route de Gilette. *Cet établissement s'articule autour de **4 métiers** dont les ateliers ont été recréés avec des outils et des objets d'antan : **forge, cave, mécanique et menuiserie**. Visites guidées. Sur rendez-vous, téléphoner au **04 92 08 96 04** ou bien au **06 80 45 12 08** (Pierre-Guy Martelly).*

*** Nombreuses randonnées pédestres au départ du village :** *La Clave-Pont de l'Estéron-La Rouirane (3h 15) ; Chemin des Fuonts (2h 30) ; Tour du mont-Lion (6h).*

Quelques bonnes adresses

Restaurant DES CHASSEURS Bar Tabac *Spécialités régionales faites par la patronne* Tél. 04 93 08 57 21

VILLAGE VACANCES / VILLAGE CLUB Domaine de l'Olivaie 3965, route de Gilette Tél. 04 93 08 57 33

06500 GORBIO Plan: D 4

Population : Insee 1999 **= 1.154** h. en 1901 = **629** h. variation **+ 83,47%** (**1.162** en 2005)
Rang de la commune par rapport au nombre d'habitants au niveau dépt : **70 -** au niveau national: **7.452**
Les habitants sont les **Gorbarins**
Superficie : 702 ha - **Altitude** : 77 / 360 / 928 m - **Canton : Menton** - **Arrondt** : Nice
Distance de Nice : à vol d'oiseau = 19 km - par la route = 30 km - **Longitude** = 7,45° **- Latitude** = 43,78 °
Accès : A 8 ou N 7 (Moyenne Corniche) - D 51 -D 2564 -D 50 - **Desserte** : TAM 901
Fête patronale : 24 août - **Église** : Saint-Barthélemy - **Paroisse** : Notre-Dame-des-Rencontres
N° téléphone de la MAIRIE : 04.92.10.66.50

Origine du nom

Racines pré-indo-européennes *car, gar* (rocher, hauteur) ainsi que *var* et *jar*, avec leurs variantes *cor, gor, cra, cre gra, gre*, dont est dérivée la base celtique *gol* ou *gor* (site perché, plateau) latinisée en *golbium*.

Formes anciennes : *Golbi* (1157), *castrum Corbii* (1177), *in Golbi* (1185), *castrum Golbi* (1200), *in valle Gorb* (1254), *in castro Gorbii* (1257), *de Gorbio / in castro Gorbi* (1301), *castri de Golbio* (1346), *de Gorbio* (1516)

Histoire

D'après la légende, ce village aurait été créé par l'apôtre saint Barnabé. Au début de l'**an mille**, **Gorbio** es mentionné pour la première fois dans une charte déterminant les limites du comté de Vintimille. En **1146**, le comt Obert de Vintimille rend l'hommage féodal à la République de Gênes. En **1157**, son fils Guido Guerra se soum au même rituel. Le *castrum Golbi* va rester sous la suzeraineté des *Génois* pendant plus d'un siècle. En **1258**, l comte Guillaume III de Vintimille (dit Guillaumin) cède au comte de Provence ses terres du Val de Lantosque e celles ayant appartenu à son père, dont les *castra* de Sainte-Agnès, **Gorbio**, Tende, La Brigue, Castellar e Castillon. Il reçoit en échange 1.000 *livres tournois** ainsi qu'une terre en Provence (il devient ainsi seigneur d Puget). Cette cession n'est pas acceptée par ses frères, les comtes Pierre-Balbe et Guillaume-Pierre, qui entrent e rébellion contre les Provençaux. En **1285**, le comte de Provence redonne l'investiture de certains fiefs, dor **Gorbio**, à des descendants des Vintimille (les fils de Guillaume-Pierre et d'Eudoxie Lascaris, ainsi que celui d comte Guillaumin). Lors de la ***dédition de 1388***, **Gorbio** passe sous la haute autorité de la Savoie. Les Lascari vont conserver leurs fiefs jusqu'à la fin de l'Ancien Régime. Toutefois, à partir de **1522**, par vente ou par héritage ils cèdent certains de leurs droits à diverses familles. Ces coseigneurs étaient les Fabri, Gabiani, De Fera Raimondi, Isnardi, De Gubernatis et Corvesi. En **1746-1747**, lors de la guerre de Succession d'Autriche, d violents combats ont lieu dans le village. De **1792** à **1814**, il est, comme toute la région, englobé dans le territoir de la République française. Lors du plébiscite de **1860**, il y eut 59 *oui* et 26 *non*. *Dans tout le comté, c'est* ***Gorbio****, Castellar et Menton qu'il y a eu le plus* ***fort taux*** *de* ***votes négatifs****.*

** la monnaie* ***tournois*** *(livre ou denier) était frappée à* ***Tours****. Ultérieurement, elle devint monnaie royale. Cell qui était frappée à* ***Paris*** *et qui valait un quart de plus que celle de Tours, était la monnaie* ***parisis****.*

À voir

Vieux village perché, dans un site rocheux, au pied de la cîme de Gariglian. De plan ovale, il possède des maison à portiques, reliées par des passages sous voûtes et des ruelles pavées de galets (calades).

* **Église paroissiale Saint-Barthélemy** (1683). De style baroque. Clocher carré à tuiles vernissées. Elle abrit deux huiles sur toile du XVIIe siècle, *La Trinité*, et *Sainte Thérèse d'Avila, saint Barthélémy et saint Jea Baptiste*, un *bénitier* (XIXe) en marbre noir, avec une croix pattée, un *maître-autel* avec une huile sur toile, *sair Barthélemy.*

* **Chapelle des Pénitents-Blancs** (1445). Elle abrite une huile sur toile (XVIIe), *Déposition de la Croix*, une *bannière* en tissu brodé, un *Christ en croix* (XIXe) en bois polychrome, et une *lanterne de procession*, en bois doré, de style vénitien. Ces trois dernières pièces sont utilisées lors des processions.
* **Chapelle Saint-Lazare** (XIIe). Construite après une épidémie de *peste* (ou une recrudescence des cas de *lèpre*). Elle possède une *fresque* murale (XIIe), représentant *saint Pierre*.
* **Chapelle Saint-Roch** (XVIIe) située à proximité du cimetière. Elle est à nef unique.
* **Orme géant**, place de la République. Planté en **1713**. Son diamètre atteint 5,60 mètres.
* **Four à pain** municipal
* **Vestiges du château des Lascaris-Vintimille** (XIIIe). Ne subsistent que la tour de défense, un pan de mur avec des fenêtres géminées.
* **Château des comtes Alziari de Malaussène** (XIXe). Les Alziari étaient liés aux Corvesi qui, à la fin du XVIIIe siècle, étaient coseigneurs de Gorbio.
* **Ancien moulin à huile**. Il n'est plus en activité mais il renferme des meules, pressoirs et réserves du XIXe siècle. L'eau étant abondante, les nombreux moulins de cette vallée étaient actionnés par la *force hydraulique*.
* **Fontaines** (1882 et 1902). Toutes deux offertes par les comtes de Malaussène.
* **Sanatorium de Gorbio** (1898). Réalisé par Abel Gléna, un célèbre architecte mentonnais (de grands hôtels dont le Riviera Palace, l'hôpital Bariquand Alphand, le sanatorium d' Hyères, des villas et des lotissements). La fresque qui recouvre le plafond du hall a été peinte par Cerutti-Maori, un collaborateur et ami de l'architecte.
* **Ruines du village d'Ongran**, situées route de Peille.

06620 GOURDON Plan: B 4

Hameaux : **PONT-DU-LOUP**
Population : Insee 1999 = **379** h. en 1901 = **268** h. variation **+ 41,42%** (**384** en 2005)
Rang de la commune par rapport au nombre d'habitants au niveau départemental: **99**
Les habitants sont les **Gourdonnais**
Superficie : 2.253 ha - **Altitude** : 157 / 760 / 1335 m - **Canton : Le Bar-sur-Loup** - **Arrondt** : Grasse
Distance de Nice : à vol d'oiseau = 22 km - par la route = 31 km - **Longitude** = 6,98° - **Latitude** = 43,72°
Accès : A 8 - D 2D - D 2 - D 2085 - D 2210 - D 3 et GR 51 - **Desserte** : Envibus 12 - 12bis
Fête patronale : dernier dimanche de juillet - **Église** : Saint-Vincent - **Paroisse** : Saint-Antoine-de-Padoue
N° Tél. de la MAIRIE : 04.93.42.54.83 **OFFICE du TOURISME** : 04.93.09.68.25
www.gourdon-france.com

Origine du nom

La base celtique *gord* (montagne) est dérivée du pré-indo-européen *car, gar, var* (hauteur, rocher). **Gourdon** existe en Ardèche, en Corrèze, dans le Lot et le Var. Autres toponymes proches : le hameau de **Gordolon** (Vésubie) et la **Gordolasque**. Formes anciennes : *Petrus de Gordone* (cart. de Lérins, 1035), *Guillelmus de Guordo* (cart. de Lérins, 1110), *homines de Gordono* (1245).

Histoire

Des vestiges d'*oppida* et de routes, à la Colle Basse et à la Combe, témoignent de la présence des *Romains*. Du **VIIIe** au **Xe** siècle, les *Sarrasins** occupent le site. Ce sont eux qui, au **IXe** siècle, *auraient bâti* une forteresse, perchée en nid d'aigle à l'extrémité d'un éperon rocheux. Lorsque les comtes de Provence s'en emparent, ils édifient le château sur les soubassements de cette place forte. Le *castrum de Gordone* est cité pour la première fois en **1035**. En **1235**, le fief de **Gourdon** est cédé aux Grasse-Bar puis il passe, par mariage, aux Villeneuve-Flayosc. En **1469**, Louis de Villeneuve reçoit l'hommage vassalique des habitants du village, et en **1495**, il est confirmé dans ses privilèges par son suzerain provençal. À partir de **1550**, le territoire est inféodé à la famille Bourillon d'Aspremont ; ce sont ensuite les Lombard qui s'en portent acquéreurs (partiellement en **1597**, de la totalité en **1598**). En **1610**, cette famille, qui sera anoblie ultérieurement, fait restaurer le château médiéval qui avait été très endommagé ; et en **1653**, François de Lombard fait construire le deuxième étage. Pendant la **Révolution**, Jean-Paul de Lombard ne fut pas inquiété : sa présence et ses idées libérales vont lui permettre de conserver ses biens sans qu'ils soient trop endommagés. En **1820**, au décès du dernier représentant de la famille Lombard, le château passe à un neveu éloigné, le marquis Ferdinand de Villeneuve Bargemont, qui le laisse à l'abandon. En **1918**, une américaine rachète le bâtiment et le fait restaurer. Une très belle collection de meubles, tableaux et objets d'art anciens y est ensuite réunie. Pendant la Seconde Guerre mondiale, **Gourdon** est occupé par les Allemands qui installent un poste d'observation dans le château.

** C'est à partir du **VIIIe siècle** que des pirates musulmans, les **Sarrasins**, soumettent les routes maritimes et les côtes provençales à leurs pillages. Vers la **fin du IXe siècle**, ils établissent des campements dans la presqu'île de Saint-Tropez (au Fraxinet, l'actuelle Garde-Freinet) ainsi qu'à Saint-Jean-Cap-Ferrat (à la pointe Saint-Hospice). Ils organisent des raids dévastateurs à partir de ces bases et envahissent toute la région. Ils atteindront même la Savoie, le Valais et le Piémont. Leurs **razzias incessantes, meurtrières et destructrices,** finissent par provoquer l'**abandon des zones littorales** par les populations et leur repli sur des sites inaccessibles. Contrairement à la légende, de nombreux villages perchés (Gorbio, Èze...) n'ont pas été fortifiés par les **Sarrasins** mais par les populations autochtones, pour s'en protéger. En effet, les bandes de pillards sarrasins n'avaient pas comme projet la conquête d'un territoire pour s'y installer durablement, seules les intéressaient les opérations de brigandage. Les conséquences de leur présence furent catastrophiques avec, entre autres, l'**effondrement démographique**, la **paralysie des échanges commerciaux**, la **dégradation de l'économie locale**, et une **régression** notable de la **civilisation**. Après les dégâts causés par les Grandes Invasions barbares, leurs exactions vont achever de **ruiner l'œuvre des Romains**. Toutefois, en **973**, une **coalition** formée par le comte d'Arles (Guillaume Ier le Libérateur), son frère Roubaud, Ardoin de Suze et les grands féodaux, expulse les Sarrasins. Après cette longue période sombre, **avec la sécurité revenue, la Provence renaît**.*

À voir

*Village médiéval, pittoresque et bien restauré. Perché comme un nid d'aigle sur un éperon rocheux. La place située près de l'église offre un **panorama magnifique**, sur près de 80 km de côtes, de Nice à Théoule. **C'est un point de départ pour les parapentes et deltaplanes, ainsi que pour de nombreuses randonnées**.*

* **Château fort** (IXe-XIIe-XVIIe - IMH 1972). De style provençal, bâtiment de plan carré flanqué de tours rondes. Il abrite une belle collection de portraits. Dans la **chapelle**, de nombreuses peintures sur bois et toiles : *Légende de Sainte-Ursule* (école de Cologne, vers 1500), *triptyque* (Barent Van Orley, XVIe), *Descente de Croix* (Rubens, XVIIe), *Le Repos de la Sainte Famille* et *L'Adoration des Bergers* (XVIIe, Angelo Massarotti), statue de *Saint Sébastien* (Le Greco, 1585-1587). * **Musée historique** : *armes et armures anciennes, mobilier d'époque*.

* **Musée des Arts Décoratifs et de la Modernité.**

* **Jardins en terrasses** d'André Le Nôtre. De la terrasse supérieure, beau panorama.

* **Église paroissiale Saint-Vincent** (XIe - XIIe - restaurée au XVIIe - IMH 1931), de style roman provençal. Elle abritait les tombeaux des seigneurs ainsi que ceux des prieurs. *Bénitier* sculpé de têtes d'anges (Moyen Âge).

* **Chapelle Saint-Vincent** (XIe), Le Thoronnet. Vestige d'un ancien prieuré de l'abbaye de Lérins.

* **Chapelle Sainte-Catherine** (IXe-1985). Elle servit successivement de tour de guet, de remise à charrettes, d'échoppe de tissserand. Finalement, depuis la fin du XXe siècle, une épicerie fine y est installée.

* **Chapelle Saint-Pons** (XIIe), de style roman. Restaurée au XXe siècle.

* **Fontaines**. Place de la Fontaine, de 1852. Route de Caussols, de 1776. Sa cuve est probablement un ancien *sarcophage de templier*.

* **Camps romains**, à la Colle-Basse. Vestiges d'une double enceinte et d'une tour. Gourdon compte six *oppida* et une voie romaine.

06130 # GRASSE **Plan: B 5**

Hameaux : LA LAUVE **MAGAGNOSC** MALBOSC **PLAN-DE-GRASSE** PLASCASSIER ST-ANTOINE **LES ROUMEGONS** ST-FRANCOIS **ST-JACQUES** **ST-ANTOINE** **STE-ANNE**
Population : Insee 1999 **= 43.874** h. en 1901 = **15.429** h. variation **+ 184,36% (44.790** en 2005)
Rang de la commune par rapport au nombre d'habitants au niveau départemental: **5 -** au niveau national: **129**
Les habitants sont les **Grassois**
Superficie : 4.444 ha - **Altitude** : 80 / 333 / 1061 m - **Canton : Grasse** - **Arrondt** : Grasse
Distance de Nice : à vol d'oiseau = 27 km - par la route = 35 km - **Longitude =** 6,92° - **Latitude** = 43,67°
Accès : A 8 - D 2085 - **Desserte** : TAM 500 - 511(et Magagnosc) - 600 et 610 (par Cannes) - Phocéens 800
Exposition internationale de roses en mai - Fête du Jasmin en août
Églises : Grasse Cathédrale N.-D.-de-l'Assomption - Le Plan : Ste-Hélène - Magagnosc : St-Laurent St-Jacques : N.-D.-des-Chênes - Plascassier : St-Pancrace - **Paroisses** : St-Honorat pour Grasse et St-Jacques - N.-D.- des-Fleurs pour Le Plan - St-Pierre-du-Brusc pour Magagnosc
N° Tél. de la MAIRIE : 04.97.05.50.00 - **OFFICE du TOURISME** : 04.93.36.66.66 / 04.93.36.21.07

Origine du nom

Il ne viendrait pas de l'expression latine *terra crassa* ou *crassus ager* (terre grasse, fertile) mais plutôt du nom d'un grand propriétaire terrien, *Grassus*. Peut-être est-il simplement dérivé de *Podium Grassum* (le Grand Puy), un énorme rocher de tuf sur lequel s'est développé l'habitat primitif. Formes anciennes : *in territorio Grasse* (cart. de Lérins, 1025-1050), *Guillelmus de Grassa* (cart. de Saint-Victor, 1040), *apud Grassam* (1166), *monsenhor l'evesque de Grassa* (1391), *scricha a Grassa* (1455), *cieutat de Grassa* (1502).

Histoire :

Pendant la **paix romaine**, l'habitat était dispersé dans des *villae** occupant la plaine fertile, mais lorsque commencent les *invasions barbares* et les raids *sarrasins*, les habitants se regroupent sur le site défensif du *Grand Puy*. C'est sur ce promontoire rocheux que s'élèvent les premières habitations, la cathédrale et les tours. Le *castrum* de **Grasse** apparaît dans les textes au **XIe** siècle, et il porte peut-être le nom de la grande famille féodale qui l'a fondé. En **1138**, la cité s'érige en *commune libre* dirigée par des *consuls*. Chaque année, l'assemblée générale des citoyens élit quatre consuls (voir Peille et Utelle). À partir de **1171**, elle entretient des relations commerciales étroites avec les républiques de **Pise** et de **Gênes**. Elle leur expédie, via le port de **Cannes**, des peaux tannées, du savon et de l'huile en échange de peaux fraîches et d'armes. Grâce au commerce, aux entreprises de tannage et à l'élevage, **Grasse** devient très prospère. Sa position géographique stratégique et sa richesse attisent la convoitise du comte de Provence qui s'empare de la ville en **1227**. Toutefois, il laisse aux Grassois une certaine autonomie ainsi que leurs *libertés et privilèges* (Voir Entraunes et Utelle). En 1244, l'évêché quitte Antibes pour Grasse où il demeure jusqu'en 1798. Le ralliement de **Nice** à la maison de Savoie (**1388**) fait de **Grasse** la capitale de la Provence orientale. Lorsqu'en **1482**, le comté de Provence est réuni au royaume de France, la cité devient partie intégrante du domaine de la Couronne (ses privilèges sont confirmés par Louis XI). Son activité économique s'oriente alors vers la France. Le **XVIe** siècle lui apporte son lot de calamités (en **1536**, elle est envahie par les Impériaux, pillée et partiellement incendiée) mais à partir de **1600**, la ville redevient très active économiquement grâce à ses tanneries, savonneries, filatures et huileries. Toutefois, au début du **XVIe** siècle, afin de s'adapter à la mode italienne des *cuirs parfumés* (gants, gilets, ceintures, pourpoints, souliers), les Grassois se mettent à la culture des fleurs : rose, jasmin, œillet, tubéreuses... qui fournissent les matières premières odorantes. Au **XVIIe siècle**, le titre de *maître gantier parfumeur* est créé par le roi : c'est la **naissance de la parfumerie grassoise**. Au cours du **siècle suivant**, le déclin de la tannerie est compensé par le développement rapide de la production de parfums (l'art du *flaconnage* fait son apparition). Au **XIXe** siècle, les Grassois abandonnent aux parfumeurs parisiens la composition et la commercialisation des parfums pour se spécialiser dans la production de matières premières naturelles, passant ainsi de l'artisanat à l'industrie. Après la **Seconde Guerre mondiale**, les entreprises grassoises développent la fabrication d'arômes alimentaires et de produits semi-finis. Actuellement, de grands groupes internationaux contrôlent cette industrie, et la ville reste un des quatre principaux centres mondiaux de la parfumerie moderne.

** À l'époque romaine, le terme **villa** (pluriel **villae**) désignait de **vastes domaines agricoles**. Ces exploitations appartenaient à des **notables** ou aux membres d'une même famille. Ces **associations** ou **communautés familiales** avaient un fondement économique (elles pouvaient ainsi exploiter les terres en commun). Cette **pratique communautaire** était très courante au Moyen Âge et avait cours dans de nombreux secteurs d'activité (artisanat, commerce...).*

À voir

Ville classée station climatique en 1922. Construite en arc de cercle autour de son centre médiéval. Belle urbanisation provençale, très bien conservée : maisons anciennes, porches, passages voûtés, places à arcades et fontaines.

* **Vieille ville** : *tour de l'Horloge* (XIIe), *hôtel de ville* dans l'*ancien palais épiscopal* (XIIIe), *chapelle épiscopale* (XIIIe-XIVe), *ancienne chapelle Saint-Michel* (XVIIe).

* **Place aux Aires** (fin XIVe). Elle doit son nom aux emplacements qui étaient réservés aux laveurs de blé. La *fontaine* date de 1821, la vasque inférieure servait d'abreuvoir pour les chevaux.

* **Cours Honoré-Cresp** : *Beau panorama*. La fontaine date du Directoire.

* **Villa-musée Jean-Honoré Fragonard** *(fin XVIIe). Cette bastide provençale abrita des familles de notables (les de Rogon, Villeneuve-Esclapon, Durand de Sartoux, Alexandre Maubert). **Jean-Honoré Fragonard** y vécut en 1790-1791. Ce **peintre** et **graveur** français est né à **Grasse en 1732**, et mort à Paris en **1806**. Il peignit des **scènes galantes, des scènes de genre et des portraits**. Son **fils Evariste** était un peintre de «**style troubadour**». Lorsqu'en 1977, la municipalité s'est portée acquéreur de cette demeure, elle aménagea des salles pour exposer des œuvres de J.-H. Fragonard et des peintres de sa famille.*

* **Musée international de la Parfumerie** (XIXe) 1, place du Cours.

* **Musée de la Marine** (1982).

* **Musée d'Art et d'Histoire de Provence** (1770-1774).

* **Le Pontevès-Amic**. D'août 1793 à septembre 1795, cette demeure a été le siège du Directoire du département du Var. Elle est vendue à la famille Amic en 1802. La princesse Pauline Borghese y séjourna en 1811.

* **Cathédrale Notre-Dame-du-Puy** (XIIe - XIIIe - CMH 1920). Art roman alpin avec des éléments lombards. Façade typiquement italienne. Clocher roman. *Porte en noyer* (1721), *crypte* (XIIe-XIIIe-XVIIIe), *coffre* dit *châsse de saint Honorat* ((XVe), *retable de saint Honorat* (attribué à Ludovic Brea, fin XVe), *Le Couronnement d'épines* (Rubens, 1602), *Le Lavement des pieds* (Jean-Honoré Fragonard, 1754).

* **Archives et bibliothèque municipale** : nombreux parchemins et documents très anciens.

* **Église de l'Oratoire**. Portail du XIVe siècle.

* **Maison Tournaire** (XIXe - CMH 1932). Façade médiévale plaquée sur un édifice du XVIIe siècle.

* **Monument à J.H. Fragonard**, en marbre blanc. Sculpté en 1906 par A. Maillard.

* **Ancien atelier des produits naturels**. Construit par *Léon Chiris*, il servait à l'extraction des huiles essentielles végétales. Cette usine, fermée en 1982, a été transformée en salle municipale polyvalente. Léon Chiris (1839-1900) fut conseiller général, député, sénateur. Il était issu d'une grande famille de parfumeurs depuis le XVIIIe siècle. * **Les différentes parfumeries** de la ville.

MAGAGNOSC (Cne Grasse) 06520 Plan : B 5

Altitude : **400 m**

Distance de Nice : à vol d'oiseau = 23 km - par la route = 33 km - **Longitude** = 6,97 ° - **latitude** = 43,68°

Accès : A 8 - D 2085 - **Desserte** : TAM 511

Fête patronale : 24 décembre - **Église** : Saint-Laurent - **Paroisse** : Saint-Pierre-du-Brusc

N° téléphone de la MAIRIE Annexe : 04.93.42.75.65 - **OFFICE du TOURISME (Grasse)** : 04.93.36.66.66

Cette ancienne **communauté médiévale**, dont l'appellation vient du nom romain *Magnus*, est située à l'est de Grasse, sur un coteau ensoleillé, à 400 m d'altitude. Le village, constitué de maisons anciennes et de ruelles en pente, est entouré d'oliviers, de cultures maraîchères et horticoles. **Beau panorama**.

* **Chapelle Saint-Laurent** (XVIIe - IMH 1968). En 1449, après une épidémie de peste, le village devient un *lieu inhabité*, et le prieuré est relevé. Le clocher et le porche de cette chapelle, qui fut restaurée en 1808, proviennent de l'édifice d'origine, lui-même bâti sur une église médiévale. Son campanile date de 1155.

* **Chapelle Saint-Michel-des-Pénitents-Blancs** (XVIe) * **Chapelle Saint-Antoine-des-Roumégons** (XIVe)

06620 GRÉOLIÈRES Plan: B 4

Hameaux : GRÉOLIÈRES-LES-NEIGES SAINT-PONS
Population : Insee 1999 = **455** h. en 1901 = **466** h. variation **- 2,36%**
Rang de la commune par rapport au nombre d'habitants au niveau départemental: **94**
Les habitants sont les **Gréolois**
Superficie : 5.267 ha - **Altitude** : 492 / 810 / 1778 m- **Canton : Grasse sud-Coursegoules** - **Arrondt** : Grasse
Distance de Nice : à vol d'oiseau = 27 km - par la route = 58 km - **Longitude** = 6,95° - **Latitude** = 43,80°
Accès : A 8 - D 2085 - D 3 et GR 4 - **Desserte** : Réserv: TAD 0 800 06 01 06
Fête patronale : 15 août - **Église** : Notre-Dame-de-l'Assomption - **Paroisse** : Saint-Antoine-de-Padoue
N° téléphone de la MAIRIE : 04.93.59.95.16 - **OFFICE du TOURISME** : 04.93.59.97.94

Origine du nom

Il serait dérivé du latin *graculus* (choucas). Au IVe siècle apparaît *gracula*, forme féminine de *graculus* (corneille). La forme contractée, *graulus*, est plus tardive. En langue d'oc : *agraulo* (freux), *graulo* (corneille, corbeau, grue), *graulou* (choucas), *graule* (geai). Formes anciennes : *vineam unam in Graulieras* (cart. de Saint-Victor, 1033), *carta de Graulieras* (idem, 1047), *castrum de Grauleriis* (vers 1200), *dominos locorum de Graoleriis* (cart. de Saint-Pons et de la cathédrale de Nice, 1343).

Histoire

L'occupation de ce territoire, au **néolithique**, est attestée par de nombreux vestiges : tombes, abris sous roche ainsi que des squelettes (*abri Martin*). Les *Celto-Ligures* et les *Romains* nous ont également laissé des traces de leur présence (*castellaras*, bornes milliaires, voies dallées). La *Via Ventiana*, qui reliait Vence à Castellane, passait par **Gréolières**. Au **IXe** siècle, la population se regroupe sur le site protohistorique de *Majone* pour échapper aux raids des *Sarrasins*. Au **XIe** siècle, les vicomtes de Nice y font construire un château fort et une église. En **1047**, cette dernière est confiée à l'abbaye Saint-Victor de Marseille, dont elle va dépendre jusqu'à la Révolution. La première mention écrite de l'ancienne place forte de *Graulieras* date de **1033** (Coursegoules et Bézaudun en dépendaient également) mais à la fin du **XIe** siècle, elle est abandonnée pour **Basses Gréolières** . La population se regroupe alors autour du château et de l'église Saint-Pierre. Vers **1230**, le comte de Provence s'empare du château fort de **Basses Gréolières** et fait construire celui de **Hautes Gréolières**. En **1235**, il cède **Basses Gréolières** à Romée de

Villeneuve et, au début du **XIVe** siècle, **Hautes Gréolières** aux Agoult. En **1385** et en **1590**, le territoire est dévasté par les troupes du duc de Savoie (et de nouveau en **1747** par les Austro-Sardes). Bien qu'inféodées à des branches cousines de la famille des Villeneuve, les deux seigneuries ne sont réunies qu'en **1518**. Les Villeneuve-Vence vont conserver ce fief jusqu'à la **Révolution**. Le village de **Hautes Gréolières**, situé sur les terres arides du massif du Cheiron va péricliter puis disparaître (**XIXe**) et le château est laissé à l'abandon. Par contre, **Basses Gréolières** va se développer hors de ses remparts, et son château sera régulièrement restauré jusqu'au **XVIIIe** siècle. Grâce à la création, en **1963**, de **Gréolières-les-Neiges**, la commune connaît un nouvel essor économique.

À voir

C'est un village perché, en bordure de terrasse, au pied des barres du Cheiron. Il comprend deux quartiers : Basses Gréolières et Hautes Gréolières qui est l' ancien village médiéval.

* **Église paroissiale Saint-Pierre** (XIIe - IMH 1984), Basses Gréolières. De style roman. Clocher latéral (XVIe) avec un campanile. Elle abrite des *retables : saint Etienne* (1480), *Vierge du Rosaire et Mystères* (1614) et sur le maître-autel, une *huile sur toile* (XVIIe).

* **Ancienne église Saint-Étienne**, Hautes Gréolières (1235 - CMH 1983). Romane, avec un double clocher latéral. Elle fut l'église paroissiale jusqu'en 1787.

* **Chapelle Saint-Barnabé**.

* **Oppidum de Taurigna**. Époque celto-ligure.

* **Oppidum de Majone**. Époque celto-ligure. Il fut habité en permanence jusqu'au XIe siècle. Les comtes de Provence y firent construire un château fort et une église.

* **Borne milliaire** (an 213 - IMH 1935), sur la *Via Ventiana* qui fut ouverte en 175, sous Marc Aurèle.

* **Chapelle Notre-Dame-de-Verdelaye** (Xe), quartier Notre-Dame-de-Vie. C'était une possession de l'abbaye Saint-Victor de Marseille qui va la conserver jusqu'à la Révolution. Il ne subsiste que l'enceinte polygonale.

* **Vestiges du château de Basses Gréolières** (XIIe - IMH 1976). Bâti par les vicomtes de Nice. Le comte de Provence s'en empare vers 1230 et il le cède à Romée de Villeneuve en 1235. Il a été plusieurs fois partiellement détruit puis remanié. Les barons de Vence (les Villeneuve) le conservèrent jusqu'à la Révolution.

* **Vestiges du château de Hautes Gréolières**. Construit vers 1230 par le comte de Provence. Il appartient aux d'Agoult, puis aux Villeneuve. Vers 1570, les Villeneuve l'abandonnent pour celui de Basses Gréolières.

* **Fontaine**, place de la Barricade. * **Abreuvoir à trois bacs**, Chemin Saint-Barnabé. Tous deux étaient alimentés grâce au captage de l'eau de la source de Font Rougière.

* **Lavoir** (XIXe). Remanié en 1973 : la *Maison pour tous* est construite au-dessus.

* **Porte** (XIVe), rue de la Loge. C'était probablement une des portes d'accès du village.

* **Enseigne de tailleur** (1523), rue Grande. Une paire de ciseaux est sculptée dans le linteau.

* **Route D2.** *Très belles **perspectives**, avant et après Gréolières, sur la **haute vallée du Loup**.*

* **GRÉOLIÈRES-LES-NEIGES**. Cette **station de sports d'hiver**, située à 1.400 - 1.800 m d'altitude, et à moins d'une heure de route de Cannes et de Nice, est **la plus proche de la Côte d'Azur**.

Elle est aménagée sur 1.000 hectares exposés au sud, sur les pentes du massif du Cheiron (1.777 m). Elle possède 9 remontées mécaniques et un télésiège qui desservent, sur plus de 30 km, des pistes réservées au **ski alpin** : 6 vertes, 3 bleues, 15 rouges et 3 noires. **Gréolières** est la station idéale pour les **randonnées à raquettes**, c'est également le plus important centre de **ski de fond** des Alpes-Maritimes.

Gréolières-les-Neiges

06470 GUILLAUMES **Plan: B 2**

Hameaux : BARELS **BOUCHANIÈRES** LES POINTS **LES POURCHIERS** LA RIBIÈRE **SAINT-BRÈS** VILLEPLANE **VILLETALLE**
Population : Insee 1999 **= 589** h. en 1901 = **1.061** h. variation **- 44,49%** (**593** en 2005)
Rang de la commune par rapport au nombre d'habitants au niveau départemental: **87**
Les habitants sont les **Guillaumois** ou **Guillaumains**
Superficie : 8.702 ha - **Altitude** : 679 / 792 / 2582 m - **Canton : Guillaumes** - **Arrondt** : Nice
Distance de Nice : à vol d'oiseau = 53 km - par la route = 96 km - **Longitude** = 6,85° - **Latitude** = 44,08°
Accès : RN 202 - D 902 - D 2202 - **Desserte** : TAM 790 - 774 via 770
Fête patronale : 15 août - **Églises** : Guillaumes : St-Etienne - Saint-Brés : St-Brice - Bouchanières : St-Roch
Barels : Visitation-Sainte-Elisabeth - Villeplane : Saint-Sauveur - **Paroisse** : Saint-Jean-Baptiste
N° téléphone de la MAIRIE : 04.93.05.50.13 - **OFFICE du TOURISME** : 04.93.05.57.76
courriel : officetourismeguillaumes2@wanadoo.fr

Origine du nom

Les bases germaniques *will* (volonté) + *helm* (casque) sont à l'origine des prénoms **Guillaume** et Guilhem, qui sont également devenus des noms de familles. Le village porte le nom de son fondateur, Guillaume le Libérateur, comte de Provence. Formes anciennes : *Castrum de Guilllelme* (vers 1200), *vallis de Guillermo* (1403), *Guillelmes* (1561,1562).

Histoire

Le territoire possède de nombreux vestiges datant du **néolithique**, et c'est sur le site d'un habitat *gallo-romain* que, vers la fin de l'**an mille**, Guillaume le Libérateur fonde le *castrum* primitif. En **1231**, la cité obtient de son suzerain, Raymond Bérenger V, des privilèges qui en font une *commune libre*. Sa position géographique au confluent de deux cours d'eau favorise son rôle de centre commercial régional et fait d'elle, pendant quatre siècles, la capitale de la haute vallée du Var (elle fut chef-lieu de bailliage puis de viguerie). Quant au château construit vers **1240** il est, quelques années plus tard (**1248**), confisqué par le comte Charles Ier de Provence qui y installe un *castellan** et une garnison. La reine Jeanne va essayer par deux fois d'inféoder la *Communauté* (**1358** et **1380**), sans succès car les *Guillaumois* rachètent leurs droits. En **1388**, la ville (ainsi que *Daluis*, *Sausses* et *Le Castellet*) reste fidèle aux comtes de Provence. De par sa situation d'enclave provençale entourée de villages dépendants de la maison de Savoie, elle devient une importante place forte. En **1450**, le roi René fait reconstruire un château fort sur un site perché défensif. En **1481**, lors de la réunion de la Provence au royaume de France, **Guillaumes** devient français. François Ier lui confirme ses privilèges en **1518** et en fait une *ville royale*. En **1575**, Henri IV y installe une garnison permanente. Le 22 août **1682**, elle est détruite par un incendie. Au début du **XVIIIe** siècle, de nouvelles fortifications sont réalisées par Vauban. Lors des rectifications de frontières effectuées en **1760**, **Guillaumes** est cédé au royaume de Piémont-Sardaigne (afin de faciliter les communications entre le Val d'Entraunes et Puget-Théniers), mais l'article 9 du traité de Turin stipule que le château ainsi que les ouvrages de fortifications doivent être démantelés. Son histoire se confond ensuite avec celle du comté de Nice, auquel il est intégré, jusqu'au **rattachement** de **1860**. *Les limites territoriales de Guillaumes, fixées en **1200**, sont restées les mêmes. Centre d'élevage ovin jadis important, **Guillaumes** est aujourd'hui le centre commercial et touristique de la haute vallée du Var. Chaque année, le 16 septembre et le deuxième samedi d'octobre, s'y tiennent deux des plus importants **marchés aux bestiaux** de Provence.*

** Les **châteaux** appartenant aux comtes de Provence étaient confiés à des **officiers** expérimentés. Ils portaient le titre de **castellan** et prêtaient le serment de garder le château afin qu'il ne soit pas enlevé par des ennemis. Au XIIIe siècle, ils étaient nommés pour un an, mais à partir du XIVe siècle, leurs fonctions deviennent renouvelables et ils les conservent bien souvent jusqu'à leur mort. Cette charge leur était concédée en récompense de services rendus ou pour rembourser une dette. Le **castellan** était assisté par des **sergents** et un **chien**. Tous, **y compris le chien**, percevaient une **indemnité journalière**.*

À voir

Grosse bourgade médiévale, située dans une vallée, au confluent du Var et du Tuebi. Son architecture est de type alpin, avec des ruelles étroites.

* **Vestiges du château de la reine Jeanne** (XVe). Une légende l'attribue à cette reine. La forteresse primitive est édifiée en 1240. Un nouveau château fort est construit vers 1450. En 1699-1700, il est modernisé et fortifié par Vauban, qui fait également élever une enceinte autour du village. Lorsqu'en 1760 Guillaumes est cédé à la Savoie, ces ouvrages sont démantelés.

* **Église paroissiale Saint-Étienne** (XIIIe-restaurée au XVIIIe). Clocher roman lombard à pointes de diamant et baies romanes avec vitraux Art déco (1931) du maître verrier Thomas.

* **Pressoir à raisin** datant du Moyen Âge, situé dans la cave Louis.

* **Préau** (XVIe), sur la placette. Il est encadré de deux colonnes polygonales. La plus large était appelée *Albe prétoire* (du latin *Album pretorium*) car on y affichait des avis et des arrêtés. Le chapiteau sculpté représente une *boucharde* de carrier (marteau à tête carrée découpée en pointes de diamant ; sert à égaliser la surface de la pierre).

* **Sanctuaire Notre-Dame-de-Buyeï** (XVIIe). Ancien prieuré bénédictin remanié et fortifié. Il abrite une *Assomption* de Jean André, une *pietà* de Jean-Julien Genty, ainsi que *l'Intercession de saint Bathélemy* (1682) qui est un des plus grands ex-voto du département (peint à la suite de l'incendie du 24 août 1682).

* **Chapelle Saint-Jacques** (XVIIe). * **Oratoire Notre-Dame** (XIXe). * **Citerne** (XIXe).

* **Musée des Arts et Traditions**. Expositions sur la *vie quotidienne* et l'*ethnologie* dans cette haute vallée.

* **Pont de la Mariée** (1912), quartier des Roberts. Nommé ainsi à la suite de la chute accidentelle, en 1927, d'une jeune femme qui était en voyage de noces. Lors d'une promenade sur ce pont, à la nuit tombée, elle ne s'est pas aperçue qu'un morceau du parapet manquait, et elle est tombée dans le vide.

* **Église Notre-Dame-des-Neiges** (XIXe), Amen. * **Oratoire Saint-Paul** (XIXe), Amen.

* **Route entre Guillaumes et Entrevaux** : ***nombreux et beaux points de vue***.

* **Gorges de Daluis / Clues de Guillaumes.** *La couleur violacée résulte de l'**oxydation du fer** contenu dans les schistes rouges.* * **Tête de femme**, rocher ruiniforme, **« gardienne des gorges »**.

* **Sentier du point sublime** (prix de l'Initiative touristique 2001).

* **Les entrées des anciennes mines de cuivre**, la **clue d'Amen**, le hameau abandonné d'**Amen**.

* **Parc national du Mercantour :** Voir pages 210 et 211.

* **Moulin des Roberts** : moulin à farine.

* **Caves du gouverneur**, où l'on peut découvrir le « **moulin à sang** » (production d'*huile de noix*) et le **Musée agricole.**

Le défilé des Sapeurs

Salle de classe de Guillaumes

06420 # ILONSE **Plan: C 3**

Hameaux : ABELIERA **IROUGNE** **LOU POUS**
Population : Insee 1999 **= 113** h. en 1901 = **308** h. variation **- 63,31%**
Rang de la commune par rapport au nombre d'habitants au niveau départemental: **138**
Les habitants sont les **Ilonsois**
Superficie : 4.059 ha - **Altitude** : 351 / 1 256 / 1992m - **Canton : Saint-Sauveur-sur-Tinée** -**Arrondt** : Nice
Distance de Nice : à vol d'oiseau = 39 km - par la route = 66 km - **Longitude** = 7,10° - **Latitude** = 44,03°
Accès : RN 202 - D 2205 - D 59 - **Desserte** :TAM 740 et 750 à l'embranchement de la route menant au village
Fête patronale : 5 juillet - **Église** : Saint-Michel - **Paroisse** : Notre-Dame-de-la-Tinée
N° téléphone de la MAIRIE : 04.93.02.03.49 Fax 04 93 02 03 49
e-mail mairie-ilonse@wanadoo.fr **www.ville-ilonse.fr**

Origine du nom

Il est probablement issu de la base ligure ou celtibère *ille* (habitat regroupé, agglomération, forteresse habitée, ou encore, hauteur boisée). Formes anciennes : *de Iloncia* (1109, 1148, 1152), *Ilonza* (XIIe), *ecclesia S. Laurentii de Iloncia* (1129), *Bertrandi de Iloncia* (1157), *castrum de Allantia* (vers 1200), *apud Yloncia* (rationnaire de Charles II, 1296), *de Ylonsa* (enquête de Léopard de Fulginet, 1333), *villa Ylonce* (Caïs, 1388).

Histoire

Le territoire est situé sur le trajet d'une voie de communication reliant la Provence au Piémont. De nombreux vestiges attestent qu'il fut occupé par la tribu *ligure* des *Ectini*, puis par les *Romains* qui en font un poste de surveillance. Au **Ve** siècle, les *Wisigoths*, en provenance d'Italie, passent par cette région avant d'envahir l'Espagne (tombe barbare au hameau d'Irougne). *Yloncia* et sa chapelle Saint-Laurent, prieuré des moines de Saint-Pons, sont cités au **XIe** siècle dans le cartulaire de cette abbaye et dans celui de Lérins. À cette époque, le fief appartient à la noble famille des Rostaing, feudataires de la plupart des villages du haut pays niçois. Lors de l'*affouage* de **1315**, *119* feux sont recensés (environ 600 habitants). Au début du **XIIIe** siècle, **Ilonse** passe aux Féraud de Thorame (branche des *Féraud d'Ilonse**) puis à Isnard de Glandèves en **1332**. Astruge et Andaron Grimaldi en font l'acquisition en **1340** (en 1315, la fille unique du baron Guillaume Rostaing de Beuil, avait épousé Andaron, oncle de *Rainier Ier Grimaldi de Monaco*). En **1388**, les Grimaldi de Beuil deviennent vassaux de la maison de Savoie et reçoivent de nouveaux fiefs. En **1560**, leur baronnie est érigée en comté. Après l'exécution d'Annibal Grimaldi, en **1621**, ses biens sont confisqués puis réinféodés. Les Badat reçoivent les fiefs d'**Ilonse** (dont le château est démantelé) *Roure*, *Roubion*, *Pierlas*, *Malaussène* et la *Cainée*. En **1729**, le fief appartient au comte Charles-François Pascalis. De **1793** à **1815**, **Ilonse** fait partie du département français des Alpes-Maritimes et il est rattaché au canton de Beuil. Puis il est restitué au royaume de Piémont-Sardaigne. Il ne devient définitivement français qu'en **1860**. Les cultures céréalières et l'élevage des moutons ont constitué pendant longtemps les principales ressources des habitants. De nombreuses **fêtes** sont célébrées au village : **fête du four communal** en mai, de la **Saint-Antoine** en juin, **Inter/villages** au col de la Sine fin juillet, **patronale** en août également (avec jeux typiques du pays).

* ***Raymond Féraud**, fils du seigneur d'Ilonse, y naquit vers 1245. Il est élevé à la cour du comte de Provence Charles Ier d'Anjou, aux côtés duquel il participe à la conquête de la Sicile. Vers 1290, il délaisse la vie à la cour de Provence et devient moine de Lérins. C'est là qu'il compose **La Vida de San Honorat**, œuvre majeure de la littérature provençale. Le **moine troubadour** devient ensuite prieur de Roquesteron, où il meurt vers 1320-1325.*

À voir

*Village médiéval, perché sur un éperon de schistes rouges, à 1.250 m d'altitude, en surplomb de la vallée de la Tinée. L'ensemble architectural que forment les maisons de pierre, les ruelles et les places est en **site classé**.*

* **Passage voûté**, place du Planet. Les différentes phases de construction vont du Moyen Âge à la Renaissance.

* **Moulins et lavoirs** à arcades (XIXe), place de la Colle.

* **Église paroissiale Saint-Michel** (XIIIe). Clocher carré et nef unique. Elle a été construite en partie dans la chapelle de l'ancien château, le *chœur* date du XVe siècle. Elle abrite des *peintures murales* réalisées au XVIe siècle (elles pourraient être d'Andrea de Cella), un *retable*, huile sur toile (XVIIe) de *saint Michel*, et un *pseudo triptyque* de *saint Pons* (1630). *Le trésor de la sacristie* comprend des reliques, des ornements et autres objets de culte, ainsi qu'une *chape* (XVIIIe) en soie verte brochée, brodée de laine polychrome et de fil d'or.

* **Table d'orientation**, *vers le haut du village. **Vue panoramique** sur les vallées et montagnes environnantes, le **massif des Quatre-Cantons**, le **Mercantour**. Vue magnifique sur le **Gelas** (3.143 m).*

* **Chapelles : * Saint-Grat** (XVIIe) ; * **du col de Saint-Pons** (1451) ; * **Saint-Antoine** ; * **Saint-Maur**

* **Très beau circuit touristique**, *entre **Ilonse et Nice**, en empruntant la **nouvelle route** (1987) qui passe par le col de la Sinne (1.437 m d'altitude), Pierlas, le Cians, Touët-sur-Var.*

* **Visite guidée du village « Ilonse vous ouvre ses portes ».**

06420	**ISOLA**	**Plan: C 2**

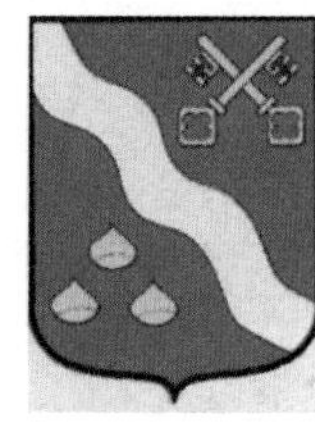

Hameaux : LA BLACHE **ISOLA 2000**

Population : Insee 1999 = **526** h. en 1901 = **957** h. variation **- 45,04%** (**536** en 2005)

Rang de la commune par rapport au nombre d'habitants au niveau départemental: **89**

Les habitants sont les **Isoliens**

Superficie : 9.798 ha - **Altitude** : 719 / 873 / 2930 m - **Canton : Saint-Sauveur-sur-Tinée** - **Arrondt** : Nice

Distance de Nice : à vol d'oiseau = 56 km - par la route = 76 km - **Longitude** = 7,05° - **Latitude** = 44,18°

Accès : RN 202 - D 2205 - **Desserte** : TAM 740 - 750

Fête patronale : 15 août - **Église** : Saint-Pierre-es-Liens - **Paroisse** : Notre-Dame-de-Tinée

N° téléphone de la MAIRIE : 04.93.23.23.23 - **OFFICE du TOURISME** : 04.93.23.23.00

Origine du nom

Il a pour base la racine pré-indo-européenne *lep* (dalle de pierre, ravin, éboulement) dont dérive le radical celto-ligure *lev* (terrain en pente) que l'on retrouve dans **Levens**. Formes anciennes : *castrum que nominant Leudola* (cart. de la cathédrale de Nice, 1067), *apud Leuzolam* (enquête de Charles II, 1296), *de Lieusola* (enquête Léopard de Fulginet, 1333), *villa Lieusole* (Caïs, 1388), *villa Liusolae* (1533), *anant a Lioussoule* (1578). Évolution phonétique : Leudola >Leusola>Lieusola>Liusula>Lisola>**Isola**. Dans le dialecte du pays, le village s'appelle **Lieusola**. Sa dénomination actuelle résulte d'une mauvaise transcription de ce mot.

Histoire

La première mention du bourg primitif de *Leudola* date de **1067**. Il fait alors partie du comté de Tinée (*Comitatus Tenearum*) qui relève des évêques de Nice. Depuis l'**an mille**, le fief appartient à la noble famille des Rostaing, feudataires de la plupart des villages du haut pays niçois. Au début du **XIIIe** siècle, il est inféodé aux Faucon de Glandèves. En **1325**, Astruge et Andaron Grimaldi en font l'acquisition, sous la suzeraineté du comte de Provence.

Lors de l'*affouage* de 1315, *178 feux* sont recensés (environ 950 habitants). En **1388**, avec ses feudataires, les Grimaldi de Beuil, **Isola** passe sous la dépendance de la maison de Savoie. En **1699**, le fief est acheté par un certain Jean Ribotti (Voir Contes). Quelques années plus tard, les villageois rachètent leurs droits. En effet, par lettres patentes du **18 septembre 1702**, la *communauté d'habitants* acquiert de Victor-Amédée II tous les droits féodaux et de juridictions. Elle se place ainsi sous la souveraineté directe de la Couronne de Savoie. Elle est investie de la seigneurie deux jours plus tard, avec le titre de *comtesse d'elle-même*, ou *comtesse d'Isola*. La petite cité est occupée par les Austro-Sardes, mais elle est conquise par les Français le **22 mai 1793**. En **1814**, elle fait retour au royaume de Piémont-Sardaigne. En raison de problèmes liés à la délimitation exacte de la frontière, il faut attendre le traité du **16 février 1861** pour qu'**Isola** soit définitivement rattaché à la France. La création, en **1971**, de la **station de sports d'hiver Isola 2000**, de renommée internationale, relance l'activité économique de la commune qui avait beaucoup souffert de l'exode rural.

À voir

Village alpin de vallée, situé au confluent de la Tinée et de la Guerche Chastillon. Maisons anciennes en schiste rouge, escaliers, placettes et fontaines. Les toits sont en bardeaux de mélèze.

* **Maison Gibert**, classée monument historique.

* **Clocher Saint-Pierre** (XIIe - CMH 1908). Ce *clocher carré** est le dernier vestige de l'église paroissiale qui, au XVIe siècle, fut emportée par une crue. Il est caractéristique de l'*architecture lombarde*.

* **Église paroissiale de la Délivrance-de-Saint-Pierre** (1682). Construite sur le *modèle jésuite :* nef unique prolongée d'un chœur à chevet plat, avec des chapelles latérales. Elle abrite deux huiles sur toile : *L'Adoration des Mages* (1738), et *La Délivrance de saint Pierre* (1770) qui est la copie fidèle de la célèbre toile de Noël Hallé.

* **Ancienne église Saint-Antoine**, dite aussi des Pénitents-Blancs. Elle conserve des traces de peintures murales.

* **Chapelle Sainte-Eurasie**. Ce culte fut apporté par les troupes espagnoles en 1743.

* **Chapelle Sainte-Anne** (XIXe). Confrérie des Pénitents blancs. Elle est également dédiée à Notre-Dame-de-l'Assomption. Elle abrite une huile sur toile, *L'Assomption de la Vierge*, peinte par Bernardino Baldoino en 1697.

* **Oratoires**. Ils sont au nombre de huit sur le territoire de la commune.

* **Blockhaus**. Il est situé sur les limites frontalières entre 1860 et 1947.

* **Fontaine** (XIXe), place de l'Église.

* **Portes en mélèze**, sculptées par le menuisier-ébéniste Pierre Vial, originaire d'Isola : au n° 5, rue du Château (1844) et au n°1, rue du Collet (1860).

* **Parc national du Mercantour.** Voir pages 210 et 211.

** **Les clochers lombards** de la Tinée : de style roman, ils sont la réplique de ceux que l'on trouve au **Piémont**, en **Lombardie** ainsi que dans le **Tessin suisse**. Ils ont été construits, aux XIe et XIIe siècles, par des **tailleurs de pierre** et des **maîtres maçons** italiens regroupés en **ateliers itinérants**. La plupart de ces artisans étaient originaires de **Côme** ou de **Lugano**.*

* **ISOLA 2000** **Mairie annexe** : 04.93.23.16.65 - **OFFICE du TOURISME** : 04.93.23.15.15

Altitude : 1.800 à 2.610 m. Cette **station de sports d'hiver** est à 17 km d'Isola, à 1h 30 de la Méditerranée et aux portes du Mercantour. **Domaine skiable** : 45 pistes (sur 120 km) : 4 noires, 14 rouges, 20 bleues, 7 vertes. 22 remontées mécaniques. Ski de fond. **Domaine aménagé** de halfpipe, snowpark et boarder. **Activités** : randonnées en motoneige, circuit de glace, kart-cross sur glace, snake-gliss, patinoire naturelle, balades nocturnes en raquettes, héliski, ski de nuit, calèche. C'est également une station climatique d'été.

06670	LEVENS	Plan: C 4

Hameaux : LAVAL **MAGAYON PLAN-DU-VAR (Mairie annexe :** 04.93.08.91.15)
SAINTE-CLAIRE LES TRAVERSES LA VÉSUBIE
Population : Insee 1999 **= 3.700** h. en 1901 = **1.282** h. variation **+ 188,61%** (**5.202** en 2005)
Rang de la commune par rapport au nombre d'habitants au niveau dépt : **34 -** au niveau national: **2.431**
Les habitants sont les **Levensois** ou **Levensans**
Superficie : 2.985 ha - **Altitude** : 121 / 603 / 1414 m - **Canton : Levens** - **Arrondt** : Nice
Distance de Nice . à vol d'oiseau = 19 km - par la route = 25 km - **Longitude =** 7,22° - **Latitude** = 43,87°
Accès :D 19 et GR 5 - **Desserte** :TAM 730-740 -746 -770 Plan -Cascade 730 -750 -770 -790 Ligne Azur C59-89
Fête patronale : 2 septembre - **Églises** : Levens : St-Antonin et Ste-Pétronille - Le Plan-du-Var : Ste-Anne
Paroisses : St-Pons pour Levens et St-Benoît-les-Oliviers pour Plan-du-Var
N° téléphone de la MAIRIE : 04.93.91.61.16 **- OFFICE du TOURISME** : 04.93.79.71.00

Origine du nom

Trois possibilités : **1)** le pré-indo-européen *lep* (dalle de pierre, ravin, éboulement) dont dérive le radical celto-ligure *lev* (terrain en pente) ; **2)** le nom de la tribu ligure des *Leponti*, devenu *Leventi* à l'époque romaine, *Leventio* au Moyen Âge et *Levenzo* sous la domination sarde ; **3)** le nom d'un notable romain, *Laevinus*.

Formes anciennes : *sancta Maria de Leven* (cart. de Saint-Pons, 1075), *castro qui nominatur Levent* (cart. de la cathédrale de Nice, 1079), *castellum Levenni* (idem, 1108-1109), *de Levendis* (idem, 1125), *Leven, Levens* (1137-1159), *castrum de Levengis* (cart. de Saint-Pons, 1203), *in castro de Levens* (enquête de Charles Ier, 1252), *Leventio, Levencio* (1286,1351,1385), *villa Levenci* (1388), *de Leventio* (cart. de Saint-Pons, 1567).

Histoire

Le territoire fut occupé par la tribu *ligure* des *Lepontiens*, le village est d'ailleurs bâti sur un ancien site défensif ligure. Du **Ier** au **IIe** siècle, la présence des *Romains* est également prouvée. En effet, au départ de *Cemenelum (*Cimiez), une bretelle de la *Via Julia* desservait la Vésubie en passant par Levens et le Cros-d'Utelle. Quant à la baronnie, elle est fondée vers la fin du **Xe** siècle, peu après l'expulsion des *Sarrasins* de toute la Provence. En **1074**, la paroisse **Sainte-Marie-de-Levens** dépend de l'évêché de Nice et en **1079**, le fief appartient au monastère de Saint-Pons qui va le conserver plus de 150 ans. Il passe ensuite à la famille Riquier d'Èze, vassale du comte de Provence (**XIIIe**). Au début du **XIVe** siècle, les Grimaldi de Beuil héritent de Jacques Riquier d'Èze certains *droits* sur le fief, mais *ils ne les revendiquent pas* tout de suite. Quelques décennies plus tard, Jean Grimaldi de Beuil les fait valoir, et ils sont *reconnus en* **1420**. En **1473**, Louis Grimaldi entre, après Barnabé, en possession des fiefs de Tourette-Revest et de **Levens**. C'est lui qui est à l'origine de la branche des *Grimaldi de Levens*. En **1525** Jean-Baptiste Grimaldi, seigneur d'Ascros, et son frère René, incendient La Roquette (sur Var) et **Levens**. Leurs biens sont confisqués par le duc de Savoie, mais deux ans plus tard, ils sont pardonnés et rétablis dans leurs fiefs. Dans le courant du **XVIe** siècle, les Grimaldi de Levens furent souvent en conflit avec les habitants, ainsi qu'avec leur suzerain. En **1586**, à la suite d'une transaction, les *Levensois* limitent certains privilèges seigneuriaux et acquièrent les moulins à huile et à farine. En **1621**, la *communauté d'habitants* profite de l'exécution d'Annibal Grimaldi de Beuil qui est un cousin de leur seigneur, César, pour se révolter (Voir Tourette-Revest). Ils obtiennent du duc de Savoie l'abolition des droits féodaux. En **1622**, les remparts sont détruits et les portes enlevées, sur ordre de Charles-Emmanuel Ier, par représailles contre César Grimaldi. En **1671**, **Levens** est érigé en comté et en **1700**, par décision de Victor-Amédée II, la localité reçoit le fief et la juridiction, devenant ainsi son propre seigneur. À partir de cette période, les *Levensois* vont vivre, presque en autarcie, de la culture de l'olivier et de l'élevage de moutons. En **1792**, les révolutionnaires français s'emparent de la commune. Elle revient sous domination sarde de **1814** (chute de l'Empire) à **1860**. Lors du plébiscite pour le **rattachement** à la France, sur 481 *votants*, il y eut 481 *oui*. À partir du **XXe** siècle, **Levens** prend un essor important grâce à l'oléiculture et au tourisme.

** Le maréchal d'Empire **André Masséna** (1758-1817) passe son enfance à Levens, dans la maison familiale (quartier Saint-Antoine-de-Siga). Après s'être embarqué comme mousse, il s'enrôle dans l'armée et devient général puis maréchal de France. Il participe à l'occupation du comté de Nice par les Français. Il est fait duc de Rivoli puis prince d'Essling. Napoléon le surnommait « l'**Enfant chéri de la Victoire** ». Après la chute de l'Empire, il se rallie à la royauté. La maison des Masséna est située dans le quartier Saint-Antoine-de-Siga.*

À voir

*Village médiéval de caractère avec ruelles, passages voûtés et vieux porches. Il possède les vestiges de fortifications défensives datant du XIe siècle ainsi que ceux d'un donjon carré. En montant en haut du village, on a une **vue panoramique sur le cap d'Antibes, les Préalpes de Grasse, le Mercantour**.*

* **Église paroissiale Sainte-Marie-Saint-Antonin**. Citée en 1286, elle est reconstruite en 1614. La façade a été restaurée en 1904 (IMH 1941). Elle abrite une *chaire* (XVIe), un *chœur* baroque (XVIIe), une statue *Vierge du vœu* (XVIIIe), et un retable *Notre-Dame-du-Rosaire* (XVIIIe). La *prédelle* du retable est de 1594.

* **Chevet de l'église Notre-Dame-des-Prés** (XIe - CMH 1965), chemin de la Madone. Un des plus anciens prieurés de la région, devenu bien national à la Révolution. Désormais, seuls subsistent la crypte et le chevet.

* **Vestige de la tour de guet** (Xe-XIe). Les pierres d'un oppidum primitif ont été réemployées.

* **Chapelle des Pénitents-Noirs** (XVIe). Elle abrite un *Christ gisant* en bois polychrome (XVIIIe) et une huile sur toile, *Neuvième Station du Chemin de Croix* (XIXe).

* **Chapelle des Pénitents-Blancs** ou **de Sainte-Croix** (1775), de style baroque. Elle possède une huile sur toile *Assomption de la Vierge* (1587) de Coriolan Malagavazzo, un *Groupe processionnel de Notre-Dame-de-l'Assomption* (XVIIIe) et un *retable* en gypserie polychrome (1775).

* **Passage voûté** et **porte** de l'ancien **château féodal** du XIIIe.

* **Le Portal** (XIVe - IMH 1942). Vestige des remparts. La porte fut enlevée en 1622, sur ordre du duc de Savoie.

* **Maison du Portal** (XVIIe). Elle abrite des expositions ainsi que la collection du sculpteur Jean-Pierre Augier.

* **Salle des mariages de la mairie**. En 1958, elle est décorée de fresques (par Louis Dussour) retraçant certains épisodes de la vie d'André Masséna.

* **Vestiges de l'aqueduc** (XVIIIe). Il alimentait un moulin à huile et une propriété privée (route de la Roquette).

* **Fontaines et abreuvoirs**. Grâce à l'acquisition d'une source, l'eau arrive dans le village à partir de 1875. Très rapidement, quatre fontaines, un lavoir et des abreuvoirs pour les chevaux, les mulets et les chèvres sont créés.

* **Pont de la Route du Sel** (XVe). *Le **territoire** est situé au **carrefour** de nombreux chemins datant de l'époque **ligure**. Ils sont repris par les **Romains**. Leur ancien axe routier reliant Cimiez à Embrun passait par Levens. Au **XVe** siècle, le **pont et ces voies sont remis en état** pour faciliter le transport du sel destiné aux Piémontais.*

* **Promenades.** *Plusieurs sentiers sont jalonnés de **sites archéologiques** (voie romaine, petit pont du XVe siècle, église Notre-Dame-des-Prés). Le GR 5 qui mène vers la Vésubie et les villages du haut pays emprunte le trajet d'une ancienne **voie romaine, devenue route du sel.***

* **Quartier PLAN-DU-VAR.** La ***Compagnie des chemins de fer de Provence*** fut créée en 1885. Le train atteint la gare de Levens-Vésubie en 1892. C'est ensuite par tramway que l'on se rendait à Saint-Martin-Vésubie. **Pont Durandy**, construit au début du XXe siècle. Il permet de traverser la Vésubie à sa confluence avec le Var.

Quelques bonnes adresses

06260 LIEUCHE Plan: C 3

Population : Insee 1999 **= 45** h. en 1901 = **80** h. variation **- 43,75%** (**44** h. en 2006)
Rang de la commune par rapport au nombre d'habitants au niveau départemental : **160**
Les habitants sont les **Lieuchois**
Superficie : 1.340 ha - **Altitude** : 509 / 850 / 1783 m - **Canton : Villars-sur-Var** - **Arrondt** : Nice
Distance de Nice : à vol d'oiseau = 38 km - par la route = 68 km - **Longitude** = 7,02° - **Latitude** = 44,00 °
Accès : RN 202 - D 28 - D 128 - **Desserte** : Réserv: TAD 0 800 06 01 06
Fête patronale : 14 janvier - **Église** : Notre-Dame-du-Rosaire - **Paroisse** : Notre-Dame-du-Var
N° téléphone de la MAIRIE : 04.93.05.01.50

Origine du nom

Deux possibilités : **1)** la racine pré-indo-européenne *lep* (dalle de pierre, ravin, éboulement) dont dérive le radical celto-ligure *lev* (terrain en pente) que l'on retrouve dans **Levens** et dans **Isola** ; **2)** le gaulois *leuca*.

Formes anciennes : *Leuca* (cart. de la cathédrale de Nice, XIIe), *castrum de Leucha* (vers 1200), *de Liucha* (enquête de Charles Ier, 1252), *apud Leucha* (rationnaire de Charles II, 1296), *presbiteri de Lieucha* (cart. de Saint-Pons, 1320), *de Lieucha* (enquête de Léopard de Fulginet, 1333), *villa de Lieuca* (Caïs, 1388).

Histoire

Lieuche est cité pour la première fois au **XIIe** siècle. Primitivement, c'est un fief des Faucon de Glandèves. En **1411**, Elion Faucon de Glandèves en est officiellement investi par Amédée VIII de Savoie. En **1457**, il le vend à Pierre Grimaldi de Beuil. Cette famille va le conserver jusqu'à l'exécution d'Annibal Grimaldi, en **1621**. **Lieuche** est alors réinféodé à de nouveaux seigneurs, tout d'abord à Filberto della Villana, puis aux Claretti, et ensuite aux Sappia de Rossi. Actuellement, les activités économiques sont principalement axées sur l'agriculture et l'*élevage de chèvres* (fromage de chèvre *le Lieuchois*). Cette commune est l'une des moins peuplées du département (elle comptait 158 habitants en 1861).

À voir

Le village est perché sur un promontoire, entouré d'un cirque de montagnes boisées. Il est composé de maisons anciennes, basses, aux toits couverts de tuiles romaines. Magnifique panorama sur les gorges du Cians.

* **Église paroissiale Notre-Dame-de-la-Nativité** (IMH 1989). D'origine romane, elle est reconstruite au XVIIIe siècle. *Elle abrite un **retable** de l'**Annonciation** peint par **Ludovic Brea** en 1499. Jusqu'au début du XXe siècle, le village n'étant pas alimenté en eau, les femmes se rendaient à une source située en contrebas du village et en revenaient avec des cruches remplies d'eau qu'elles portaient sur leur tête. En **1910**, lors de délibérations du conseil municipal sur le financement des **travaux d'adduction d'eau**, certains villageois proposèrent de **vendre le retable**. Finalement, les travaux furent financés par la **coupe de bois**. **Brea** : voir Châteauneuf-Villevielle.*

* **Chapelle votive de Saint-Macaire**. Construite au XVIe siècle, pour conjurer la peste, elle fut restaurée après le tremblement de terre de 1887. L'étoile à 5 branches qui orne le fronton fait référence aux seigneurs du fief, les Grimaldi de Beuil. Elle abrite les *statues* de *saint Macaire* et de *saint Antoine* (bois polychrome, XVIe).

* **Ancienne chapelle de Saint-Pons** (à 6 km du village, à 1.457 m d'altitude). Certains vestiges retrouvés sur le site (tombes sous *tegulae*) incitent à penser qu'elle fut construite sur un lieu de culte antérieur, probablement voué à une divinité païenne. Actuellement, ce bâtiment a été transformé en refuge de montagne.

* **Ruines de la chapelle Saint-Ferréol**, ancien prieuré bénédictin.

* **Artisanat local** : *production d'excellents **fromages de chèvre**.*

06440	LUCÉRAM	Plan: D 3

Hameaux : BÉASSE **PEÏRA-CAVA SAINT-LAURENT**
Population : Insee 1999 **= 1.035** h. en 1901 = **1.243** h. variation **- 16,73%** (**1.225** en 2006)
Rang de la commune par rapport au nombre d'habitants au niveau dpt: **74 -** au niveau national: **8.268**
Les habitants sont les **Lucéramois**
Superficie : 6.552 ha - **Altitude** : 400 / 660 / 1567 m **- Canton : L'Escarène** - **Arrondt** : Nice
Distance de Nice : à vol d'oiseau = 22 km - par la route = 27 km - **Longitude** = 7,37° - **Latitude** = 43,88°
Accès : D 2204 - D 2566 et GR 510 - **Desserte** : TAM 340 - 360
Fêtes patronales : fin juillet et fin août - **Église** : Sainte-Marguerite - **Paroisse** : Saint-Pierre-et-Saint-Paul
N° téléphone de la MAIRIE : 04.93.91.60.50 - **OFFICE du TOURISME** : 04.93.79.46.50

Origine du nom

Trois possibilités : **1)** de l'anthroponyme *Lucerius* ou *Lucerus* et son dérivé *Luceranus* ; **2)** de l'expression latine *Lux eram* (j'étais la lumière) ; **3)** de *Lucus eram* (j'étais un bois sacré, une forêt). Cette dernière hypothèse semble plausible : en effet, dans l'Antiquité, on rendait un culte aux forêts, or les collines environnantes en étaient couvertes. Formes anciennes : *Poncius de Luceramo* (cart. de Saint-Pons, 1057), *de Luceram* (idem, 1075), *Luceram* (cart. de la cathédrale de Nice, XIIe), *castellum Lucerami* (C.C.N. 1137), *castrum de Luceramo/Lucerano* (vers 1200/1235), *de Luceramo* (cart. de Saint-Pons, 1455), *de Luceram* (1548), *a mescier Joanet Isnard de Liuseram* (1567), *avem donat a dos omes de Luseram que avion de lobatons* (1572).

Histoire

Initialement occupé par les *Ligures* (tribu des *Lépontiens)*, le territoire est ensuite investi par les *Romains* qui y établissent un poste militaire, sur le trajet d'une voie de communication reliant La Turbie à la Vésubie. En **1057**, le *municipe** (Voir Antibes) de **Lucéram** dépend du comte de Vintimille et couvre toute la partie comprise entre la rive gauche du Var et les sources du Paillon. Cette place forte étant située au croisement de plusieurs axes routiers entre la Méditerranée et les Alpes du nord, la Provence et le Piémont, elle devient une étape importante sur la *route du sel*. Au **XIIe** siècle, elle forme une *confédération républicaine* avec **Peille** et **Utelle** (Voir ces deux noms). Au **XIIIe** siècle, les seigneurs déchargent les habitants de certaines *servitudes féodales* (Voir Entraunes). Le *Cartulaire coutumier de Lucéram* couvre la période allant de **1250** à **1415**. Il n'est pas impossible que cette charte ait été encore en vigueur en **1639**. En **1272**, le comte de Vintimille cède le fief au comte de Provence qui reconnaît ses franchises communales et son indépendance administrative. De plus, la petite cité est fortifiée par ses suzerains provençaux, et des droits supplémentaires lui assurant une grande prospérité lui sont octroyés en **1325**, par le roi Robert le Sage et en **1349**, par la reine Jeanne. *Au Moyen Âge, des notables lucéramois émigrent en Sicile. Des liens commerciaux et politiques se créent avec les chevaliers de Malte* qui, en 1639, implantent une commanderie dans la cité (Voir Auvare)*. En **1388**, la *communauté* passe sous la dépendance de la maison de Savoie, mais elle conserve ses privilèges, qui *seront d'ailleurs maintenus jusqu'en* **1860**. En ce qui concerne les **seigneurs de Lucéram**, les actes officiels concernant le partage des successions ont disparu. Toutefois, on suppose que les *Lucéramois,* tout en étant *administrés par des consuls,* ont été en permanence inféodés à un seigneur chargé de défendre *militairement* le fief. Il existe un acte d'hommage et de reconnaissance à un feudataire, daté de **1391**. On a également retrouvé une demande du *seigneur de Lucéram* adressée au *comte*

gouverneur de Nice. Elle a été faite en **1395** et concernait la fortification du *castrum*. Elle fut acceptée par le comte de Savoie, et c'est ainsi que **Lucéram** a été doté de la grande tour qui domine le village. Lors de l'*affouage* de **1408**, *35* foyers sont recensés. Ladite convention passée entre le duc de Savoie et les *Lucéramois* est confirmée en **1415** par le juge du comté de Vintimille. En **1579**, le seigneur de Tende vend ses droits à Emmanuel-Philibert contre des fiefs en France et en Savoie. Avec l'intégration effective, en **1581**, du comté de Tende au duché de Savoie, et la construction du *Grand Chemin ducal*, l'ancienne voie d'acheminement du sel passant par **Lucéram** est délaissée. À partir de cette date, l'activité de l'agglomération diminue de façon notable. En **1695**, le comte Annibal Cotta, de Nice, acquiert la seigneurie pour 12.000 ducats. Les droits, terres et titres sont revendus, en **1703**, au comte Asdenti, de Taggia.
Jusqu'au **XIXe** siècle, les habitants vécurent de la culture des oliviers, de l'élevage et du commerce. La distillerie de lavandes sauvages et autres plantes aromatiques faisait également partie de leurs activités. Actuellement, de nombreuses manifestations et fêtes sont organisées tout au long de l'année : **Circuit des Crèches**, **Soirées aux Lumières**, **Petit marché de Noël**. Les **deux patronnes du village**, sainte Marguerite d'Antioche et sainte Rosalie, sont célébrées fin juillet et fin août.

À voir

Cette ancienne place forte possède un riche patrimoine et a gardé son caractère médiéval : hautes maisons gothiques, portes à linteaux gravés, passages voûtés, ruelles étroites, escaliers, arcades et placettes.

* **Église paroissiale Saintes-Marguerite-d'Antioche-et-Rosalie** (CMH 1983). L'église primitive, de style romano-gothique, fut construite entre 1485 et 1523, sur les soubassements de l'ancien château (XIIIe) des comtes de Provence (Charles Ier et Charles II d'Anjou). Elle fut remaniée entre 1763 et 1779. Elle abrite ***deux statues*** représentant la ***Vierge de pitié** (Pietà)*, l'une est en plâtre sur étoffe (XVe-XVIe - CMH 2005), l'autre est en bois d'olivier (XVIIe) ; plusieurs ***retables*** des XVe-XVIe siècles : *Sainte Marguerite d'Antioche* (sur le maître-autel), *Saint Pierre et Saint Paul*, qui sont attribués à Ludovic Brea, *Saint Antoine de Padoue* (1491), attribué à Giovanni Canavesio, *Saint Bernard de Menthon* et *La mort de saint Joseph*. Le ***trésor*** comprend une châsse de *sainte Marguerite* (XIV-XVIe), deux *ostensoirs reliquaires* du XVe siècle (sainte Marguerite et sainte Rosalie), des *chandeliers* en argent (1626) et plus d'une *quarantaine de pièces d'orfèvreries religieuses classées*.

* **Sept chapelles**, dont celles de **Saint-Grat** (XVe - CMH 1928) et de **Notre-Dame-de-Bon-Cœur** (1480 - CMH 1942) qui sont recouvertes de fresques peintes attribuées à Giovanni Baleison.

* **Musée des Vieux Outils et des Traditions locales.** Il est installé dans la **Chapelle Saint-Jean** qui pourrait avoir été construite par les Hospitaliers de Saint-Jean-de-Jérusalem.

* **Tour** *« ouverte à la gorge » côté village, comme les **tours génoises** (unique dans la région)*. Le but étant de faciliter l'approvisionnement et d'éviter que l'ennemi ne l'utilise pour attaquer l'intérieur du village.

* **Remparts**, en partie détruits vers 1690.

* **Vestiges du château comtal** (XIIIe - IMH). Découverts en 1996, lors de travaux sur l'église paroissiale.

* **Maison**, à La Placette (XVe - IMH 1932). *Elle possède une fenêtre géminée ornée d'une colonne en marbre. De **nombreuses autres maisons** datent du **XVe** siècle (rue du Docteur-Moriez). Beaucoup d'entre elles ont gardé leur **façade** et leur **linteau d'origine**.*

* **Four à pain** (XVIIIe), rue du Four-Inférieur.

* **Fontaine-lavoir** (XVIIIe), à La Placette. Encore utilisée de nos jours. Pratiquement toutes les rues du village convergent vers cette place qui, au Moyen Âge, était probablement le centre de la vie sociale et économique.

**** La Maison de Pays de Lucéram et du Haut Paillon - Office de Tourisme***
Produits locaux Artisanat Santons Crèches Livres
Téléphone/Fax 04 93 79 46 50 e-mail : officedetourismedeluceram@wanadoo.fr
ouvert du mardi au samedi inclus : 9h-12h et 14h-18h dimanche : 14h-17h

* **Musée de la Crèche** : plus de cent œuvres, des plus humbles aux plus sophistiquées. Chaque année, du début décembre à la mi-janvier, la Maison de Pays de Lucéram et du Haut Paillon, en collaboration avec les habitants et les associations, organise un **Circuit des Crèches : plus de 400 crèches du monde entier sont exposées dans les rues de Lucéram et de Peïra-Cava.**

* **Centre d'Interprétation du Patrimoine.** Tél. 04 93 91 60 56. Il propose un **circuit-découverte** (forfait de visite). Les visiteurs sont accueillis à l'Office de Tourisme qui est le point de départ pour une **visite guidée du village, de l'église et des trois musées** (sauf le musée du Moulin à Huile, situé à 6 km).

* **Nombreuses promenades** : * **Source de la Foux** (rive du Paillon) ; * **Grotte du Perthus du Drac.**
* **Pont de l'Infernet** (XXe). Il surplombe la gorge très profonde du torrent Infernet.
* **Musée du Moulin à Huile** (XVIIe), à la **Ferme découverte** du Val de Prat (à 6 km du village). *Le procédé utilisé dans ce moulin, qui n'est plus en activité, était celui de la « **méthode génoise** ». Dans la région, quatre moulins fonctionnent encore selon cette technique : l'huile est extraite sans trop de pression, par contre il faut beaucoup d'eau (l'**huile sort de la pâte sous la pression de l'eau**) Pour visiter, téléphoner à la Ferme du Val del Prat, pour prendre rendez vous : 04 93 79 54 66.*
* **Moulin à Huile,** à la **Ferme** du Val de Prat. **04 93 79 54 66**. La variété d'oliviers cultivée à Lucéram, le **Cailletier,** est résistante au froid. Grâce à l'altitude, *l'huile d'olive (**AOC « Olives de Nice »**) qui est produite dans ce moulin est obtenue sans traitements chimiques*. Les olives de Nice sont de petites olives noires.

Quelques bonnes adresses
MAISON DE PAYS DE LUCÉRAM ET DU HAUT PAILLON *Produits régionaux* 04 93 79 46 50
Restaurant BOCCA FINA *Pizzeria Cuisine familiale* place Barralis 04 93 79 51 54 *www.boccafina.com*
Au VIEUX FOURNIL *Pain cuit au feu de bois Confiseries Pâtisseries maison* 113, r. Dr-Moriez04 93 91 35 90
Restaurant RETOUR AUX SOURCES *Mariages Banquets Baptêmes* 1, place Barralis 04 93 13 84 57
LA MERENDA DE LUCÉRAM *Restaurant Salon de thé Tartes salées, sucrées* 3, r. Dr-Moriez 06 16 02 53 01
BOUCHERIE ALIMENTATION MASSIERA *Charcuterie Produits de pays* 5, place Barralis 04 93 79 51 55
Bienvenue à la Ferme LA GABELLE Gîte *week-end et jours fériés sur réserv.* route de Loda 04 93 03 04 18
MAX LA BROCANTE 8, r. Dr-Moriez 04 93 13 45 49
FERME DU VAL DEL PRAT Producteurs d'HUILE d'OLIVE ***AOC Olives de Nice*** 04 93 79 54 66

PEÏRA-CAVA (Cne Lucéram) 06440 Plan : D 3

Distance de Nice : à vol d'oiseau **= 28 km -** par la route **= km - Longitude = 7,37° - latitude = 43,93**°C

* **PEÏRA-CAVA** (*pierre creuse*). **1.500 m d'altitude**. *À une heure de route de Nice*. On accède à ce hameau, situé à 14 km de Lucéram, en traversant la ***forêt de Turini***. Pendant longtemps, il ne fut occupé que d'avril à octobre, par des bergers-cultivateurs. En **1475**, la duchesse de Savoie en fait don à Lucéram. Cet ancien camp romain est devenu, en **1909**, la *première station de sports d'hiver des Alpes-Maritimes*. Dès 1876, un poste militaire destiné à surveiller les vallées alentour y est installé. L'ancienne *caserne Crénant* (1886) servait de base arrière. Ce site stratégique commandant l'accès aux vallées de la Vésubie et de la Bévéra fut réutilisé pendant les *deux dernières guerres mondiales*.

* **STATION CLIMATIQUE D'ÉTÉ**
* **STATION DE SPORTS D'HIVER** (1.432 à 1.600 m d'altitude). 1 téléski, 1 piste. Ski de fond. Raquettes.
* **À l'entrée du hameau**, un chemin mène à la « **Pierre Plate** ». ***Table d'orientation** et **superbe panorama** sur Antibes, les îles de Lérins, le massif des Maures, la vallée de la Vésubie, le mont Vial, le Tournairet et les Alpes.*
* **Point de départ** de nombreuses **randonnées** pédestres dans la belle ***forêt de Turini***, plantée de pins sylvestres, hêtres, mélèzes et épiceas (Voir Bollène-Vésubie).
* **Parc Aventures** propose 4 parcours acrobatiques dans les arbres. Tél. 04 93 91 36 25
* **Chapelle Notre-Dame-de-la-Paix**. Au début du XXe siècle, la station de ski provoque un renouveau d'activité pour le hameau. La chapelle fut construite en 1903 grâce à des fonds de l'autorité militaire et à des souscriptions.

Une bonne adresse
LES MARMOTTES Françoise et Bernadette *Tabac Pain chaud S.O.S. Épicerie Souvenirs* 04 93 91 57 22

06710 MALAUSSÈNE **Plan: C 3**

Population : Insee 1999 **= 173** h. en 1901 = **336** h. variation **- 48,51%**
Rang de la commune par rapport au nombre d'habitants au niveau départemental : **119**
Les habitants sont les **Malaussénois**
Superficie : 1.948 ha - **Altitude:** 154 / 410 / 1468 m - **Canton : Villars-sur-Var** - **Arrondt** : Nice
Distance de Nice : à vol d'oiseau = 26 km - par la route = 46 km **- Longitude** = 7,13° **- Latitude** = 43,92 °
Accès : RN 202 - D 326 - **Desserte** : Train des Pignes - TAM 790
Fête patronale : 1er dim. d'août - **Église** : Notre-Dame-de-l'Assomption - **Paroisse** : Notre-Dame-du-Var
N° Tél. de la MAIRIE : 04.93.05.34.00 **Fax** : 04.93.05.34.03 **mairie-malaussene@wanadoo.fr**

Origine du nom

Il dériverait de la racine pré-celtique *mal* (éperon rocheux) ou du provençal *malausso* qui signifie tuf, poudingue (roche détritique). Formes anciennes : *Raim. de Malaussena* (hôpital Saint-Jean de Nice, 1164), *castrum Malaucena* (vers 1200), *apud Malaucenam* (rationnaire de Charles II, 1296), *de Malaucena* (enquête Léopard de Fulginet, 1333), *villa Malausene* (Caïs, 1388), *Malaussena* (obituaire de la cathédrale de Nice).

Histoire

La première mention du *castrum* date de **1170**, lorsque son feudataire, *Raimundus de Malaussena*, prête l'hommage vassalique au comte de Provence. Le fief est ensuite une possession des Grimaldi de Beuil avant d'être inféodé au colonel Marco Antonio Badat, après la confiscation, en **1621**, des biens d'Annibal Grimaldi. En **1722** il est réuni à la couronne sarde et en **1723**, Jean Alziari, fils d'un notaire de Roquesteron, en fait l'acquisition. La même année, **Malaussène** est érigé en comté. Une nouvelle lignée d'aristocrates est ainsi créée avec la famille *Alziari** (Voir Roquesteron-Grasse). En **1793**, le quartier général de l'état-major autrichien était établi dans le village. Le maréchal De Wins investit ensuite Toudon afin de surveiller la vallée du Var. Puis il lance un pont sur le fleuve pour transférer son magasin de munitions à Villars. En **1800**, les Français firent sauter le pont de Malaussène. Dans les années **1774-1775**, un aqueduc-viaduc de 7 km de long est construit afin d'alimenter en eau (source de l'Adous) le village ainsi que les cultures (vignes et oliviers). Avant le percement des gorges de la Mescla (fin XIXe), il reliait les vallées du Var et de l'Estéron. **Malaussène** comptait *416* habitants en **1858**.

À voir

Village perché exposé au nord, dans un cirque de montagnes. Il comporte des maisons anciennes restaurées.

* **Malaussène-d'en-Haut**. Les ruines du village primitif et de son château sont impressionnantes (remparts cyclopéens). On y accède en un quart d'heure par un sentier très pentu. *Beau* ***point de vue*** *sur la vallée.*

* **Église paroissiale de l'Assomption** (1639). De style romano-gothique, avec un clocher lombard (carré, à pointes de diamant). L'intérieur du bâtiment est baroque. Statue de *saint Pierre* (plâtre polychrome, XVIIIe).

* **Chapelle Saint-Joseph** (XVIIe). Campanile. Au sommet de la colline, *beau* ***point de vue*** *sur la vallée du Var*

* **Chapelle des Pénitents-Blancs** (1679) ou **de la Sainte-Croix**. Huile sur toile *Descente de la Croix* (XVIIIe).

* **Chapelle Saint-Roch**, antérieure à 1674. De l'esplanade (375 m d'altitude), ***très belle vue sur le Var.***

* **Viaduc-aqueduc** (1714-1775) Il amène également l'eau de la source de l'Adous au bas du village.

* **Grotte de l'eau salée**. Gorges de la Mescla. 1.800 mètres de développement. La rivière d'eau tiède (légèremen salée) est très fréquentée mais c'est l'une des plus dangereuses du département.

* **Nombreuses cascades**, dont celle de l'Ablé.

06210 MANDELIEU-LA NAPOULE Plan: B 5

Photo: ville de Mandelieu la Napoule

LA NAPOULE CAPITOU MINELLE LES TERMES

Population : Insee 1999 **= 18.374** h. en 1900 = **984** h. variation **+ 954,28%** (**18.038** en 2005)

Rang de la commune par rapport au nombre d'habitants au niveau départemental :**10 -** au niveau national : **461**

Les habitants sont les **Mandolociens** et les **Napoulois**

Superficie : 3.137 ha - **Altitude** : 0 / 300 / 486 m - **Canton : Mandelieu-Cannes Ouest - Arrondt** : Grasse

Distance de Nice : à vol d'oiseau = 30 km - par la route = 37 km - **Longitude** = 6,93° - **Latitude** = 43,55°

Accès : A 8 ou RN 7 - **Desserte** : SNCF - TAM 611 et 620 (via Cannes)- Bus Azur 15 - 16 - 17 - 20

Fête du Mimosa en février - **Églises** : Capitou : Saint-Pons - La Napoule : Notre-Dame-de-l'Assomption

Paroisse : Saint-Vincent-de-Lérins

N° téléphone de la MAIRIE : 04.92.97.30.00 **- OFFICE du TOURISME** : 04.92.97.99.27

Origine du nom

Pour **Mandelieu**, deux possibilités : **1)** le pré-indo-européen *man* (hauteur) dont dérive probablement *mand (*au pied d'un relief) + *vicus* (village en pré-celtique), ce qui correspond bien à la configuration du lieu : village au pied d'une colline. On retrouve la racine *mand* dans le pont de la *Manda* situé à Saint-Martin-du-Var ; **2)** le latin *Manduolocus* (lieu où réside le chef).

La Napoule : 1) éventuellement le grec *nea polis* (ville neuve) ; **2)** il est plus probable qu'il dérive de l'appellation primitive, *Epulia* (cabane de pêcheurs) qui a évolué en *Epoulia, Nepoulia, Napoulia*. Formes anciennes : *pars mandans locus* (cart. de Lérins, vers 990), *decimas de Mandalloc* (idem, XIe), *castrum quod Mandalocum dicitur* (1158), *Mandalloc* (1178).

Histoire

Le territoire fut primitivement occupé par la tribu ligure des *Oxybiens*. À l'époque gallo-romaine, il est divisé en quatre « *castra* » : *Thècle* (Théoule), *Epulia* (La Napoule), *Avignonet* (Minelle) et *Mandolocum* / *Mandol vicus* (Mandelieu). Au **Ve** siècle de notre ère, le seigneur de Mandelieu est le fils d'un préfet des Gaules, issu d'une puissante famille gauloise. Il s'appelle *Eucher* (futur saint Eucher) et participe à la fondation de l'abbaye de Lérins avant de devenir, vers **435**, évêque de Lyon. À sa mort, en **450**, sa fille *Consorcia* fait construire un hôpital à Mandelieu (un des premiers des Gaules). Pendant les **siècles obscurs**, la région subit de nombreuses invasions et destructions causées par les *Barbares* et les *Sarrasins*. Après avoir été successivement et parfois simultanément sous les tutelles religieuses, seigneuriales et administratives, au début du **XIIIe** siècle, ce territoire, qui s'appelle *Avignonet*, appartient au comte de Provence. En **1224**, ce dernier en fait don aux moines de Lérins. De **1242** jusqu'à la **Révolution**, il fait partie des biens seigneuriaux du chapitre de Grasse, mais c'est l'abbé de Lérins qui perçoit la dîme. Vers **1284**, les Villeneuve de Fayence s'emparent d'*Avignonet*. La région est ensuite troublée par les luttes intestines entre les souverains de Savoie et les comtes de Provence. Après la destruction de leur château d'Avignonet par Raymond de Turenne, vers 1347, les Villeneuve font bâtir une demeure seigneuriale au lieu-dit *Epulia*. Simultanément, des paysans et des pêcheurs s'installent à proximité, créant ainsi une nouvelle agglomération qui deviendra **La Napoule**. Les **XVe** et **XVIe** siècles apportent leur lot de calamités. En effet, **Mandelieu** et **La Napoule** sont détruits plusieurs fois : par Spinola en **1400**, Barberousse et ses Turcs en **1530**, Charles Quint en **1536**, et pour finir, en **1580** une épidémie de peste décime la population. Le village est repeuplé en **1623** grâce à des émigrés venant de Ligurie. En **1706-1707**, les troupes du duc de Savoie détruisent **Mandelieu**. Le chapitre de Grasse signe un acte d'habitation avec des fermiers des alentours, créant ainsi le village du *Capitou*..

Au **XIXe** siècle, la création d'un ***champ de courses*** et d'un ***golf*** font de la ville un lieu prisé des touristes. À la même époque, la culture du *mimosa*, importé depuis peu d'Australie, devient une des principales activités économiques des *Mandolociens*. La majorité des exploitations étaient regroupées dans la basse vallée de la Siagne. À partir du **XXe** siècle, cette production florale est expédiée à Cannes en train de marchandises.

À voir

Ville située dans la plaine alluviale de la Siagne. Le rivage est bordé de plages de sable. Collines verdoyantes, couvertes de mimosas. Le territoire est protégé des vents par les massifs du Tanneron et de l'Estérel.

* **Château de la Napoule** (XIVe - XVIIIe - XXe - CMH 1947). Après son démantèlement au XVIIe siècle, seules subsistent l'enceinte et des tours. En 1918, un sculpteur américain, Henry Clews, l'achète et y fait de gros travaux. Actuellement, le château abrite un centre culturel qui organise des expositions, des spectacles et des concerts. À voir : *porte* (XVIIe) en bois doré, *porte* (1920) de style roman, nombreuses *salles* dotées de *mobilier d'époque* et d'*œuvres* d'Henry Clews, *sculptures*. *Jardins*, créés par Mary Clews, et répartis aux quatre points cardinaux.

* **Vestiges de la chapelle San-Peyre**, au sommet de la colline. Elle fut construite au Xe siècle. En 1259, une bulle du pape confirme que cette église relève de l'abbaye de Lérins.

* **Port de plaisance** (1909). Il possède plus de *1.300 places* à quai et peut accueillir des bateaux de *50 mètres*.

* **Église paroissiale Saint-Hubert** (1763). Au Capitou, le quartier le plus ancien. C'est au *Capitulum* (chapitre) que *Consorcia* fonda un hôpital et un couvent de jeunes filles. Au Moyen Âge, le lieu était *inhabité*.

* **Église Notre-Dame-de-l'Assomption** (XIVe-XXe), à La Napoule. Transformée en bergerie pendant la Révolution. Réouverte au culte depuis 1831. Elle abrite des panneaux sculptés (XVIIe) représentant la *Passion du Christ*, qui furent retrouvés dans la cave du château.

* **Golf.** Créé en 1891, dans un très beau site, par le grand duc Michel de Russie, neveu du tsar..

* **Château Agecroft** (1918-1920-1947) en pierres roses. De style médiéval avec deux tours carrées. Il est entouré d'un parc. Seule subsiste la partie centrale de l'édifice. Elle est occupée par des services administratifs, le reste du domaine a été transformé en gîtes, salles d'animation et piscine.

* **Chapelle Notre-Dame-des-Mimosas** (1927), rue Jean-Monet.

Quelques bonnes adresses

06420 MARIE Plan: C 3

Population : Insee 1999 = **50** h. en 1901 = **219** h. variation **- 77,17%**
Rang de la commune par rapport au nombre d'habitants au niveau départemental : **159**
Les habitants sont les **Mariols**
Superficie : 1.477 ha - **Altitude** : 341 / 628 / 2089 m - **Canton : Saint-Sauveur-sur-Tinée** - **Arrondt** : Nice
Distance de Nice : à vol d'oiseau = 38 km - par la route = 58 km - **Longitude** = 7,13° - **Latitude** = 44,03°
Accès : RN 202 - D 2205 - D 58 et GR 5 - **Desserte** : La gare TAM 740 - 750
Fête patronale : 4e dim. d'août - **Église** : Nativité-de-la-Sainte-Vierge - **Paroisse** : Notre-Dame-de-la-Tinée
N° téléphone de la MAIRIE : 04.93.02.03.73

Origine du nom

D'après la tradition, au **Moyen Âge**, un ermite opérant des guérisons miraculeuses construisit sur le site une chapelle dédiée à la Vierge. Très rapidement, un hameau fortifié (*castrum*) se crée à proximité. Formes anciennes : *castrum que nominant Maria* (cart. de la cathédrale de Nice, 1066), *in castro Maria* (enquête de Charles Ier).

Histoire

Dans l'**Antiquité**, le territoire était traversé par une *voie romaine* reliant Vintimille à Saint-Étienne-de-Tinée. Le *castrum Maria* est mentionné pour la première fois en **1066**, lorsque le seigneur Balbo, son feudataire, donne à l'église de **Clans** des terres faisant partie de **Marie**. À la fin du **XIIe** siècle, le comte de Provence Alphonse Ier y fait édifier un château pour défendre les gorges de la Tinée. Au début du **XIIIe** siècle, la paroisse relève de l'abbaye de Saint-Dalmas-de-Pedona (Borgo San Dalmazzo, Piémont). Un texte de **1263** fait état d'une population de *65* personnes (à moins que ce chiffre n'indique des *feux*, dans ce cas il faut le multiplier par 5 ou 6). Vers **1330**, la seigneurie appartient à Aldebert Rostaing, qui possède également Valdeblore, Rimplas et Roure. Vers **1350**, **Marie** et Rimplas passent à l'un de ses descendants, Pierre Balb. En **1384**, ce dernier en est dépossédé par le comte de Provence, au bénéfice de Jean Grimaldi de Beuil, qui fait restaurer le château et y installe Raymond Grimaldi, seigneur d'Ilonse. Comme toute la région, en **1388**, le village passe sous la haute autorité de la maison de Savoie. En **1621**, après l'exécution d'Annibal Grimaldi, **Marie** est inféodé aux Bacilotto (ou Bachelot), puis en **1700**, aux Ogliati. Les derniers feudataires ont été les Lovera de Coni (Cuneo) pour lesquels, en **1722**, le fief fut érigé en marquisat. Initialement hameau de **Clans**, **Marie** obtient son autonomie en **1427**, mais le partage définitif n'a été fait officiellement qu'en **1673**. En **1793**, **Marie**, Roure, Saint-Sauveur et Rimplas font partie du canton de La Bollène-Valdeblore. En **1805**, le chef-lieu est transféré à Saint-Sauveur. En **1816**, Marie, Rimplas et Valdeblore sont rattachés à Saint-Martin-de-Lantosque. En **1860**, le village, ainsi que Rimplas, Ilonse, Roure, Clans, Roubion et Valdeblore, est intégré au canton de Saint-Sauveur. Aux **XVIIIe** et **XIXe** siècles, la population mariole est restée stable : *241* habitants en moyenne. Par contre, elle décline rapidement ensuite : *225* personnes en 1901, *179* en 1911, *147* en 1921, *100* en 1936 et *50* actuellement. *Dans le passé, les Mariols tiraient leurs principales ressources des **châtaigneraies** et **oliveraies**, ainsi que de **l'élevage**. Avant le développement des moyens de transport, il fallait **17 heures de marche** pour se rendre à Nice. En **1864**, la route carrossable de la Tinée passe à la hauteur du village ; à partir de **1885**, un service de diligence dessert la vallée. En **1900**, une voie de chemin de fer est ouverte et en **1911**, c'est au tour du tramway d'atteindre **Marie**.*

À voir

*Village médiéval perché sur une avancée rocheuse qui domine la Tinée, dans un site complanté d'oliviers. Ruelles en escaliers, passages voûtés. Dans les environs, nombreuses granges de type alpin. **Magnifique panorama**.*

* **Église paroissiale Saint-Pons** (1680-1780). Elle est à nef unique (de type *jésuite*). Elle abrite un *retable* de1777, une *huile sur toile* (1650) *Les Âmes du Purgatoire*, une *statue en bois d'olivier** représentant la *Vierge du Rosaire*, et une *chasuble* de saint Ignace (XVIIIe) en soie peinte, fil d'or et polychrome. ** Cette superbe statue baroque a été sculptée à Gênes. Elle fut transportée par bateau jusqu'à Nice, mais ensuite il fallut 24 hommes pour la monter au village, car elle pèse 400 kilos. La bénédiction solennelle eut lieu le 13 septembre 1777. Ce fut l'occasion d'une grande fête qui dura trois jours et à laquelle participèrent plus de 5.000 personnes.*

* **Chapelle Saint-Roch**. Située sur le chemin muletier menant à Clans. Elle abrite un *triptyque* de saint Roch, saint Christophe et saint Pancrace (1637).

* **Porte du Moyen Âge** (*Portal*) C'est le dernier vestige des remparts du village fortifié.

* **Four à pain communal** (XVIIIe). Restauré au XXe siècle, il est en état de fonctionnement.

* **Meules du moulin du vallon d'Oglione** (1768-1921). Ce moulin à huile a cessé son activité en 1968.

* **Lavoir** (1857) en *ardoise*. Avec arcades en plein cintre abritant la fontaine, à droite, et le bac de lavage, à gauche.

* ***MARIE est le point de départ de nombreuses randonnées ou promenades :** vers la pointe de Clamia, la Vacherie, le Valdeblore, le Mont Viroulet, le Caïre Gros.*

Lavoir 1857 blason

Fontaine libellule

Autel de Marie

06910	MAS (LE)	Plan: B 4

Hameaux : LES SAUSSES **LES TARDONS**
Population : Insee 1999 **= 136** h. en 1901 = **257** h. variation **- 47,08%**
Rang de la commune par rapport au nombre d'habitants au niveau départemental: **130**
Les habitants sont les **Massois**
Superficie : 3.215 ha - **Altitude** : 440 / 900 / 1689 m - **Canton : Saint-Auban** - **Arrondt** : Grasse
Distance de Nice : à vol d'oiseau = 35 km - par la route = 109 km - **Longitude** = 6,87° - **Latitude** = 43,85°
Accès : A 8 - RN 85 - D 2211 - D 911 - D 5 - D 10 et GR 4 - **Desserte** : Réserv: TAD 0 800 06 01 06
Fête patronale : 22 août - **Église** : Saint-Arnoux - **Paroisse** : Sainte-Marie-des-Sources
N° téléphone de la MAIRIE : 04.93.60.40.29

Origine du nom

Il vient du latin *mansus* (ferme, petite exploitation agricole) dont sont dérivés le provençal *lou mas* et le nissart *masage*. Formes anciennes : *Isnardo de Matio* (cart. de Lérins, 1038), *Adalberti de Mazio* (idem, 1158), *castrum de Macio* (1232), *Anthonius de Massio* (cart. de Saint-Pons, 1384), *castrum et villa Massi* (Caïs,1388).

Histoire

Au **Moyen Âge**, le territoire est occupé par les moines de Lérins qui y font brouter leurs moutons, mais le *castrum de Macio* n'est cité pour la première fois qu'en **1232**. Après la ***dédition de 1388***, il est rattaché aux *Terres-Neuves de Provence*, soumises à la maison de Savoie. En **1408**, le fief appartient aux Grimaldi de Beuil, puis aux Laugier à partir de **1484**. Bien que **Le Mas** soit sous la souveraineté de la Savoie, il fait partie de la seigneurie des Grasse-Bar jusqu'au **XVI**e siècle. En **1718** (traité de Paris), Louis XV récupère **Le Mas**, poche savoyarde en territoire français et, en contrepartie, **Entraunes** et **Saint-Martin-d'Entraunes** sont maintenus dans le comté de Nice. Il y avait *403* habitants en **1861**.

À voir

Village ancien situé sur un promontoire, et dominé par son église. Il domine la vallée de la Gironde.

* **Vestiges du petit château féodal** (1232)

* **Église paroissiale Notre-Dame** (XIe - IMH 1937). De style roman, elle fut construite par les moines de Lérins. Elle abrite des *fonts baptismaux* (XIIIe) qui sont surmontés d'un couvercle pyramidal orné de motifs stylisés (fleurs et étoiles). À cette époque, le baptême se pratiquait par immersion.

* **Ancienne chapelle des Pénitents-Blancs** (XVIIe-XVIIIe). Restaurée, elle est devenue une habitation privée.

* **Église Saint-Sauveur** (XVIIe), aux Sausses. Clocheton double et façade percée d'un *oculus* (œil-de-bœuf).

06710 # MASSOINS **Plan: C 3**

Population : Insee 1999 = **118** h. en 1901 = **154** h. variation **- 23,38%**
Rang de la commune par rapport au nombre d'habitants au niveau départemental: **135**
Les habitants sont les **Massoinques**
Superficie : 1.213 ha - **Altitude** : 186 / 412 / 1789 m - **Canton : Villars-sur-Var** - **Arrondt** : Nice
Distance de Nice : à vol d'oiseau = 28 km - par la route = 41 km - **Longitude** = 7,13° - **Latitude** = 43,93°
Accès : RN 202 - D 26 - **Desserte** : Train des Pignes et bus en Réserv: TAD 0 800 06 01 06
Fête patronale : 3e dim. d'août - **Église** : Saint-Martin/Saint-Jean-Baptiste - **Paroisse** : Notre-Dame-de-Tinée
N° téléphone de la MAIRIE : 04.93.05.72.55 **www.massoins.fr**

Origine du nom

Deux possibilités : **1)** de l'anthroponyme germanique *Mansuinus* ; **2)** de *mas* (Voir Le Mas). Sa situation géographique fit de ce bourg un important relais, un village d'étape. Formes anciennes : *in castro Mansuini* (cart. de Lérins, 1040), *castrum de Masonia* (vers 1200), *in castro superiori et de castro inferioris Massoins* (enquête de Charles Ier, 1252), *castrum de Massoyno* (1296), *de Massoynis* (1333).

Histoire

La première mention du *castrum* date de **1040**. À cette époque, l'église appartenait aux abbayes de Lérins et de Saint-Pons, mais aussi aux Templiers. Le village de **Massoins** devient ensuite une possession des Grimaldi de Beuil, sous la suzeraineté de la maison de Savoie. Sa position stratégique en fait une place fortifiée très importante pour la puissante baronnie des Grimaldi. En **1526-1527**, le seigneur du lieu, René, et son frère Jean-Baptiste, seigneur d'Ascros, en conflit avec Honoré Laugier, des Ferres, assiègent ce dernier qui s'est réfugié dans son château de Gilette. Ils incendient La Roquette et Levens. Condamnés pour ces exactions, les deux frères s'enfuient en France. Ils sont pardonnés deux ans plus tard et rétablis dans leurs fiefs par le duc de Savoie. À la chute des Grimaldi, en **1621**, **Massoins** est inféodé aux Caissotti en faveur desquels il est érigé en comté. Le fief appartient ensuite aux Cagnoli et aux Corniglion. En **1746**, le village est pillé par les *Gallispans* et, en **1747**, les *Piémontais* sont dans la place. Au moment de la *bataille de Gilette* (Voir Gilette), en octobre 1793, le maréchal De Wins est établi à **Massoins**. Pendant sa retraite, il y transfère son magasin de munitions, stocké auparavant à Malaussène. Il y avait *307* habitants en **1838**.

À voir

Village de type médiéval, perché sur un epéron rocheux dominant la vallée du Var. Hautes maisons anciennes en pierres apparentes, portes à arcades en ogive et linteaux sculptés. Sur une maison du XIIIe siècle, fenêtres ***géminées*** *(groupées deux par deux) de style gothique.*

* **Église paroissiale Saint-Martin** (XVIIe). Elle abrite deux retables du XVIIe, huiles sur toile. Celui du maître-autel représente la *Vierge entre saint Martin et saint Jean-Baptiste*, l'autre est consacré aux *Âmes du Purgatoire*. La *voûte en stuc* (XVIIe) représente la *Vierge du Rosaire* entre *Saint Pierre de Vérone* et *Sainte Catherine de Sienne*. * **Chapelle Sainte-Anne** (restaurée en 1984)

* **Moulin à farine**. Il ne fonctionne plus. Sa *roue* est sur la place du village. * **Moulin à huile communal**.

* **Four communal** (1905). Les habitants l'utilisent lors des fêtes du village.

* **Chapelle Saint-Sébastien**. Construite après les épidémies de *peste* de 1467 et 1524.

* **Chapelle Sainte-Claire**. Une source proche guérirait de façon miraculeuse les maladies ophtalmiques.

* **Encadrement de porte à linteau monolithique** (1880), rue de la Carriera. Il comporte la date et une croix.

construite d'après des plans de Charles Garnier, est située face à la mer, dans un beau parc complantés de nombreux palmiers (21, promenade Reine-Astrid. Sur visite guidée, téléphoner au 04 92 10 97 10). **La serre de la Madone**, *un parc de 7 hectares (74, route de Gorbio. Téléphoner au 04 93 57 73 90).*

Il est possible de ***visiter des jardins habituellement fermés*** *ainsi que la* ***vieille ville*** *avec un* ***guide*** *du* ***service du Patrimoine*** *(Hôtel d'Adhémar de Lantagnac, au n° 24, rue Saint-Michel. Téléphoner au 04 92 10 97 10).*

* **Monastère de l'Annonciade** : *chemin du Rosaire, chapelle, bâtiments conventuels.* De l'esplanade, très belle vue sur la mer et les montagnes.

Quelques bonnes adresses

LA CIGALE Pâtisserie - Salon de thé - Confiserie - Glacier 27, avenue Carnot 04 93 35 74 66
Hôtel NAPOLÉON * Restaurant - Plage** 29, porte de France 04 93 35 89 50 *www.napoleon-menton.com*
Hôtel CHAMBORD*** 6, avenue Boyer 04 93 35 94 19 www.hotel.chambord.com
Restaurant A BRAIJADE MERIDIOUNALE 66, rue Longue 04 93 35 65 65 *www.abraijade.com*
Hôtel MÉDITERRANÉE*** 5, rue de la République 04 92 41 81 81 www.hotel-med-menton.com
Restaurant LE NAUTIC 27, quai de Monléon **Poissons - Crustacés - Coquillages** 04 93 35 78 74

06370 | **MOUANS-SARTOUX** | **Plan: B 5**

Quartier : **LE CASTELLARAS**

Population : Insee 1999 **= 8.889** h. en 1901 = **989** h. variation **+ 798,79% (9.986** en 2005)
Rang de la commune par rapport au nombre d'habitants au niveau dépt : **19 -** niveau national: **968**
Les habitants sont les **Mouansois** ou **Mouanencs**
Superficie : 1.352 ha - **Altitude** : 40 / 125 / 321 m - **Canton : Mougins** - **Arrondt** : Grasse
Distance de Nice : à vol d'oiseau = 25 km - par la route = 34 km - **Longitude** = 6,97° - **Latitude** = 43,62°
Accès : A 8 - N 85 -D 409 - **Desserte** : TAM 600 (via Cannes)
Fête patronale : 3 et 4 juillet - **Église** : Saint-André - **Paroisse** : Notre-Dame-des-Fleurs
N° téléphone de la MAIRIE : 04.92.92.47.00 - **OFFICE du TOURISME** : 04.93.75.75.16
www.mouans-sartoux.net

Origine du nom

Mouans serait dérivé de l'anthroponyme *Murtius* (proche du *gentilice** latin *Murcius*). Formes anciennes : *in quodam viculo, nomine Morsano* (cart. de Lérins, 1025-1066), *in castro Morsanis* (idem,1144), *Petrus de Morsans* (idem, 1146-1182), *castrum de Mohans* (vers 1200), *de Moans* (1561).

Sartoux viendrait du latin *sartum* (terre non défrichée, non cultivée) ou de la base pré-celtique *sal* (*sel, sil*), qui a évolué en *sar* (pierre, éboulis, hauteur). Formes anciennes : *Raimundus de Sartol* (cart. de Lérins, XIe), *Gaufredus de Sartouls* (idem, 1113), *Petrus de Sartouol* (idem, 1114), *in castro de Sartols* (1235).

* ***Gentilice (gentilé)*** *vient de l'expression latine* ***gentile nomen*** *qui désigne des noms de familles ou de personnes et, par extension, les habitants d'un lieu.*

Histoire

Le territoire fut occupé par les *Celto-Ligures* puis par les *Romains* (stèle, voie romaine). Primitivement, **Mouans** (dans la plaine) et **Sartoux** (sur la colline du *Castellaras*), formaient deux communautés distinctes. Leurs *castra* et leurs *paroisses* sont mentionnés dès le **XIe** siècle, dans le cartulaire de l'abbaye de Lérins. À cette époque, **Mouans** relève du chapitre de Grasse et son feudataire est la famille de Grasse, tandis que **Sartoux** est inféodé à un seigneur local. Vers **1350**, la *peste noire* décime la population de ces villages, qui sont abandonnés. En **1496**, grâce à un *acte d'habitation* établi par son seigneur, Pierre de Grasse, **Mouans** est repeuplé et *reconstruit** (près du prieuré rural de Saint-André) par 60 familles originaires de Figons (près de Gênes). Il est fait de même pour **Sartoux**. La seigneurie de **Mouans** appartient au chapitre de Grasse jusqu'à la **Révolution**, en coseigneurie avec les Grasse-Bar puis avec les Villeneuve à partir de **1750**. Quant à celle de **Sartoux**, au **XVIe** siècle elle avait plusieurs coseigneurs : la *communauté d'habitants* de Grasse, les Grasse-Bar, les Durand et l'abbaye de Lérins. En **1519**, les moines de Lérins fondent le village de **Valbonne**, sur une partie du territoire de Mouans. Par décret impérial en date du **28 mars 1858**, les territoires de **Mouans** et de **Sartoux** sont réunis en une seule commune. Les habitants tirèrent longtemps leurs principales ressources des vignes et des oliviers. Dans le courant du **XIXe** siècle, ils se mirent à la culture des plantes à parfum (en particulier le *jasmin* et la *rose de mai*) destinées aux parfumeries grassoises.

* *En **1496**, le village est reconstruit selon **un plan carré en damier** (dit « de Lérins »). Son plan cadastral, qui fait partie du cadastre entrepris sous Napoléon Ier, fut réalisé en 1813. Les villages de **Mons** (en 1468), **Valbonne** (1519), **Vallauris** (1501) et **Biot** (1470) adoptèrent également ce plan en damier qui est représentatif de l'urbanisme provençal au XVe siècle.*

À voir

*Commune de plaine s'étirant le long de la **route Napoléon**. Le village est organisé selon un **plan** qui est **traditionnel au XVe** siècle, avec une **place centrale** entourée des principaux édifices administratifs et religieux. Il possède des maisons anciennes (du XVIe au XVIIIe siècles), des porches, des fontaines.*

* **Église paroissiale Saint-André** (XIVe-XVII-XVIIIe). Les nombreuses chapelles, toutes construites entre 1605 et 1702, sont ornées de tableaux et de retables.

* **Chapelle des Pénitents** (XVIIe) de style roman.

* **Château de Mouans** (XVIe-XIXe - IMH 1989). Il est de plan triangulaire, avec trois tours et un jardin intérieur. Initialement propriété des Grasse, il passe aux Villeneuve en 1750. Il est détruit pendant la Révolution et ce sont les Durand de Sartoux qui le font reconstruire en 1824, d'après les plans d'origine. La commune l'acheta en 1989. Désormais, il abrite un centre d'art contemporain.

* **Musée « Espace de l'art concret »**

* **Lavoir** (1730), place Général-Leclerc. Il fut couvert au début du XXe siècle. Les grands bassins étaient réservés au lavage du linge et les petits bacs servaient à laver le blé, qui avait été préalablement battu et séché sur la place.

* **Fontaine de la place du Grand-Pré**. Elle est mentionnée dans des documents du XVIe siècle, à l'époque de la construction du village.

* **Ancien moulin à huile** (XIXe). Il a été reconstitué dans une salle du musée « **Reflets d'un monde rural** ».

La mairie de Mouans-Sartoux

06250	MOUGINS	Plan: C 5

Quartiers : **LA PEYRIÈRE PINBONSON VAL DE MOUGINS LES BARAQUES**
Population : Insee 1999 **= 16.051** h. en 1901 = **1.599** h. variation **+ 903,81%** **(17.236** en 2005)
Rang de la commune par rapport au nombre d'habitants au niveau dépt : **12 -** au niveau national : **524**
Les habitants sont les **Mouginois**
Superficie : 2.564 ha - **Altitude** : 32 / 250 / 269 m - **Canton : Mougins** - **Arrondt** : Grasse
Distance de Nice : à vol d'oiseau = 23 km - par la route = 31 km - **Longitude** = 7,00° **- Latitude** = 43,60°
Accès : A 8 - N 85 - D 3 - D 235 - **Desserte** : TAM 600 (via Cannes) - Bus Azur 13
Fête patronale : 23 juin - **Église** : Saint-Jacques-le-Majeur - **Paroisse** : Notre-Dame-de-Vie
N° téléphone de la MAIRIE : 04.92.92.50.00 - **OFFICE du TOURISME** : 04.93.75.87.67
www.villedemougins.com

Origine du nom

Il pourrait venir de *mons Aegitna*, du pré-romain *moginus* ou encore de la racine pré-indo-européenne *mac*, *mag*, *mog*, *mug* (hauteur, butte, montagne). Formes anciennes : *in Mugino* (cart. de Lérins, 990), *villa que dicitur Muginis* (cart. de Saint-Victor, 1040), *Mogins* (cart. de Lérins, 1178), *in castro Mugin* (idem, 1187).

Histoire

Les vestiges retrouvés sur le territoire (hache votive, sépulture, tessons de poterie) attestent la présence de l'homme au **néolithique**. Il existe également les traces d'une occupation *celto-ligure* (*castellaras*). À l'époque de l'*Empire romain*, c'est peut-être sur ce site (ou bien sur celui d'**Auribeau**) que se trouvait la station *Ad Horrea*, ville d'étape et important relais de ravitaillement sur la *Via Julia Augusta** qui menait de l'Italie à l'Espagne. Le *castrum* de *Mugino* est mentionné pour la première fois en **990**, il faisait alors partie de la seigneurie d'Antibes. En **1056**, son feudataire, le comte Guillaume Gauceran, en fait don aux moines de l'abbaye de Lérins. Ces derniers vont le conserver jusqu'à la **Révolution**. Au **XVe** siècle, le bourg primitif est entouré de remparts. Dans une charte de franchise de **1438**, l'abbé de Lérins, seigneur du fief, accorde aux habitants le droit de chasser et de couper du bois. Au **XVIe** siècle, grâce à ses fortifications et à sa situation de village perché sur une butte, il va être relativement épargné par les guerres qui ravagent la région. Par contre, au **XVIIIe** siècle, **Mougins** est plusieurs fois occupé et dévasté par les troupes austro-sardes.

Ce village à vocation rurale (les habitants ont longtemps tiré leurs principales ressources de l'agriculture, puis des plantes à parfum comme la rose et le jasmin) bénéficia tardivement de la vogue de la Côte d'Azur. En effet, ce n'est qu'à partir des années 1920 qu'il devient très prisé des artistes. **Pablo Picasso** y vécut ses dernières années.

* *La **Via Aurelia** primitive fut construite en **241 avant J.-C.** Elle reliait **Rome** à **Arles** en passant par **Gênes**. Elle fut restaurée par Caius **Aurelius** Cotta, qui était **consul en 75 avant J.-C**. Aujourd'hui, il est possible de la parcourir jusqu'à Vintimille (Aurelia SS 1). À partir d'Arles, une autre route, la **Via Domitia,** menait en Espagne.*

* *La construction de la **Via Julia Augusta** fut entreprise en **50** (sous Jules César) et terminée en **14 / 13 avant notre ère** par Octave, qui devint l'empereur Auguste. Elle partait de **Savone** pour aller jusqu'à **Vence.** Son tracé chevauchait fréquemment, sur de longues portions, celui de la **Via Aurelia**. Quant à la **Via Vintiana**, elle reliait **Vence** à **Digne** en passant par **Castellane**.*

* *Sous le règne de l'**empereur Aurélien** (270-275), la **Via Julia Augusta** fut presque entièrement refaite, raison pour laquelle on l'appela ensuite **Via Aurelia**. Au Moyen Âge, elle s'appelait **Lou camin Aurelian**. La célèbre **Nationale 7** emprunte son tracé sur de longues portions. **Voies de communication** : voir Breil, Drap, Coursegoules, Escragnolles, Èze, Fontan, Gars, Lantosque, Pierrefeu.*

À voir

*Village typiquement « **provençal médiéval** » : les maisons sont groupées de façon concentrique autour du château. Il est situé sur un promontoire d'où l'on a une **vue magnifique** sur les îles de Lérins, Cannes et sa baie. Il comporte des maisons anciennes et des vestiges de fortifications.*

* **Église paroissiale Saint-Jacques-le-Majeur** (XIe-XIVe-XIXe). Remaniée de nombreuses fois. Elle abrite un *crucifix* (XVIe) en bois doré et polychrome, un *bénitier*, (XVIe), une fresque *Baptême du Christ* (XVIe), plusieurs *statues*, dont : *Saint Joseph,* la *Vierge à l'Enfant* (XVIIe) et la *Vierge de l'Apocalypse* (XVIIIe).

* **Chapelle Saint-Barthélemy** (XIIe - IMH 1941). De forme *octogonale* rappelant les *baptistères* du Ve siècle. Les chapelles de *Cabris* et de la *Trinité,* sur l'île Saint-Honorat, sont de plan similaire.

* **Chapelle Notre-Dame-de-Vie** (XVIIe). Elle fut construite à l'emplacement d'un temple romain dédié à *Diane curatrice*. Elle possède un *autel votif* du Ier siècle, des *stèles romaines* (IIe), un *retable* (XVIIe).

* **Musée municipal**, place de la Mairie.

* **Porte Sarrasine** (XIIe). Dernier vestige du système défensif médiéval. La *sarrasine* était une herse constituée de pieux ferrés, située entre le pont-levis et la porte du château fort.

* **Vestige du moulin à huile** (IIe). Il est situé à proximité de la *Via Julia Augusta*.

* **Lavoir communal** (1880), avenue Charles-Mallet. en 1970, il a été transformé en salle d'expositions.

* **Maison natale** (XIIe-XIXe) *du **commandant Lamy** (1858-1900). Cet **officier** et **explorateur** français s'illustra dans plusieurs pays africains. Il devint chef de la mission saharienne. La **capitale** du **Tchad (N'Djamena)** porta longtemps le nom de **Fort-Lamy**.*

* **Mairie** (1618-1954). Elle est installée dans l'ancienne **chapelle des Pénitents-Blancs-de-Saint-Bernardin** .

* **Musée de la Photographie**.

* **Manoir de l'Étang** (1790-1898). Il a appartenu au général Gazan, comte de la Peyrière (il fut général d'Empire). Actuellement, le bâtiment est devenu un hôtel-restaurant.

* **Musée de l'automobiliste**, situé sur l'autoroute A8. Il présente des voitures anciennes, toutes en état de marche (Benz, Bugatti, Ferrari, Hispano-Suiza, Delage, Rolls-Royce, Rosengart..) ainsi que des voitures de compétition.

* **Parc départemental de la Valmasque.** *Il est d'une superficie de **427** hectares et s'étend sur les communes de **Mougins** et de **Valbonne**, tout autour de **Sophia-Antipolis**. Il a été aménagé par l'Office national des forêts et il comporte des **pinèdes**, **20 km de sentiers** (dont un sentier botanique), des **pistes équestres**, un « **étang aux lotus** » (nombreux oiseaux et poissons, ainsi que des nénuphars géants et diverses plantes aquatiques), des **aires de pique-nique**, un **parcours de santé**. Ce parc est peuplé de **lapins**, ainsi que de quelques **renards** et **sangliers**.*

Une bonne adresse

Restaurant Cabaret LE SAINT-PETERSBOURGav. Saint-Basile 04 92 92 98 43 *www.lesaintpetersbourg.com*

Église Saint-Barthélemy et vue panoramique de la ville

Photos transmises par la mairie

06380 **MOULINET** **Plan: D 3**

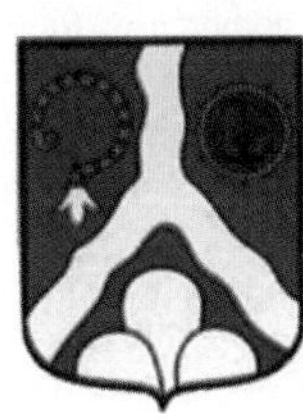

Hameau : **TURINI**

Population : Insee 1999 **= 249** h. en 1901 = **925** h. variation **- 73,08%**

Rang de la commune par rapport au nombre d'habitants au niveau départemental : **111**

Les habitants sont les **Moulinois**

Superficie : 4.107 ha - **Altitude** : 516 / 786 / 2080 m - **Canton : Sospel** - **Arrondt** : Nice

Distance de Nice : à vol d'oiseau = 31 km - par la route = 50 km - **Longitude** = 7,42° **- Latitude** = 43,95°

Accès: D 2566 - D 2566A - D 2566 et GR 52 - **Desserte** : Réserv : TAD 0 800 06 01 06 et Taxi 06 62 23 65 85

Fête patronale : 20 août - **Église** : Saint-Bernard - **Paroisse** : Saint-Étienne-de-la-Bévéra

N° téléphone de la MAIRIE : 04.93.04.80.07

Origine du nom

Ce toponyme vient du latin *molina*, moulin. En patois, *molinetto* signifie petit moulin à farine.

Histoire

Le territoire fut occupé par la tribu celto-ligure des *Vibères* puis par les *Romains*. La fondation du village est plus récente. En effet, au **Moyen Âge**, des cultivateurs *sospellois* s'installent sur ce terroir et y construisent un moulin. Le *castrum de Molineto*, alors simple hameau de Sospel, est mentionné au **XIIIe** siècle. Un texte de mai **1360** confirme la souveraineté de Sospel. En **1388**, Moulinet devient, comme sa ville de tutelle, dépendant de la maison de Savoie. En **1500**, le village est érigé en paroisse sous le vocable de saint Bernard.

En septembre **1944**, les *Moulinois* sont déportés à Cuneo par les Allemands mais les combats sur l'Authion, en avril **1945**, libèrent la vallée de la Bévéra. Le 11 novembre 1948, le village est décoré de la croix de guerre. Les activités économiques sont axées sur l'élevage (bovins, ovins et caprins), l'exploitation forestière, l'artisanat (*miel, tome de montagne* et ***brous** qui est du petit lait fermenté de vache, ce produit est typique des alpages).*

À voir

Village ancien construit dans un petit bassin. Il est entouré de forêts.

* **Église paroissiale Saint-Bernard** (XVIe-XXe). De style néoclassique, avec décoration intérieure baroque. Haut clocher dont la base est carrée et le toit pyramidal.

* **Sanctuaire Notre-Dame-de-la-Menour** (XIIe-XVI-XVIIe). On accède à cette chapelle romane par un escalier monumental. Façade de style Renaissance. ***Beau panorama** sur les gorges de la **Bévéra**, la forêt de **Turini** et le massif de l'**Authion**. **Parc national du Mercantour, voir pages 210 et 211**.*

* **Chapelle Sainte-Catherine** (XVIe). *Fresque* du plafond (XVIe), *tribune* (XVIIe). *Fanaux* de procession.

* **Ancienne chapelle Saint-Antoine** (XVIIe-XXe). Originellement propriété des Pénitents noirs, cette chapelle de style baroque possède une fresque sur le fronton extérieur. Elle abrite le **musée du Patrimoine moulinois**.

* **Ancien moulin à farine** (1949), descente Mouravi. Il ne fonctionne plus, la machinerie d'origine existe encore.

* **6 lavoirs** alimentés par la Bévéra. Les maisons ne bénéficièrent de l'eau courante qu'en 1914.

* **Circuit d'interprétation de l'Authion** (Voir La Bollène). ***Panoramas** grandioses.*

* **Vestiges de casernes** (1889). Massif de l'Authion. En 1939, cet ancien camp de Cabanes-Vieilles a encore servi de cantonnement à 1.500 hommes.

* **Monument aux Morts de Tueis**. En souvenir des soldats tués en 1793 (lorsque les troupes révolutionnaires affrontèrent les Austro-Sardes) et en 1945 (la 1re DFL contre les Allemands).

* **Cascade de Fontanin**.

* **STATION DE SKI DE TURINI - CAMP D'ARGENT** 1.607-1.920 m. Située à **La Bollène-Vésubie**, à la limite des territoires de **Moulinet, L'Escarène** et **Lucéram - Peïra-Cava**. *À une heure de route de Nice.*

Camp d'Argent : 3 remontées mécaniques, 3 pistes.

Turini : 1 remontée mécanique, 3 pistes. ***Ski alpin, ski de fond, randonnées à raquettes.***

Quelques bonnes adresses

Bar Restaurant de PARIS *Spécialités du pays* (situé dans le village - fermé le vendredi) 04 93 04 80 01

Hôtel-Restaurant LES TROIS VALLÉES ** *Col de Turini 1.607 m* Tel. 04 93 04 23 23 Fax 04 93 04 06 00

Restaurant de l'AUTHION *Cuisine du patron* *Spécialités du pays* *situé à Turini-Camp d'Argent* 04 93 91 57 61 *chezjeanjean@hotmail.com*

Pensionnaires du zoo de Saint-Jean-Cap-Ferrat *(photos transmises par le zoo)*

04 93 760 760 *www.zoocapferrat.com*

06910	MUJOULS (LES)	Plan: B 4

Population : Insee 1999 **= 30** h. en 1901 = **128** h. variation **- 76,56%**
Rang de la commune par rapport au nombre d'habitants au niveau départemental : **163**
Les habitants sont les **Mujoulois**
Superficie : 1.455 ha - **Altitude** : 518 / 750 / 1416 m - **Canton : Saint-Auban** - **Arrondt** : Grasse
Distance de Nice : à vol d'oiseau = 38 km - par la route = 85 km - **Longitude** = 6,85° **- Latitude** = 43,88°
Accès : N 202 - D 2211 A - D 85 et GR 4 - 510 - **Desserte** : Réserv: TAD 0 800 06 01 06
Fêtes patronales : les 29 juillet et 11 novembre - **Église** : Saint-Martin - **Paroisse** : Sainte-Marie-des-Sources
N° téléphone de la MAIRIE : 04.93.05.80.62 **www.ville-lesmujouls.fr**

Origine du nom

Cette appellation pourrait (comme **Mougins**) dériver de la racine pré-indo-euroopéenne *mac*, *mag*, *mog*, *mug* (hauteur, butte, montagne). Formes anciennes : *in castello Mugilo* (1022), *Aldebertus de Mugulo* (1092), *Aldebert del Mugo*l (1120), *castrum des Mujols* (1200).

Histoire

Le site fut habité par les *Ligures*, puis par les *Romains* qui en firent probablement un poste de surveillance. Au **XIIe** siècle, le *castrum* devient une place forte des *Templiers*. Il dépend alors de la *commanderie* de Biot. À partir du **XVIe** siècle et jusqu'à la **Révolution**, il fait partie de la seigneurie des Brun de Castellane. Au milieu du **XIXe** siècle, il y avait 192 habitants, qui vivaient principalement de l'élevage. La population déclina après les guerres de 1870 et 1914-1918. Actuellement, ce village, qui est en cours de restauration, est surtout habité pendant les week-ends et la période estivale. Les saints patrons des **Mujouls** sont sainte Marthe, qui est fêtée le 29 juillet et saint Martin, le 11 novembre.

À voir

Petit village ancien perché sur un ***col où passe le GR 4****, dans un environnement de montagnes boisées.* ***Vue magnifique*** *sur la* ***vallée de l'Estéron****, les massifs de Charamel et de* ***Gourdan****.*

* **Vestiges du château défensif** (XIe). Au XVIIIe siècle, le château médiéval fut remplacé par une bâtisse qui a pris le nom de *château,* et dont une partie est habitée par des villageois.

* **Église paroissiale Sainte-Marthe** (XIIe-XIVe-XVIIe). De style roman, à double clocheton. Elle abrite une huile sur toile (1669) *Sainte Marthe, saint Martin et sainte Marie-Madeleine*, et une autre (XVIIe) *La Donation du Rosaire*.

* **Chapelle Saint-Martin** (XIIIe). À la Saint-Martin, la statue du saint est portée en procession.

* **Moulin à farine** (XVIIIe), sur l'Estéron.

* **Autel votif du col d'Adom** (IIIe). Ce petit monument était dédié au dieu Mars Veracinius. ***Le GR4 passe par ce col qui relie Grasse à Entrevaux.***

* **Pont des Mujouls** (XVIIIe) sur l'Estéron. Il fut pendant longtemps l'unique passage reliant les hameaux de La Villette et d'Adon. Il est sur le trajet du chemin permettant de relier Grasse à Entrevaux. Les troupeaux l'empruntaient, ainsi que les habitants des Mujouls, du Mas et d'Aiglun.

06000 centre - 06100 nord
06200 ouest - 06300 est

NICE

Plan: D 3

Photographie Ville de Nice

AIRE SAINT-MICHEL BELLET **LES CAPPANS** CARRAS **CAUCADE** FABRON **FERIC** GAIRAUT **LA LANTERNE** LA MADELEINE **MAGNAN** MONT-BORON **LAS PLANAS** **LINGOSTIERE** RIMIEZ **SAINT-ANTOINE-GINESTIERE** SAINT-AUGUSTIN SAINT-ISIDORE **SAINT-PANCRACE** SAINT-ROMAN **SAINTE-MARGUERITE**

Population : Insee 1999 **= 342.738** h. en 1901 = **125.099 h.** variation **+ 173,97% (345.892** en 2005)
Rang de la commune par rapport au nombre d'habitants au niveau dépt : **1 -** au niveau national : **5**
Les habitants sont les **Niçois**
Superficie : 7.192 ha - **Altitude** : 0 / 10 / 520 m - **14 cantons numérotés de 1 à 14** - **Arrondt** : Nice
Longitude = 7,25° - **Latitude** = 43,70°
Accès : Cannes et Antibes A 8 ou RN 7 - Grasse A 8 - RD 6085 - Monaco et Menton A 8 ou RN 7 ou RN 98
Fêtes : Carnaval en février - Festin des Cougourdons en mars - La Capeline en mai - Bataille de fleurs en juillet
Églises : cathédrale Ste-Réparate, St-Jacques (Le Gesù), St-Jean-Baptiste (Le Vœu) - **Paroisse** : Bx Jean-XXIII Notre-Dame **Paroisse** : N.-D.-de-l'Assomption - N.-D.-du-Bon-Voyage **Paroisse** : St-François-de-Sales
35 autres églises réparties en diverses paroisses
Desserte : GR 5 de Nice à Amsterdam via Chamonix - SNCF - Bus
N° téléphone de la MAIRIE : 04.97.13.20.00 **- OFFICE du TOURISME et CONGRÈS** : 04.92.70.74.07

Origine du nom

Traditionnellement, il vient du grec ***Nikè***, victoire. Toutefois, il s'agirait plutôt du rhabillage hellénique du radical ligure ***niss*** (hauteur, sommet) et de ***nissa*** (point d'eau), qui a donné **Nikaïa**, lequel a évolué en *Nicaea* > *Nicea* (latin) > *Nicia* > *Niza* (ancien provençal) > *Nissa*. Formes anciennes : *Nikaia* (Strabon, Ier siècle), *Nicaea* (Tite-Live et Pline, Ier siècle), *Castelli Nicaensis* (465), *in comitatu Niciensi* (cart. de Saint-Pons, 999), *in civitate Nicea* (cart. cathédrale de Nice, 1002), *qui episcopi seran de Niza* (cart. cathédrale de Nice, 1074), *qui post te venturi sunt de Nicea* (idem, 1115). Il existe un *Nizza* dans le Montferrat, *Nissan* et *Nissargues* en Languedoc, mais également *Nicée* de Bithynie, *Nicea* de Macédoine et de Thrace.

Histoire

Le peuplement du site remonte au **paléolithique** (*Terra Amata*). Vers l'**an mille** avant notre ère, il était occupé par les *Ligures Védiantiens*, les probables descendants de *tribus néolithiques*. Comme l'affirment de nombreux témoignages antiques, la cité primitive, sur la colline du château, a été fondée par les *Phocéens de Marseille**, entre **565** et **540** avant J.-C. Ce comptoir commercial se trouvait sur la pente sud, il dominait l'anse des Ponchettes qui servait de port. **Nikaïa** resta sous la dépendance des Massaliotes jusqu'au **IIIe** siècle de notre ère. Peu après la victoire d'Auguste sur les tribus *ligures alpines*, en l'an **13** avant J.-C., les *Romains* établissent leur capitale administrative et militaire, **Cemenelum** (Cimiez) sur une colline située à 3 km au nord de **Nikaïa**, à l'emplacement d'un *oppidum* ligure. Le déclin de *Cemenelum* s'amorce lorsque *Embrun* devient chef-lieu de province (fin IIIe siècle). Après la chute de l'*Empire romain*, la région est envahie par des hordes barbares et, au **VIe** siècle, la cité est abandonnée par ses habitants qui se réfugient au *Castellum Nicaea,* au sommet de la colline. Peu d'écrits nous sont parvenus de cette période du **haut Moyen Âge**, toutefois, les annales carolingiennes relatent le saccage de **Nice** par les *Sarrasins*, en **813**. Ces derniers sont expulsés en **973-974** par Guillaume Ier, et c'est le début de la domination directe des comtes de Provence sur la région.

Avec la sécurité revenue, le **XIe** siècle voit l'essor démographique, la reprise de l'économie, le développement de l'agriculture, le renouveau urbain. En **1144**, sous l'influence des *consulats italiens* (dont la création remonte au XIe siècle), **Nice** s'institue en *ville consulaire*. Les deux autres villes de consulat sont *Grasse* et *Peille* mais il existe aussi plusieurs petits *consulats ruraux* : *Drap, Contes, Lucéram, Utelle...* Ces cités disposent de larges pouvoirs mais restent sous l'autorité du comte de Provence. C'est à cette époque que l'habitat déborde du *Castellum* et s'étend progressivement dans la plaine, de la rive gauche du Paillon jusqu'à la mer. Cette *ville basse* connaît un important développement au **XIIIe** siècle, et au **XIVe** elle est le centre actif du commerce. Lors de la ***dédition de 1388***, **Nice** ainsi que de nombreuses communautés provençales, passe sous la domination de l'État savoyard. La cité, longtemps seul débouché maritime de la Savoie, devient une importante place forte, la capitale administrative et le pôle économique de la région. En **1526**, les *Terres-Neuves de Provence* reçoivent le nom de *comté de Nice*.

En **1543**, François Ier et ses alliés turcs assiègent **Nice**. La garnison du château résiste mais la ville basse est contrainte de se rendre (l'épisode Catherine Ségurane date de cette époque). En **1559** (traité de Cateau-Cambrésis), la France renonce à ses prétentions sur le comté. C'est le début d'une période de prospérité qui va durer 130 ans, malgré des moments difficiles dus aux guerres de Religion. Le duc Emmanuel-Philibert de Savoie fait bâtir une forteresse qui couvre toute la colline du château. La population est déplacée vers la ville basse où est érigée une nouvelle cathédrale. La citadelle de Villefranche est construite en 1557 et le fort du mont Alban en 1560. Le *port franc* de Nice-Villefranche est instauré en 1612, quant au *sénat* et au *consulat de la Mer*, ils sont créés en 1614. Le comté de Nice est occupé par les armées françaises de**1691** à**1696** et de nouveau en **1706**, mais en **1713**, Louis XIV le restitue au duc Victor-Amédée II (traité d'Utrecht). Toutefois, en 1706, le roi de France a fait, par précaution, démolir la citadelle de Nice et ses murailles. Ainsi, la ville perd définitivement sa vocation de place de guerre. Les forteresses de Saint-Hospice, Beaulieu et La Turbie subissent le même sort. Pendant la guerre de Succession d'Autriche(1744-1748), le comté est une fois encore envahi, mais le traité d'Aix-la-Chapelle (**1748**) le rend à la Savoie (royaume de Piémont-Sardaigne depuis 1720). C'est alors que le roi Charles-Emmanuel III de Savoie décide la construction du *port Lympia*, à l'est de la colline du château (1749). En **1780**, son fils Victor-Amédée III fait améliorer l'axe routier principal reliant Nice à Turin (le *Grand Chemin ducal,* rebaptisé *Route royale*) car il n'est toujours pas carrossable entre L'Escarène et Limone (Voir Breil et Fontan). Malgré ces réalisations, la croissance économique de la ville reste limitée. Entre **1793** et **1814**, le comté est rattaché à la France. Il devient, pendant près de 22 ans, le département des Alpes-Maritimes, puis il est rendu au royaume de Sardaigne. C'est alors que, pour favoriser le développement du tourisme, le gouvernement sarde crée le *Consiglio d'Ornato,* chargé de l'aménagement et de l'embellissement de la ville (les places Masséna et Ile-de-Beauté, entre autres). Sur le plan économique, le second traité de Paris (**1815**) comporte une clause lourde de conséquences pour le comté de Nice : *la suppression de la République de Gênes et son rattachement au royaume de Piémont-Sardaigne*. Avec l'annexion du port génois, celui de Nice perd son rôle de débouché privilégié. Entre 1815 et 1821, son activité est en nette régression. La suppression du *port franc*, en **1853**, équivaut à la mort du commerce local. La population niçoise est extrêmement pauvre et celle de l'arrière-pays a un niveau de vie parmi les plus bas d'Europe occidentale. Les conditions économiques déplorables provoquent une désaffection grandissante envers le royaume de Sardaigne. En **1860**, le rattachement à la France est voté à un écrasante majorité (*votants : 6.846* ; *oui* : 6.810 ; *non* : 11 ; *nuls* : 25).

À partir de cette période, grâce au désenclavement des Alpes-Maritimes (routes, chemin de fer) qui favorise l'afflux de nouveaux résidents pendant la saison hivernale, la vocation touristique de la région s'affirme, et **Nice** trouve sa véritable voie de développement.

* *Pline l'Ancien, « Nicea oppidum a Massiliensibus conditum » (la place forte de Nice créée par les Marseillais), ainsi que Diodore de Sicile et Strabon* ***l'affirment avec certitude****. Ce dernier explique même que la citadelle a été fondée pour garder la route maritime libre, et se protéger des Barbares qui occupaient les terres.*

À voir

*** VIEUX NICE.**

Cathédrale *Sainte-Réparate* (1680- CMH 1906), églises *du Gesù*, *Saint-Jacques-le-Majeur Sainte-Rita*, (1607-CMH 1971), place *Saint-François*, place *Rossetti*, *cours Saleya, marché aux fleurs, palais Lascaris, Opéra, palais de la Préfecture*.

*** Colline du château**. Ruines du château (détruit sur ordre de Louis XIV) et de la cathédrale Sainte-Marie (Xe). **Tour Bellanda**. **Vue panoramique** sur la Promenade des Anglais, la ville moderne, le port et les collines alentour.

Quelques bonnes adresses dans le Vieux-Nice - cours Saleya - rue Saint-François-de-Paule *(Opéra)*

SPAGHETTISSIMO *Pâtes et spécialités italiennes* ***Service non stop*** 3, cours Saleya 04 93 80 95 07

Restaurant LE GRAND BLEU *Spécial.de la mer* 24, C. Saleya 04 93 62 29 51 *www.restaurant-legrandbleu.fr*

BEEFBAR JUNIOR *Viande 1re qualité du monde entier* 34, cours Saleya 04 93 62 60 42 *www.beefbar.com*

CLAIR OBSCUR ***Bijoux Minéraux Fossiles*** 9, r.Droite 04 93 80 44 27-06 16 65 96 84*www.pierres-bijoux.com*

Restaurant - *Irish Pub* **MA NOLANS** 2, rue St-François-de-Paule 04 93 80 23 87 *www.ma-nolans.com*

À L'OLIVIER *Spéc. Huile Olive Huiles rares* 7, r. St-F.-de-Paule/Opéra 04 93 13 44 97*www.olivier-on-line.com*

CÔTÉ-VIN *A. Soave, **œnologue conseil*** 14, r. St-François-de-Paule 04 93 84 63 60 et 29, Av. Borriglione

ASSOCIATION ARTENDANCES + de 30 ATELIERS et GALERIES D'ART 04 93 13 93 50

FENOCCHIO ***Maître Glacier*** 2, place Rossetti 04 93 80 72 52 & 6, rue de la Poissonnerie 04 93 62 88 80

Fromager **Volailler** LA POULETTE 12, rue de la Préfecture 04 93 85 67 96

* QUARTIER DU PORT

Église *Notre-Dame-du-Port* (1840- IMH 1991), sites préhistoriques de *Terra Amata* et du *Lazaret* (CMH 1963). Le pittoresque vieux port, la place Île de Beauté et ses immeubles classés.

Quelques bonnes adresses sur le port

Restaurant L'ÂNE ROUGE **Michelin* 7, quai des-Deux-Emmanuel 04 93 89 49 63 *www.anerougenice.com*

LA ZUCCA MAGICA Restaurant *à légumes, œufs et fromages* 4 bis, quai Papacino 04 93 56 25 27

Antiquités LES PUCES DE NICE **Brocante**

Ouvert du mardi au samedi inclus 10h à 18 h

Place Robilante (quai Lunel, Port de Nice)

Parking facile sur le port

LE LOCAL *Épicerie italienne Dégustation* 4, rue Rusca (*à droite de l'église du Port*) 04 93 14 08 29

Restaurant LA BARQUE BLEUE **Pizzeria** 7, quai des-Deux-Emmanuel 04 93 55 39 74

LOCATION de VOILIERS Ets MOORINGS 10-12, quai Papacino Tél. 0800 402 320 *www.moorings.fr*

* QUARTIERS DU CENTRE

Jardins Albert-Ier, *place Masséna* (1859-IMH 1966), avenue Jean-Médecin, *place Garibaldi*, basilique Notre-Dame, musée d'*Art moderne*, *théâtre*, *musée d'Histoire naturelle*, complexe *Acropolis*, *palais des Expositions*, église Sainte-Jeanne-d'Arc (1933 - CMH 1992). *** Cathédrale Saint-Nicolas** (église russe), 1912.

Quelques bonnes adresses dans le centre-ville

THE SCOTCH TEA HOUSE Restaurant Salon de thé 4, avenue de Suède 04 93 87 75 62

Restaurant LE VOCI 46, bd Victor-Hugo / angle 2, rue Gounod 04 93 76 78 23

AU BIO MARCHÉ *pain fruits légumes produits frais* Espace Grimaldi (rue de la Buffa) 04 93 82 56 14

S. SERAIN Pâtisserie CAPPA *Glacier Chocolatier Salon de Thé Traiteur* 7, place Garibaldi 04 93 62 30 83

CAFÉ de TURIN *Dégustation de fruits de mer* 5, place Garibaldi 04 93 62 29 52 *www.cafedeturin.com*

FOURNIL ARSON *Boulanger Pâtissier Traiteur* 31, r. Arson 04 93 55 65 65 *http://members.aol.com/bbfournil*

* PROMENADE DES ANGLAIS

Monument aux Morts, au pied du château (1927), quai des États-Unis avec les terrasses des *Ponchettes* (classées en 1944), *palais de la Méditerranée* (1927), grands hôtels (*Negresco*, IMH 1975), le *palais Masséna* (1899-CMH 1975) qui abrite le *musée d'Art et d'Histoire* ainsi que la *bibliothèque du Chevalier de Cessole*, le *parc Phœnix* et le *musée des Arts asiatiques*, l'*Arénas* et l'*aéroport*.

Quelques bonnes adresses sur la Promenade des Anglais

Hôtel SUISSE *** 15, quai Raubà Capéu (Promenade des Anglais) 04 92 17 39 00 *www.hotels-ocre-azur.com*

CAMBODIA FAST FOOD *Spécialités asiatiques Restauration rapide Vente à emporter Réception Banquet Vue mer* 61,quai des États-Unis 04 93 85 66 54 *cambodia.cambodiafastf@business.fr*

LA CANNE À SUCRE Restaurant Brasserie Glacier 11, Promenade 04 93 87 19 35 *www.lacanneasucre.com*

SUN SEA BLUE *Saladerie Pizzeria Crêperie* ***non stop*** *Web-Café-Wifi* 71, quai des États-Unis 04 93 53 20 63

*** PARC FORESTIER DU MONT BORON**, aménagé par Gabriel Demontzey, un ingénieur des Eaux et Forêts (XIXe). Le fort du mont Alban (CMH 1923) offre un ***magnifique panorama*** *sur Nice et la côte jusqu'à l'Estérel, la baie de Villefranche-sur-Mer et le cap Ferrat.*

Une bonne adresse sur le mont Boron

AU BIO MARCHÉ *pain fruits légumes produits frais* 10, Corniche André-de-Joly Tél. 04 93 26 38 02

*** OBSERVATOIRE** (1899 - CMH 1994), Grande Corniche. *Il fut financé par **Raphaël Bischoffsheim** (1823-1906), un riche banquier hollandais naturalisé français, passionné d'astronomie. En 1899, il en fit don à l'Université de Paris. Depuis 1972, l'observatoire est rattaché à celle de Nice. L'architecte **Charles Garnier** participa à la construction de cet édifice, et pour la grande coupole, on fit appel à **Gustave Eiffel**.*

*** COLLINE DE CIMIEZ**

Vestiges ligures (*Védiantiens*) et romains (*arènes*, *thermes* des Ier et IIIe siècles - CMH 1947), église Notre-Dame-de-Cimiez (CMH 1993) et sa croix séraphique (CMH 1903), **musées Chagall et Matisse**, les prestigieux hôtels de la Belle Époque (Régina, Majestic, Hermitage), abbaye de Saint-Pons, cloître du XVIe siècle (CMH 1993).

*** Collines Ouest**. *Musée des Beaux-Arts* et *musée international d'Art naï*f, studios de la *Victorine.*

Quelques bonnes adresses à Cimiez - Rimiez - Gairaut

AUBERGE DE THÉO 52, av. Cap-de-Croix *Cuisine italienne* 04 93 81 26 19 *www.auberge-de-theo.com*

Restaurant CHEZ SIMON 182, avenue de Rimiez *Spécialités niçoises* 04 93 84 40 61

HÔTEL AUBERGE DE L'AIRE ST-MICHEL *Cuisine niçoise* ch. Châteaurenard (Gairaut) 04 93 84 42 07

Quartier Nice-Ouest

LE PANIER BIO 456, rte de Bellet *Produits biologiques de l'exploitation* 04 93 37 84 21*www.lepanierbio.com*

ASRPA Association de sauvegarde et de réhabilitation du patrimoine ancien 450, route de Bellet 06200 Tél. 06 23 07 88 34 / 04 93 37 88 26 Fax 04 92 15 10 07

CHÂTEAU DE CRÉMAT *Vins AOC BELLET* 442, chemin de Crémat Tél. 04 92 15 12 15 Fax 04 9215 12 13

Restaurant SIMON *Spécialités niçoises* 275, route Saint-Antoine-de-Ginestière Tél. 04 93 86 51 62

Photographies: Ville de Nice

06650	OPIO	Plan: B 5

Population : Insee 1999 **= 1.922** h. en 1901 = **341** h. variation **+ 463,64%** (**1.947** en 2005)
Rang de la commune par rapport au nombre d'habitants au niveau dépt : **54 -** au niveau national: **4.666**
Les habitants sont les **Upians** ou **Opidiens**
Superficie : 974 ha - **Altitude** : 154 / 302 / 361 m - **Canton : Le Bar-sur-Loup** - **Arrondt** : Grasse
Distance de Nice : à vol d'oiseau = 22 km - par la route = 24 km - **Longitude** = 6,98° **- Latitude** = 43,67°
Accès : A 8 ou N 7 - D 2D - D 2 - D 2085 - D 807 - D 7 - D 707 - **Desserte** : TAM 501 - Envibus 11 - 26R
Fête patronale 1er dimanche de juin - **Église** : Saint-Trophime - **Paroisse** : Saint-Pierre-du-Brusc
N° Tél. de la MAIRIE : 04.93.77.23.18 **www.opio-mairie.com**
OFFICE du TOURISME : **www.opio-village.com**

Origine du nom

Probablement de la racine *opp* (hauteur fortifiée) dont est dérivé le latin *oppidum* (place forte). Toutefois, une stèle funéraire découverte à Opio porte la citation suivante : « *À Caius Albucius Oppius, qui vécut vingt ans, Caius Albucius Oppius et Naeva Paterna ont élevé ce monument à leur fils bien-aimé.* » Formes anciennes : *ecclesia de Opia* (cart. de Lérins, 1139), *de Opio* (1172), *castrum de Uppia* (vers 1200). Également : *Oppius*, *Oppie* et *Upio*.

Histoire

À l'origine, un important camp fortifié construit par la tribu celto-ligure des *Décéates* occupait le site. Les *Romains* détruisent cet *oppidum* en **165** avant J.-C. Il est de nouveau ravagé par les hordes barbares pendant la période des *Grandes Invasions,* puis par les *Sarrasins*. Après l'expulsion de ces derniers, en **973**, les terres de la région sont redistribuées. Le premier seigneur du lieu est le fils du comte d'Antibes, Guillaume. Son successeur, Pierre, ne tarde pas à se retirer comme moine à l'abbaye de Lérins à qui il fait donation d'une partie du fief. Ce dernier est alors rattaché à l'épiscopat d'Antibes. À l'époque, le territoire s'étendait jusqu'à la mer, mais en **1138**, il est morcelé. À la fin du **XIIe** siècle, le sénéchal du comte de Provence, Romée de Villeneuve, s'empare des châteaux de la région. **Opio** est attribué à l'évêque de Grasse, qui va le conserver jusqu'à la **Révolution**. En **1471**, conséquence des guerres et des épidémies de peste, le village est devenu un *lieu inhabité*. En **1631**, Louis XIII nomme Antoine Godeau comme seigneur temporel d'**Opio**. Le 8 novembre **1734**, le premier *Conseil* de *consuls* élus par les *Opidiens* se réunit, sur la place du village devant l'église Sainte-Trophime, en exécution d'un arrêt du parlement d'Aix commissionné... en **1609** par Henri IV, c'est à dire *125 ans* auparavant.

Les activités du village étaient axées sur la production d'huile d'olive et la culture de fleurs à parfum (rose et jasmin) destinées aux parfumeurs grassois.

À voir

Village perché avec des bastides restaurées et un quartier résidentiel sur la colline San Peyre. ***Beau panorama.***

* **Église paroissiale Sainte-Trophime** (XIIe). De style roman, avec un clocher carré surélevé à baie unique. Elle fut construite sur les ruines d'un temple romain dont certains éléments ont été réemployés (demi-colonne romaine). Elle abrite des *fonts baptismaux* (XIIe) et un *retable*, huile sur toile, *Saint Trophime* (XVIIe).

* **Moulin à huile de la Brague**. Les murs et une partie du matériel sont du XVe siècle. Ce moulin à huile est exploité par la même famille depuis six générations, il est toujours en activité.

* **Château de la Bégude** (XVIIe). Il abrite un hôtel, un restaurant et un golf, sur une superficie de 220 hectares.

* **Aqueduc** (XVIIe). Il alimentait le château de la Bégude.

* **Ancien château des évêques** (XVIIe). Il abrite la mairie. Une stèle du Ier siècle est scellée dans le bâtiment.

* **Château de San Peyre** (XVIIIe). Construit à flanc de colline, dans un style provençal.

* **Fontaine à une vasque** (1894). Avant l'adduction d'eau (au début du XXe siècle), quelques fontaines alimentaient le village en eau.

* **Croix de mission** (1872) et **croix de chemin** (1841), toutes deux en pierre et fer forgé.

06580 PÉGOMAS Plan: B 5

Hameaux : LA FÉNERIE LE LOGIS

Population : Insee 1999 **= 5.794** h. en 1901 = **735 h.** variation **+ 688,30%** (**5.858** en 2005)

Rang de la commune par rapport au nombre d'habitants au niveau dépt : **26 -** au niveau national: **1.548**

Les habitants sont les **Pégomassois**

Superficie : 1.128 ha - **Altitude** : 6 / 23 / 483 m - **Canton : Grasse sud** - **Arrondt** : Grasse

Distance de Nice : à vol d'oiseau = 28 km - par la route = 39 km - **Longitude** = 6,93° - **Latitude** = 43,6°

Accès : A8 ou N 7 - N 85 - D 409 - D 209 et GR 51 - **Desserte** : TAM 610 et 611 (via Cannes)

Fête patronale : 1er dimanche de juillet - **Église** : Saint-Pierre - **Paroisse** : Saint-Vincent-de-Lérins

N° téléphone de la MAIRIE : 04.93.42.22.52 - **OFFICE du TOURISME** : 04.92.60.20.70

www.villedepegomas.fr

Origine du nom

En langue d'oc, *pegomas* signifie emplâtre de poix, et en provençal *pègue* signifie colle. On nommait *pègue-poix* la résine que l'on récoltait sur les pins des collines environnantes. Ce toponyme pourrait venir : **1)** de la présence d'une ancienne officine fabriquant de la poix à base de résine ou de goudron de bois ; **2)** du latin *pix*, *picis*, poix. Il indiquerait une terre collante, imbibée d'eau, ce qui correspond bien aux terres marécageuses avant l'assainissement de la vallée. Formes anciennes : *Pegomacio* (1130), *ecclesias de Pegomasco* (1155), *Pegomacium* (1155), *ecclesias de Pegomasio* (1158), *Pegomas* (cart. de Lérins, 1178).

Histoire

Un *castellaras* celto-ligure, sur une colline dominant la plaine de la Siagne, témoigne d'une occupation humaine très ancienne. Toutefois, **Pegomacio** n'est cité qu'en **1130**, lorsque Raymond Bérenger Ier donne des terres aux moines de Lérins. Elles leur appartiendront jusqu'à la **Révolution**. En **1258**, à la demande de l'abbé de Lérins, seigneur du fief, une première délimitation est effectuée entre les terroirs de **Pégomas** et ceux d'**Auribeau** (ultérieurement, les limites communales furent déplacées sur les hauteurs). À cette époque, l'habitat consiste en quelques bastides dispersées sur les collines car la majeure partie des terres sont situées dans une plaine marécageuse et insalubre, régulièrement inondée par la Siagne. En **1471**, conséquence des guerres et des épidémies de peste, le territoire est déclaré *lieu inhabité*. En **1513**, l'abbé de Lérins établit un *acte d'habitation* pour le repeupler avec des familles originaires de Ligurie. Les nouveaux habitants lancent la culture du riz, mais les conditions sanitaires sont tellement mauvaises dans ces marais qu'en **1581**, **Pegomas** est de nouveau déserté. Une seconde tentative de repeuplement est lancée, sans succès, au début du **XVIIIe** siècle. Toutefois, la vallée est assainie en **1808**. En effet, à la suite d'une crue exceptionnellement violente, une brèche est ouverte sur le front de mer, ce qui permet à la Siagne de se créer un vrai lit. Après des travaux de drainage et de curage, les zones marécageuses disparaissent, laissant la place à des terres alluviales fertiles que les paysans vont enfin pouvoir exploiter.

Pendant les premières années du XXe siècle, des bandits sèment la terreur à Mouans-Sartoux, La Roquette et

Pégomas (cambriolages, meurtres, cimetières profanés, incendies). Après sept années de traque, un suspect est enfin arrêté et envoyé au bagne. Ses complices n'ont jamais pu être démasqués.

À voir

* **Église paroissiale Saint-Pierre**. Elle remplace la chapelle du XIe siècle, qui appartenait aux moines de Lérins et qui fut détruite en 1762 (seule subsiste une partie du transept). Elle est reconstruite en 1765. Clocher carré tronqué, de style provençal. La façade et le parvis furent restaurés en 1997. Elle abrite une huile sur toile (1691) *Notre-Dame du Rosaire* de *Louis Van Loo**, deux statues (XVIIIe) en bois doré polychrome, *Vierge à l'Enfant* et *Saint Pierre*, ainsi que deux peintures murales (XVIIIe), *Âmes du Purgatoire* et *Armoiries*.

* ***Famille de peintres** français d'origine néerlandaise. **Louis** (1656-1712), ses fils **Jean-Baptiste** (1684-1745) et **Carle** (1705-1765), ses petits-fils **Louis-Michel** (1707-1771) et **Amédée** (1719-1795). Ils ont réalisé de nombreuses œuvres en Provence et dans le comté de Nice. Le plus célèbre, **Carle**, est considéré comme un des plus importants peintres de son époque.*

* **Martelière du Béal** (XVe). Cette petite écluse a été réalisée en même temps que le *canal de dérivation* (*Béal*) des eaux de la Siagne. Le *Béal* a été construit par les moines de Lérins pour la mise en eau des rizières ainsi que pour alimenter les moulins de Cannes, à l'Abadie.

* **Four communal** (XVIIIe). *C'était un **bien commun** des habitants du quartier des Tapets. Ces **biens communs** étaient répertoriés au **cadastre** et **imposables**. Cela concernait les **fours**, les **moulins**, les **lavoirs** et **fontaines...** **Banalités** et **communaux** : voir Rigaud.*

* **Anciens puits** (XVIIIe). L'un, couvert de tuiles rondes, est situé au quartier Saint-Pierre. L'autre, à coupole de style provençal (quartier des Tapets), servait à irriguer les plantations de cresson alentour.

* **Puits Noria** (XIXe), au quartier des *Fermes de Pégomas*. *Ce système hydraulique (**noria**) est constitué de godets fixés à une chaîne sans fin (les récipients plongent renversés et remontent remplis). Il était actionné par une bête de somme. Cette **noria**, bien conservée, fonctionna jusqu'au **milieu du XXe siècle**. L'eau pompée dans la nappe phréatique servait à irriguer les nombreux champs et cressonnières des environs.*

* **Château** (fin XVIIIe). Construit par le comte de Drée. À l'origine, c'était une bastide flanquée de deux tourelles. Actuellement, il est divisé en plusieurs appartements. L'aspect extérieur des écuries a été conservé.

* **Oratoire Sainte-Thérèse-de-Lisieux** (1921), quartier des Mitres. Construit par la famille Arnéodo à la suite du décès de leur fille Thérèse.

* **Croix de mission**, quartier Saint-Pierre. Ayant été épargnés lors de l'épidémie de choléra de 1835, les villageois ont érigé cette croix (depuis 1995, elle remplace l'original qui a été volé).

MIMOSAS

*Le « **mimosa des fleuristes** » (une variété d'acacia), est originaire d'Australie. Il a tenu une place importante dans la production horticole méditerranéenne. On cultive essentiellement les mimosas à fleurs jaunes et odorantes qui fleurissent de janvier à mars, mais une variété dite Quatre Saisons fleurit plusieurs fois par an. Il existe aussi une espèce qui pousse à l'état sauvage sous les tropiques, le Mimosa pudique, nommé la Sensitive, car ses feuilles se replient quand on les touche et elles donnent l'impression de se flétrir. Il pourrait s'agir d'un mécanisme d'autodéfense permettant à la plante de se protéger de la dent des herbivores. Les végétaux étant dépourvus de système nerveux, ce mécanisme complexe est dû à une brusque modification de la teneur en eau de certaines cellules des feuilles au niveau de leur articulation avec la tige. Il n'est pas impossible que le nom de **mimosa** vienne de cette faculté de changer d'aspect, et dérive des mots mime, mimer.*

La Siagne

06440 # PEILLE **Plan: D 4**

Hameaux : LE FAÏSSE **GAUDISSART** GRAVE-DE-PEILLE
SAINT-MARTIN-DE-PEILLE **LACS**

Population : Insee 1999 = **2.045** h. en 1901 = **1.600 h.** variation **+ 27,81%** (**2.055** en 2005)

Rang de la commune par rapport au nombre d'habitants au niveau dépt : **53** - au niveau national: **4.419**

Les habitants sont les **Peillois** ou **Peillasques**

Superficie : 4.316 ha - **Altitude** : 190 / 630 / 1268 m - **Canton : L'Escarène** - **Arrondt** : Nice

Distance de Nice : à vol d'oiseau = 16 km - par la route = 25 km - **Longitude** = 7,40° - **Latitude** = 43,80°

Accès : A 8 - D 2204 A - D 2564 - D 53 et GR 51 - **Desserte** : TAM 116 - 340 - (Grave 360)

Fête patronale : 15 août - **Églises** : Peille : Notre-Dame-de-l'Assomption - **Paroisse** : Saint-Esprit

La Grave : Église Saint-Jean-Marie-Vianney - **Paroisse** : Saint-Pierre-et-Saint-Paul

N° téléphone de la MAIRIE et OFFICE du TOURISME : 04.93.91.71.71

Origine du nom

Il vient du prélatin *pel (pal, per, par)*, qui est une variante de la racine originelle *bal*, hauteur, rocher. Formes anciennes : *Gaucelinus de Pilia* (cart. de Saint-Pons, 1029), *Pilia, Peila* (cart. de la cathédrale de Nice, XIIe), *Pella* (idem, 1135), *sancte Marie de Pilea* (idem, 1136), *castrum de Pillia* (vers 1200), *Pilia* (1325), *villa de Pella* (1388), *Petro Verani, notario de Pilia* (cart. de Saint-Pons, 1486), *Pelha* (archives com. 1563).

Histoire

Le site possède de nombreux vestiges de murailles d'enceintes datant du **néolithique**. Lorsque *Pilia* est mentionnée, en **1029**, c'est une *commune libre** administrée par trois *consuls élus*. En **1176**, son autonomie et ses privilèges sont confirmés par le comte de Provence, à qui elle a prêté main forte contre les Niçois. À cette époque, elle forme une *confédération républicaine* avec **Lucéram** et **Utelle. Peille** est une cité importante : elle possède les fiefs de *Castellar*, *Gorbio*, *Sainte-Agnès*, *Berre-les-Alpes*, *Contes*, *L'Escarène*, *Peillon* et *La Turbie*. La plupart de ces villages se séparèrent de leur ville de tutelle aux **XIIe** et **XIIIe** siècles (Castellar, Peillon, La Turbie...). L'Escarène obtiendra son autonomie en 1520, et Blausasc en 1926. Au **XIVe** siècle, le comte de Provence fait de **Peille** l'un des trois chefs-lieux de bailliage de la viguerie de Nice. Il comprenait 18 communes, dont La Roquette-sur-Var, Levens, Aspremont, Coaraze, Berre, Èze, La Turbie. En **1347**, la cité est rattachée à la viguerie de Vintimille, avec Sospel pour chef-lieu. À partir de **1388**, elle passe sous la suzeraineté de la maison de Savoie. Lors de l'*affouage* de **1408**, *66 foyers* sont recensés. En **1614**, **Peille** est inféodée pour la première fois. Le duc de Savoie dédommage ainsi le comte Albino Bobba envers lequel il a une dette. La cité devient une seigneurie en **1621**, et est érigée en comté en **1651**, en faveur de Jean-Paul Lascaris-Vintimille, grand maître de l'*ordre de Malte** (Voir Lucéram). Cette famille conserva le fief jusqu'à la **Révolution**. Après avoir été française à partir de **1792**, **Peille** réintègre l'État sarde de **1814** à **1860**.

** **Ville de Consulat - Universitas** : le **XIIe siècle** fut celui des **consulats**.*

*Déjà à cette époque, certaines petites agglomérations n'ayant pas de **seigneur domanial** étaient affranchies de toute sujétion seigneuriale. Pour assurer la défense de leurs intérêts, les habitants s'organisaient en **communauté** ou **Universitas**. Ils élisaient des représentants (baile, syndics) pour administrer leur cité.*

*Des villes relativement importantes comme **Grasse** et **Nice**, ou plus petites comme **Peille**, **Contes**, **Utelle**... prenant l'exemple de **Gênes**, **Pise** ou **Venise**, qui étaient érigées en **républiques**, rejetèrent la tutelle seigneuriale et se*

*déclarèrent « **autonomes** ». En Provence orientale, les **trois** principales **villes de consulat** furent **Grasse, Nice** et **Peille**. Ce mouvement d'**émancipation communale** fut largement favorisé par le **développement d'une classe de marchands et d'artisans**. De nombreux villages se libérèrent également de certaines servitudes et demandèrent que soient fixés par écrit les obligations qui leur incombaient ainsi que les privilèges et franchises qui leur étaient octroyés. Ces **conventions** étaient régulièrement réadaptées et confirmées.*

*Le **consulat de Nice** était constitué d'un **parlement public** (assemblée de chefs de famille) qui détenait les pouvoirs, élisait les magistrats. **Quatre consuls** (élus pour un an) géraient les affaires intérieures, percevaient les impôts et s'occupaient de la défense. Ils négociaient et signaient les traités politiques et commerciaux. Un **juge des consuls** se chargeait des procès (civils et criminels). Un **clavaire** gérait les finances. Toutefois, lorsqu'en **1176** le comte de Provence Alphonse Ier **confirma leur consulat**, les Niçois durent lui verser 25.000 sous et s'engager à s'acquitter de certains droits. **Nice** reconnaissait ainsi qu'elle était **sous la haute autorité d'un suzerain**. Ces consulats urbains conservèrent une large autonomie administrative, judiciaire et politique jusqu'en 1227 pour Grasse et 1229 pour Nice.* ***Consulat et Univeristas :** voir également Utelle.*

** **Paroisses/communes :** voir Châteauneuf-d'Entraunes.* ** **Libertés et franchises :** voir Entraunes et Utelle.*

À voir

*Village médiéval avec de vieilles maisons datant des XIIe au XVIe siècles, des passages voûtés, des ruelles en **calade** *, des escaliers et des linteaux sculptés. Il est situé au milieu de nombreuses terrasses de cultures cernées par le mont Agel, le mont Baudon et la cîme de Rastel.*

** En **calade** signifie **empierré, pavé** avec des galets. Cette pratique date des **Romains** qui pavaient leurs voies.*

* **Vestiges du château** (XIe), à la pointe du Baou.

* **Vestiges d'enceinte néolithique** et de **fortin médiéval**, au mont Castellet.

* **Fontaine** du XIVe/XVe siècle. Le premier bassin était un abreuvoir, le deuxième servait de lavoir.

* **Tribunal** de **basse et haute juridiction** (XIIIe-XIVe). *Le juge qui y rendait la justice venait de Sospel. Le bâtiment était également appelé « Palais du Juge Mage » ou « Palais des Consuls ». Voir Lantosque.*

* **Vestige du gibet de potence** (XIVe). Grotte de Sié. La base des piliers est encore visible. C'est là que les condamnés à mort étaient pendus.

* **Porte fortifiée de L'Arma** (XIIIe). Elle donne sur la route qui reliait Peille à La Turbie et à Monaco.

* **Musée du Terroir Louis-Demay.**

* **Ancienne chapelle Saint-Sébastien** (1386-1860). Sa construction fut terminée par les pénitents noirs. Elle abrite désormais la *mairie*. Le toit est en forme de rotonde.

* **Palais Lascaris** (1690 - IMH 1942). Cet édifice, qui est situé sur le baou de Casté, à l'emplacement de l'ancienne citadelle, fut la résidence des comtes de Lascaris. Pendant la Seconde Guerre mondiale, il a été occupé par l'armée des Alpes. Actuellement, il abrite la *médiathèque municipale*.

* **Église paroissiale Notre-Dame-de-l'Assomption** (XIe-XVIe-1829-1832-IMH 1925). La chapelle primitive fut construite par les moines de Saint-Pons. Du XIIe au XVIIe siècle, ce prieuré fut occupé par les chanoines de Saint-Ruff d'Avignon qui y effectuèrent de nombreux travaux d'agrandissement. Cette ancienne collégiale possède un *clocher de style lombard*. Elle abrite des *fonts baptismaux* et un *bénitier* romans, un retable *Les Mystères du Rosaire* (1579) d'Honoré Bertone, une statue du *Christ gisant* (fin XVIe), un *orgue* (1950) offert en 1989 par le prince Rainier III. Il provient de la chapelle palatine du palais princier de Monaco.

* **Chapelle Saint-Joseph** (1722-1771). Au centre du village. Clocher pyramidal à tuiles polychromes vernissées. Linteau (1771) représentant deux pénitents en cagoule, et portant à la main un martinet de flagellation.

* **Chapelle Notre-Dame de la Colette** (1777). Chemin de la Colette. Dix-huit tableaux le long du chemin de croix, restaurés en 2003 (fresques).

* **Chapelle Saint-Martin-de-Peille**. Édifice moderne (1951) dû à l'architecte Guzzi.

* **Chapelle Saint-Siméon**. Restaurée en 2004. *Ce saint est le protecteur du sommeil des enfants.*

* **Grotte de la Sié.** Au néolithique, elle a servi de sépulture. Ultérieurement (XVe et XVIe), les gens s'y réfugiaient lors des tremblements de terre.

* **Tour du rempart** (XIVe). C'est la seule tour qui subsiste de l'ancien *castrum de Pilia*.

* **Ancienne chapelle de la Miséricorde** (XVe). En 1767, elle fut convertie en moulin à huile et distillerie.

* **Mur à abeilles.** *Il comporte **4 niches**, qui abritaient des **ruches traditionnelles** (tronc d'arbre évidé, **brusc**) ou en **paille tressée (panier)**. Parfois, ces murs comprenaient des dizaines d'**alcôves**. La fonction des murs était double : les ruches étaient **à l'abri** des vents dominants, et les colonies d'abeilles se développaient plus facilement grâce à **la chaleur** se dégageant des pierres chauffées par le soleil (Voir La Brigue et Rigaud).*

*** Via Ferrata.** C' est la plus proche du littoral. Itinéraire de 600 m. Dénivelée + 230 m. Cotation : très difficile. Elle est ouverte toute l'année. **Sur réservation**. **Billetterie et location de matériel au Bar-Tabac L'ABSINTHE** au **04 93 79 95 75**. Renseignements à la mairie de Peille au 04 93 91 71 71. **Autres Vie Ferrate** : La Brigue, Auron, Lantosque, La Colmiane (Valdeblore), Tende. **Via Souterrata** : Caille.

Quelques bonnes adresses

BAR - TABAC L'ABSINTHE place du Serre *Location et billets VIA FERRATA* 04 93 79 95 75

CAFE - BAR LA VOÛTE 42, rue Centrale 04 93 04 56 85

06440 **PEILLON** **Plan: D 4**

Hameaux : BAUSSET BORGHEAS LA CABANE SAINTE-THÈCLE MOULINS LES NOVAINES

Population : Insee 1999 **= 1.227** h. en 1901 = **473 h.** variation **+ 159,41%** (**1.229** en 2005)

Rang de la commune par rapport au nombre d'habitants au niveau dépt : **68** - au niveau national: **7.072**

Les habitants sont les **Peillonnais**

Superficie : 870 ha - **Altitude** : 115 / 372 / 720 m - **Canton : L'Escarène** - **Arrondt** : Nice

Distance de Nice : à vol d'oiseau = 14 km - par la route = 19 km - **Longitude** = 7,38° - **Latitude** = 43,78°

Accès : D 2204 C-D 2204-D 21-D 121 - **Desserte** : TAM 360 à l'embranchement de la route menant au village

Fête patronale : 1er dimanche d'août - **Églises** : Sainte-Thècle - **Paroisse** : Saint-Pierre-et-Saint-Paul

N° téléphone de la MAIRIE: 04.93.79.91.04 **OFFICE du TOURISME** : 06.24.97.42.25

Origine du nom

Il vient du prélatin *pel (pal, per, par)* qui est une variante de la racine originelle *bal*, hauteur, rocher. À cette base a été adjoint, soit le suffixe *on / oun* (provençal), soit le diminutif *lon / loun* (occitan). Formes anciennes : *Guauceranus de Pellon* (cart. de la cathédrale de Nice, 1150), *in castro de Pelioms* (enquête Charles Ier, 1252), *villa Pellono* (1388). En langue d'oc, *Pelhon*.

Histoire

Les collines environnantes possèdent de nombreux vestiges d'enceintes datant du **néolithique**. *Pellon* est cité pour la première fois en **1150**. Les *paroisses* de **Peille** et de **Peillon** relevaient alors de l'abbaye de Saint-Pons, mais en 1154, le pape les confie aux chanoines de Saint-Ruff de Valence. L'histoire du village se confondit longtemps avec celle de **Peille**, dont il dépendait. En effet, ce n'est qu'en **1235** qu'il obtient son détachement de sa ville de tutelle. Il connut donc la même administration consulaire. En **1388**, comme tout le comté de Nice, il passe sous la dépendance des souverains savoyards. Jusqu'à la **Révolution**, le fief resta partagé entre de nombreux coseigneurs dont les plus marquants furent les Caïs, les Berre, les Tonduti, les Borriglione et les Barralis. En **1482**, la *communauté d'habitants* achète certains droits aux coseigneurs, dont celui d'utiliser les moulins à huile. En **1792**, le village est occupé par les révolutionnaires français, et lorsque la région fut annexée, les *Peillonnais* approuvèrent par un vote leur appartenance à la République. Ensuite, **Peillon** redevient sarde de **1814** jusqu'à son rattachement définitif à l'Empire français en **1860**. En **1858**, le village comptait *641* habitants.

À voir

Ce beau village médiéval fortifié est construit en nid d'aigle contre une falaise. Il est composé de hautes maisons. Nombreux escaliers en calade et passages voûtés. Vestiges de remparts. ***Peillon est un site classé.***

* **Église paroissiale Saint-Sauveur-de-la-Transfiguration**. Elle a été construite au XVIIIe siècle, sur les bases de l'église paroissiale du XIIe siècle, et son abside est incluse dans la tour du donjon du *castrum* primitif. Clocher à haute lanterne octogonale et façade classique avec fronton triangulaire. Elle abrite plusieurs huiles sur toile, *La Transfiguration* (XVIIe), une *Madone du Rosaire* (1639), *La Mort de saint Joseph* (1772).

Cette église, bâtie tout en haut du village, est le ***point de départ*** *de plusieurs* ***randonnées*** *: l'une vers* ***Peille en 1h 30****, l'autre vers la* ***chapelle Saint-Martin en 1h 30****, et* ***La Turbie en 2 heures****.*

* **Chapelle Notre-Dame-des-Pénitents-Blancs** (1495 - CMH 1941). Le clocher est couvert de tuiles vernissées. À l'intérieur, une *fresque en dix panneaux* (XVe) attribuée à Giovanni Canavesio. Elle présente de grandes similitudes avec celle que ce peintre a réalisée dans la chapelle Notre-Dame-des-Fontaines, à La Brigue. On peut y admirer également un *retable en bois sculpté* (XVIIe) et une *Pietà* en bois polychrome.

* **Le Portail**. Vestige d'une ancienne porte d'accès.

* **Fontaine** (1800 - IMH 1941). Elle a été édifiée d'après les dessins réalisés, en 1783, par le géomètre royal Ghiotti. Les travaux, décidés en 1789, furent retardés à cause des événements de la Révolution. La fontaine fut inaugurée le 6 juillet 1800.

* **Moulin à huile et moulin à grain** (XIXe). Ces deux édifices, mitoyens, sont actionnés par la même *roue à canons à eau*. Cette roue horizontale fonctionne grâce à la pression de l'eau. Elle peut actionner les meules des deux moulins. L'eau prélevée dans le Paillon est canalisée puis retenue dans un bassin surplombant les moulins.

* **Chapelle Sainte-Thècle** (XIe). Construite à l'emplacement d'une chapelle primitive citée dans des documents de 1075, et qui appartint d'abord à l'abbaye de Saint-Pons, puis aux chanoines de Saint-Ruff.

* **Vestiges de l'enceinte de la Porchiera**, au quartier des Lacs. Ils datent du **néolithique**.

* **Fontaine des sources de Saint-Thècle** (XXe), en grès et calcaire.

* **Atelier du sculpteur Mariani** (bois d'olivier et bronze).

Quelques bonnes adresses

Hôtel-Restaurant AUBERGE de la MADONE*** (*Village*) 04 93 79 91 17 *www.chateauxhotels.com.madone*

Restaurant CHEZ ALDO *Spécial. provenç. et italiennes* 550, bd de la Vallée 04 93 91 25 14/ 06 63 31 43 21

Auberge du MOULIN *Repas sur Cde Banquets Noces Communions* 60, rue des Moulins 04 93 79 91 12

La voûte de la chapelle des Pénitents-Blancs. Fresque de 1495 peinte par G.Canavesio.
Les 8 scènes illustrent la Passion du Christ.
Parfaitement conservée, elle n'a jamais été restaurée

06260	PENNE (LA)	Plan: B 3

Hameau : **PINAUD**

Population : Insee 1999 **= 164** h. en 1901 = **280** h. variation **- 41,43%**

Rang de la commune par rapport au nombre d'habitants au niveau départemental : **122**

Les habitants sont les **Pennois**

Superficie : 1 808 ha - **Altitude** : 520 / 800 / 1436 m - **Canton : Puget-Théniers** - **Arrondt** : Nice

Distance de Nice : à vol d'oiseau = 35 km - par la route = 73 km - **Longitude** = 6,95° - **Latitude** = 43,93°

Accès : N 202 - D 2211 A et GR 510 - **Desserte** : Réserv: TAD 0 800 06 01 06

Fête patronale : 15 août - **Église** : Saint-Pierre - **Paroisse** : Notre-Dame-du-Var

N° téléphone de la MAIRIE : 04.93.05.84.29

Origine du nom

La racine, *pen*, serait d'origine ligure (montagne, hauteur, rocher, arête rocheuse, barrière de pierres). Formes anciennes : *in castello Penna* (cart. de Saint-Victor, 1079), *la Penna* (rationnaire de Charles II, 1296-1297), *de Penna* (enquête de Léopard de Fulginet, 1333), *la Pena* (1536).

Histoire

Comme l'attestent les ruines de plusieurs *castellaras*, le site fut habité par des *Ligures*. Il s'agit de la tribu des *Beretini*, que les *Romains* exterminent et dont ils occupent le territoire. Celui-ci étant proche d'une voie de communication reliant Nice à Puget-Théniers, ils y établissent une étape d'approvisionnement, avec relais de chevaux. Les vestiges de petites fabriques de *tegulae* (tuiles en terre cuite) ainsi que de sépultures romaines ont également été retrouvées au hameau de Besseuges. Au **XIe** siècle, le *Castello Penna* appartient aux Thorame-Glandèves. Cette ancienne place forte, qui commandait l'accès à la vallée du Var, est citée en **1079**, ainsi que le *val de Chanan*, dans des actes de donation en faveur de l'abbaye Saint-Victor de Marseille. La présence des Templiers est mentionnée au **XIIIe** siècle. En **1525**, à la suite d'une inondation qui provoque la mort de 78 personnes à Puget-Théniers, de nombreux habitants désertent le village et s'installent à **La Penne**. Au **XVIIe** siècle, après la chute des Grimaldi de Beuil (**1621**), le fief passe aux d'Authier. Lors des rectifications de frontières de **1760**, **La Penne** est cédée au Royaume de Piémont-Sardaigne. Son histoire va se confondre jusqu'en **1860** avec celle du comté de Nice auquel elle est désormais intégrée. En **1778**, la famille Durand de La Penne, apparentée aux précédents feudataires, est investie de la seigneurie.

À voir

Village perché sur une arête rocheuse, dans un environnement verdoyant. Ses hautes maisons sont dominées par un donjon carré. Depuis la nouvelle auberge, magnifique panorama.

* **Pierre d'Uriel**, IIe siècle. Cette stèle romaine comporte une inscription devenue illisible. Toutefois, elle pourrait indiquer la présence, à cette époque, d'une colonie juive. * **Lavoir** (1899), place de la Fontaine.

* **Église paroissiale** (XIe-XVe-XIXe-XXe). Clocher pyramidal à tuiles vernissées. Elle abrite un tableau réalisé en 1639. *Il rappelle le vœu de* ***Louis XIII*** *et d'****Anne d'Autriche*** *pour avoir un* ***dauphin*** (Voir Briançonnet).

* **Ancienne maison seigneuriale** (XIe). Intégrée aux remparts du village. Elle devient la résidence de la famille d'Authier de La Penne avant d'être, au XXe siècle, transformée en habitations.

* **Chapelle Notre-Dame-du-Plan** (XIe-XIIIe-1860-1930). Primitivement baptistère, cette chapelle est construite sur le site d'un temple gallo-romain. Tour-porche de forme carrée, abside abritant un oratoire. Le clocher fut rajouté en 1860. Des vestiges de tombes paléochrétiennes ont été découverts dans le cimetière jouxtant l'édifice.

* **Pigeonnier** (XIIIe). Propriété des marquis Durand de La Penne. En réalité, il s'agit d'un ancien donjon.

* **Borne frontière** (1823). Une *fleur de lys* est gravée dans la pierre sur un côté, la *croix de Savoie* sur l'autre.

06470	**PÉONE**	Plan : B 2

Hameaux : VALBERG **LES AMIGONS** LA BAUMETTE
CHARDONNIER PLAN CHARVAIS **LE VILLARD**
Population : Insee 1999 **= 682** h. en 1901 = **575** h. variation **+ 18,61%** (**687** en 2005)
Comprend : **VALBERG (Mairie Annexe** : **04.93.23.24.24 - OFFICE de TOURISME** : **04.93.23.24.25)**
Rang de la commune par rapport au nombre d'habitants au niveau départemental : **81**
Les habitants sont les **Péoniens**
Superficie : 4.859 ha - **Altitude** : 947 / 1176 / 2640 m - **Canton : Guillaumes** - **Arrondt** : Nice
Distance de Nice : à vol d'oiseau = 54 km - par la route = 93 km - **Longitude** = 6,90° - **Latitude** = 44,12°
Accès : N 202 - D2202 - D 29 et GR 5 - **Desserte** : TAM 774 via 770 (Valberg TAM 770 et 774 via Beuil)
Fête patronale : dernier dimanche d'août - **Églises** : Péone Saint-Arige/Saint-Vincent-de-Saragosse
Valberg Notre-Dame-des-Neiges - **Paroisse** : Saint-Jean-Baptiste
N° téléphone de la MAIRIE : 04.93.02.59.89 **- OFFICE du TOURISME** : 04.93.23.24.25

Origine du nom

La base prélatine *ped* (falaise) est la même pour *Pedona*, une cité romaine située dans la province de Cuneo et *Pedastas*, le *castrum* primitif de Valdeblore, à l'emplacement duquel se trouve la chapelle Saint-Donat. Formes anciennes : *castrum de Pigona* (vers 1200), *Rostagnus de Peona* (cart. de Saint-Victor, 1213), *Villa Peone* (1388), *de Peuno* (1561)

Histoire

Le territoire est initialement occupé par la tribu ligure des *Nemeturi*. Au **Ve** siècle de notre ère, il est rattaché à l'évêché de Glandèves. La paroisse de **Péone** va dépendre de cet épiscopat jusqu'à la **Révolution**. Après la chute de l'*Empire romain*, le fief est donné au comte Griffon, apparenté à la maison seigneuriale des Glandèves. La fondation du village remonte probablement au **Xe** ou **XIe** siècle. En **1200**, le *castrum* primitif appartient toujours aux Glandèves. En **1252**, il relève des comtes de Provence et, par le jeu des successions, il est partagé entre plusieurs membres de la famille des Glandèves, dont les barons de Beuil, avant d'échoir en totalité à ces derniers au début du **XIIIe** siècle. À partir de cette période, son histoire se confond avec celle de Beuil. Contre le paiement d'une redevance annuelle, les Grimaldi, seigneurs du fief, concèdent à leurs vassaux un certain nombre de privilèges. Sous le comte de Provence Raymond Bérenger V (1209-1245), le village aurait été repeuplé par des colons originaires de Catalogne (d'où le surnom de *Catalans* donné aux Péoniens). Lors de l'affouage de **1315**, *75 feux* sont recensés. Le 14 novembre **1388**, c'est au château de **Péone** que les *communautés* du val d'Entraunes rendent l'hommage à Amédée VII de Savoie, représenté en l'occurrence par Jean Grimaldi de Beuil. En **1391**, à la suite de querelles avec les Guillaumois, le bourg est pillé et incendié par ces derniers. Cette rivalité s'explique par le rôle économique important de **Péone**, situé au carrefour de transhumances, et en possession d'immenses pâturages sur le plateau du Quartier (futur emplacement de Valberg). En **1527**, le bourg est pillé par le seigneur Honoré des Ferres. À la suite de l'exécution, en **1621**, d'Annibal Grimaldi, **Péone** est inféodé au comte Cavalca (22 octobre **1623**). Vers le milieu du **XIXe** siècle commence l'exploitation d'une mine de plomb située dans le vallon de Saint-Pierre de Péone. Cette activité est interrompue au début du **XXe** siècle. La création de la **station de sports d'hiver** de **Valberg**, en **1936**, donne un nouvel essor à la commune.

***Péone** est le berceau de célébrités régnantes. En effet, au XVIIIe siècle, le Péonien François **Clary** émigre à Marseille où il devient un riche négociant. Le 1er août 1794, sa fille Marie-Julie épouse Joseph Bonaparte, et en*

1798, une autre de ses filles, Eugénie Bernardine ***Désirée****, épouse* ***Bernadotte*** *qui devient* ***roi de Suède*** *en 1818. Le souverain actuel est issu de cette dynastie. En 1794, il y avait eu l'ébauche d'une idylle entre Désirée et Napoléon, mais la jeune fille préféra Bernadotte. De nos jours, les Clary sont encore nombreux à Péone.*

À voir

Village ancien, composé de hautes maisons de style bas alpin et italien. Balcons en fer forgé, auvents et toits en bardeaux. Il est dominé par des aiguilles dolomitiques, étranges reliefs ruiniformes.

* **Ruines du château** (XIIIe).

* **Église paroissiale Saint-Arige-et-Saint-Vincent-de-Saragosse** (XIe-XVIe-XVIIIe-IMH 1948). Baroque, en forme de croix grecque. La chapelle primitive médiévale fut reconstruite en 1555. Clocher carré surmonté d'un lanternon octogonal avec un toit en bardeaux. Le campanile accolé à la façade a été ajouté en 1757. L'intérieur est baroque. Elle abrite une huile sur toile (1540) *Le Christ de la Transfiguration.*

* **Ancienne tour de l'enceinte médiévale** (1527) construite à l'entrée sud du village pour le protéger des pillages.

* **Pigeonnier** (1679), dans le quartier de la Parra.

* **Chapelles** (toutes sont du XVIIe) : **Saint-Jacques** (surmontée d'un clocheton), **Saint-Jean-Baptiste** (avec un tableau du XVIIe, *La Décollation de saint Jean-Baptiste*), et **Saint-Pierre** (avec une huile sur toile de 1683).

* **Oratoires** : **Saint-Antoine de Padoue** (1692) et **Saint-Nicolas** (XVIIIe), tous deux à La Baumette.

* **Cadran solaire** (1870), au quartier du Plan. Peinture murale.

* **Façades peintes** (XIXe), place Thomas-Guérin.

* **Lavoir couvert** (1899). *Le village a bénéficié de l'adduction en eau potable à partir de 1897.*

* **Casemates et insigne du régiment Alpin** (1935). Ils font partie des fortifications de la ligne Maginot.

* **Vallée de la Tuébi et Parc national du Mercantour.** ***Voir pages 210 et 211.***

VALBERG (Cne Péone) 06470 Plan : B 2

N° téléphone de la MAIRIE Annexe: 04.93.23.24.24

Distance de Nice : à vol d'oiseau = 51 km - par la route = 75 km - Longitude = 6,93° **- Latitude** = 44,10°

Accès : N 202 - D 28 - **Desserte** : TAM 770 - 774 **OFFICE du TOURISME** : 04.93.23.24.25

* **VALBERG**. Cette **station de sports d'hiver**, située à 1.700 m d'altitude, est à 1 h 15 de Nice en voiture. Le territoire de ce hameau s'étend sur ceux de **Beuil**, **Guillaumes** et **Péone**.

Domaine skiable (1.610-2.100 m). **Ski alpin** : 53 pistes (sur 91 km), **ski de fond** : 25 km sur des pistes créées au milieu des forêts de mélèzes, **ski nocturne** grâce à une piste éclairée. **Activités** : randonnées, raquettes à neige, patinoire artificielle, piste de luge, kart sur glace, quad des neiges, équitation.

Quelques bonnes adresses

Restaurant Brasserie LE VALBERGAN *au pied des pistes* Tél. 04 93 02 52 14 *valbergan@wanadoo.fr*

Restaurant LA BRASERADE *Spécialités de montagne Fondues Raclette Braserade* Tél. 04 93 02 54 60

Hôtel LES MÉLÈZES Tél. 04 93 02 52 00 Fax 04 93 02 52 24

Hôtel Restaurant BLANCHE-NEIGE** Tél. 04 93 02 50 04 Fax 04 93 02 61 90 *www.hotelblancheneige.fr*

Hôtel Bar Restaurant LE SUD *Spécialités savoyardes* Tél. 04 93 02 64 28 *www.la.valee.blanche@wanadoo.fr*

Restaurant CÔTÉ JARDIN *Cuisine gastronomique Foie gras Magrets Spécialités montagne* Tél.04 93 02 64 70 *(Guide Routard depuis 1999)*

06530 # PEYMEINADE

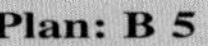

Plan: B 5

Hameaux : SAINT-MARC LES JAÏSOUS

Population : Insee 1999 **= 7 120** h. en 1901 = **481** h. variation **+ 1.380,25%** (**7.225** en 2005)

Rang de la commune par rapport au nombre d'habitants au niveau dépt : **21** - au niveau national: **1.214**

Les habitants sont les **Peymeinadois**

Superficie : 976 ha - **Altitude** : 29 / 212 / 326 m - **Canton : Saint-Vallier-de-Thiey** - **Arrondt** : Grasse

Distance de Nice : à vol d'oiseau = 30 km - par la route = 41 km - **Longitude** = 6,88° - **Latitude** = 43,63°

Accès : A 8 -N 85 -D 2562 -D 313 et GR 51 - **Desserte** : Sillages via Grasse 2P (gare routière) et 3P (gare SNCF)

Fête patronale : 5 août - **Église** : Saint-Roch - **Paroisse** : Saint-Jean-Cassien

N° Tél. de la MAIRIE : 04.93.66.10.05 **www.grasse.fr** **OFFICE du TOURISME** : 04.93.66.19.19

Origine du nom

Peut-être de *podium* (colline, petite éminence, lieu élevé) dont sont dérivés *pey*, *puy*. La deuxième partie du toponyme, originellement *meinada* (famille, troupe d'enfants, jeune enfant) viendrait du bas latin *meisnada*, lui-même dérivé du latin *minor natu* (plus jeune) devenu *mensnad*. Ce n'est qu'en 1627 que *Peyleinade*, *Peymanade* ou *Pernainade* sont cités pour la première fois. Or, en 1496, Cabris et Le Tignet, qui avaient été désertés au XIVe siècle, après une longue période de peste, sont repeuplés par des familles venues de Menton, Sainte-Agnès et Oneille. Il est certain que ces familles se sont agrandies, puis ont éclaté. Leurs enfants se sont-ils établis sur les pentes de cette petite colline, baptisée ensuite *Peymainado*, « colline des enfants » ?

Histoire

L'oppidum *ligure* de Peygros témoigne d'une présence humaine très ancienne. Du **Ier** au **IIIe** siècle, le territoire est occupé par les *Romains* qui y exploitent des oliveraies. Ils possèdent des pressoirs et des salles de stockage de l'huile dans des *dolia** . Sur les collines alentour, on a retrouvé les traces de petites *villae* (exploitations agricoles), des poteries sigillées, des *tegulae*, des pièces de monnaie. Ensuite, l'histoire de **Peymeinade** se confond, jusqu'au **XIXe** siècle, avec celle de **Cabris** dont il est un hameau. Au **XIe** siècle, les moines de Lérins fondent deux prieurés (aux lieux-dits la Grange-Neuve et le Mostayret). Ils vont les occuper jusqu'en **1350**. Le **19 juin 1868**, **Peymeinade** devient une commune indépendante. Au début du **XXe** siècle, la ressource principale des Peymeinadois provenait de la culture de fleurs à parfum (en particulier le jasmin) destinées aux parfumeurs grassois. Depuis la dernière guerre, cette agglomération est devenue une banlieue résidentielle de Grasse.

Parmi les réalisations de la municipalité *: la manifestation culturelle « Jazz in Peymeinade », qui se tiendra les 20, 21 et 22 juillet 2006, fête cette année son 4e anniversaire ; le plan pluriannuel de remise en état des routes en « enrobé » ; l'aménagement du réseau des eaux pluviales avec création de bassins d'orage ; la restructuration du complexe sportif. Le réaménagement du centre-ville est à l'étude, après l'achat de nouveaux terrains qui permettront à la commune de s'étendre sur le côté sud de l'avenue de Boutiny (axe principal).*

** Le mot latin **dolium** (pluriel, **dolia**) désigne une jarre, un tonneau, un grand vaisseau de terre ou de bois dans lequel on stockait le vin, l'huile, les grains (blé et autres céréales).*

À voir

Il s'agit d'une agglomération de plaine qui s'étend, au nord-ouest, sur les contreforts de Cabris. Le noyau primitif, situé autour de l'église, comporte quelques maisons du XVIIIe siècle.

* **Église paroissiale Saint-Roch** (XIIIe). Clocher carré abritant quatre cloches dont trois sont baptisées (Saint-Marc, Marie-Antoinette, Carmelli Françoise). Dans une niche grillagée, une statue de saint Roch (XXe).

*** Chapelle des Jaïsous**. *** Chapelle Saint-Marc** (1860), avenue Boutigny.

*** Bibliothèque.** Le plafond a été peint par les compagnons du Tour de France.

*** Oratoire**. Il abrite une statue de la *Vierge à l'Enfant*.

** **Sentier de Peygros**. Tracé au milieu des oliviers et des chênes-lièges. Il mène à Auribeau-sur-Siagne.*

Quelques bonnes adresses

Hôtel Restaurant DE LA POSTE** *Pizzeria Piscine Jardin* 86, av. de Boutiny 04 93 66 01 97

LA CAVE DE PEYMEINADE 30, av. de Boutiny Tél 04 93 66 56 50 / 06 64 29 45 03 Fax 04 93 09 90 80

06260	PIERLAS	Plan: C 3

Hameau : **GIRENT**

Population : Insee 1999 **= 84** h. en 1901 = **188** h. variation **- 55,32%** (**110** h en **2006**)

Rang de la commune par rapport au nombre d'habitants au niveau départemental: **149**

Les habitants sont les **Pierlasois**

Superficie : 3.131 ha - **Altitude** : 560 / 905 / 2106 m - **Canton : Villars-sur-Var** - **Arrondt** : Nice

Distance de Nice : à vol d'oiseau = 41 km - par la route = 73 km - **Longitude** = 7,03° - **Latitude** = 44,03°

Accès : N 202 - D 28 - D 428 - **Desserte** : T.A.D. 0 800 06 01 06 - liaison : Ilonse

Fête patronale : 16 juillet - **Église** : Saint-Martin/Saint-Sylvestre - **Paroisse** : Notre-Dame-du-Var

N° Tél. de la MAIRIE : 04.93.05.03.51 Fax : 04.93.05.68.07 **e-mail : maire.pierlas@sntn06.fr**

Origine du nom

Deux possibilités : **1)** la base prélatine *pur*, amoncellement rocheux, tas de pierres ; **2)** le nom de son fondateur *Pierre Lasso*, un gentilhomme lombard attaché à Guillaume Rostaing. Formes anciennes : *Pirlas* (cart. cathédrale de Nice, XIIe), *castrum de Pirlas* (vers 1200), *villa de Pirlas* (1388).

Histoire

Le site fut occupé par les *Romains*, mais le *castrum de Pirlas* n'est fondé qu'au **XIIe** siècle. C'est alors un fief des barons de Beuil. Lors de l'affouage de **1315**, 60 *feux* sont recensés. Après l'exécution d'Annibal Grimaldi, **Pierlas** est inféodé à Annibal Badat (le 22 mai **1621**). En **1662**, il passe aux Brès, puis aux Brage et enfin aux Léotardi. Le 25 juin **1681**, Ludovic Caïs épouse Marguerite Brage qui lui apporte **Pierlas** en dot. Le 21 mars **1764**, le fief est érigé en comté en faveur des *Caïs de Pierlas**, une très ancienne famille originaire du Valdeblore.

Les nombreux pâturages autour du village permettent l'élevage de chèvres et de moutons.

*Le comte **Eugène Caïs de Pierlas** est né à Nice en 1842 et mort à Turin en 1900. Il appartenait à une vielle famille originaire de Valdeblore. Il était destiné à la carrière diplomatique mais il y renonça en 1859. Il se consacra tout d'abord à la **paléographie** et à la **peinture** (tableaux primés par l'Académie des Beaux-Arts de Turin), puis à l'**histoire de la région**. Cet éminent historien a **publié de nombreux ouvrages : Documents inédits sur les Grimaldi, Cartulaire de l'ancienne cathédrale de Nice, Le XIXe Siècle dans les Alpes-Maritimes, Le Fief de Châteauneuf, Le Chartier de l'abbaye de Saint-Pons**. Quant à son ouvrage **La ville de Nice pendant le premier siècle de la domination des princes de Savoie**, il fait toujours autorité et il a été réédité récemment.*

À voir

Village médiéval perché, environné de montagnes et de pâturages. Il est composé de hautes maisons anciennes, de type alpin, aux toits en bardeaux.

* **Route d'accès** offrant de belles vues panoramiques. * **Pont du Riou** (XIXe), route de Pierlas.

* **Ruines de la chapelle Saint-Sylvestre** (XIIe). Sur le site du bourg primitif, à 1,4 km à l'est du village actuel.

* **Fontaine-Lavoir** (1858). *Elle est gravée d'un **svastika** (ou **swastika**). Ce mot sanscrit désigne un **symbole religieux hindou** ayant la forme d'une croix à branches coudées. Quant au **sanscrit** (ou sanskrit), il s'agit d'une **langue indo-aryenne littéraire**, dans laquelle furent écrits les grands textes brahmaniques de l'Inde ancienne.*

* **Chapelle Notre-Dame-des-Carmes** (XVIIe).

* **Couvent des Capucins** (XVIe).

* **Église paroissiale Saint-Sylvestre** (1338). Construite contre un rocher dominant le village. Elle appartenait aux Hospitaliers de Saint-Jean-de-Jérusalem. Son clocher-mur est doté de trois cloches et de trois baies.

06910	PIERREFEU	Plan: C 4

Population : Insee 1999 **= 243** h. en 1901 = **193** h. variation **+ 25,91%**
Rang de la commune par rapport au nombre d'habitants au niveau départemental: **112**
Les habitants sont les **Pierrefeutins**
Superficie: 2.227 ha - **Altitude** : 222 / 690 / 1520 m - **Canton : Roquestéron** - **Arrondt** : Nice
Distance de Nice : à vol d'oiseau = 23 km - par la route = 46 km - **Longitude** = 7,08° - **Latitude** = 43,87°
Accès : N 202 - D 2209 -D 17 - D 217 - **Desserte** : TAM 720
Fête patronale : 24 juillet - **Église** : Saint-Martin - **Paroisse** : Notre-Dame-de-Miséricorde
N° téléphone de la MAIRIE : 04.93.08.58.18

Origine du nom

À l'époque romaine, le nom de ce *castrum* était *Petra Igniaria*. Ce toponyme dérive des mots latins *petra* (pierre) et *ignis* (feu). En langue d'oc, *Peirafuec* désigne le silex, ou pierre à feu. Formes anciennes : *in loco qui dicitur Petrefocus* (1007), *castrum de Petra foco* (vers 1200), *vallonum de Peyrafuec* (cart. de Saint-Pons, 1303), *villa de Peyrafua* (Caïs, 1388), *villa de Peyrafuech* (1533)

.

Histoire

Le village est cité pour la première fois au **XIe** siècle, mais l'occupation du territoire est très ancienne. En effet, de nombreux vestiges témoignent de la présence des *Romains* (tombeaux et vases funéraires, débris de mosaïques et de pavements, monnaies et médailles à l'effigie de plusieurs empereurs). On suppose que **Petra Igniaria** était un poste de surveillance et de relais pour la *transmission de messages**, permettant ainsi à *Rome* de communiquer avec les îles Britanniques, et jusqu'au *mur d'Hadrien*, en Écosse. Pendant le **haut Moyen Âge**, la région subit de multiples invasions, mais au **VIIIe** siècle, les habitants de la vallée de l'Estéron stoppent l'avance des *Sarrasins*.

En **1256**, il y avait deux châteaux. En effet, la population avait beaucoup augmenté et un nouvel habitat fortifié, le *castrum de Cade Neda,* est bâti à La Cainea, en contrebas de la place forte primitive. Les Glandèves, seigneurs de **Pierrefeu**, étaient perpétuellement en lutte avec les Rostaing, feudataires d'Ascros et de Cuebris. Au début du **XIVe** siècle, le comte de Provence Robert d'Anjou met fin aux troubles engendrés par ces querelles, fait détruire le *castrum* de Cade Neda, et réunit celui de **Pierrefeu** à la *Chambre royale*. En **1381**, la reine Jeanne le donne à Guillaume Chabaud, seigneur de *Torettas* (Voir Tourette-du-Château). Peu de temps après, ce feudataire concède aux *Pierrefeutins* la jouissance des droits et privilèges municipaux (que la maison de Savoie confirmera). La famille Chabaud conserve le château jusqu'en **1722. Pierrefeu** et Roquestéron sont ensuite réunis en une unique seigneurie qui est érigée en comté en faveur des Blavet, et ensuite des Frichignons jusqu'à la **Révolution**. Pendant la guerre de Succession d'Autriche (1744-1748) le territoire est occupé par les Austro-Sardes, puis il est rattaché au département des Alpes-Maritimes, de **1793** à **1814**. Il est de nouveau *sarde* de **1815** à **1860**.

** **Messages.** Les **Romains** avaient créé un excellent réseau de voies de communication à travers les pays soumis à leur domination. Ces routes étaient jalonnées de **tours de surveillance** et de **relais**, formant ainsi une véritable chaîne qui permettait la transmission rapide de **messages par signaux**.*

***Voies de communication** : voir Breil, Coursegoules, Drap, Escragnolles, Èze, Fontan, Gars, Lantosque, Mougins.*

À voir

Le vieux Pierrefeu et ses abords sont en site classé. Ce village a été construit sur un col entouré de deux pitons rocheux. Il est composé de maisons anciennes. Nombreuses montées en escalier.

* **Église Saint-Sébastien-et-Saint-Martin**. (XIIe - XVIe - IMH 1968). *La chapelle primitive aurait été construite à l'emplacement d'un temple romain. Depuis **1981**, un « **Musée Hors du Temps** » a été créé dans cette église, afin de la faire revivre. Elle accueille les œuvres d'une cinquantaine de **peintres** et **artistes contemporains**, **originaires** d'une **quinzaine de pays**. Cette exposition permanente, sur le thème de la **Genèse,** rassemble **Brayer**, **Carzou** et **Folon,** entre autres.*

* **Chapelle des Pénitents** (XVIIe), avec un petit clocheton. Son décor peint a disparu.

* **Chapelle Saint-Antoine** (XVIIe). On invoquait ce saint contre les épidémies de peste.

* **Chapelle Saint-Nicolas** (1982), néogothique. Ce saint est le patron des marins, des voyageurs et des enfants.

* **Pont de Pierrefeu** (XIXe). Voir : La Croix-sur-Roudoule et Saint-Cézaire.

Chapelles Saint-Joseph et Sainte-Baume de Pierrefeu

06260 # PUGET-ROSTANG **Plan: B 3**

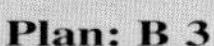

Population : Insee 1999 **= 114** h. en 1901 = **137** h. variation **- 16,79%**
Rang de la commune par rapport au nombre d'habitants au niveau départemental : **137**
Les habitants sont les **Rostagnois**
Superficie : 2.246 ha - **Altitude** : 537 / 771 / 1738 m - **Canton : Puget-Théniers** - **Arrondt** : Nice
Distance de Nice : à vol d'oiseau = 40 km - par la route = 69 km - **Longitude** = 6,92° - **Latitude** = 43,97°
Accès : N 202 - D 16 - D 116 et SD 2 - GR 510 - **Desserte** : 790 viaPuget-Théniers
Fête patronale : avant-dern. dimanche de juillet - **Église** : La-Trinité - **Paroisse** : Notre-Dame-de-Miséricorde
N° téléphone de la MAIRIE : 04.93.05.03.97 **Fax** : 04.93.05.19.41

Origine du nom

Il est composé : **1)** du mot latin *podium* (lieu élevé, plateau, colline, petite éminence) qui a évolué en *puget* (dont la forme contractée a donné *Pech, Pey, Pi, Puy*) ; **2)** + *Rostagnus*, un anthroponyme germanique latinisé (*Hrod* (gloire) + *Stang* (lance, pique). Formes anciennes : *castrum Podiettum Rostagnum* (XIe), *castrum Pogeti Rostagni* (vers 1200), *apud Pugetum de Rostagno* (rationnaire de Charles II, 1296), *de Podio-Rostagni* (1333), *Anthonius de Podio Rostani* (1378), *Pouget de Roustan* (1607).

Histoire

Au **XIe** siècle, tous les fiefs de la haute Tinée et de la haute vallée du Var sont inféodés à un seul seigneur, Rostaing de Thorame, de la famille des Castellane. C'est à cette époque que le *castrum*, qui porte le nom de son feudataire, est mentionné pour la première fois. Au **XIVe** siècle, le fief appartient à Pons de Daluis, qui passe une convention avec la population au sujet des droits féodaux. En **1402**, des transactions sont effectuées entre les habitants et leur seigneur, Elzéar de Daluis, pour une réactualisation de ces privilèges et libertés. Les villageois, organisés en *Universitas** (**V**oir Peille et Utelle) ont des représentants permanents ou *syndics*. En **1528**, à la suite d'une nouvelle convention passée avec leur seigneur, Georges de Castellane, les *Rostagnois* obtiennent le droit d' être dirigés par deux *consuls*. En **1681**, la seigneurie passe aux Boéri. En **1760**, **Puget-Rostang**, comme *Auvare, Cuébris, Daluis, Guillaumes, La Croix, La Penne, Saint-Antonin et Saint-Léger*, est cédé au royaume de Piémont-Sardaigne. De **1786** à **1793**, le fief est inféodé aux Champossin. L' histoire de Puget-Rostang va se confondre avec celle du comté de Nice, auquel il est intégré, jusqu'au **Rattachement**. En **1858**, le village comptait *600* habitants, en **1960** il n'y en avait plus que *24*.

À voir

Village ancien perché, dominé par un château du XIIIe siècle, au milieu d'un cirque montagneux. Il est de style provençal, avec de hautes maisons alpines, des ruelles dallées en escaliers et des passages voûtés.

* **Église paroissiale** (XIIe). Romane, remaniée au XVIIe siècle. Clocher carré surmonté d'un campanile en fer forgé. La nouvelle sacristie, construite en 1882, abrite le lavoir situé en dessous.

* **Donjon** (XIIIe), place de la Colle. En 1793-1794, il a accueilli 60 grenadiers atteints de la gale, d'où son nom de « dépôt des galeux ».

* **Auge de la dîme** (XVIIIe), rue du Four. Sous l'Ancien Régime, elle servait de mesure lorsque l'impôt dû au clergé était payé en nature. On y versait les céréales (1/10 de la récolte).

* **Chapelle Sainte-Anne**.

* **Éco-Musée du Pays de la Roudoule**. *Il inclut* **7** *des* **9** *communes du canton (Auvare, La Croix-sur-Roudoule, Entrevaux, Puget-Rostang, Puget-Théniers, Rigaud et Saint-Léger). Il permet de découvrir le* ***patrimoine***

régional**. Plusieurs **salles** aménagées exposent des **objets** de la **vie quotidienne** et des **outils** utilisés par certains **corps de métiers** traditionnels (cordonnier, bourrelier, charron). Une salle de projection présente un **diaporama sur la Roudoule**, et une boutique propose des objets et des publications. **ecomusee.roudoule@wanadoo.fr

Tél. 04 93 05 07 38 Fax 04 93 05 13 25 www.ecomusee-roudoule.fr

* **Lavoir-fontaine** (XIXe), place des Tilleuls. Il recueille l'eau d'une source qui est à température constante (12°) toute l'année. L'eau coule avec un débit important, ce qui permet de laver les olives avant leur trituration. Ce lavoir a également servi à nettoyer le blé. Le lavoir à linge fut ajouté ultérieurement.

06260 PUGET-THÉNIERS Plan: B 3

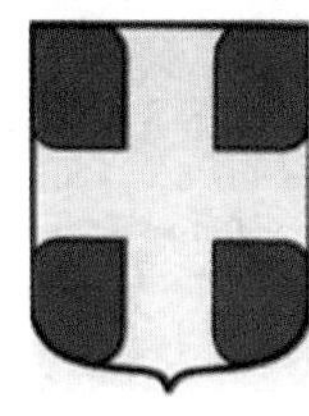

Hameau : **SAINTE-MARGUERITE**

Population : Insee 1999 **= 1.533** h. en 1901 = **1.337** h. variation **+ 14,66%** (**1.624** en 2005)

Rang de la commune par rapport au nombre d'habitants au niveau dépt : **59 -** au niveau national: **5.703**

Les habitants sont les **Pugétois**

Superficie : 2.145 ha - **Altitude** : 353 / 409 / 1436 m - **Canton : Puget-Théniers** - **Arrondt** : Nice

Distance de Nice : à vol d'oiseau = 39 km - par la route = 63 km - **Longitude** = 6,90° - **Latitude** = 43,95°

Accès : N 202 et GR 510 - **Desserte** : Phocéens (ligne Nice - Gap) - TAM 790 -Train des Pignes

Fête patronale : 1er dim. de septembre - **Église** : Notre-Dame-de-l'Assomption - **Paroisse** : Notre-Dame-du-Var

N° téléphone de la MAIRIE : 04.93.05.00.29 - **OFFICE du TOURISME** : 04.93.05.05.05

Origine du nom

Puget : voir Puget-Rostang. **Théniers** est dérivé du nom des ligures *Ectini* > *Podietum Ectinorum* > *Podium Tinearum* > *Pugetum Tinearum* > *Puget de Téniers* > *Puget-Théniers*. Formes anciennes : *castrum Pojeto* (cart. cathédrale de Nice, 1066), *castrum Pogeti* (1134), *in Pogeto* (rationnaire de Charles II, 1296), *Paulus Maria de Pugeto Tenearum* (cart. de Lérins, 1346), *villa Pugeti Tenearum* (1388), *Poget Thenier* (carte sarde, 1760).

Histoire

Le territoire est primitivement occupé par les *Ectini*, dont le nom figure sur le *Trophée des Alpes*, à La Turbie. Lorsque les *Romains*, en **49** avant J.-C., annexent la région, ils établissent un camp fortifié au quartier de *la Coste* et ils lui donnent le nom de cette tribu ligure. Après quatre siècles de *Paix romaine*, la région va être ruinée par une longue période d'*invasions barbares* et de pillages des *Sarrasins*. Pendant ces *temps obscurs*, *Podium Tinearum* est presque totalement déserté. Après l'expulsion des *Sarrasins*, en **973**, la région revit. Le *castrum Pojeto* est reconstruit et entouré d'une enceinte fortifiée. Rapidement, il va compter *3.000* habitants et devenir un centre commercial très actif. En **1066**, les seigneurs du lieu cèdent l'église Notre-Dame-de-l'Assomption à l'abbaye de Lérins. En **1070**, **Puget-Théniers** est divisé en deux parties : la *vieille ville* et *la Coste* sont inféodées aux barons de Beuil, alors que le *faubourg* dépend du comte de Provence qui lui a octroyé le statut de *commune libre* et l'a érigé en *cour royale*. En **1220**, le soulèvement des habitants de la *vieille ville*, qui réclament leur autonomie, est sévèrement réprimé par les seigneurs de Beuil. À partir de **1242**, et jusqu'à leur dispersion en **1307-1308**, les *Templiers* sont établis dans le *faubourg*, dont ils possèdent la plus grande partie, ainsi que de nombreux domaines agricoles aux alentours. En **1249**, des affrontements violents ont lieu entre le seigneur de Glandèves (Entrevaux) et celui de Puget-Théniers, Albino de Beuil. Entrevaux est envahi et livré au pillage. En **1258**, certains des fiefs de Guillaume du Puget de Saint-Alban lui sont confisqués par le comte de Provence : Puget-Théniers (à qui ce dernier accorde des lettres patentes de libertés et d'affranchissement), Auvare (qui devient une forteresse dotée d'une garnison) et Massoins. **Puget-Théniers** devient le chef-lieu d'une des six vigueries créées par Charles Ier d'Anjou. En **1264**, la baillie de **Puget-Théniers** dépend de la viguerie de Nice et comprend 58 localités. À la fin du **XIIIe** siècle, la petite cité, qui compte alors *6.000* habitants, est sous la dépendance directe du comte de Provence. La reine Jeanne confirme ses privilèges et lui confère une prérogative supplémentaire, très appréciée : le rattachement définitif au *domaine royal*. Toutefois, la difficile succession de la reine va provoquer la guerre entre les partisans des Duras et des Anjou, avec pour conséquence la *rupture du lien féodal* qui rattachait la Provence orientale à son suzerain provençal. En **1385**, **Puget-Théniers** prête l'hommage à Ladislas de Duras, et lors de la ***dédition de 1388***, à l'instigation des Grimaldi de Beuil, il se rallie à la Savoie. Amédée VII sut remercier Jean et Louis Grimaldi de Beuil pour les services rendus car, en **1391**, il leur concède un certain nombre de fiefs, ne s'en réservant que l'hommage : 27 villages dans les diocèses de Nice et de Glandèves, dont Puget-Théniers, Touët, Rigaud, Villars et Massoins. À part quelques interruptions, Puget-Théniers va cesser de dépendre de la Provence pendant quatre siècles. En **1348**, la *peste noire* décime le tiers de la population. Des épidémies de *peste* suivies de famine font encore des ravages en 1451, 1467 et 1498. Ces dernières avaient provoqué un tel dépeuplement que le duc de Savoie autorisa les Juifs chassés de Rhodes à s'établir dans ses États afin de « *combler le vide laissé par la peste et la guerre...* ». La *peste* frappe encore en 1560 et 1599. À la fin du **XVIe** siècle, il ne restait plus que *800 Pugétois*. Le 20 octobre **1525**, à la suite de pluies torrentielles, la Roudoule inonde le faubourg et une grande partie de *la Coste*, provoquant la mort de 78 personnes. De nombreux habitants désertent **Puget-Théniers** et s'installent à La Penne. Au cours des **XVIe**, **XVIIe** et **XVIIIe** siècles, la ville va être plusieurs fois occupée par les Français. En **1691**, sur ordre de Louis XIV, le château est rasé. Les Français occupent la région jusqu'en **1696**. En **1704**, le fief, dont Nicolas Grimaldi (fils de Josué du Busca, une autre branche des Grimaldi) a été investi par Victor-Amédée II, est érigé en comté. Cette famille le conserva jusqu'à la **Révolution**. Lors du recensement effectué en **1708**, la population était d'environ *1.000* habitants (*200 feux*). En **1760**, Auvare, Saint-Léger, La Croix, Puget-Rostang et La Penne sont cédés aux *États sardes* alors qu'Aiglun, Conségudes, Les Ferres et Roquestéron-rive droite deviennent *français*. Une partie du territoire de **Puget-Théniers**, *le Plan*, est intégrée à Entrevaux et donc à la Provence. Entre **1792** et **1796**, l'agglomération, qui est située entre les armées ennemies, par conséquent sur le passage des troupes, va être occupée alternativement par les Français et les Sardes. Jusqu'à la Restauration sarde (1815), les *Barbets** (Voir Bendejun) commirent de nombreuses exactions dans la région. Quant au hameau de **Sainte-Marguerite**, sur la rive droite, c'était un fief distinct depuis le XIVe siècle. Il fut inféodé à Guillaume Lagier en 1305, aux Bérard, aux Portanier (qui étaient coseigneurs en 1641) et enfin aux Feraudi qui possédèrent une partie du fief entre 1681 et 1758. Il y avait *260* habitants en 1760.

*Pendant la **période gallo-romaine**, la ville était desservie par des axes routiers secondaires **bien entretenus** qui rejoignaient la Via Julia Augusta. Après la chute de l'Empire romain, **laissés à l'abandon**, ils furent remplacés par des **chemins muletiers** ne dépassant généralement pas **70 cm de large**.*

Au début du **XIXe** siècle, l'activité économique de **Puget-Théniers** était encore importante : il y avait trois *tanneries*, des *mégisseries*, une *fabrique de chapeaux*, et des *moulins* à huile et à farine. Une *fabrique de draps* traitait 30.000 kg de laine et occupait plusieurs dizaines d'ouvriers. Toutefois, la ville est située trop à l'écart des grandes voies de communication, et en **1860** elle est en pleine régression. Ce n'est qu'après le **rattachement** à la France que la situation change, avec l'ouverture de la route en **1868** et le chemin de fer en **1892**.

***Puget-Théniers** est la **ville natale** du troubadour **Bertrand de Puget** (XIIIe), de l'historien **Jean-Pierre Papon** (1734-1803), auteur d'une « Histoire de Provence », et de **Louis-Auguste Blanqui** (12 Pluviôse an VII-1881). Une plaque apposée sur la maison natale de ce dernier rappelle qu'il fut journaliste, militant, écrivain, homme politique et membre de la Commune de Paris (Voir également La Trinité).*

À voir

Ce gros bourg médiéval est construit à la confluence du Var et de la Roudoule, la partie la plus ancienne étant sur la rive droite de la Roudoule. Il est dominé par les ruines de son château et de l'enceinte. Il possède des maisons anciennes avec des loggias et des auvents. Nombreuses portes à linteaux gravés.

* **Église paroissiale Notre-Dame-de-l'Assomption** (XIe-XIIIe - IMH 1989). Cet édifice médiéval, de style roman, a l'aspect d'une forteresse. L'église abrite un polyptyque *Notre-Dame-du-Bon-Secours* (1525) attribué à Antoine Ronzen (un élève des Brea), des *sculptures en bois de frêne* représentant les scènes de la *Passion* (1500), attribuées à Mathieu d'Anvers, les *Quinze Mystères du Rosaire* (1730) en bois doré, *deux bancs* gravés aux armes

des Grimaldi. Les peintures du chœur et de la voûte ont été réalisées en 1889.

* **Porche et escalier de l'ancien couvent des Templiers** (1242-1308), 16, rue Papon. Lorsque leur ordre fut dissous, les biens des Templiers ont été dispersés (ils furent, dans leur majorité, dévolus aux Hospitaliers de Saint-Jean-de-Jérusalem). Cette maison a été attribuée aux cordeliers.

* **Ancien Ghetto** (XIIIe), rue Judaïque.

* **Chapelle des Pénitents-Blancs** (XVIe). Elle renferme un *retable* de la *Transfiguration* (1623), des *tableaux* (XVII et XVIIIe), un *groupe grandeur nature*, en bois (*Le Christ et les deux larrons*).

* **Anciens remparts et porte fortifiée** (XIIIe), rue C.-Brouchier. * **Passage voûté** (Moyen Âge), rue de Verdun.

* **Palais de justice** (1805). Il fut abandonné en 1926.

* **Pont tournant**.(1892). Sur la ligne du *Train des Pignes* (Nice-Digne). Il fut déposé en 1942.

* **Fontaine** (1879), rue Conil. Elle comporte le blason de la ville, gravé dans la partie supérieure.

* **Porte de l'Hôtel de la Sous-Préfecture** (XIXe), rue du 4-Septembre. Sous-préfecture de 1805 à 1926, le bâtiment conserve, au dessus des ouvertures, le blason de la ville. Le bâtiment fut repeint en trompe-l'œil en 1997.

* **Fresque** (1965), salle de délibération de la mairie. Peinte par Louis Dussour. Elle retrace les événements importants de la commune

* **Plaque commémorative** (1931). *Les travaux entrepris pour créer un **réseau d'égouts** et apporter l'**eau à domicile** ne furent terminés qu'en **1931**. Auparavant, les eaux ménagères étaient déversées sur la voie publique et la population s'approvisionnait en eau potable aux fontaines.*

* **Ancienne tannerie**. *Jusqu'au début du XIXe siècle, la cité possédait **les plus grands entrepôts français** de peaux de chevreau. À l'époque, il y avait encore trois tanneries. Les **peaux brutes** étaient **importées**, **travaillées**, puis **réexportées**.*

* **Via Ferrata.** Itinéraire de 750 m. Dénivelée + 250 m. Cotation : difficile. Billetterie et location de matériel à la Maison de Pays, au 04 93 05 05 05 ou *info@provence-val-dazur.com*. **Autres Vie Ferrate** : La Brigue, Peille, Auron, Lantosque, La Colmiane, Tende. **Via Souterrata** : Caille.

*Les premières **Vie Ferrate** (voies ferrées) ont été installées par les Italiens pendant la Première Guerre mondiale, afin de faciliter le déplacement de leurs troupes. Il s'agit d'**itinéraires aménagés** à l'aide de câbles, échelles, passerelles et tunnels creusés le long de parois rocheuses. Cette **discipline sportive, qui se situe entre la randonnée et l'escalade**, très populaire en Italie, n'est apparue en France qu'au début des années 1990.*

* **Train des Pignes « à vapeur ».** *Il a été remis en circulation en 1980 et il fonctionne de **mai à octobre**, sur le **tronçon Puget-Théniers - Annot**. Il est remorqué par une locomotive à vapeur de 1909, classée monument historique. Les voitures sont en bois, ainsi que les banquettes. Ce petit train est entretenu par une association de bénévoles, le Groupe d'étude pour les Chemins de fer de Provence » (**04 93 05 04 82**) mais ce sont les Chemins de fer de Provence (**04 97 03 80 80**) qui s'occupent de la logistique et de la billetterie.*

*D'après la tradition, le nom de ce train vient de son extrême lenteur, surtout dans les côtes. On disait qu'il fonctionnait grâce aux **pommes de pins** (pigne, en provençal) que l'on ramassait sur le parcours.*

La Maison de Pays
Tél: 04 93 05 05 05 site:www.provence-val-dazur.com

La Croix-sur-Roudoule
par Christian Watine

06830 # REVEST-LES-ROCHES **Plan: C 3**

Hameau : LES RENAS

Population : Insee 1999 = **162** h. en 1901 = **126** h. variation **+ 28,57%**

Rang de la commune par rapport au nombre d'habitants au niveau départemental: **123**

Les habitants sont les **Revestois**

Superficie : 861 ha - **Altitude** : 138 / 853/ 1524 m - **Canton : Roquestéron** - **Arrondt** : Nice

Distance de Nice : à vol d'oiseau = 22 km - par la route = 43 km - **Longitude** = 7,13° - **Latitude** = 43,88°

Accès : N 202 - D 2209 - D 17 - D 227 - D 27 - **Desserte** : TAM 721

Fête patronale : 10 août - **Église** : Saint-Laurent - **Paroisse** : Notre-Dame-de-Miséricorde

N° téléphone de la MAIRIE : 04.93.08.55.72 Fax : 04.92.08.91.80

Origine du nom

Il peut venir : du latin *reversus,* qui signifie *versant nord d'un relief*, bien que Revest soit situé sur la face sud du mont Vial ; du provençal *revest* (investissement, terre investie après le départ des Sarrasins). *Lou revest* signifie également terre ravinée. Formes anciennes : *Revestis* (en 1007 et en 1046), *Revesto* (1032).

Histoire

À partir du **Xe** siècle, après l'expulsion des *Sarrasins*, la période de sécurité qui suit leur départ favorise la création de nouveaux habitats en dehors des enceintes fortifiées des agglomérations. C'est ainsi qu'au **XIe** siècle, le village de **Revest**, situé à 2 km en aval de **Tourette**, fut fondé par des *Tourettans*, mais jusqu'au **28 octobre 1871**, date de leur séparation, son histoire se confond avec celle de **Tourette-du-Château** (voir ce nom). ***Revestis*** est mentionné en **1007**, dans un état de redevance de la paroisse Saint-Laurent à l'évêché de Glandèves, puis en **1032** dans un acte de donation en faveur du monastère de Saint-Véran, à Cagnes (au sujet d'une vigne située à *Revesto*). En **1091**, les frères Malbec donnent l'église Saint-Jean-de-Revest aux moines de Lérins. En raison de son ancienneté par rapport à **Revest**, **Tourette** fut pendant longtemps le chef-lieu et le principal *syndic* de la communauté nommée **Tourette-Revest**. Cette situation provoquait de nombreux problèmes entre les habitants sur les plans administratif, financier et religieux. Les conseillers municipaux se réunissaient dans la chapelle Saint-Grat, à la limite des terres des deux villages, car ils refusaient de siéger dans l'une ou l'autre mairie. Toutefois, les deux derniers conseils furent constitués d'une majorité revestoise, avec deux maires revestois, c'est ce qui a motivé la demande de séparation de la part des Tourettans. Jusqu'en **1930**, **Revest** s'est appelé **Revest-de-l'Estéron**, mais à la demande des Postes et Télécommunications, il devient **Revest-les-Roches**.

À voir

Revest-les-Roches est situé sur un replat du mont Vial. Ses maisons du XVe siècle possèdent des arcades sur deux étages. Nombreux passages voûtés et ruelles pittoresques. On accède au village par une très belle route touristique. L'alimentation en eau des maisons ne fut réalisée qu'en 1959.

* **Église paroissiale Saint-Jean-et-Saint-Laurent** (XVIIe-XIXe). Cette église est citée en 1091, mais il ne reste pratiquement rien de l'édifice primitif. L'intérieur a été renové dans le style Renaissance italienne. Elle abrite trois *huiles sur toile* (1647) peintes par Jean Viany, dont l'une représente les diacres : *saints Etienne, Vincent et Laurent* ; un *bénitier* gravé (XIIe) et un *brancard de procession* (XIXe) en bois doré polychrome.

* **Pont suspendu des Hirondelles** (XIXe).

* **Chapelle Saint-Roch**. Érigée après l'épidémie de peste de 1580. À proximité, on jouit d'une beau panorama.

* **Linteau** (1844), de style néoclassique. Il date de la Restauration sarde.

* **Oratoire Sainte-Claire** (XXe). Revest en compte trois.

* **Fausse fenêtre** (XXe), sur la façade du n° 2, Grande Rue. Elle est peinte avec du mortier de ciment polychrome.

* **Four à pain**, d'origine privée. En 1814, il appartenait à la veuve Escoffier. Il fut donné à la commune en 1932.

* **De très belles portes anciennes**, sur quelques maisons assez imposantes, témoignent de la présence de plusieurs familles aisées, au XIXe siècle.

* **Les rues portent le nom de certains habitants** : la maison sise 7, rue des Escoffier est dite « Maison du Procureur ». M. Escoffier, procureur de la République, né à Revest, fit partie de la commission qui fixa les dommages de guerre à l'Allemagne en 1919.

06260	**RIGAUD**	**Plan: B 3**

Hameaux : **LA DINA** **LE PRA D'ASTIER** **LE MOULIN**
Population : Insee 1999 **= 146** h. en 1901 = **483** h. variation **- 69,77%**
Rang de la commune par rapport au nombre d'habitants au niveau départemental : **126**
Les habitants sont les **Rigaudois**
Superficie : 325 ha - **Altitude** : 333 / 753 / 1907 m - **Canton : Puget-Théniers** - **Arrondt** : Nice
Distance de Nice : à vol d'oiseau = 40 km - par la route = 64 km - **Longitude** = 6,98° - **Latitude** = 44,00°
Accès : N 202 - D 28 - D 228 - **Desserte** : TAM 770
Fête patronale : 17 janvier - **Église** : Saint-Antoine-Ermite - **Paroisse** : Notre-Dame-du-Var
N° téléphone de la MAIRIE : 04.93.05.03.37 **Fax** : 04 93 05 15 17

Origine du nom

Elle peut provenir du composé germanique *ric* (puissant) + *waldan* (gouverner) ou bien du provençal *rigaou* (rouge-gorge). Formes anciennes : *castrum de Rigaudo* (vers 1200), *apud Rigaudum* (rationnaire de Charles II, 1297), *de Rigaudo* (enquête de Léopard de Fulginet, 1333), *villa Rigaudi* (1388), *per adobar lo camin que va de Rigaud al vallon de Audigier* (1548).

Histoire

Comme en témoignent quelques traces d'habitats, le territoire est occupé par une tribu *ligure* (les *Eguituri)*, puis par les *Romains* qui y exploitent un domaine agricole. Du **IIIe** au **Ve** siècle, **Rigaud** relève de l'évêché de Glandèves. Vient ensuite la période sombre des invasions barbares (*Lombards)* et des razzias destructrices des *Sarrasins*. Au début du **XIIe** siècle, certains membres de la famille seigneuriale de **Rigaud** font partie de l'*ordre du Temple** et y occupent des fonctions importantes (Hugues et Pons de Rigaud sont maîtres du Temple, respectivement en 1131 et 1195). Peut-être sont-ils à l'origine de la création de la *commanderie de Rigaud*. Le *castrum de Rigaudo* est mentionné en **1247** et **1252**, et sa maison templière en **1269**. Cet établissement, où résidaient un chevalier et le bailli du Temple, avait de nombreuses dépendances dans les vallées du Var et de la Tinée (*Saint-Sauveur, Saint-Étienne-de-Tinée, Saint-Dalmas-le-Selvage, Guillaumes, Annot, Entrevaux, Amirat Les Mujouls, Cuébris, Villars, Tournefort, Daluis et La Croix-sur-Roudoule*). Primitivement possession des Riquier d'Èze, en **1282** le fief est partagé entre plusieurs coseigneurs. En **1388**, il fait partie de la baronnie de Jean et Louis Grimaldi de Beuil. En **1622**, après la confiscation des biens d'Annibal Grimaldi, **Rigaud** (ainsi que Tournefort et Massoins) échoit au préfet de Nice, François Caissotti, pour lequel il est érigé en comté. En **1724**, la seigneurie passe à la famille Polloti. Pendant la **Seconde Guerre mondial**e, la *Résistance* utilise le plateau de la Dina pour réceptionner des parachutages d'armes. Actuellement, les principales activités économiques de la commune sont axées sur l'élevage des moutons et la pisciculture. Parmi les dernières réalisations de la municipalité : l'adduction d'eau (1.000 m d'altitude) avec station de pompage.

* ***Ordre du Temple****. Vers* ***1135****, à la suite d'un accord entre le pape et l'empereur du Saint Empire romain germanique, alors suzerain de Provence, les* ***Templiers*** *sont appelés pour défendre les populations de la région contre les incursions des pirates musulmans. Ils s'établissent à Nice en* ***1193****, puis ils créent des* ***commanderies*** *à* ***Grasse****,* ***Biot****,* ***Rigaud****,* ***Puget-Théniers*** *et* ***Auvare****. Toutefois, en* ***1307****, quand l'Ordre est dissous et que l'on dresse l'inventaire de ses biens, on ne trouve pratiquement pas d'armes. En effet, la vocation militaire initiale des* ***chevaliers****, qui était de* ***protéger*** *les* ***pèlerins*** *en* ***Terre sainte****, disparaît lorsqu'ils se replient en Europe. Ils accumulent alors, par mutations et donations, richesses et biens immobiliers. De surcroît, ils deviennent les trésoriers du pape et des rois. Leur rôle militaire dans la région a donc été presque inexistant. Mais si l'Ordre était assez riche, les chevaliers étaient pauvres et ne possédaient que des objets de première nécessité. Les richesses du Temple sont saisies et dispersées en* ***1308****. Ses biens immobiliers furent dévolus aux* ***Hospitaliers de Saint-Jean-de-Jérusalem*** *(futurs* ***Chevaliers de l'ordre de Malte*** *- Voir Auvare).*

À voir

Village ancien, perché au-dessus de la vallée du Cians et dominé par les ruines de la forteresse médiévale (ancienne commanderie templière). Architecture de moyenne montagne : hautes maisons à balcons, accolées les unes aux autres, montées en escaliers et passages voûtés. Granges et auvents du type alpin.

* **Vestiges du château fort** et **du village primitif** (XIIIe).

* **Église paroissiale Saint-Antoine-et-de-la-Transfiguration** (XIIe-XVII-XIXe). Initialement dédiée à saint Salvadour. Elle fut fortifiée au XIVe et agrandie au XVIIe. Clocher carré couvert de tuiles rondes. Le bâtiment comporte trois cloches (1690 et 1866). L'intérieur baroque renferme une *croix processionnelle* en argent estampé (1519), une *statue* de *saint Antoine l'Ermite* en bois doré (XVIe), un *retable Vierge du Rosaire* peint par Vicarius (1614), un tableau, la *Transfiguration*, de Ruggerus Petrus (1544).

* **Chapelle Saint-Sébastien-des-Pénitents-Blancs** (XVIIe). * **Chapelle Saint-Sauveur** (1247).

* **Chapelle Saint-Julien**, sur le plateau de la Dina.

* **Moulin à huile** (XVIIe). *Les moulins à huile et à farine, ainsi que le four à pain, faisaient partie des* ***banalités*** *que la commune racheta aux seigneurs en 1679. Au* ***Moyen Âge*** *et jusqu'à la* ***Révolution****, les* ***banalités*** *étaient les* ***servitudes dues au seigneur du fief****. Les gens devaient obligatoirement utiliser les moulins, pressoirs, fours appartenant audit seigneur, moyennant une redevance. D'où les termes* ***fours*** *et* ***moulins banaux*** *qui sont devenus* ***communaux*** *en* ***1789****. Le moulin à huile de Rigaud est «* ***à sang*** *» (Voir La Gaude) ainsi que «* ***domestique*** *» car situé au rez-de-chaussée d'une habitation. Il fut acheté par un certain Antoine Ribotty. Les villageois avaient pour obligation de lui apporter leurs olives (Voir Cantaron). Par contre, les* ***communaux*** *étaient les biens appartenant à l'ensemble d'une* ***communauté d'habitants*** *(bois, pâturages, friches...).*

* **Fontaine-lavoi**r (1898). Elle fut offerte par le député de l'arrondissement, Raphaël Bischoffsheim, qui finança également la construction de l'Observatoire de Nice (Voir Nice/Observatoire).

* **Galerie de détournement** des eaux d'infiltration de l'église (XIVe).

* **Maison du miel**. *Elle est à vocation pédagogique. On y retrace l'****évolution*** *des* ***ruches****, ainsi que celle des* ***méthodes*** *employées pour* ***extraire le miel****. Des démonstrations sur les techniques d'extraction sont effectuées dans des ateliers. Au début du XIX siècle, plus de* ***600 ruches*** *sont recensées sur le territoire de la commune. Elles ont* ***évolué*** *au cours des siècles : à l'origine, elles étaient faites dans un tronc d'arbre évidé (****brusc****). Celles du XVIIIe siècle étaient en* ***paille tressée*** *(l'apiculteur était obligé d'étouffer les abeilles pour prendre les gâteaux de miel). Ce sont ensuite les ruches de* ***type Layens*** *(un seul corps construit en planches).*

À la fin du XIXe siècle, les ***bruscs*** *et les* ***paniers*** *traditionnels sont progressivement remplacés par les ruches* ***à cadre mobile*** *créées par P. J. Baldensperger. De quelques centaines en 1920, elles passent à plus de 5.000 en 1930. Ces «* ***baldens*** *», mieux adaptées à la région, changèrent radicalement les méthodes traditonnelles. En effet, elles peuvent être transportées par un seul homme car elles ne sont pas trop lourdes, on peut donc les déplacer facilement et les amener en montagne. Leur toit plat permet de les entasser les unes sur les autres. De plus, elles sont composées d'une embase surélevée, surmontée de deux hausses recouvertes par une toiture mobile, ce qui permet à l'apiculteur de suivre le travail des butineuses et de prévoir la date de la récolte (Voir également La Brigue et Peille). Cette* ***Maison du miel*** *en propose à la* ***vente****.*

* **Quartier des Granges**. Les toits sont en chaume.

* **Plateau de la Dina**, ancien grenier à grains de la région.

06420	RIMPLAS	Plan: C 2

Hameau : LES VALLIÈRES

Population : Insee 1999 **= 108** h. en 1901 = **130** h. variation **- 16,92%**

Rang de la commune par rapport au nombre d'habitants au niveau départemental : **140**

Les habitants sont les **Rimplassois**

Superficie : 2.495 ha -**Altitude** : 400 / 1001 / 2649 m **- Canton : Saint-Sauveur-sur-Tinée** - **Arrondt** : Nice

Distance de Nice : à vol d'oiseau = 42 km - par la route = 60 km - **Longitude** = 7,13° - **Latitude** = 44,07°

Accès : N 202 - D 2205 - D 2565 - D 66 et GR 5 - 52 A - **Desserte** : TAM 746 via 740 - 750

Fête patronale : 17 août - **Église** : Saint-Roch - **Paroisse** : Saint-Bernard-de-Menthon

N° téléphone de la MAIRIE : 04.93.02.80.93

Origine du nom

In Rege Placito est mentionné en **1007**, dans un cartulaire de la cathédrale de Nice. Ce toponyme est composé du germanique *raginon* > ***ragin***, conseiller + le latin ***placitum***, plaid, assemblée. Aux **IXe** et **Xe** siècles, **Rimplas** fut probablement le siège de la juridiction suprême de la région de la Tinée.

Formes anciennes à partir du XIIe siècle : *Raiplas, Raimplaz* (XIIe), *castrum de Raimplaz* (vers 1200), *Feraudus de Raimplas* (cart. de Saint-Pons, 1232), *de Raymplacio* (Léopard de Fulginet, 1333), *villa de Raimplatz* (Caïs, 1388), *Raimplas* (1629) *Rimplas* (cartes sardes, 1760).

Histoire

En **1067**, le cartulaire de l'ancienne cathédrale de Nice mentionne la donation de certains biens situés à *Rege Placito*. Au **XIIe** siècle, la seigneurie appartient aux Thorame-Glandèves. La forteresse de **Rimplas** est bâtie sur un éperon rocheux, entre le **Valdeblore** et la **Tinée**. Ce site défensif joue un rôle important à partir du **Moyen Âge**. Lors de l'affouage de 1315, le village comptait *41 feux* (environ 230 habitants). Vers **1352**, Pierre Balb et son frère Philippe, des descendants des Rostaing, en sont les feudataires. Pierre possède également *Valdeblore*, *Marie* et *Roure*, et il a des droits sur *Saint-Sauveur*, *Rigaud* et *Touët*. À la suite de sa rébellion, la reine Jeanne lui confisque une partie de ses possessions. En **1376**, il est pardonné et rétabli dans certains de ses fiefs. Ce n'est qu'à partir de **1383-1388** qu'il est dépossédé de ses derniers biens. **Rimplas** échoit alors aux Faucon, puis à Jean Grimaldi de Beuil. Toutefois, il faudra trois ans de combats aux Grimaldi pour conquérir la citadelle de **Rimplas** (**1392**). Ils sont investis pour ce fief avec le titre comtal, et ils le conserveront jusqu'à la **Révolution**. Les cultures céréalières et l'élevage des ovins constituaient les principales ressources des habitants. Entre 1929 et 1945, la construction du fort, puis l'installation d'une garnison, dopa temporairement l'économie du village.

À voir

Le village est bâti sur un col entouré de deux masses rocheuses, au milieu de terrasses de culture. Il ne reste de l'ancien site défensif que les vestiges d'un château du XIIe siècle. Les maisons sont de type bas alpin. Ruelles pavées, passages voûtés, placettes, fontaines. La commune possède une eau de source de très bonne qualité.

* **Vestiges du château** (XIIe).

* **Église paroissiale Notre-Dame-de-l'Assomption-et-de-Saint-Honorat** (1713). De style baroque, avec un linteau sculpté. Elle abrite une *huile sur toile*, *l'Incrédulité de saint Thomas,* peinte par François Périer vers 1740.

* **Chapelle Saint-Roch**. On peut y admirer une *huile sur toile*, *La Vierge à l'Enfant* (XVIIe).

* **Chapelle Sainte-Marie-Madeleine**. Elle renferme une *huile sur toile* (XIXe) représentant cette sainte. À proximité de l'édifice, on jouit d'une belle vue sur la Tinée, le vallon de Bramafan et les villages du Valdeblore.

* **Fort d'Arrêt** (1929). Il est bâti sur le site de la forteresse médiévale et il fait partie de la *ligne Maginot*. Cet ouvrage militaire, construit sur 5 niveaux, a été prévu pour accueillir 600 hommes. Il comporte une centrale

électrique, des aérateurs, des sources souterraines captées, un ascenseur. Il abrite une peinture murale intitulée « *On ne passe pas* ». Il est désarmé, et une partie du bâtiment a été reconvertie en *champignonnière*.
*** Grottes de Cognas et de Rissal**. *** Parc national du Mercantour, voir pages 210 et 211**.

06450	**ROQUEBILLIÈRE**	**Plan: D 3**

Hameaux : **BERTHEMONT-LES-BAINS LE COUGNE GORDOLON**
Population : Insee 1999 = **1.467** h. en 1901 = **1.665** h. variation **- 11,89%** (**1.513** en 2005)
Rang de la commune par rapport au nombre d'habitants au niveau dépt : **61 -** au niveau national: **5.970**
Les habitants sont les **Roquebilliérois**
Superficie : 2.592 ha - **Altitude** : 500 / 604 / 2045 m - **Chef-lieu canton : Roquebillière** - **Arrondt** : Nice
Distance de Nice : à vol d'oiseau = 35 km - par la route = 55 km - **Longitude** = 7,30° - **Latitude** = 44,02°
Accès : N 202 - D 2565 - D 69 et GR 52 A - **Desserte** : TAM 730 - (Berthemont 732) - 746
Fête patronale : fin juillet - **Églises** : Saint-Michel-de-Gast *et* Cœur-Immaculé-de-Marie
Chapelle : Saint-Julien **Paroisse** : Saint-Bernard-de-Menthon
N° téléphone de la MAIRIE : 04.93.03.60.60 **- OFFICE du TOURISME** : 04.93.03.51.60

Origine du nom

Probablement de la racine pré-indo-européenne, *bal*, *bel*, *bol*, hauteur, rocher. Toutefois, d'après la tradition, ce toponyme dérive du bas latin *rocca abigliera* (rocher des abeilles) car le village primitif était situé sur le *Caïre de Mel* (rocher du miel, roche abilière). Formes anciennes : *la Roccabellera* (cart. de l'ancienne cathédrale de Nice, 1147), *castrum de Rochabelliera* (vers 1200), *villa de Roccha* (1388), *in loco de Rochabilheria* (1537), *Rocca Bigliera* (carte des Archives de Turin, 1679), *Roccabligliera* (Turin, 1839). Forme d'oc : *Rocabilhera*.

Histoire

Dans l'**Antiquité**, la station de **Berthemont**, sur le territoire de **Roquebillière**, était réputée pour ses *sources d'eaux sulfurées sodiques**. Au **Ier** siècle de notre ère, les *Romains* y construisent des *thermes*. En **260**, *Cornélie Salonine**, satisfaite de sa cure à Berthemont, fait accorder certaines libertés aux habitants. En **1141**, l'église Saint-Michel est mentionnée lors de sa donation par l'évêque de Nice aux Hospitaliers de Saint-Jean-de-Jérusalem. À cette époque, elle relève de l'un des prieurés de leur commanderie de Nice. Au **Moyen Âge**, les habitants du *castrum* de *Rochabelliera* sont sous la dépendance directe des comtes de Provence et jouissent de privilèges spéciaux. Au printemps **1388**, leurs libertés et privilèges sont confirmés par le comte de Provence Louis II, mais en **octobre** de la même année, les villages des vallées de la Vésubie et de la Tinée passent sous la haute autorité du comte de Savoie Amédée VII. **Roquebillière** est alors inféodé à Antoine Garagno. Au cours des siècles, le village a subi de nombreuses catastrophes naturelles : des *tremblements de terre* (en 596, 614, 1494) ainsi que des *crues* (en 1094, 1743, 1772, 1889, 1892). En 1926, l'agglomération primitive, située sur la rive gauche, est détruite par un *glissement de terrain* qui provoque la mort de 19 personnes. Depuis sa création, **Roquebillière** a été reconstruit plus de six fois. Ses activités économiques sont liées à l'agriculture (cultures maraîchères, apiculture, élevage de bovins et d'ovins, mais également pisciculture). À la fin du **XXe** siècle, les *thermes* ont été rachetés par la commune. **Fêtes patronales** : festin de la Saint Julien (fin juillet, et festin des readitions (à la Saint Louis, fin août).

À voir

Village de montagne construit de part et d'autre de la Vésubie. Maisons de type alpin avec greniers-séchoirs et loggias. Dans les environs, granges traditionnelles de montagne.

* **Église paroissiale Saint-Michel-de-Gast** (CMH 1994). Construite en 1438 à l'emplacement d'un ancien sanctuaire mentionné en 568. Le clocher carré médiéval est probablement celui de l'église primitive. L'édifice fut transformé en 1533 par les *Hospitaliers* (devenus les *Chevaliers de l'ordre de Malte* en 1530, voir Lucéram). Elle abrite un *triptyque*, huile sur bois, *Saint Antoine* (1540), une *statue* de *saint Michel* (XVIIe), en bois doré et polychrome, et des *fonts baptismaux* (XVIe) en pierre sculptée d'une croix de Savoie. *Un **mini-musée** de **reliquaires** et de **vêtements sacerdotaux** y est installé. Des **visites guidées** sont organisées tous les jours. Téléphoner au **04 93 03 45 62**.*

* **Église du Cœur-Immaculé-de-Marie**, place de l'Église (1934-1954). Construite dans le nouveau village.

* **Chapelle rurale de Saint-Julien** (XXe). Autrefois, les plaies des enfants étaient lavées avec l'eau bénite de Saint-Julien, qui est le patron du village.

* **Chapelle des Pénitents-Blancs** (XVIIIe). Clocher de style Renaissance, surmonté d'une croix.

* **Moulin à grain** (XXe), *au quartier la Bourgade. En pierre, bois et fer. Sa **roue** en bois est **horizontale**. Ce type de moulin, très courant dans les régions montagneuses, existait déjà au **Ier siècle avant notre ère**. Celui-ci, qui est électrifié, est utilisé de temps en temps pour moudre du blé ou du maïs.*

* **Forge de Martinet**. Ce moulin est cité en 1813. * **Site ruiniforme de Castel Vieil.**

* **Vestiges de la chapelle Notre-Dame-de-Gordolon**, siège d'un ancien prieuré bénédictin. Elle a été détruite par un tremblement de terre en 1564.

* **Fort de Gordolon** (1931), à 550 m d'altitude. De même que le fort de Flaut, sur la rive opposée, il fut construit pour protéger la vallée en cas de conflit armé.

* **Fontaine** (1872). L'eau sort par une gueule de lion entourée de deux rosaces.

* **Circuit des Quatre Villages**. *Une petite **route** permet de découvrir, **sur 20 km**, les **villages de la Vésubie** (Roquebillière, Saint-Martin-Vésubie, Belvédère et Lantosque).*

* BERTHEMONT-LES-BAINS

* *La station de **Berthemont-les-Bains** possède **trois sources d'eau thermale** dont les propriétés sont similaires à celles des stations pyrénéennes ou savoyardes. Cette eau, qui sort naturellement à une température de **29°**, est très riche en **soufre**, **sodium**, **silice** ainsi qu'en **oligo-éléments**. Elle agit sur de nombreuses pathologies (**arthrose**, **rhumatismes**, **maladies ORL** et **pulmonaires**). De nombreux soins sont proposés : **bain aérogazeux**, **boue**, **piscine avec jet stream**, **douche au jet**, **massages**. **Séances en nocturne**.*

* *En **260**, **Cornélie Salonine**, épouse de l'empereur romain Gallien, y **fit une cure** « pour raffermir et reconstituer son organisme épuisé ». Elle fut si satisfaite du résultat qu'elle fit accorder aux habitants, convertis au christianisme pour la plupart d'entre eux, la liberté du culte. L'empereur généralisa cette liberté, qui fut confirmée par décret. À l'**époque romaine,** on accédait aux sources par une route militaire, la **Via Emilia**. Elle porte le nom de son constructeur, Marcus Emilius Scaurus. Les établissements de bains furent détruits en **1564** par un **tremblement de terre**. En **1663**, **Christine de France**, sœur de Louis XIII et veuve de Victor-Amédée Ier de Savoie, les fait reconstruire. Au **XIXe** siècle, une crue emporte les thermes qui sont reconstruits 400 m en aval. Simultanément, la source Saint-Jean-Baptiste est canalisée.*

* **Grotte Saint-Julien.** * **Piscine romaine.** * **Source Saint-Jean-Baptiste.**

**** Entre Roquebillière et Belvédère, une route pittoresque parcourt le vallon de la Gorlolasque et se termine à la limite du Parc national du Mercantour (voir pages 210 et 211).***

06190 ROQUEBRUNE-CAP-MARTIN Plan: D 4

Hameaux : CABBÉ CAP-MARTIN CARNOLÈS VILLAGE SAINT-ROMAN
Population : Insee 1999 **= 11. 692** h. en 1901 = **2.768** h. variation **+ 322,40% (11.966** en 2005)
Rang de la commune par rapport au nombre d'habitants au niveau dépt : **15 -** au niveau national : **717**
Les habitants sont les **Roquebrunois**
Superficie : 933 ha - **Altitude** : 0 / 300 / 800 m - **Canton : Menton** - **Arrondt** : Nice
Distance de Nice : à vol d'oiseau = 19 km - par la route = 24 km - **Longitude** = 7,47° - **Latitude** = 43,77°
Accès : A 8 ou N 7 - **Desserte** : TAM 100 - 110 - (113 et 115 via Menton)
Procession : 5 août - **Église**: Village: Ste-Marguerite - Carnolès: St-Joseph - **Paroisse** :Sacré-Cœur-de-Menton
N° téléphone de la MAIRIE : 04.92.10.48.48 - **OFFICE du TOURISME** : 04.93.35.62.87
www.roquebrune-cap-martin.com

Origine du nom

La racine pré-celtique *roca* (roc, pierre, rocher) a donné le latin *rocam brunam* (roche brune) à cause de la teinte gris brunâtre du poudingue tertiaire dont est constituée la colline à cet endroit. C'est généralement sur des hauteurs, des pitons rocheux, que l'on édifiait les forteresses et les *castra*. Bien souvent, l'amalgame a été fait, et le terme *roca* finissait par désigner la butte rocheuse fortifiée, puis la forteresse ou l'habitat fortifié. Formes anciennes : *Jacobus Lombardus de Rocabruna* (1217), *Johannis de Rochabruna* (1276), *J. Magaruti de Rocabruna* (1302).

Histoire

*C'est dans la **grotte du Vallonnet***, à Roquebrune, qu'est situé l'un des plus anciens **habitats préhistoriques** connus en Europe (**950.000 ans**).* Le territoire est ensuite occupé par les *Ligures* avant d'être annexé par les *Romains* qui y construisent, au **Ier** siècle avant J.-C., la station de **Lumone** (au cap Martin, sur le trajet de la *Via Julia)*. En **641**, cette station romaine est détruite par les *Lombards*. À partir du **VIIe** siècle, la région va être ruinée par les *invasions barbares* successives et les *razzias sarrasines*. Elle va commencer à renaître vers la fin du Xe siècle, lorsque les *Sarrasins* sont rejetés à la mer par Guillaume Ier le Libérateur. Vers **970**, le comte Conrad Ier de Vintimille fait édifier deux châteaux : *Agerbol*, sur une étroite plate-forme située dans la vallée du Fenouil (entre le mont Agel et le mont Gros), et *Rocambrunam,* qui domine le rivage. La forteresse d'Agerbol est rasée entre 1220 et 1249. ***Rocambrunam*** est mentionné au **XIIe** siècle (charte du **30 août 1157**), lorsque Guido Guerra de Vintimille prête l'hommage féodal à la République de Gênes. En **1258**, les comtes Boniface et Georges de Vintimille cèdent au comte de Provence de nombreux biens et droits, dont *Roquebrune, Monaco et Castillon*. La forteresse n'appartiendra pas longtemps aux *Provençaux* car, en **1289**, le comte Charles II d'Anjou la restitue au *Consulat de Gênes*. En **1355**, Guillaume-Pierre Lascaris, de la famille des Vintimille, vend **Roquebrune** à Charles Ier Grimaldi de Monaco, pour la somme de 1.000 florins. L'histoire de la commune va être liée à celle de la Principauté pendant cinq siècles. En **1793**, **Roquebrune** est rattaché au département des Alpes-Maritimes mais en **1814** la France le rend aux Grimaldi, sous le protectorat de la Sardaigne. En **1848**, écrasés d'impôts, les Roquebrunois et les Mentonnais se révoltent et s'administrent en *villes libres* sous la protection du gouvernement sarde. En **1860**, ils choisissent et obtiennent, par un plébiscite massif, leur rattachement à l'Empire français. Le prince de Monaco Charles III cède ses droits sur **Roquebrune** et **Menton** pour la somme de 4 millions de francs. Le **cap Martin** tient son nom d'une chapelle mentionnée pour la première fois en **1061**, sous le vocable de saint Martin (*Sancti Martini*). En **1082**, le comte de Vintimille Conrad III et son épouse Odile Laugier (de la famille des vicomtes de Nice) donnent cette église et les terres alentour à l'abbaye de Lérins. Les moines y fondent un prieuré (il fut probablement détruit par des corsaires génois vers 1400).

En **1912**, afin d'éviter toute confusion avec **Roquebrune-sur-Argens** (Var), la ville prit le nom de **Roquebrune-Cap-Martin**. Ville classée station climatique en 1922.

À voir

Village médiéval, perché à 300 mètres d'altitude sur le flanc de la montagne. Il est dominé par son château fort du Xe siècle. Charmantes ruelles en escaliers, placettes et passages sous voûtes. Vue exceptionnelle.

* **Grotte préhistorique du Vallonnet**. *L'**homme** du Vallonnet (Homo Erectus), y a abandonné de nombreux **outils**. On a découvert plus de 80 silex et éclats de galets taillés, vieux d'un million d'années, ainsi que de nombreux ossements d'animaux.*

* **Tombeau de Lumone** (CMH 1951). Il date du Ier siècle avant J.-C. et a conservé des traces de fresques. Lumone était une halte sur la *Via Julia*

* **LE VILLAGE**

* **Château / ancien Donjon** (vers 970 - CMH 1927). La 2e tour date du XIIe siècle. Au XVe siècle, Lambert Grimaldi le transforme en forteresse. Il est pris et incendié deux fois (1597 et 1747), puis il est abandonné. Un Britannique, Sir W. Ingram, l'achète en 1911. Il le restaure et le donne à la commune en 1928. Le chemin de ronde offre un *magnifique **panorama** sur la mer, le cap Martin, la principauté de Monaco et le mont Agel.*

* **Place des Deux-Frères** (rochers de poudingue). Le passage fut creusé par les habitants, au XIXe siècle. De cette place qui domine les toits de la vieille ville, très beau panorama sur la côte.

* **Olivier millénaire** (Xe-XIe), Chemin de Menton. Il serait le doyen des arbres d'Europe. *L'**olivier** est le symbole de la **paix** et de la **victoire**.*

* **Église paroissiale Sainte-Marguerite** (XIIe). Elle est citée en 1182, sous le patronage de sainte Marie. En 1274, elle passe sous le vocable de sainte Marguerite. Elle a été restaurée en 1618 et 1776. Façade de style baroque, avec un clocher carré. Le parvis est pavé de galets noirs et blancs, en calade. Elle abrite une *croix* en bois d'ébène incrustée de nacre, un *tableau* reproduisant (au 1/54) la *fresque* de Michel-Ange *Le Jugement dernier* (chapelle Sixtine), et une *huile sur toile, La Crucifixion*, peinte en 1616 par le Roquebrunois Marc-Antoine Otto.

* **Chapelle de la Pausa**. *Antérieure à **1467**. Cette année-là, une terrible épidémie de **peste** ravagea la région. Elle **cessa le 5 août** (fête de Notre-Dame-des-Neiges) **à la suite d'un vœu**. Depuis, tous les ans à la même date, une **procession solennelle** part de l'église Sainte-Marguerite pour se rendre à la chapelle de la Pausa.*

* **Au cimetière :** tombe de **Le Corbusier**, dessinée en 1957 par le célèbre architecte (située en carré J).

Quelques bonnes adresses dans le vieux village

Hôtel-Restaurant LES DEUX FRÈRES (village) 33 (0) 4 93 28 99 00 *www.les deuxfreres.com*

Au CŒUR de l'OLIVIER 17, rue du Château 33 (0) 4 93 04 91 94 / 4 93 35 01 21 ***www.sculptures.fr.fm***

Restaurant AU GRAND INQUISITEUR (village) 18, rue du Château 04 93 35 05 37

* **LE CAP MARTIN.** Presqu'île résidentielle aux superbes propriétés fleuries.

* **Porte du cap Martin** (1882), à l'entrée du domaine clos de Cap-Martin. Copie d'une porte antique.

* **Villa Cypris** (1895 -1904 - IMH 1990). De style vénitien et byzantin (ne se visite pas).

* **Villa Torre Clémentina** (1904 - IMH 1991). Du même style que celui de la villa Cypris (ne se visite pas).

* **Fort du cap Martin**. C'est un ouvrage de la ligne Maginot. *Pont-levis* (1930), deux énormes *moteurs Renault* chargés de fournir l'électricité au fort, *transmetteurs d'ordres*.

* **Cabanon de Le Corbusier** (CMH 1996). *En 1952, le **célèbre architecte** installe, sur le flanc escarpé du cap Martin, son « Château » secret, un petit **cabanon de bois** (15 m2 environ : 3,66 m x 3,66 m et 2,26 m de haut) où il applique les proportions idéales du **Modulor** : la taille d'un homme de 1,80 m qui tend le bras vers le haut. Cet **habitat minimum** est une démonstration d'architecture moderne.*

* **Tour du cap Martin.** *Sur la route du **côté est**, vers le cap Martin : vue magnifique sur Menton et son cadre de montagnes, ainsi que sur la côte italienne jusqu'à Bordighera.* ***À partir de l'extrémité du Cap Martin : un sentier touristique, le Sentier Le Corbusier,*** *contourne tout le cap vers l'ouest, longe les plages de Cabbé et va jusqu'au Monte-Carlo Beach Hôtel. Il offre des **vues superbes** sur Monaco, le cap Ferrat, la Tête de Chien, le mont Agel et La Turbie.*

Quelques bonnes adresses

Restaurant CALA AZZURRA 48, av. Winston-Churchill 04 93 35 63 07 *www.restaurantcalaazzurra.com*

LE ROQUEBRUNE *Chambres d'hôtes de charme* 100, r.J.Jaurès 33 (0) 4 93 35 00 16 *www.le-roquebrune.com*

Restaurant LA DIFFÉRANCE parking du Country-Club *Sentier des Douaniers* 04 92 07 35 51

Restaurant LE PICCADILLY **BAR GLACIER** 16, av. François-de-Monléon 04 93 35 87 16

06330 ROQUEFORT-LES-PINS Plan: C 5

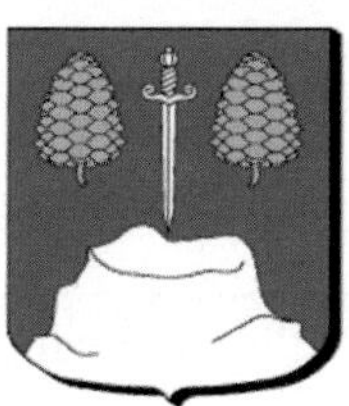

Hameaux : LE COLOMBIER LE PLAN NOTRE-DAME
Population : Insee 1999 **= 5.239** h. en 1901 = **550** h. variation **+ 852,55%** (**5.300** en 2005)
Rang de la commune par rapport au nombre d'habitants au niveau dépt : **27 -** au niveau national: **1 713**
Les habitants sont les **Roquefortois**
Superficie : 2.153 ha - **Altitude** : 20 / 250 / 362 m - **Canton : Le Bar-sur-Loup** - **Arrondt** : Grasse
Distance de Nice : à vol d'oiseau = 17 km - par la route = 22 km - **Longitude** = 7,05° - **Latitude** = 43,65°
Accès : A 8 - D 2D - D 2 - D 2085 - **Desserte** : TAM 500 - 501 - Envibus 26 - 26R
Fête patronale : 5 février - **Église** : Nativité-de-la-Sainte-Vierge - **Paroisse** : Saint-Pierre-du-Brusc
N° téléphone de la MAIRIE : 04.92.60.35.00 - **OFFICE du TOURISME** : 04.93.09.67.54
www.ville-roquefort-les-pins.fr

Origine du nom

Il signifie *roche fortifiée*. L'adjonction de **Les Pins** est récente. Formes anciennes : *Odilo de Rocafort* (cart. de Lérins, XIe siècle), *castrum de Roccafort* (vers 1200), *Roccafort* (cart. de Lérins, 1178).

Histoire

De nombreux vestiges attestent que le territoire était habité à l'**âge du bronze** (dolmens) ainsi qu'à l'**âge du fer** (*oppida* celto-ligures). Dans l'Antiquité, il est occupé par les *villae* gallo-romaines. Les *Romains* y créent une étape sur la voie de communication secondaire qui, en partant de la *Via Aurelia*, menait à Grasse en passant par Opio. D'après la tradition, ce camp de repos, *Campus laxio*, aurait donné son nom à l'église de Canlache. À la fin du **XIe** siècle, les seigneurs d'Antibes font édifier le *castrum de Rocafort*, sur la butte San Peyre, au lieu-dit Le Castellas. Primitivement inféodé à un certain Aldebert, qui a épousé la fille du comte d'Antibes, le fief passe ensuite à l'abbaye de Lérins. En **1241**, pour faire face à ses dettes, cette dernière le vend à la *communauté d'habitants* de Saint-Paul. Toutefois, les moines conservent l'église Saint-Pierre qu'ils érigent en prieuré. À la suite des guerres et de l'épidémie de *peste noire* de **1348**, **Roquefort** devient un lieu *inhabité* et son château tombe en ruines. Le territoire n'est repeuplé qu'à partir de **1537**, lorsque François Ier fait construire une seconde enceinte fortifiée autour de **Saint-Paul**. En effet, pour cette réalisation, plusieurs centaines de maisons sont démolies. Les Saint-Paulois expropriés, plus de 400 familles s'installent dans les environs et fondent des habitats dispersés qui sont à l'origine des hameaux de **Roquefort** et de La Colle. Au cours des **XVIIe** et **XVIIIe** siècles, Saint-Paul est contraint de céder à ses créanciers des terres à **Roquefort**. Ces nouveaux propriétaires (les Alziari et les Mougins) créent une coseigneurie de fait (les Mougins-Roquefort seront anoblis par Louis XVIII). En **1790**, **Roquefort** et **La Colle** vont se séparer de leur commune tutélaire et devenir autonomes.

À voir

Cette commune est principalement composée d'un habitat résidentiel, dispersé au milieu de pinèdes.

* **Église paroissiale Notre-Dame-de-Canlache** (XVIIe). Clocher à campanile. Elle est construite sur les bases d'une ancienne chapelle privée. *Canlache* viendrait du latin *campus laxio* qui signifie « camp de repos ».
* **Pont des Civadons** (XIXe). Semblable aux ponts romains. **Pont des Sept Fonds** (1910).
* **Château des Mougins-Roquefort** (XVIIe). De style rustique provençal.
* **Chapelle du Sacré-Cœur** (1882), quartier du Colombier.
* **Camp Celto-Ligure**, de l'âge du fer (site de Camptracier). Muraille de 200 m de long et haute de 1,5 à 2 m.
* **Vestiges du Camp des Tourres**, de l'âge du fer. Cet oppidum carré est renforcé à chaque angle. De nombreux

objets ont été trouvés sur le site (débris de poteries, de *tegulae* et de petites meules).

* **Vestiges du Castellas**, âge du fer-Moyen Âge. En contrebas de l'enceinte : ruines de la chapelle Saint-Michel.

* **Vestiges de la chapelle San-Peyre** (XIe). C'est probablement l'une des plus anciennes chapelles de la région.

* **Le puits** (1830). En 1913, un différend opposa Roquefort et Le Rouret au sujet du partage des eaux. Il fut réglé avec la construction d'une canalisation destinée à alimenter Roquefort.

* **Statue de sainte Jeanne d'Arc**. Érigée en 1910, année de sa béatification. Jeanne d'Arc fut canonisée en 1920.

06910	**ROQUESTÉRON**	**Plan: C 4**

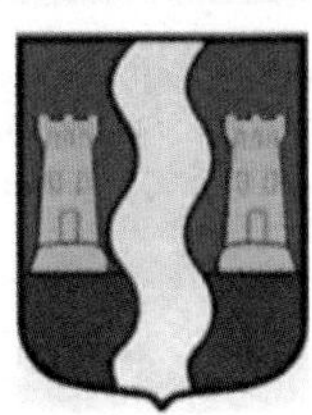

Hameau : RANC

Population : Insee 1999 **= 478** h. en 1901 = **346** h. variation **+ 38,15%** (**483** en 2005)

Rang de la commune par rapport au nombre d'habitants au niveau départemental: **93**

Les habitants sont les **Roquerois**

Superficie : 647 ha - **Altitude** : 270 / 340 / 1040 m - **Canton : Roquestéron** - **Arrondt** : Nice

Distance de Nice : à vol d'oiseau = 27 km - par la route = 55 km - **Longitude** = 7,00° - **Latitude** = 43,87°

Accès : N 202 - D 2209 - D 17 - **Desserte** : TAM 720

Fête patronale : Saint Matthieu, en août - **Église** : Saint-Arige - **Paroisse** : Notre-Dame-de-Miséricorde

N° téléphone de la MAIRIE : 04.93.05.92.92

Origine du nom

Voir **Roquestéron-Grasse**.

Histoire

Roquestéron ne devient une commune autonome qu'en **1760**, à la signature du traité de Turin qui rectifie certaines anomalies de frontières entre la France et le comté de Nice. Jusqu'à cette date, son histoire se confond avec celle de **Roquestéron-Grasse**, qui occupe le site du *village primitif* de *La Rocca*, construit sur la rive droite de l'Estéron. Lors de la ***dédition de 1388***, *La Rocca* se soumet à la maison de Savoie. Vers la fin du **XVe** siècle, la localité commence à s'étendre sur la *rive gauche*. En **1722**, le fief, qui faisait à l'origine partie de la seigneurie des Laugier et des Faucon de Glandèves, est érigé en comté en faveur des Roverizio-Pianavia, une famille de Pigna. À partir de **1760**, ce sont l'Estéron et le Var qui, dorénavant, ***délimitent la frontière**** (**V**oir Roquestéron-Grasse). En conséquence, le faubourg créé sur la rive gauche reste intégré au comté de Nice (c'est-à-dire au royaume de Piémont-Sardaigne), et il prend le nom de **Rocca Sterone**. Quant au *bourg primitif* de *La Rocca*, il est cédé à la France et il est baptisé **La Roque-en-Provence**. Le pont de bois qui relie ces deux localités, désormais indépendantes l'une de l'autre, possède une *borne frontière* en son milieu, et devient *international*. Lorsque le comté de Nice est annexé par la France, en **1793**, **Rocca Sterone** devient français et va s'appeler **Roquestéron-Puget** jusqu'à sa réintégration dans le royaume sarde, en **1815**. Simultanément, **La Roque-en-Provence** est rebaptisée **Roquestéron-Grasse**. En **1860**, **Rocca Sterone** (ou **Rocastarone**) vote massivement pour son rattachement à la France. Il devient alors **Roquestéron**. Toutefois, lors de ce **rattachement**, les deux communes refusent d'être réunies. Actuellement, l'une dépend administrativement de Grasse, l'autre de Nice, elles ont donc un conseiller général et un député différents. La route de la vallée de l'Estéron fut achevée en 1870. Cette réalisation permit la création d'un service de diligences. Entre 1921 et 1929, un tramway desservit ces villages. *Parmi les **projets** de la municipalité, la **construction d'un plan d'eau** sur un terrain situé à l'entrée du* *village, jouxtant la rivière « l'Estéron », a fait l'objet d'une étude de faisabilité. Il devrait être réalisé prochainement. Le site, d'une superficie d'environ **1 hectare**, sera complètement aménagé pour la **baignade** des enfants et des adultes.*

À voir

Le village est construit sur un site légèrement surélevé, sur la rive gauche de l'Estéron. Il comporte des maisons anciennes avec des loggias et des auvents de style alpin. Ruelles en escaliers et portes à linteaux.

* **Église paroissiale Saint-Arige** (1735). Clocher carré. Elle abrite quelques peintures et objets intéressants.

* **Chapelle Dalmassy**. Après le tremblement de terre de 1867, elle servit temporairement d'église paroissiale.

* **Fontaine-lavoir** (1779), source de Roustiers et Pont de France.

* **Cippe romain** (Ier siècle av.J.-C). Il est gravé d'un poignard et d'un croissant.

* **Chapelle Notre-Dame-de-la-Miséricorde. * Plusieurs oratoires.**

* **Ancienne maison des Alziary de Malaussène**, rue du Dr-Passeron. Elle abrita la mairie, l'école, le presbytère et, depuis 1862, la justice de paix. En 1723, Jean Alziary est fait comte de Malaussène (Voir Roquestéron-Grasse).

* **Monument de la Croix**. Il pourrait avoir été érigé à la mémoire d'un enfant mort par noyade.

L'association « Société du four à pain et du pressoir », *5 rue Alziary, vous invite à découvrir des **métiers anciens** avec les **ateliers** du **maréchal-ferrant,** du **cordonnier** et du **boucher**, le **four à pain,** le **moulin à huile**, le **pressoir et ses alambics.** Tous ces biens, ainsi que des centaines d'**objets** et d'**outils,** ont été soigneusement préservés dans leur **cadre d'origine**. Le public peut les découvrir grâce à une **visite guidée et commentée**. **Téléphoner** pour prendre **rendez-vous** au **06 80 30 57 30**.*

06910 ROQUESTÉRON-GRASSE Plan: B 4

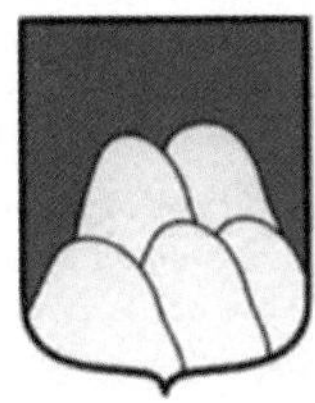

Population : Insee 1999 = **65** h. en 1901 = **72** h. variation **- 9,72%**
Rang de la commune par rapport au nombre d'habitants au niveau départemental : **152**
Les habitants sont les **Roquerois**
Superficie : 2.398 ha - **Altitude** : 289 / 340 / 1565 m - **Canton : Coursegoules** - **Arrondt** : Grasse
Distance de Nice : à vol d'oiseau = 27 km - par la route = 55 km - **Longitude** = 7,00° - **Latitude** = 43,87°
Accès : N 202 - D 2209 - D 17 - D 1 - **Desserte** : TAM 720 et Réserv: TAD 0 800 06 01 06
Église : Sainte Pétronille - **Paroisse** : Notre-Dame-de-Miséricorde
N° téléphone de la MAIRIE : 04.93.05.90.53

Origine du nom

Primitivement, le site s'appelait *La Rocca*. Il vient du provençal *roca,* roche, butte rocheuse. En 1793, avec l'adjonction du nom de la rivière Estéron, il devient **Roquestéron**. Le radical *est* ou *ester* (pierre, rocher) peut être rapproché du massif de l'*Estérel* et du cap *Estel*. Formes anciennes : *castrum de la Rocca* (vers 1200), *Villa de Roccha de Sterono* (Caïs, 1388), *Rocam de Esteron* (1400).

Histoire

Le territoire est habité par des *tribus néolithiques*, puis par les *Ligures Velauni* avant d'être annexé par les *Romains*. Ces derniers y construisent une place forte importante, sur le parcours d'une de leurs routes stratégiques. Au **Xe** siècle, le bourg *primitif* n'occupe que la *rive droite* de l'Estéron. Ce *castrum de la Rocca* est une possession des Rostaing de Thorame-Castellane, il va le rester pendant quatre siècles. En **1028** et **1046**, le seigneur du lieu, Raymond Rostaing, donne à l'abbaye de Lérins des biens situés sur le terroir de *La Rocca*. *Les moines y fondent un prieuré dans lequel, au XIVe siècle, le troubadour* ***Raymond Féraud*** *(de la famille des Rostaing) passa, comme prieur, les dernières années de sa vie (Voir Ilonse)*. En **1074**, le fief échoit à Laugier Le Roux, allié par mariage aux Rostaing de Castellane. En **1211**, des émigrés italiens, les *Alziari**, douze familles apparentées, s'installent sur ces terres pour les exploiter. En **1388**, **La Rocca** devient dépendant de la maison de Savoie ; son seigneur, Laugier Rostaing, se réfugie en Provence et ses biens sont partagés (**1393**) entre les Faucon de Glandèves et le chevalier des Ferres et du Mas. Vers **1492**, le fief est inféodé aux Grimaldi de Beuil. C'est à cette période que le village commence à s'étendre sur la rive gauche de la rivière, à proximité des terres cultivables, créant ainsi un faubourg. À la suite du 1er Traité de Turin (**1760**), ce sont l'Estéron et le Var qui ***délimitent la frontière****. Le village primitif de *La Rocca* devient *français* et prend le nom de **La Roque-en-Provence**, alors que le *faubourg* situé sur l'autre rive, baptisé **Rocca Sterone,** reste dans le comté de Nice. Le pont de bois qui les relie possède une *borne frontière* en son milieu et devient *international*.

Lorsque le comté de Nice est annexé par la France, en **1793**, **Rocca Sterone** devient français et il va s'appeler **Roquestéron-Puget** jusqu'à sa réintégration dans le royaume sarde, en **1815**. Simultanément, **La Roque-en-Provence** est rebaptisée **Roquestéron-Grasse**. Lors du rattachement de **1860**, les deux communes refusent d'être réunies. Actuellement, celle qui est située rive droite dépend administrativement de la sous-préfecture de Grasse, l'autre, sur la rive gauche, de la préfecture de Nice. En conséquence, elles ont un maire, un conseiller général et un député différents. La route de Nice, par le pont de la Manda et Bouyon, est ouverte en 1894.

** En* ***1720****, le roi Victor-Amédée II, pour rétablir la situation financière catastrophique du royaume de Piémont-Sardaigne,* ***vend*** *toutes les* ***possessions féodales*** *de la couronne trouvées «* ***libres*** *». En effet, à la suite de la disparition des feudataires héréditaires, des confiscations, ou même de leur rachat par des communautés d'habitants, certains villages* ***n'étaient pas inféodés****. C'est ainsi qu'en* ***1723****, le fils du notaire de* ***Roquestéron****,* ***Jean Alziari****, achète le fief de Malaussène, qui est érigé en comté. Il crée ainsi une nouvelle lignée d'aristrocrates (Voir Malaussène). Un de ses descendants,* ***François Alziari****, fut maire de Nice de 1886 à 1896. Parmi ses réalisations : la couverture du Paillon de la place Masséna à la mer, le creusement définitif du port Lympia, la Bourse du travail.*

** **Frontière.** C'est ainsi que Gattières, Bouyon, Les Ferres, Conségudes et Aiglun deviennent* ***provençaux****. Alors qu'Auvare, Cuébris, La Croix, Daluis, Guillaumes, La Penne, Puget-Rostang, Saint-Antonin et Saint-Léger sont cédés au royaume de Piémont-Sardaigne. Quant aux terres de Sigale situées sur la rive droite, elles sont partagées entre La Roque et Aiglun.*

À voir

Le village fortifié médiéval, qui est la partie la plus ancienne de cette commune, est situé sur la rive droite de l'Estéron.

* **Vestiges du château féodal** (XIe). Il ne subsiste qu'une arche.
* **Place Saint-François** (XVe). C'est là que les chefs de familles se réunissaient, lors des assemblées.
* **Église paroissiale Sainte-Petronille** (XIIe-IMH 1942), située au pied du château. Cet édifice de style roman possède un clocher à deux baies. L'étage est fortifié.
* **Prieuré Saint-Jean-de-Moustiers.**
* **Chapelle médiévale Saint-Laurent**. Elle fut l'église paroissiale jusqu'au XVIe siècle.
* **Pierre gravée** (époque romaine), route de Conségudes. Elle est dédiée à *Marcus Paternus*, décédé à 75 ans.
* **Pont de France** (XVIIe). Jusqu'en 1860, ce pont a constitué la frontière entre la France et la Savoie (à part une interruption de 1792 à 1814, lorsque la région fut annexée par la France).
* **Fontaine-lavoir** (1905), route de Conségudes.
* **Oratoire Saint-Joseph** (1760), route de l'Olive, ancien chemin de Coursegoules.

06550 ROQUETTE-SUR-SIAGNE (LA) Plan: B 5

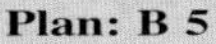

Hameaux : **LES BASTIDES SAINT-JEAN**
Population : Insee 1999 = **4.445** h. en 1901 = **348** h. variation **+ 1.177,30%** (**4.487** en 2005)
Rang de la commune par rapport au nombre d'habitants au niveau dépt : **29** - au niveau national: **2.036**
Les habitants sont les **Roquettans**
Superficie : 631 ha - **Altitude** : 6 / 148 / 170 m - **Canton : Mougins** - **Arrondt** : Grasse
Distance de Nice : à vol d'oiseau = 27 km - par la route = 37 km - **Longitude** = 6,95° - **Latitude** = 43,60°
Accès : A 8 - N 85 - D 409 - **Desserte** : TAM 610 et 610 bis (par Cannes) - 1 PRM - Mobi'Bus -
Fête patronale : 23 avril - **Église** : Saint-Georges - **Paroisse** : Saint-Vincent-de-Lérins
N° téléphone de la MAIRIE : 04.92.19.45.00

Origine du nom
Rochetta est un diminutif du provençal *roca* (roche, butte rocheuse), avec adjonction du nom de la rivière. Pour la **Siagne** : voir à **Auribeau-sur-Siagne**. Formes anciennes : *territorio de Rochete* (cart. de Lérins, 1041), *subtus castrum Rochetam* (cart. de Lérins, 1144), *castrum de Roquetta* (vers 1200).
Histoire
Le territoire fut initialement occupé par la tribu *ligure* des *Oxybiens*. Des fouilles archéologiques entreprises au début du XXe siècle ont mis à jour des vestiges *gallo-romains* (nécropole). À cette époque, il est probable que des bergers nomades campaient sur les hauteurs et faisaient paître leurs troupeaux dans la plaine de la Siagne. Le village fortifié est mentionné une première fois en **1041**, puis en **1061**, dans le cartulaire de l'abbaye de Lérins. Le 25 avril **1109**, Pierre Ismidon, seigneur du *Castrum Rocheta*, entre dans les ordres et fait don de son fief au monastère. Ce dernier va le conserver jusqu'à la **Révolution**. En **1144**, le seigneur abbé fait construire un prieuré (sous le vocable de saint Georges) destiné à accueillir les moines. Il fait également creuser des canaux pour assainir la plaine marécageuse. Les terres sont données en location à des paysans qui y bâtissent des fermes. Au **Moyen Âge**, le blé, le seigle et les légumes (lentilles et fèves) ainsi que le chanvre et le lin, constituent leurs principales ressources. En **1390**, le prieuré et les quelques bastides dispersées sont détruits par les soldats de Raymond de Turenne. Les fermiers survivants se réfugient à Cannes. **La Roquette** va rester longtemps un *lieu inhabité*, mais les terres continuent à être cultivées par les villageois des environs. De plus, chaque année, à la Saint-Georges (23 avril), ils se retrouvent pour un pèlerinage à la chapelle. Au début du **XVIe** siècle, le pèlerinage du 23 avril se transforme en jour de foire. En **1497**, Mgr André de Grimaldi (Voir Auribeau) fait venir des familles de Ligurie pour repeupler son fief et cultiver les terres. C'est ainsi qu'est lancée la *culture du riz*. Ces immigrés investissent également le territoire de **La Roquette** et y bâtissent quelques fermes isolées ainsi qu'une chapelle dédiée à saint Georges (détruite en 1707, elle est reconstruite sous le vocable de saint Jean-Baptiste). En **1700**, l' abbé de Lérins, Philippe de Vendôme, signe un *acte d'habitation* qui attire des paysans génois (les Panizzi) ainsi que des familles de Mougins et de Mouans (Combes, Funel, Martin, Panisse). Le nouveau village est construit à distance des marécages. Toutefois, la *culture du riz* est interdite en **1719**. En effet, les eaux croupissantes des rizières, inondées en été, accentuaient le climat insalubre de cette plaine marécageuse. Elles étaient à l'origine de nombreuses maladies, dont la *malaria* (Voir Pégomas). Un acte de **1729** indique que **La Roquette** est composée d'une quinzaine de maisons, de douze bastides et de plusieurs grands domaines appartenant à des notables. En **1754**, la commune acquiert son indépendance. Elle fait ériger une église sous le vocable de saint François de Sales. Ce lieu de culte devient une paroisse en 1760. Depuis le **XIXe** siècle, l'habitat s'est développé dans la plaine de la Siagne, assainie, au détriment du village primitif.

À voir

Village constitué de ***deux agglomérations****, La Roquette-Village avec son église surélevée sur un mamelon et La Roquette-Saint-Jean et Dandon qui est le centre administratif.*

* **Église paroissiale Saint-François-de-Sales** (1754). Clocher carré surmonté d'un campanile en fer forgé.

* **Chapelle Saint-Jean-Baptiste** (XVIIIe). Construite à l'emplacement d'une église détruite en 1707.

* **Canal du Béal** (1500). Construit par les moines de Lérins. Il servait à alimenter en eau leur moulin de l'Abadie où les agriculteurs de Cannes et de Mandelieu devaient obligatoirement moudre leurs grains.

* **Four communal** (1500). Il a été réinstallé sur la place du village au début du XXe siècle. Après avoir été fermé en 1945, il est remis en fonctionnement en 1997. Il est utilisé lors des fêtes du village.

* **Fontaine** (1890), place José-Thomas. Située sous la cour de l'école qui est devenue la Maison des associations.

06910 ROQUETTE-SUR-VAR (LA) Plan: C 4

Hameau : **BAOU ROUX**

Population : Insee 1999 **= 820** h. en 1901 = **334** h. variation **+ 145,51%** **(826 en 2005)**

Rang de la commune par rapport au nombre d'habitants au niveau départemental : **79**

Les habitants sont les **Roquettans**

Superficie : 399 ha - **Altitude** : 108 / 380 / 600 m - **Canton : Levens** - **Arrondt** : Nice

Distance de Nice : à vol d'oiseau = 15 km - par la route = 30 km - **Longitude** = 7,20° - **Latitude** = 43,83°

Accès : N 202 - D 20 - **Desserte** : TAM 730 - 740 -750 - 770 - 790 - Ligne d'Azur C 59

Fête patronale : 3/4 juillet - **Église** : Saint-Pierre - **Paroisse** : Saint-Benoît-les-Oliviers

N° téléphone de la MAIRIE : 04.93.08.40.21

Origine du nom

Rochetta est un diminutif du provençal *roca* (roche, butte rocheuse), avec adjonction du nom du fleuve. Quant au mot *Var*, il serait d'origine ligure. Formes anciennes : *subtus castrum qui nominant Rocheta, iuxta fluvium Varis* (cart. de Saint-Pons, 1028), *in Roqueta* (cart. de la cathédrale de Nice, 1078), i*n castro de Roqueta* (enquête de Charles Ier, 1252).

Histoire

Comme l'attestent les vestiges de deux enceintes concentriques sur le mont Fubia, le territoire fut occupé par les *Ligures*. Le *castrum Rocheta* est cité pour la première fois en **1028**, dans le cartulaire de l'abbaye de Saint-Pons. Cette agglomération va se développer autour du château. Au **IXe** siècle, les moines de Saint-Pons possèdent un vaste domaine sur les terres qui bordent le Var. Il existe également, à proximité, quelques habitations regroupées autour d'une petite église dédiée à saint Martin. Au **XIe** siècle, ce hameau est rattaché à **La Roquette**, et la communauté ainsi formée va s'appeler **La Roquette-Saint-Martin** jusqu'en **1867**, date de la séparation des deux agglomérations. Au **XIIIe** siècle, le *castrum* est inféodé aux Béranger, en coseigneurie avec d'autres feudataires. Des manuscrits de **1209** mentionnent la concession d'un droit de gué (au lieu-dit *Bon-Port*, à la confluence du Var et de l'Estéron) au commandeur des Hospitaliers de Saint-Jean-de-Jérusalem. En **1217**, ils obtiennent confirmation des droits de passage sur le fleuve, ainsi que des terres près de Gilette. En **1290**, le comte de Provence Charles II d'Anjou concède au seigneur de **La Roquette-Saint-Martin** le droit d'établir sur le fleuve un bac avec péage. En **1320**, le fief appartient aux Ranulfi mais, en **1365**, ils le vendent aux Litti, seigneurs de Saint-Alban, Bonson et Dosfraires. En **1388**, **La Roquette-Saint-Martin** devient, avec le passage du fleuve à

Bon-Port, un village-frontière entre le comté de Nice et la Provence. Le 26 novembre **1446**, Charles Lascaris de Vintimille, coseigneur de La Brigue, épouse la fille de Pierre Litti, seigneur de **La Roquette**, et entre ainsi en possession de la seigneurie (avec le château de Bonson et une partie de Bouyon). Au **XVIe** siècle, la seigneurie échoit, toujours par mariage, aux Laugier. En **1527**, les fils du baron de Beuil, Jean-Baptiste, seigneur d'Ascros et son frère René, complotent contre la Savoie. Ils sont également en conflit avec Honoré Laugier, seigneur des Ferres. Ils incendient **La Roquette** et Levens et prennent la forteresse de Gilette. Assiégés par les troupes du duc de Savoie, ils doivent s'enfuir en Provence, mais deux ans plus tard, ils sont rétablis dans leurs fiefs. En **1698**, Alexandre Laugier lègue **La Roquette** à son neveu Jean-Paul Bonfiglio. Cette famille va le garder pendant quelques générations. En **1777**, à la suite d'une vente, le fief revient à Joseph-Vincent Lascaris-Vintimille, comte de Castellar, baron de Bouillon et des Ferres, ministre d'État à Turin, pour lequel il est érigé en marquisat. Après la mort, en **1838**, d'Augustin Lascaris, dernier marquis de **La Roquette-Saint-Martin**, le château va passer à Étienne Buerc puis à la famille Raybaud. En **1867**, **La Roquette** est séparé de son hameau de **Saint-Martin** et perd, de ce fait, 491 hectares de terrain.

À voir

Ce joli village ancien est perché au sommet d'un piton. On y accède par une route qui serpente au milieu des pinèdes et des oliveraies, avec de belles vues sur le Var. Maisons des XVIe et XVIIe siècles.

* **Vestiges d'un *castrum***, le *Castel Vieil*, sur le site du village primitif.

* **Château de Tralatour** (XVIe), accolé à l'église. Il ne subsiste qu'un haut mur et un escalier.

* **Église paroissiale Saint-Pierre** (1682). De style baroque, avec un clocher quadrangulaire surmonté d'une lanterne octogonale. Après avoir été détruit par la foudre, il est reconstruit en 1813. Il est ensuite endommagé par le tremblement de terre de 1887, et restauré. L'église abrite un *retable* et un *maître-autel* (1680), un tableau la *Donation du Rosaire* (1643) de Gaspard Tœsca, deux autres, *L'Apparition de la Vierge* et *Les Âmes du Purgatoire* (fin XVIIe) de Jean-Baptiste Passadesco, un *Christ* en bois (XVe).

* **Moulin à huile** (1925). Autrefois, il y en avait onze. *Le village possède une **coopérative oléicole**.*

* **Anciens fours à chaux** (1844). Cette activité débute avec les travaux d'endiguement du Var et la construction de la ligne de chemin de fer. Plusieurs industries se développent : une usine de chaux, une cimenterie, une usine de céramique et briques, l'usine chimique Chiris. Pendant la guerre 1914-1918, cette dernière fabriquait des gaz de combat de type ypérite. Des *maisons ouvrières* sont construites dans le quartier la Parisienne, au Baus-Roux.

* **Fontaine** (1897), sur la place de l'Église.

* **Chapelle Sainte-Catherine** (1887). Détruite lors du tremblement de terre, elle fut reconstruite en plus petit.

06420 ROUBION Plan: C 2

Hameaux : **LES BUISSES LA VALLE VIGNOLS VILLARS**

Population : Insee 1999 **= 113** h. en 1901 = **215** h. variation **- 47,44%**

Rang de la commune par rapport au nombre d'habitants au niveau départemental: **139**

Les habitants sont les **Roubionnais**

Superficie : 2.726 ha - **Altitude** : 840 / 1336 / 2488 m - **Canton : Saint-Sauveur-sur-Tinée** - **Arrondt** : Nice

Distance de Nice : à vol d'oiseau = 46 km - par la route = 74 km - **Longitude** = 7,05° - **Latitude** = 44,08°

Accès : N 202 - D 2205 - D30 et GR 52 A - **Desserte** : Réserv: TAD 0 800 06 01 06

Fête patronale : Dimanche après 16 juillet - **Église** : St-Etienne/N.-D-du-Mt-Carmel - **Paroisse** : N.-D.-de-Tinée

N° Tél. de la MAIRIE : 04.93.02.00.48 **www.roubion.com** **OFFICE du TOURISME** : 04.93.02.10.30

Origine du nom

Du radical *rup* (roche à pic, falaise) qui vient de la racine pré-celtique *rab, reb, rib, rob*, hauteur rocheuse. Le nissart *roubina* (éboulis, terrain friable) en est dérivé. Formes anciennes : *Robio*, *Rubion* (cart. de la cathédrale de Nice, XIIe), *castrum de Robione* (vers 1200), *apud Robionus* (rationnaire de Charles II, 1296), *de Robjono* (Léopard de Fulginet, 1333).

Histoire

Primitivement, un camp retranché construit par les *Ligures Ectini* occupait le site. Il est réutilisé par les *Romains* qui en font un *oppidum*. Au **XIe** siècle, comme tout le comté de Tinée, ce territoire est inféodé à la noble famille des Rostaing, seigneurs de Thorame-Glandèves et descendants des seigneurs de Castellane. Le *castrum de Robione* est mentionné plusieurs fois aux **XIIe** et **XIIIe** siècles, il est alors sous l'autorité des comtes de Provence. C'est de cette époque que datent les vestiges du château féodal et des remparts. Lors de l'*affouage* de 1315, le village comptait *47 feux* (environ 250 habitants). En **1325**, Astruge et Andaron Grimaldi en font l'acquisition. En **1388**, **Roubion**, comme ses feudataires les Grimaldi de Beuil, passe sous la dépendance de la maison de Savoie. En **1581**, la baronnie est érigée en comté en faveur d'Honoré II Grimaldi. En **1621**, après l'exécution d'Annibal Grimaldi, le château féodal est démantelé. Le **22 mars** de la même année, **Roubion** est inféodé à Stefano Badat, membre d'une confrérie religieuse et chevalier de l'ordre de Malte. Après sa mort, en **1622**, il passe à son frère procureur, le comte Annibal Badat. En **1684**, c'est un Caissoti qui en est investi, avec le titre comtal. **Roubion** a beaucoup souffert du passage des troupes lors des guerres qui ont agité la région, aux **XVIIe** et **XVIIIe** siècles. En **1691**, il est saccagé et incendié par le baron De Wins, pour punir les *Roubionnais* d'avoir détruit les granges des *Beuillois* parce qu'ils s'étaient soumis aux Français victorieux. En **1792**, le village, annexé par les Français, fait partie du canton de Beuil, lui-même dépendant du district de Puget-Théniers. De **1814** à **1860**, il réintègre les États sardes, et il est alors rattaché à Saint-Étienne-de-Tinée. À partir de **1860**, **Roubion** est intégré au canton de Saint-Sauveur-sur-Tinée.

À voir

Village ancien de montagne, perché sur une crête, au bord d'une falaise de roches rouges et dans un site impressionnant. Il possède de hautes maisons avec des auvents et des balcons en bois.

* **Remparts et port**e (XIVe-CMH 1941). Ces fortifications furent régulièrement restaurées et entretenues.

* **Église paroissiale Saint-Étienne/Notre-Dame-du-Mont-Carmel** (XVIIIe). Clocher roman crénelé. Chapelles décorées de gypseries. Autel de style baroque italien.

* **Chapelle Saint-Sébastien** (1513-CMH 1948). *Elle fut érigée pour protéger les habitants des épidémies* (**Voir** Auribeau). Elle abrite une **fresque,** La Sagittation de saint Sébastien (1513), d'**influence provençale plutôt qu'italienne**. La lecture de cette fresque se fait de droite à gauche, du registre supérieur au registre inférieur, et en commençant par le côté droit de la chapelle. Pour une **peinture murale**, les couleurs étaient appliquées **à la détrempe** sur un enduit sec (elles étaient préalablement délayées dans une colle à l'œuf). Par contre, la véritable **fresque** est réalisée avec des couleurs délayées dans de l'eau, et que l'on applique sur un enduit récent et humide. Ce procédé, dit **« a fresco »**, est à l'origine du mot « **fresque** » (l'italien **affresco** signifie **fresque**). C'est une technique plus délicate à exécuter que celle utilisée pour la peinture murale.*

* **Chapelle Notre-Dame-du-Mont-Carmel** (1713), de style baroque italien.

* **Granges et vacheries** de montagne, aux toitures en bardeaux de mélèze.

* **Grottes de la Barmo Ferréouns, aven de Grauréon.**

* **Beffroi,** taillé dans le roc.

* **Fontaine du Mouton** (XVIIIe), dans le haut du village. En fait, elle comporte une tête de *bélier* sculptée.

* **Monument**, au col de la Couillole (1678 m). Il commémore l'ouverture de la route, la seule « est-ouest », reliant la vallée du Cians à celle de la Tinée.

* **Parc national du Mercantour.** ***Voir pages 210 et 211.***

* **ROUBION-LES-BUISSES** *(1.410-1.920 m). Cette **station de ski** possède 8 remontées mécaniques dont 1 télésiège, pour 30 km de pistes de **ski alpin**. 5 km de pistes, en deux boucles, sont réservées au **ski nordique**. Domaine de **ski de fond**, 20 km. Gîtes. Aujourd'hui, la station fonctionne également en été : elle propose 12 pistes de descente et un **bike park** pour le **VTT**.*

06420 **ROURE** Plan: C 2

Hameaux : **PUGE TIECS VALABRES**
Population : Insee 1999 **= 167** h. en 1901 = **506** h. variation **- 67,00%**
Rang de la commune par rapport au nombre d'habitants au niveau départemental: **121**
Les habitants sont les **Rourois**
Superficie : 4.030 ha - **Altitude** : 500 / 1132 / 2339 m - **Canton : Saint-Sauveur-sur-Tinée** - **Arrondt** : Nice
Distance de Nice : à vol d'oiseau = 45 km - par la route = 71 km - **Longitude** = 7,08° - **Latitude** = 44,08°
Accès : N 202 - D 2205 - D 30 - D 130 et GR 52 A - **Desserte** : Réserv: TAD 0 800 06 01 06
Fête patronale : 2e dimanche d'août - **Église** : Saint-Laurent - **Paroisse** : Notre-Dame-de-Tinée
N° téléphone de la MAIRIE : 04.93.02.00.70

Origine du nom

Probablement du latin *robur*, qui signifie chêne rouvre (une variété au bois très dur). En langue d'oc : *rora*. Formes anciennes : *in castrum que nominant Rora* (cart. de la cathédrale de Nice, 1067), *Roura*, *Rora* (idem, XIIe), *castrum de Roura* (vers 1200), *de Roura* (Léopard de Fulginet, 1333), *villa Roura* (Caïs, 1388).

Histoire

Le ***menhir*** découvert en 1969 à Tiecs constitue le témoignage d'une présence humaine très ancienne. *Ce monolithe en grès rose est le plus haut (2,27m) des **trois menhirs** que possède le département.* Le territoire aurait été occupé par des *Ligures* (tribu des *Ectini*). D'après la tradition, le nom du village viendrait de la présence d'un gigantesque *chêne* sous lequel les propriétaires de troupeaux et les pasteurs se réunissaient pour régler leurs différends. Le *castrum de Rora* est cité pour la première fois dans des documents de **1067**. Il appartient tout d'abord aux Rostaing de Thorame-Glandèves. À partir du **XIVe** siècle, les Caïs en sont également coseigneurs. Lors de l'*affouage* de 1315, le village comptait *90 feux* (environ 480 habitants). Vers la fin du **XIVe** siècle, Barnabé Grimaldi, alors baron de Beuil (1357-1368), convoite **Roure**. Il s'empare du fief et fait torturer puis assassiner son feudataire, Bertrand de Caïs. La reine Jeanne infligea au baron de Beuil et aux *Rourois* qui l'avaient aidé, une amende de 2.000 florins d'or. En **1621**, à la chute d'Annibal Grimaldi, **Roure** est inféodé aux Badat. Au **XVIIIe** siècle, il est érigé en comté en faveur des Albrione.

Les habitants tiraient leurs ressources de la polyculture (grâce à la présence de plantes méditerranéennes ainsi que d'espèces montagnardes), de l'élevage et des forêts (dont une de mélèzes). *Entre **1927** et **1961**, le village fut relié à Saint-Sauveur par un **câble de 1.850 m de long**. Il permettait les échanges commerciaux (provisions diverses contre lait, fromage, farine...). La route d'accès ne fut terminée qu'en 1933.*

À voir

Vieux village de montagne, perché en à-pic au dessus de la Vionène, dans un environnement de roches rouges. Les maisons des XVIIe et XVIIIe siècles ont des auvents et des toits en bardeaux de mélèze ou en lauzes. La route d'accès, impressionnante, offre des vues superbes sur la Tinée.

* **Vestiges du château.**

* **Église paroissiale Saint-Laurent** (XIVe - IMH 1987). Façade clocher, identique aux clochers-murs romans. Elle abrite deux *polyptyques* huiles sur toile et bois doré, *Saint Laurent* (début XVIe) qui pourrait être d'Andrea de Cella, et *L'Assomption* (1560), qui est attribué à François Brea (neveu de Ludovic Brea).

* **Chapelle Saint-Sébastien-et-Saint-Bernard** (vers 1.500 - CMH 1989). Sur le plateau dominant le village. Elle renferme des fresques d'***Andrea de Cella***, *un peintre originaire de Finale, en Ligurie.*

* **Meule de moulin** (XVIIIe). En pierre, bois et fer. Le moulin, qui fonctionna jusqu'en 1965, est le plus septentrionnal et le plus « en altitude » du département des Alpes-Maritimes.

* **Canal d'irrigation** (1856). Il coule à flanc de montagne, sur une distance de sept kilomètres. Il servit pour l'irrigation des cultures ainsi que pour l'alimentation en eau des villageois.

* **Gorges de Valabres**.

* **Chapelle Notre-Dame-des-Grâces** (XVe).

*L'**Institut méditerranéo-alpin de biologie et d'écologie** est localisé dans la vallée de la Tinée, notamment sur la commune de **Roure**. Il est composé, d'une part, de l'**arboretum d'altitude Marcel Kroenlein** et, d'autre part, d'un petit **laboratoire scientifique**.*

* **ARBORETUM**. *Créé fin 1988. Il s'étend sur 6 hectares et rassemble des **essences des Alpes du Sud** ainsi que de nombreuses **variétés des montagnes du monde entier**. Sentiers de découverte, collection d'**érables**, rocaille de **joubarbes**, **rosiers** sauvages (Rosa). Le **chalet de l'Arbre**, la **table de lecture** et la **mare aux oiseaux** permettent de découvrir les différents aspects d'un environnement qui est dans toutes les nuances de **violet** (en raison de la forte teneur en oxyde de fer).*

* **MINÉRALOGIE**. *Le **territoire de Roure** est particulièrement intéressant pour les amateurs de **géologie** et de **minéraux**. En effet, il bénéficie d'une très riche **variété minéralogique** due au fait qu'il est à la cassure entre le permien (dernière période géologique dite « primaire », et le trias (première période dite « secondaire »). L'**inventaire minéralogique** est disponible à la **mairie** : ornite, covelite, hématite, cuivre, pyrite, cuprite, malachite, quartz, fluorine, zinc, uranium, minéralisation à plomb, limonite, blende, cérusite, cuivre gris, magnétite et fluorine violette...*

* **MAISON DE LA FLORE**

*Le Parc national du Mercantour recèle près de 60 % des plantes vasculaires de la flore française, avec des étages de végétation qui se succèdent depuis la frange littorale de la Côte d'Azur jusqu'aux hautes régions du massif des Alpes. C'est pourquoi l'idée est venue à la municipalité de Roure de construire, sur le territoire de la commune, une **Maison de la flore**, en étroite collaboration avec le Parc national du Mercantour et l'Association de l'arboretum. Cette **Maison de la flore** abritera un **herbier général des plantes d'Europe** (herbier Louis Poirion), qui a été entièrement restauré et pourra être exposé aux visiteurs. De plus, elle constituera un précieux outil de travail pour les chercheurs et étudiants qui prépareront les visites estivales guidées, dans le laboratoire prévu à cet effet.* ***Parc national du Mercantour pages 210 et 211.***

Une bonne adresse

Hôtel-Restaurant LE ROBUR *Cuisine de terroir élaborée* *Vue panoramique* Tél. 04 93 02 03 57

L'Art et l'Arbre ...

Prétexte aussi à venir découvrir le seul Arboretum lié à l'Art... **NO-MADE :** groupe d'artistes qui ont poussé les murs des galeries et sont venus créer et investir l'espace libre de la plus grande cimaise à ciel ouvert : l'Arboretum de Roure.
Leurs chemins de création relient mer et montagne, des sentiers douaniers aux sentiers muletiers.

Poma de Louis Dollé

06650 ROURET (LE) Plan: C 5

Hameaux : LE COLLET **SAINT-PONS** LE PLAN BERGIERS

Population : Insee 1999 **= 3.428** h. en 1901 = **604 h.** variation **+ 467,55 %** (**3.460** en 2005)

Rang de la commune par rapport au nombre d'habitants au niveau dépt : **38 -** au niveau national: **2.631**

Les habitants sont les **Rouretans ou Rourerois**

Superficie : 710 ha - **Altitude** : 178 / 320 / 480 m - **Canton : Le Bar-sur-Loup** - **Arrondt** : Grasse

Distance de Nice : à vol d'oiseau = 19 km - par la route = 29 km - **Longitude** = 7,02° - **Latitude** = 43,68°

Accès : A 8 - D2D - D 2 - D 2085 - **Desserte** : TAM 500 - 501 - Envibus 11 - 26R

Fête patronale : 1er week-end de juillet - **Église** : Saint-Pons - **Paroisse** : Saint-Pierre-du-Brusc

N° téléphone de la MAIRIE : 04.93.77.20.02 **www.mairie.lerouret.fr**

Origine du nom

Probablement du latin *robur*, qui signifie chêne rouvre. Quant au suffixe, soit il vient du latin *ittum*, soit du celtique *et (um)*. Formes anciennes : *Rainerius de Rovereto* (1035), *in castro quod dicitur Rovoret* (cart. de Lérins, 1167), *castrum de Roureto* (vers 1200), *Ollivarii de Roureto* (1242). Les Romains avaient appelé le territoire *roboretum* (chênaie, lieu planté de chênes) dont dérive le toponyme **Le Rouret**.

Histoire

Les nombreux vestiges retrouvés sur le territoire attestent une occupation humaine dès le **néolithique**, et sans interruption jusqu'à nos jours : dolmen, menhir, *castellaras*, village de l'**âge du fer** qui fut réoccupé au **Moyen Âge**, *villae* gallo-romaines, poteries d'époques **romaine** et **médiévale**, pièces de monnaie des **IIIe** et **IVe** siècles, ossements humains et animaux. À la fin de l'époque **préhistorique**, l'habitat primitif est abandonné, et les forêts le recouvrent petit à petit. Pendant la **paix romaine**, de nombreux domaines agricoles (*villae*) sont implantés sur ces terres. Au **haut Moyen Âge**, il existait une bourgade sur le site d'une ancienne exploitation agricole gallo-romaine. Cette petite agglomération est détruite au **Xe** siècle et la population s'installe au lieu-dit le *Vieux-Rouret*, à l'emplacement de l'actuel château. Des textes de **1035** mentionnent le premier seigneur du lieu, Rainouard du Rouret, un proche des familles seigneuriales d'Antibes et de Grasse. Le *castrum de Rovoret* est cité en **1167**, dans des actes de l'abbaye de Lérins. À la suite des guerres, famines et épidémies qui sévissent au **XIVe** siècle, le *castrum* est progressivement abandonné, et en **1400**, il est devenu un *lieu inhabité*. Son repeuplement va se faire lentement, mais dorénavant l'habitat est constitué de bastides dispersées, ce qui explique (comme pour Roquefort), l'absence de village. En **1471**, le fief appartient toujours aux Grasse-Bar, puis il est inféodé aux Geoffroy du Rouret. En **1782**, Joseph-Louis de Geoffroy est élevé à la qualité de marquis par Louis XVI. À la **Révolution**, le marquis du Rouret émigre et, en **1793**, sa seigneurie est érigée en commune. En **1826**, le quartier des *Bergiers* est détaché de **Châteauneuf** pour être intégré au **Rouret**. Cette fusion est effective en **1830**, par une ordonnance royale de Louis-Philippe. Pendant longtemps, le blé, les oliviers, la vigne et les plantes à parfum ont représenté l'élément de base de la vie économique. Grâce à la proximité des grandes villes du littoral et de Sophia-Antipolis, **Le Rouret** est devenu une commune résidentielle.

À voir

Village aux maisons dispersées sur les collines, au milieu des oliviers, des chênes et des pins.

* **Château provençal rustique** (XVIIe). Les tourelles d'angle sont du XIIIe siècle. Primitivement propriété des Grasse-Bar, puis des Geoffroy du Rouret, il appartient actuellement à la famille Poniatowski.

* **Vestiges** du **village primitif** et de l'**église Saint-Pierre** (XIIIe).

La grotte

06260 SAINT-ANTONIN Plan: B 3

Population : Insee 1999 **= 78** h. en 1901 = **111** h. variation **- 29,73%**
Rang de la commune par rapport au nombre d'habitants au niveau départemental: **150**
Les habitants sont les **Santoninois** ou **Santinois**
Superficie : 644 ha - **Altitude** : 625 / 800 / 901 m - **Canton : Puget-Théniers** - **Arrondt** : Nice
Distance de Nice : à vol d'oiseau = 32 km - par la route = 81 km - **Longitude** = 6,98° - **Latitude** = 43,92°
Accès : N 202 - D 2211 A - D 427 - **Desserte** : Réserv: TAD 0 800 06 01 06
Fête patronale : dernier dimanche de juillet - **Église** : Saint-Antonin - **Paroisse** : Notre-Dame-du-Var
N° téléphone de la MAIRIE : 04.93.05.84.13

Origine du nom

La forme *Antoninus*, dérivée d'*Antonius*, apparaît dès 549 en Avignon, ainsi que dans le cartulaire de l'abbaye Saint-Victor de Marseille, en 1042. Formes anciennes : *castrum de Sanct Antolin* (vers 1200), *apud Sanctum Antoninem* (rationnaire de Charles II, 1296), *de Sancto Antolino* (1297), *de Sancto Anthonino* (Léopard de Fulginet, 1333), *a ung home de Sant Chantoulin* (1607). Il existe plusieurs saints de ce nom. *Le plus célèbre d'entre eux est **Antonin d'Apamée**, un tailleur de pierre qui vécut en **Syrie** au **IIe siècle**. Il fut tué et dépecé pour avoir détruit des idoles païennes.* **Sept** communes françaises portent le nom de ce saint.

Histoire

Les nombreux vestiges qui ont été retrouvés sur le site attestent qu'il fut occupé par les *Celto-Ligures*, les *Romains* (tuiles romaines, cimetière antique) et également les *Sarrasins*. Le *castrum de Sanct Antolin* fait partie des communautés d'habitants mentionnées, en **1296**, dans l'enquête effectuée pour le comte de Provence. Au **XIVe** siècle, le fief appartient aux Flotte, qui sont également les seigneurs de Cuébris. En **1471**, le village est déclaré *lieu inhabité*. De 1**772** à la **Révolution**, **Saint-Antonin** est inféodé aux Trinchieri, en coseigneurie avec les seigneurs de La Penne. Lors du 1er traité de Turin (**1760**), il fait partie des localités provençales cédées au royaume de Piémont-Sardaigne. Son histoire va se confondre avec celle du comté de Nice, auquel il est intégré, jusqu'en **1860**. **Saint-Antonin** demeure un pays d'élevage de moutons et de chèvres.

***Les maisons traditionnelles** des bourgs ruraux étaient étroites et hautes. L'**étable** et le **local à outils** occupaient tout le rez-de-chaussée. **Les gens habitaient à l'étage**. Quant au **grenier**, il servait à **entreposer** les grains et diverses denrées (fruits, oléagineux...), mais également de **séchoir** (souleias) pour l'herbe. Ainsi, l'habitation était chauffée par l'étable, et le grenier à foin servait d'isolation thermique.*

À voir

*Village ancien allongé sur une crête, dans un environnement de schistes érodés. **Panorama splendide** depuis le cimetière qui domine le village.*

* **Église paroissiale Saint-Antonin** (XVIIe). *Clocher-mur* à deux arches romanes abritant les cloches. Elle aurait été construite avec les pierres de l'église primitive. Elle abrite une croix processionnelle du XVIIIe siècle.
* **Maison forte** (XVIIIe). Maison natale de Charles de Rochefort.
* **Oratoire Saint-Antonin,** situé sur la route du même nom.
* **Four communal** (1935). Construit grâce aux aides publiques, les fours domestiques étant insuffisants.

06850 | # SAINT-AUBAN | **Plan: A 4**

Hameau : LES LATTES
Population : Insee 1999 **= 267** h. en 1901 = **424** h. variation **- 37,03%** (**269** en 2005)
Rang de la commune par rapport au nombre d'habitants au niveau départemental : **110**
Les habitants sont les **Saint-Aubanais**
Superficie : 4.254 ha - **Altitude** : 899 / 1150 / 1689 m - **Canton : Saint-Auban** - **Arrondt** : Grasse
Distance de Nice : à vol d'oiseau = 45 km - par la route = 95 km - **Longitude** = 6,00° - **Latitude** = 44,07°
Accès : A 8 - N 85 - D 2211 et GR 510 - **Desserte** : Réserv: TAD 0 800 06 01 06
Fête patronale : 3e dimanche après Pâques - **Églises** : village Saint-Auban - Lattes Saint-Joseph
Paroisse : Sainte-Marie-des-Sources
N° téléphone de la MAIRIE : 04.93.60.43.20

Origine du nom

Il est possible qu'il vienne du nom d'un général romain qui vécut au IIIe ou IVe siècle, *Hugo de Sancto Albano,* ou bien de *Alban*, qui fut évêque de l'église de Riez, au IVe siècle. Formes anciennes : *Saint Albanus* (IIIe - IVe), *Sancto Albano* (1166). ***Saint Alban** vécut au IVe siècle. On le fête le 22 juin.* **Quatre** communes portent ce nom.

Histoire

Le village primitif, qui s'appelait *Saint-Estève* ou *Saint-Étienne*, était situé au Tracastel, à l'ouest de la nouvelle agglomération. Il n'en reste aucune trace. Celui de *Sancto Albano*, adossé au rocher de Tracastel, est mentionné en **1166**. Au **Moyen Âge**, c'était un chef-lieu de bailliage. En **1409**, la seigneurie appartient à la famille Genovardis. En **1550**, elle est inféodée aux d'Agoult et en **1711**, elle passe aux Villeneuve-Bargemon.
*Un **PARC ANIMALIER** de 381 hectares devrait être aménagé dans le canton de **Saint-Auban**, pour l'**été 2008**. Il est situé sur les hautes terres, à 1.100 mètres d'altitude, et à l'intérieur du futur **Parc naturel régional**. Il aura pour nom « **Sur les traces de la montagne provençale** » et accueillera **200 animaux** qui y vivront en liberté. La faune et la flore locales seront largement représentées. Ce parc à **vocation pédagogique** nous fera connaître le milieu naturel régional en y intégrant l'**activité humaine**. En effet, une quinzaine d'espaces de présentation des races locales d'animaux domestiques et d'élevage seront créés pour les visiteurs, ainsi que de nombreux **sentiers de découverte, animaliers et botaniques**.*

À voir

Ce village composé de maisons anciennes est accroché au flanc d'un éperon rocheux, dans un environnement de verdure. Il est dominé par les ruines du château et du bourg médiévaux.

* **Église paroissiale Saint-Étienne-et-Saint-Alban** (1565). Elle est fortifiée. Clocher carré latéral, portail de style gothique. Elle abrite une *cuve baptismale* (XIIIe), un *retable*, huile sur bois (XVIIe), *Saint Étienne et saint Alban*, des *huiles sur toile* (XVIIIe), représentant l'*Adoration du Rosaire* en triptyque, *La Vierge*, *Saint Jean-Baptiste et saint Jean*, ainsi qu'une *Pietà* (1866), peinte par Aiffre et offerte par Napoléon III.

* **Menhir**, au Collet du Frayssé. Sa datation est très incertaine.

* **Porte Tracastel** (XIIIe). Cette porte romane et les traces d'un donjon carré sont les seuls vestiges médiévaux.

* **Ancien château** (XVIe). Il a appartenu aux derniers seigneurs de Saint-Auban, les Villeneuve-Bargemon. Ce

bâtiment comporte un cadran solaire. Il abrita la gendarmerie pendant trois décennies.

* **Chapelle Notre-Dame-de-la-Visitation** (XVIIe). Elle fut reconstruite avec des pierres déjà utilisées au XIIIe ou au XIVe siècle. Cloche de 1653. Elle a appartenu au commandeur de l'ordre de Malte de Nice, qui possédait de nombreux biens sur ce territoire, puis aux Pénitents blancs.

* **Chapelle Saint-Alban** (XVIIe). On célèbre ce saint martyr le 22 juin.

* **Église Saint-Joseph** (XIXe), Les Lattes. Clocher-mur et *oculus* (œil-de-boeuf). Elle abrite une *huile sur toile* représentant la *Vierge du Rosaire* (XVIIIe).

* **Oratoire Saint-Étienne** (1877), chemin de Saint-Étienne.

* **Lavoir communal** à plusieurs bacs. Il a été construit en 1890 par l'administration départementale.

* **Grotte Notre-Dame-de-Lourdes** (XIXe), route de Briançonnet. Lieu d'un pèlerinage tous les ans en septembre.

* **Clue de Saint-Auban.** *Gorges de l'Estéron, affluent du Var. Cette clue aux parois verticales offre un spectacle impressionnant (rochers creusés par le torrent, falaises à pic et bancs rocheux troués de grottes).*

Une bonne adresse

GÎTE TONIC *Gîte Pension 1/2 pension (équitation, canyonig etc.)* Tél. 04 93 60 41 23 *www.gitetonic.com*

06670	SAINT-BLAISE	Plan: C 4

Hameau : **SAINT-ANTOINE SIGA**
Population : Insee 1999 **= 892** h. en 1901 = **196** h. variation **+ 355,10%** (**897** en 2005)
Rang de la commune par rapport au nombre d'habitants au niveau départemental : **77**
Les habitants sont les **Saint-Blaisois**
Superficie : 804 ha - **Altitude** : 88 / 325 / 808 m - **Canton : Levens** - **Arrondt** : Nice
Distance de Nice : à vol d'oiseau = 15 km - par la route = 24 km - **Longitude** = 7,23° - **Latitude** = 43,83°
Accès : N 202 - D 614 - D 14 - D 314 et GR 5 - **Desserte** : TAM 730 - 740 - 750 - 770 - 790 - Ligne d'Azur 76
Fête patronale : 3 février - **Église** : Saint-Blaise - **Paroisse** : Saint-Pons
N° téléphone de la MAIRIE : 04.93.79.72.93

Origine du nom

Formes anciennes : *Villa Sancti Blasii* (1077), *in castro sancti Blazii* (enquête de Charles Ier, 1252), *de Sancto Blasio* (1279), *Rostagno Bonifacy de Sancto Blasio* (1354).

***Saint Blaise** est né à Sébaste (**Arménie** Mineure) à la fin du **IIIe siècle**. D'abord médecin, il devient évêque de cette importante ville d'étape sur la **route de la soie**. Il est mort en 316, décapité, après avoir été martyrisé avec un peigne de cardeur. On l'invoque pour guérir des maux de gorge et des goitres. Ce saint guérisseur des hommes et des bêtes est le patron des chanteurs professionnels... et des laryngologues, des bouviers, drapiers, cardeurs de laine, maçons ainsi que de nombreuses autres confréries. Il est également le patron de la Croatie et, grâce aux Conquistadores, du Paraguay. Sa fête est célébrée le 3 février. **Quatre** communes françaises portent ce nom.*

Histoire

Domaine de l'abbaye de Saint-Pons, la *Villa Sancti Blasii* est mentionnée dès **1075**. Elle restera l'une de leurs possessions jusqu'en **1793**, date de son érection en commune. Au **XIIe** siècle, un bourg primitif s'est développé à l'emplacement de l'église actuelle. Au début du **XIIIe** siècle, l'abbé *commendataire** (Voir Cannes) de Saint-Pons concède le fief à la famille Chabaud de Nice, et fait édifier un château fort sur une colline, en surplomb du village. Lorsque la concession prend fin, en **1262**, les moines de Saint-Pons reprennent la gestion directe de leur domaine. C'est également à cette période que les limites territoriales sont fixées entre **Saint-Blaise**, Levens, Aspremont et Tourrette. L'abbé Honoré Martelli fait effectuer un nouveau bornage en **1562** (des pierres, souvent marquées d'une croix, jalonnaient les limites de chaque fief). Entre **1364** et **1461**, date à laquelle il est déclaré *lieu inhabité*, **Saint-Blaise** n'est mentionné dans aucun texte. Il est probable qu'à la suite des guerres et des épidémies de peste, les habitants l'ont déserté. En **1607**, Louis Grimaldi de Beuil, ancien évêque de Vence et abbé commendataire de Saint-Pons depuis 1590, réussit à implanter une nouvelle population grâce à un *acte d'habitation**, avec le système du *bail emphytéotique**. Le territoire fut découpé en *quartons* et concédé à des familles (elles étaient *trente* en 1688 et *cinquante* en 1750). Les *emphytéotes* défrichèrent, construisirent des *restanques** et plantèrent de la vigne, des oliviers et des arbres fruitiers (agrumes et figuiers). En **1777**, l'abbé Antoine-François Rambaudi fonde une paroisse, mais la chapelle étant trop petite, elle est détruite en **1782** pour permettre la construction d'une église plus vaste. En **1793**, **Saint-Blaise** devient une commune.

* ***Restanques ou fàissas.*** *Afin d'augmenter les surfaces de terres destinées à l'élevage ou à la culture, les paysans constituaient des* ***ruptures de pentes****, créant ainsi des* ***terrasses*** *qui étaient retenues par des murets en pierres sèches. Grâce à une irrigation mieux maîtrisée, cela leur permettait également de diversifier les cultures. Cette technique est probablement* ***très ancienne.*** *En effet, on pense que les* ***Ligures*** *l'utilisaient déjà. Ces* ***terrasses de culture en espaliers*** *sont caractéristiques des paysages méditerranéens.*

* ***Acte d'habitation.*** *À la suite des épidémies de* ***peste noire*** *et des* ***troubles*** *qui ont agité la région aux* ***XIVe*** *et* ***XVe*** *siècles, de nombreux villages sont devenus des* ***lieux inhabités****. En* ***1441****, le roi René, comte de Provence, décide de les repeupler, et il signe des* ***actes d'habitation*** *pour faire venir des familles de Ligurie.*

* ***Bail emphytéotique.*** *C'est un* ***bail de longue durée*** *(jusqu'à 99 ans). Il s'agissait du* ***droit réel de jouissance et d'exploitation des terres,*** *moyennant le paiement d'une* ***redevance*** *(Voir également Vallauris).*

À voir

Village aux habitations dispersées autour de vallonnements boisés. Il est dominé par les ruines de son château.

* **Église paroissiale Saint-Blaise**. Construite en 1782, à l'emplacement de la chapelle primitive. Clocher carré à pyramide. Elle abrite une *huile sur toile* (XVIIe), la *Vierge du Rosaire* (offerte par Pierre Faraut, un Saint-Blaisois), un *chœur* en bois polychrome (XVIIIe) avec, au centre, la *statue* du saint patron.

* **Moulin à huile** (XVIIIe), route de Castagniers. Il était actionné hydrauliquement. Les meules, pistes, mécanismes et pressoir sont intacts.

* **Maison Guibert** (XVIIIe). Cette famille d'ingénieurs militaires était au service de la maison de Savoie. Parmi leurs réalisations : le port Lympia, la cathédrale Sainte-Réparate et de nombreuses constructions civiles.

* **Fontaine** (1903). Surmontée de la statue de saint Blaise, sculptée par Jean-Pierre Augier.

Presse du moulin

Place de la Mairie

06530 SAINT-CÉZAIRE Plan: B 5

Hameaux : **L'ADRECH LES BERNARDS LE BRUSQUET CHAUTARD LA CONDAMINE LES FOURCHES LA VALMORA LES VEYANS**

Population : Insee 1999 **= 2.840** h. en 1901 = **1.184** h. variation **+ 139,86%** (**2.873** en 2005)

Rang de la commune par rapport au nombre d'habitants au niveau dépt : **44 -** au niveau national: **3.191**

Les habitants sont les **Saint-Cézariens**

Superficie : 3.002 ha - **Altitude** : 95 / 501 / 771 m - **Canton : Saint-Vallier-de-Thiey** - **Arrondt** : Grasse

Distance de Nice: A vol d'oiseau = 37 km - par la route = 50 km - **Longitude** = 6,80° - **Latitude** = 43,65°

Accès : A 8 - N 85 - D 2562 - D 113 - D 13 - D 613 - **Desserte** : TAM 520 via Grasse

Fête patronale : 2e dimanche de septembre - **Église** : Saint-Césaire - **Paroisse** : Sainte-Marie-des-Sources

N° téléphone de la MAIRIE : 04.93.40.57.57 - **OFFICE du TOURISME** : 04.93.60.84.30

Origine du nom

D'après la tradition, le village tient son nom de *Jules César*. En effet, il avait créé sur ce territoire un poste d'observation, des *villae* (grands domaines agricoles), ainsi que des granges à blé destinées à alimenter les populations vivant entre Nice et *Forum Julii* (Fréjus). Au IXe siècle, les moines de Lérins, propriétaires de ces terres, auraient profité de l'homonymie pour transformer *César* en *Césaire*. ***Saint Césaire** est né à Chalon-sur-Sâone en 470. Il devient moine à l'abbaye de Lérins, puis évêque d'Arles vers 503. On le fête au début du mois d'août*. Formes anciennes : *castrum Caesaris* (IXe siècle), *ecclesia de Sancto Cesario* (1101 et 1158), *castrum Sancti Cesarii* (1200). En provençal : *Sant Cesàri*.

Histoire

De nombreux vestiges (dolmens, nécropoles, *oppida*, sarcophages, statuettes, *tegulae*, poteries, débris de canalisations, pièces de monnaie) attestent que le territoire fut habité par une population sédentarisée dès le **néolithique**, puis sans interruption jusqu'à nos jours. Les *Romains* y créent des *villae* dans lesquelles sont cultivés l'olivier, la vigne et le blé. Les denrées étaient stockées dans des *dolia** (**V**oir Peymeinade) et dans des granges, d'où l'appellation de *Greniers de César* attribuée à ce territoire. Les habitants pratiquaient également l'élevage d'ovins, et il y avait de nombreuses pêcheries sur les bords de la Siagne. Tout laisse à penser que, pendant la *paix romaine*, cette région fut particulièrement développée et prospère. Lorsqu'au **IXe** siècle, les moines de Lérins font l'acquisition de ces terres, ils y fondent un prieuré nommé *Sancto Cesario,* qui est devenu le nom définitif du village. À partir du **XIIe** siècle, l'église relève de l'évêché d'Antibes qui fait construire l'église Notre-Dame-de-Sardaigne. Quant au village, il est inféodé au seigneur Berengarius, qui reconnaît le *Consulat* de Grasse. À la demande du comte de Provence, les habitants de **Saint-Cézaire** consolident les fortifications et créent trois portes. Grâce à ces mesures et à son relatif isolement, le bourg ne fut pas trop victime des guerres, des conflits entre grands féodaux, des exactions des bandes armées et de la *peste noire*. Le fief a appartenu aux d'Esclapon puis, à partir des **XVIe-XVIIe** siècles, aux Villeneuve-Flayosc, en coseigneurie (1569) avec les Grasse-Saint-Cézaire. Au **XVIe** siècle, la situation économique est florissante (moulins sur la Siagne, huile d'olive, blé) et la population (qui dépasse les 500 habitants) commence à s'installer en dehors de l'enceinte du village médiéval. Il y avait *1.000* habitants en **1750** et *1.800* à la veille de la **Révolution**. En **1718**, le Grassois Antoine Cresp achète leurs terres aux familles Villeneuve et Grasse. Anobli par Louis XV, il devient Antoine Cresp de Saint-Cézaire. À partir de cette époque, et jusqu'à la **Révolution**, le fief est partagé entre les Cresp, les Thorame-Théas et le marquisat de Montauroux. Au **XIXe** siècle, sont créés un moulin à papier ainsi que le canal de la Siagne qui amène l'eau au village. Les *grottes de Saint-Cézaire**, découvertes en 1890, ne commencent à être réellement exploitées sur le plan touristique qu'après la Première Guerre mondiale.

À voir

Ce village médiéval provençal est perché sur le rebord d'un plateau qui domine les gorges de la Siagne. Hautes maisons du XVe siècle. Un itinéraire balisé mène à un ***beau point de vue****. Nombreuses* ***grottes et avens****.*

* **Église paroissiale Saint-Césaire** (1714-1722). À nef unique et abside voûtée en-cul-de-four. Elle renferme un *retable* huile sur toile et bois doré (1660), *La Vierge du Rosaire*. Le *maître-autel* (1741) est en bois doré à la feuille et en marbre blanc. Les niches abritent des statues créées récemment, celles d'origine ayant été volées en 1983.

* **Pont des Gabres**. *Il date de l'****époque romaine****. C'était alors le* ***principal passage*** *pour se rendre à* ***Fort Julii*** *(Fréjus). Il marque la limite entre Saint-Cézaire, situé dans les Alpes-Maritimes et la commune varoise de Montauroux, où il prend le nom de* ***pont des Tuves****. D'après la tradition, de nombreux ponts dateraient des* ***Romains****. En fait, entre l'époque de* ***Vitruve*** *(un architecte et ingénieur militaire qui vécut à Rome, au Ier siècle avant J.-C.) et le début du* ***XIXe*** *siècle, la technique utilisée pour construire un pont n'a pas changé : une ou plusieurs* ***arches en plein cintre*** *supportent un* ***tablier en maçonnerie****. L'utilisation du* ***béton armé*** *et du* ***métal*** *va révolutionner cette* ***technique deux fois millénaire*** *(Voir La Croix-sur-Roudoule).*

* **Dolmen des Puades** (néolithique - 2.500 av. J.-C - CMH 1989). Il a été découvert en 1866. Il est inclus dans un *tumulus* de 11 mètres de diamètre qui recouvre une sépulture comprenant une chambre (*cella*).

* **Chapelle Notre-Dame-de-Sardaigne** (XIIe - IMH 1939). Construite par les moines de Lérins, elle fut l'église paroissiale jusqu'en 1720. Elle abrite un *buste reliquaire* de saint Césaire (XVIIe) et un *sarcophage gallo-romain* (IVe). Ce dernier est couvert de *cartouches* et porte une inscription latine indiquant qu'il contenait le corps de *Marcus Octavius Nepos*, mort le jour de ses 18 ans.

* **Ancien château** (XIIe). Il a appartenu à de grandes familles de la région (les Grasse, Villeneuve, d'Esclapon et Cresp). En 1818, la commune le rachète à Mme de Forbin, descendante des Cresp, et en fait sa mairie.

* **Salle des mariages** (Moyen Âge). Originellement, cette belle salle voûtée était une citerne.

* **Porte de la Tour** (XIVe). À la demande du comte de Provence, les habitants construisent un rempart et créent trois portes. Le vieux village occupe probablement le site d'un *camp ligure* qui fut réutilisé par les *Romains*.

* **Puits de la Vierge** (XIVe). Il y en a *neuf*. *Quatre* d'entre eux sont couverts d'une voûte hémisphérique, les *cinq* autres sont découverts. Ils sont alimentés par une nappe phréatique stable (le niveau ne baisse que d'un mètre en été). Jusqu'en 1870, ce sont eux qui alimentèrent les villageois en eau.

* **Oratoire du Santon** (XIXe). Il doit son nom à la statuette qu'il abrite.

* **« Village aux Santons »**, *au n° 7, rue des Poilus. Sur une superficie d'environ 40 m2, un* ***village provençal miniature*** *a été reconstitué. Il est* ***animé et comporte 5.000 pièces*** *: plus de* ***300 santons*** *en costumes traditionnels (d'environ 18 cm de haut), des animaux, des maisons, des arbres, une cascade, une église avec clocher (et une cloche qui sonne), un moulin... et une* ***crèche*** *à Noël.* ***Visite gratuite****. Il est préférable de téléphoner préalablement au* ***04 93 60 82 39****.*

* **Lavoir** (1868), boulevard Courmes. Avant sa construction, les *bugadières* descendaient à la rivière, située 300 mètres en contrebas, pour y laver le linge. Elles le remontaient, chargé sur de petits mulets.

* **Fontaine des Mulets** (1868). *Nommée ainsi en souvenir des* ***mulets*** *qui ont joué un* ***grand rôle dans l'économie de la région****. En effet, cet animal vigoureux et patient était très recherché pour les parcours en montagne. On l'utilisait pour* ***transporter****, par des sentiers escarpés et souvent en mauvais état, les* ***récoltes d'olives,*** *le* ***sel*** *et autres denrées. Il était également utilisé (ainsi que le cheval) pour faire* ***tourner les meules*** *des moulins. Le* ***grand mulet*** *est un hybride mâle de l'âne et de la jument, le* ***petit mulet (bardot)*** *est issu du cheval et de l'ânesse. Ces animaux sont stériles.*

* **GROTTES** *(classées M H). Le territoire de la commune en possède plus d'une* ***quarantaine****, creusées dans le calcaire. Elles sont à température constante (****14°****). Elles comprennent de nombreuses salles avec des* ***stalactites*** *et des* ***stalagmites*** *aux formes et aux couleurs remarquables, ainsi que de belles* ***cristallisations****. Salles des Draperies, des Orgues, alcôve des Fées, grande Salle...*

Une bonne adresse

LE RUCHER DE SAINT-CÉZAIRE ***Apiculteurs-Récoltants*** 82, chemin de Chautard Tél/Fax 04 93 60 20 81

LE PARC NATIONAL DU MERCANTOUR

*Cet établissement public a été créé en **1979**. Il est composé d'une **zone centrale** (« **cœur du Parc** ») de 685 km2. Cet espace, réglementé mais ouvert à tous, comporte **600 km de sentiers** entretenus et balisés, réservés à la **randonnée pédestre**. La **zone périphérique** (« **aire d'adhésion** ») comprend 28 communes (dont 6 dans les Alpes de Haute Provence). Elle est d'une superficie de 1.463 km2 et possède également de nombreux **itinéraires pédestres**. On peut y pratiquer de multiples **activités de loisir** (VTT, parapente...), alors qu'elles sont réglementées dans le **cœur** du Mercantour. Le Parc est divisé en secteurs administratifs qui sont implantés dans certaines communes, au travers des **Maisons du Parc** (expositions, projections, publications...). Des activités « nature » y sont également proposées. Afin de compléter l'accueil et les informations sur le Mercantour, des **points d'information estivaux** sont installés à certains lieux de passage ou dans divers villages.*
*Le Parc a pour vocation de **protéger la faune et la flore, accueillir et sensibiliser les visiteurs, contribuer au développement des communes de sa périphérie. La faune sauvage** est abondante : bouquetins, chamois, mouflons, cerfs, chevreuils, sangliers, marmottes, hermines, loups (dont le retour a été naturel)... De nombreux oiseaux : gypaètes barbus (réintroduits), tétras-lyres, lagopèdes alpins... Grâce aux différentes altitudes et à la proximité de la Méditerranée, **la flore est unique en Europe : plus de 2.400 espèces végétales dont 220 sont très rares.** Des **comptages sont régulièrement** effectués par le Parc : le nombre de **cerfs** et de **chevreuils** est en forte progression, quant aux **mouflons**, ils sont environ 500. D'après les estimations, les **chamois** dépasseraient la barre des 10.000, et il y aurait 850 **bouquetins.***

*Quant à nos voisins **italiens**, ils ont créé le **PARCO NATURALE MARITIME**, autour de l'Argentera qui culmine à 3.290 m. Les deux parcs sont **jumelés depuis 1987** et forment ainsi un **vaste espace protégé transfrontalier** qui a pour ambition de devenir le premier parc européen et d'être classé Patrimoine mondial de l'Humanité par l'UNESCO.*

***Communes faisant partie de la zone périphérique du PNM :** Belvédère, Beuil, Breil-sur-Roya, La Bollène-Vésubie, Châteauneuf d'Entraunes, Entraunes, Fontan, Guillaumes, Isola, Moulinet, Péone, Rimplas, Roubion, Roure, Saint-Étienne-de-Tinée, Saint-Dalmas-le-Selvage, Saint-Martin-Vésubie, Saint-Sauveur-sur-Tinée, Saorge, Sospel, Tende, Valdeblore.*

Photos J.-P. Malafosse (Parc national du Mercancour)

VALLÉES DES MERVEILLES ET DE FONTANALBA

Les vallées des Merveilles et de Fontanalba, situées dans le **PARC NATIONAL DU MERCANTOUR**, *sont classées monuments historiques depuis 1989.*

Ces sites d'art préhistorique, dominés par le mont Bego (2.872 m) sont devenus célèbres par les ***gravures rupestres*** *qui y ont été découvertes. La* ***vallée des Merveilles*** *est un vaste cirque glaciaire avec de nombreux lacs, dans un environnement très aride et minéral, celle de* ***Fontanalba*** *est plus verdoyante. Ce grand musée à ciel ouvert recèle plus de* ***100.000 signes gravés*** *(dont* ***40.000 sont répertoriés****) sur les roches, les dalles ou les parois.* ***Ils datent de l'âge du cuivre et du début de l'âge du bronze*** *(3.200 à 1.700 ans avant J.-C.) et témoignent d'un culte rendu par des populations nomades, il y a plus de 5.000 ans, à la déesse Terre et au dieu de la pluie. À cette période, les hommes étaient des agriculteurs-éleveurs. Ils vivaient dans des maisons regroupées en villages et maîtrisaient déjà le tissage et la poterie.* *Voir photos page 249.*

Il est possible de visiter ces vallées : * à pied, librement*, en restant dans les chemins balisés (interdiction de sortir des sentiers pour aller dans les zones protégées où la présence d'un guide est obligatoire) ;* **** en excursion*** *dans les zones protégées avec des accompagnateurs agréés par le Parc national du Mercantour.*

LOUPS

Depuis ***1992****, après une absence de plus de* ***cinquante ans****, le* ***loup*** *est de retour dans le département des Alpes-Maritimes. Il a effectué une recolonisation naturelle des Alpes françaises en s'installant d'abord dans le* ***Parc national du Mercantour*** *puis, dès 1998, en remontant les Alpes pour atteindre aujourd'hui la Savoie, la Haute Savoie, l'Ain, le Massif Central (juin 2006) et les Pyrénées Orientales. Actuellement, les meutes de loups présentes sur le territoire du Parc national du Mercantour sont majoritairement transfrontalières : sur* ***8 meutes*** *recensées, 6 sont autant françaises qu'italiennes, ce qui place leur gestion à une échelle transalpine. Le retour de ce superprédateur ne s'est pas fait sans tensions.*

Alors que la France recense, en 2006, près d'une ***centaine de loups****, l'Italie et l'Espagne en abritent respectivement* ***500*** *et* ***2.000.*** *Les éleveurs italiens et espagnols ont conservé les méthodes traditionnelles de protection car, contrairement à notre pays, le* ***loup*** *n'a jamais disparu de chez eux. Dans certaines régions, ils ont adapté leur système d'élevage, par exemple en privilégiant les bovins, moins vulnérables que les ovins. Ils sont également très bien équipés en parcs de contention et en chiens de protection : le système* ***parcs-chiens-bergers*** *est efficace. Malgré cela, dans les zones qui ont été recolonisées récemment par* ***Canis lupus****, la situation n'est pas idéale, et son retour provoque également des tensions chez nos voisins.*

En règle générale, l'homme n'a rien à craindre du ***loup,*** *qui l'évite. Au début du* ***XIXe*** *siècle, quelques* ***meutes*** *vivaient encore* ***aux abords de Nice,*** *à Aspremont, Falicon et Tourrette-Levens. Vers* ***1850****, leur présence fut constante dans les vallées de la Roya (Breil, Saorge, Tende, Fontan...) et de la Vésubie (Lantosque, La Bollène-Vésubie, Venanson, Belvédère, Roquebillière...). Bien que le retour de ce prédateur n'ait été confirmé officiellement qu'en* ***1992,*** *un animal fut abattu à Berghe (sur le territoire de la commune de Fontan)* ***en 1987****. Après avoir été exterminées dans la majeure partie de l'Europe, actuellement, les* ***populations de loups*** *sont stables, et même en expansion dans plusieurs pays.*

**** Voir Saint-Martin-Vésubie : le parc animalier ALPHA, le TEMPS DU LOUP.***

06660 SAINT-DALMAS-LE-SELVAGE Plan: B 1

Hameaux : **LE BOUSIEYAS CAMP DES FOURCHES LE PRA SESTRIÈRE**
Population : Insee 1999 **= 123** h. en 1901 = **242** h. variation **- 49,17%**
Rang de la commune par rapport au nombre d'habitants au niveau départemental: **134**
Les habitants sont les **Sandalmassiers**
Superficie : 8.103 ha - **Altitude** : 1280 /1480 / 2881 m - **Canton : Saint-Étienne-de-Tinée** - **Arrondt** : Nice
Distance de Nice : à vol d'oiseau = 72 km - par la route = 90 km - **Longitude** = 6,87° - **Latitude** = 44,28°
Accès : N 202 - D 2205 - D 39 - D 2205 - D 63 et GR 5 - 56 - **Desserte** : TAM 746
Fête patronale : avant dernier dimanche d'août
Églises : Saint-Dalmas - Bousieyas Saint-Pierre - Le Pra Sainte-Marie-Madeleine **Paroisse** : N.D.-de-Tinée
N° téléphone de la MAIRIE : 04.93.02.41.01 - **OFFICE du TOURISME** : 04.93.02.46.40

Origine du nom

***Dalmas** vient du saint éponyme. Il peut s'agir de l'ancien légionnaire romain qui, au IIIe siècle, aurait évangélisé le Sud-Est des Alpes, ou bien de l'évêque de Rodez qui vécut au VIe siècle.* **Selvage** est tiré du latin *silva* (forêt) dont dérivent *silvaticus,* puis *salvaticus*. Formes anciennes : *ecclesia Beati Dalmatii* (cart. de l'ancienne cathédrale de Nice, 1067), *Sanctus Dalmatius Selvaticus* (XIIe), *Castrum S. Dalmatii lo Salvage* (vers 1200), *de sancto Dalmacio Silvestro* (Léopard de Fulginet, 1333), *villa S. Dalmatii Silvatici* (Caïs, 1388).

Histoire

Le territoire fut occupé par les *Ligures* puis par les *Romains*. L'église est citée dès le **XIe** siècle. Des textes de **1246** mentionnent un prieuré relevant de l'abbaye bénédictine de Saint-Dalmas de Pedona, ainsi qu'un village créé par les Templiers. À partir de **1308**, avec la dispersion des membres de cet ordre, Saint-Dalmas-le-Selvage va dépendre entièrement de Saint-Étienne-de-Tinée, et ce jusqu'en **1383**. Le village, construit au croisement des chemins de plusieurs vallées, était également une étape importante sur la route de Nice à Embrun. Cette situation stratégique lui fit subir de nombreuses guerres et occupations. En **1700**, le fief est érigé en comté en faveur d'Érige Émeric. À partir de **1860**, une route est ouverte dans la vallée de la Tinée, ce qui permet à la commune de se développer sur le plan économique. Actuellement, le tourisme représente sa principale ressource.

À voir

*Pittoresque village de haute montagne. Maisons à l'architecture alpine, avec des toits en bardeaux, des balcons en bois. Nombreux cadrans solaires. Granges alpines. Les deux tiers du territoire sont dans la zone d'adhésion (périphérique) du **Parc national du Mercantour (voir pages 210 et 211)**. Des photos anciennes, des témoignages de la vie quotidienne dans le passé et un petit livret explicatif sont disponibles à l'**office de tourisme**, ainsi que les clés de l'église et de la chapelle.* ***ot.saintdalmas@wanadoo.fr***

* **Église paroissiale Saint-Dalmas** (XVIIe-1718- IMH 1987). Bien qu'il ait été rajouté en 1718, le ***clocher** est de style **roman lombard*** * (Voir Isola). Ce lieu de culte faisait partie du prieuré de l'abbaye de Saint-Dalmas de Pedona. Sur la façade, *fresque* (XIXe) représentant le *soldat romain Dalmas*, sur son cheval. À l'intérieur, deux triptyques, la *Vierge* (1521-XIXe) et *saint Pancrace* (1515), deux huiles sur toile, *La Déploration du Christ* (1652) de Pierre Puons (un peintre montagnard itinérant), et *Saint Grégoire intercède en faveur des Âmes du Purgatoire* (1696) de Jacques Bottero.

* **Cadrans solaires** (XVIIIe). Cinq d'entre eux furent restaurés au XIXe siècle.

* **Chapelle Sainte-Croix** dite **Sainte-Marguerite** (XVe - IMH 1998). Elle a appartenu aux Pénitents blancs à partir du XVIIe siècle. Elle abrite une *huile sur toile*, *Crucifixion et deux pénitents* (1662) de Pierre Puons, ainsi qu'une *statue* en bois polychrome, *Sainte Marguerite* (XVIIe). *Des **fresques** que l'on attribue à **Giovanni Baleison** ont été découvertes en 1996. Entre **1460 et 1490,** ce **peintre piémontais** réalisa de nombreuses œuvres dans la région.*

* **Bousièyas**. Situé à 1.950 m d'altitude, c'est le hameau le plus haut des Alpes-Maritimes.

* **Col de la Bonette.** Il est le plus haut d'Europe (2.802 m). La table d'orientation, sur le sommet de la Bonette (2.862 m), offre un immense panorama sur les quatre points cardinaux. Oratoire Notre-Dame-du-Très-Haut. La route franchissant le col fut ouverte en 1962. Elle est fermée une grande partie de l'année à cause de la neige.

* **Col de la Moutière**. On y trouve une borne datée de 1823, gravée d'une *fleur de lys* et d'une *croix de Savoie*.

* **Sentier de découverte** : « ***Sur les traces du berger*** ». *Itinéraire fléché et explicatif.*

* **STADE DE NEIGE de Serrautier-Cloutas** (1.450 à 2.120 m). *Balades à **raquettes**, à **skis de randonnée** ou de **fond : 50 km de pistes** balisées et entretenues, à travers forêts et alpages. **Ski de fond** et **promenades** : circuit du plateau de Pra (10 km), route de Sestrière (14 km), circuit de la Braisse, en forêt (6 km). **Ski alpin**, 2 remontées mécaniques, téléski.*

06660 SAINT-ÉTIENNE-DE-TINÉE Plan: B 1

Hameaux : AURON LA BLACHE LE BOURGUET DOUANS ROYA VENS
Population : Insee 1999 **= 1.528** h. en 1901 = **1.789** h. variation **- 14,59%** (**1.684** en 2005)
Rang de la commune par rapport au nombre d'habitants au niveau dépt : **60 -** au niveau national: **5.814**
Les habitants sont les **Stéphanois**
Superficie : 17.381 ha - **Altitude** : 949 / 1142 / 3027 m - **Canton : Saint-Etienne-sur-Tinée** -**Arrondt** : Nice
Distance de Nice : à vol d'oiseau = 67 km - par la route = 91 km - **Longitude** = 6,93° - **Latitude** = 44,26°
Accès : N 202 - D 2205 - D 39 et GR 5 - **Desserte** : TAM 740 (va à Auron)
Fête patronale : dimanche suivant le 3 août
Église : Saint-Étienne - Roya Nativité-de-la-Sainte-Vierge - **Paroisse** : Notre-Dame-de-Tinée
N° téléphone de la MAIRIE : 04.93.02.24.00 - **OFFICE du TOURISME** : 04.93.02.41.96

Origine du nom

*Ce nom vient probablement de l'hébreu **cheliel** (couronne de Dieu) dont l'équivalent en **grec** a donné **Stephanos**. **Saint Étienne** est le patron des fondeurs. On le fête le 26 décembre (ainsi que les Esteban, Estèphe, Estève, Estin, Étiennette, Steffi, Stéphane, Stephen, Stéphanie, Steve, Steven)*. Une **quarantaine** de saints ont porté ce prénom. **Tinée** vient de *tin*, qui signifie torrent. Ce terme a également donné son nom à la tribu ligure qui occupait le territoire, les *Ectini*. Formes anciennes : *castrum sancti Stephani Tiniensis* (cart. de la cathédrale de Nice, 1067), *Sanctum Stephanum* (idem, XIIe), *ecclesiarum Sancti Stephani et Sancte Marie de Tenias* (idem, vers 1200). Sous la restauration sarde, le village s'appelait Saint-Étienne-aux-Monts.

Histoire

Le comté de Tinée (*Comitatus Tenearum*) apparaît pour la première fois dans une charte de **1066** qui mentionne également les villages de *Lieudola* (Isola), *Sancti Stephani Tiniensis* et *Ecclesiam Beati Dalmatii*. Il relève alors de l'évêché de Nice. Dans une charte de **1067**, l'évêque rétrocède à Rostaing Rainard, grand feudataire de la haute Vésubie, de la haute Tinée et du Val de Blore, la moitié des dîmes provenant des églises et prieurés. À la mort de ce dernier, vers **1100**, c'est son fils Pierre qui reçoit l'investiture pour la haute Tinée. Au **XIIIe** siècle, le fief passe aux Faucon (issus des Glandèves et des Thorame). Un document daté de **1297** nous apprend qu'Aldebert de Faucon, coseigneur du fief, a été assassiné et que son meurtrier, Guillaume Gallean, a été exécuté et ses possessions confisquées. Lors de l'*affouage* de **1315**, *360 feux* sont recensés (environ *1.800* habitants). Au début du **XIVe** siècle, les frères Rostaing et Guillaume de Faucon, qui portent le titre de *Seigneurs de Saint-Étienne*, sont coseigneurs d'Isola, de la haute Tinée, et de Saint-Dalmas. Leurs fils respectifs n'ayant pas de descendance, les fiefs échoient en partie à Andaron Grimaldi, époux d'Astruge de Beuil (vers **1325**) et en partie à Philippe Balb de Saint-Sauveur, de la famille des Rostaing (vers **1338**). En **1388**, le village passe sous la haute autorité de la maison de Savoie. Les Balb, alliés des comtes de Provence, partent en exil et leurs biens sont confisqués. Le comte de Savoie Amédée VII s'engage à ne pas concéder **Saint-Étienne** en fief. Malgré cela, en **1700**, la localité est inféodée à Jean Chianea, pour lequel elle est érigée en comté. En effet, son duché étant dans une situation financière catastrophique, Victor-Amédée II de Savoie ne respecte pas les engagements de ses prédécesseurs et *vend des fiefs non inféodés** (Voir Roquestéron-Grasse, Contes, La Bollène-Vésubie, Valdeblore, Entraunes). Les habitants protestèrent mais finirent par reconnaître au duc le *droit d'inféodation*. Le nouveau comte s'engagea à *« ne se servir des fours, moulins, herbages, pâturages, terres gastes et bois que comme premier communier »*, ce qui réduisait au maximum ses droits et privilèges. De **1792** à **1814**, comme toute la région, **Saint-Étienne-de-Tinée** va faire partie de la République française et de l'Empire. Le régime féodal est aboli et tous les privilèges, droits et taxes perçus par les seigneurs sont supprimés. Le village était situé au carrefour de routes menant à la Méditerranée, au Dauphiné, au nord de la Provence ou encore au Piémont. Jusqu'au début du **XXe** siècle, il fut un centre très actif de fabrication de draps. Au cours des siècles, le village a subi deux terribles incendies : le premier, en **1594**, fut provoqué par le comte Grimaldi de Beuil, le second eut lieu en **1929**. En **1820**, il y avait *2.104* habitants, et *2.338* en **1848**. Le village, qui possède de nombreux édifices religieux, fut longtemps une pépinière de vocations religieuses.

À voir

Petite cité alpestre, étalée sur une terrasse alluviale de la Tinée, au centre d'un beau cirque de montagnes. Elle est composée de maisons anciennes, de type alpin et italien, aux portes sculptées. Nombreux édifices religieux. Ruines du château féodal et du mur d'enceinte. ***Parc national du Mercantour, voir pages 210 et 211****.*

* **Église Saint-Étienne** (1492-1669-1784 / 1789 - IMH 1935). Elle est reconstruite au XVIIIe siècle par l'architecte Antoine Spinelli qui conserve le *chœur* gothique. Le *clocher lombard* est le seul vestige extérieur de l'église primitive. Elle abrite plusieurs *huiles sur toile*, dont *Le Massacre des Innocents* (XVIIe), *La Mort de saint Joseph* (1890), un *maître-autel* en bois doré ((1669), une collection d'*orfèvrerie* et de *chasubles* des XVIIIe et XIXe siècle.

* **Maison « Le Couvent »** (XVe), n° 27, rue Droite. Beau *porche* flanqué de *deux colonnes. Chapiteau* comportant la croix de Savoie, un *serpent* (le péché originel) et le *calvaire* (la rédemption). Elle abrita les ***Trinitaires*** jusqu'à ce qu'ils s'installent au nord du village où ils construisirent une église. *L'ordre de la «* ***Très Sainte Trinité pour la rédemption des captifs*** *» fut fondé à la fin du* ***XIIe*** *siècle. Il a été très vivace en Provence et en Espagne d'où partaient des* ***missionnaires*** *pour des destinations souvent périlleuses. Ces religieux avaient pour* ***vocation*** *de* ***racheter*** *les* ***esclaves*** *et les* ***galériens captifs des Barbaresques****.*

* **Église de l'ancien couvent des Trinitaires** (XVIIe - IMH 1948), de style baroque. Elle abrite une *fresque* (1685) représentant la ***bataille navale de Lépante****, une *huile sur toile* (1702) *La Mort de saint Joseph,* et une *statue* en bois doré et polychrome de *Notre-Dame-du-Bon-Remède* (XVIIe).

* ***Bataille de Lépante.*** *Elle eut lieu le* ***7 octobre 1571****, au large du port grec éponyme. Ce fut la dernière des grandes batailles navales à n'aligner que des* ***navires à rames*** *et à* ***voiles*** *(galères). Elle est célèbre pour la victoire que remporta la* ***Sainte-Ligue*** *des États chrétiens (l'Espagne, le Saint-Siège et Venise) sur les* ***Ottomans*** *alliés aux pirates barbaresques. La flotte chrétienne comprenait* ***213 galères****, espagnoles et vénitiennes. Celle du Grand Turc, commandée par l'amiral Ali Pacha, était constituée de* ***300 vaisseaux****. Cela représentait* ***100.000*** *hommes environ dans chaque camp. Dès le début de la bataille, la supériorité chrétienne fut évidente, et ce, grâce à la mise en avant de* ***six galéasses****, véritables cuirassés tout récemment sortis des arsenaux vénitiens. Elles étaient armées de canons pointés dans toutes les directions et déstabilisèrent le bel ordre turc. Finalement, le*

combat cessa quand la tête d'Ali Pacha fut brandie au bout d'une pique. Les chrétiens avaient coulé 50 galères et s'étaient emparés de 100 autres. Ils perdirent 8.000 hommes mais libérèrent 15.000 prisonniers chrétiens. Parmi les nombreux blessés se trouvait ***Cervantès****, qui perdit son bras gauche pendant la bataille. Ne pouvant plus se battre, il écrira par la suite les aventures de* ***Don Quichotte de la Manche****. Sur les quais du petit port grec de* ***Naupacte*** *(Péloponnèse), une* ***statue en bronze*** *représente le célèbre écrivain espagnol.*

* **Maison peinte de Sébastien Fabri** (XVIIe - CMH 1995), place du Portalet. Les fresques représentent une *pietà* encadrée de *Sainte Marie Madeleine* et de *Saint Sébastien*. Sur le tympan, une *Annonciation* polychrome.

* **Maison Fabrice Fabri** (1656), n° 39, rue Longue. La façade baroque comporte des consoles de masques grimaçants ainsi que les armoiries de ces notables stéphanois.

* **Tunnel-aqueduc d'Ublan** (début du XXe). Long de 600 mètres. Il amène l'eau du vallon de Saint-Dalmas pour irriguer des terres escarpées et ne bénéficiant pas de sources. Il fonctionne toujours.

* **Chapelle Saint-Sébastien** (XVe-CMH 1989), route de la Belloire (un ancien chemin muletier). De style gothique. La *façade* a conservé un *décor polychrome* de **Giovanni Baleison**. La *voûte* (1485) fut peinte par Baleison et Giovanni Canavesio. Ces deux artistes piémontais travaillèrent beaucoup dans le comté et en Ligurie.

* **Chapelle Saint-Maur**. Construite vers 1540, sur la route d'Auron (primitivement un chemin muletier). Elle renferme des fresques attribuées à Andrea de Cella.

* **Église Notre-Dame-de-l'Assomption**, hameau de Roya. Construite en 1730, de style baroque. Elle abrite un *triptyque* de *Saint Sébastien* (1550). La coupole a pour décor l'*Assomption encadrée des quatre évangélistes.*

AURON (Cne de Saint-Étienne-de-Tinée) 06660 Plan :B 1

N° téléphone de la MAIRIE Annexe : 04.93.23.07.09 **- OFFICE du TOURISME** : 04.93.23.02.66
Distance de Nice : à vol d'oiseau = 64 km - par la route = 100 km - **Longitude** = 6,93° **- Latitude** = 44,23°
Altitude : 1.608 m **Accès** : N 202 - D 2205 - D 39 - **Desserte** : TAM 740

Origine du nom

De nombreux linguistes ont pensé au nom de personne *Aurentus*, à *aura* (le vent) et bien sûr à *aureus* (le précieux minerai d'or). *Auron* pourrait être tiré du préceltique *tor* ou *dor* (hauteur) latinisé. Aurent, Auran, Aurel, Auris-en-Oisans, Oris-en-Rattier sont de la même famille. *En fait, il doit probablement son origine au culte de* ***saint Érige*** *(Aurigius en latin, dont dérive Auron), qui fut évêque de Gap. Ce saint, mort en 604, est invoqué contre la lèpre. D'après la légende,* ***Érige****, à son retour de Rome, était poursuivi par des brigands. Le* ***cheval*** *qui le portait avait alors* ***franchi d'un bon*** *les* ***500 m*** *de dénivellation entre la* ***Tinée*** *et* ***Auron****.*

Histoire

Le hameau d'**Auron** est situé sur un vaste plateau à pâturages, à **1.608** m d'altitude. Pendant des siècles, il fut le grenier à blé et le meilleur alpage de Saint-Étienne-de-Tinée. Après l'exode rural consécutif à la Première Guerre mondiale, **Auron** se tourna vers le tourisme et les sports d'hiver. Il est devenu une **station de sports d'hiver** de renommée internationale (créée en 1936) ainsi qu'une **villégiature d'été**. Nice est à 1h 30 en voiture.

AURON : *Las Donnas* (**2.474** m), on y accède par un téléphérique. Table d'orientation à 2.256 m, avec un beau panorama sur la Tinée et les Alpes franco-italiennes. La station possède 3 domaines skiables pour 130 km de pistes de **ski alpin**. 27 remontées mécaniques, dont 3 téléphériques et 54 pistes. On peut y pratiquer également le ski de fond (3 km de pistes) et de randonnées. Scooter des neiges, parapente, quads, promenade en traîneau, patinoire.

* **Via Ferrata.** *Itinéraire de 1.800 m. Dénivelée + 180 m. Cotation : très difficile.* ***Autres Vie Ferrate :*** *La Brigue, La Colmiane (Valdeblore), Peille, Lantosque, Puget-Théniers, Tende.* ***Via Souterrata****, à Caille.*

À voir

* **Chapelle Saint-Érige** (XIVe - CMH 1928). De style roman. Son clocher de style *lombard* est semblable à ceux d'*Isola* (Voir ce nom) *La Tour*, *Saint-Martin-Vésubie* et *Saint-Dalmas-le-Selvage*. Elle abrite une fresque *Vie de saint Denis* (1451) de Maître de Luzernetta. Le presbytère mitoyen date de 1555.

* **Oratoire du Pilon** (fin XVIe - IMH 1928). D'après la tradition, il a été financé par Achiardy de l'Alp, un puissant feudataire de la région, qui souhaitait ainsi expier un crime qu'il avait commis.

Une bonne adresse

Restaurant LA BERGERIE ***Sur les pistes d'Auron*** 04 93 23 06 81

06230 SAINT-JEAN-CAP-FERRAT Plan: D 5

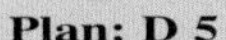

Hameaux : CAP-FERRAT **PASSABLE** SAINT-HOSPICE
Population : Insee 1999 **= 1.895** h. en 1904 = **528** h. variation **+ 258,90%** (**1.907** en 2005)
Rang de la commune par rapport au nombre d'habitants au niveau dépt : **55 -** au niveau national: **4.767**
Les habitants sont les **Saint-Jeannois**
Superficie : 248 ha - **Altitude** : 0 / 130 / 143 m - **Canton : Villefranche-sur-Mer** - **Arrondt** : Nice
Distance de Nice : à vol d'oiseau = 7 km - par la route = 12 km - **Longitude** = 7,33° - **Latitude** = 43,68 °
Accès : N 7 - D 33 - N 98 - D 125 - D 25 - **Desserte** : Ligne d'Azur 81
Fête patronale : 21 juin - **Église** : Saint-Jean-Baptiste - **Paroisse** : N.-D.-de-l'Espérance
N° téléphone de la MAIRIE : 04.93.76.51.00 - **OFFICE du TOURISME** : 04.93.76.08.90

Origine du nom

De saint Jean l'Évangéliste. Formes anciennes : *ecclesiam sancti Johannis de Olivo* (cart. de Saint-Pons, 1075). **Ferrat** pourrait venir du latin *ferus* (sauvage, inculte, en friche), de *ferratus* (terrain couvert de végétaux, fertile) ou encore du bas latin *farratus* qui dérive de *far* (épeautre). Formes anciennes : *cauferrat* (1218), *Capite Ferrato* (1302), *Quapo ferrato* (1326) *Cauferat* (1380), *loco dicto Cap Ferrat* (1505), *Quauferrat* (1553).

Histoire

En **1904**, **Saint-Jean-Cap-Ferrat** obtient son détachement de **Villefranche-sur-Me**r et devient autonome. Jusqu'à cette date, son histoire s'est confondue avec celle de sa commune tutélaire. Comme l'attestent les nombreux vestiges retrouvés sur la presqu'île, elle fut habitée à une époque très ancienne. Les *Ligures*, les *Grecs* et les *Romains* s'y sont succédé. Au **VIe** siècle, alors que la région est occupée par les *Lombards*, *saint Hospice* y vit en ermite et prédit les incursions des *Sarrasins*. Lorsqu'il meurt, en 580, son corps est inhumé au sommet de la colline sur laquelle est construit un oratoire, remplacé ultérieurement par la chapelle Saint-Hospice. Vers **780**, les *Sarrasins* établissent un campement de base au *Fraxinet*, dans le massif des Maures, et un autre sur cette presqu'île boisée (au lieu-dit *Saint-Hospice*) ce qui leur permet de lancer des raids dévastateurs sur toute la région. Ils n'en seront chassés que vers **973** par Guillaume le Libérateur. La forêt qui recouvre ce territoire est incendiée à cette époque. Le reboisement du site ne sera entrepris qu'à partir du rattachement à la France, en **1860**. Construit en **1561** sur ordre du duc de Savoie Emmanuel-Philibert, le fort de Saint-Hospice est détruit en **1706** (comme le château de Nice) et cette fois-ci, sur ordre de Louis XIV. En **1827**, un premier *phare* est édifié par les Sardes, il remplace une ancienne *tour à feu*. **Saint-Jean** reste un modeste *village de pêcheurs* jusqu'en **1880**. En hiver, les habitants des environs venaient faire paître leurs moutons sur la presqu'île. Les premières villas furent construites en **1900**. Depuis lors, **Saint-Jean-Cap-Ferrat** est devenu l'un des sites les plus prestigieux de la Côte d'Azur.

*Inaugurée en **2002**, l'**école départementale de la mer** propose aux enfants des stages d'éducation à l'environnement marin : sorties in situ, activités nautiques (voile, kayak, découverte de la faune et de la flore avec palmes et masques...). **En été**, l'école se transforme en **centre de vacances** et dispense des **stages** de voile, aviron, baptême de plongée ainsi que découverte de l'environnement.*

À voir

Village de littoral méditerranéen, habitat dispersé de villas avec parcs et espaces verts au milieu de pinèdes, dans un site exceptionnel.

* **Phare du cap Ferrat** (1951). Il remplace l'édifice datant de 1827 qui fut détruit par les Allemands en 1944. Sa portée est de 46 km. Du sommet, 70 m au-dessus du niveau de la mer, on a un magnifique panorama qui s'étend de Bordighera jusqu'à l'Estérel, les Préalpes et les Alpes.

* **Église paroissiale Saint-Jean-Baptiste** (XIXe), avenue Jean-Mermoz. Elle remplace l'église primitive (XIe) qui était située au lieu dit *Ad Crottas* (cavités). Sur le parvis se trouve un *canon* (XVIIe) de l'ancien fort Saint-Hospice.

* **Chapelle Saint-François-de-Sales** (1726), avenue Albert-Ier.

* **Parc zoologique.** *Il fut créé en 1951. C'est un **parc d'acclimatation pour la flore** autant qu'un **zoo**. Il s'étend sur **2 hectares** complantés de pins, d'eucalyptus et d'essences rares (**jardin exotique**, 20.000 espèces). Les visiteurs se promènent au milieu d'une **végétation tropicale et méditerranéenne** tout en découvrant une **faune** provenant du monde entier. Il présente plus de **500 animaux** dont des panthères, ours, tigres, zèbres, singes, loutres, crocodiles... ainsi que des **chauve-souris** et autres créatures de la nuit dans la **grotte mystérieuse**. Les animaux présents ici sont nés sur place ou dans des parcs zoologiques d'Europe. Ce parc participe à des programmes d'élevage d'espèces menacées d'extinction. Les visiteurs peuvent assister aux nourrissages en public des principales vedettes du parc. Par ailleurs, les groupes ont la possibilité de suivre une visite guidée sur réservation. 04 93 760 760 **www.zoocapferrat.com***

* **Villa Ephrussi-de-Rothschild** * **Musée Île-de-France** * **Jardins** (1905-1912 - CMH 1996). Cette demeure fut léguée en 1934 à l'Institut de France par la baronne Ephrussi de Rothschild. Elle est de style italien et comporte un patio entouré de colonnes de marbre rose, qui s'ouvre sur des pièces renfermant de nombreuses collections d'œuvres d'art. Elle est construite au milieu d'un parc de 7 hectares (jardin japonais, florentin, espagnol, roseraie).

* **Tour Saint-Hospice** (XVIIIe). Cette prison d'État n'a jamais servi.

* **Chapelle Saint-Hospice** (XIe-XIXe - IMH 1929). Elle remplace l'oratoire primitif (XIe) qui était dédié au saint ermite. Elle abrite deux *ex-voto* (XIXe) et deux *plaques gravées* (1653 et 1655). Sur son parvis, un *jas d'ancre* datant de 2.000 ans avant notre ère.

* **Musée des Coquillages,** *quai du Vieux-Port. Plus de **1.600 coquillages** à découvrir. La plus importante **collection de Méditerranée**, ainsi que de nombreuses **espèces exotiques** provenant des mers du Sud. La visite, interactive et éducative, se déroule sous la conduite d'un **conchyliologue**.*

* **Villa Les Cèdres** et sa **chapelle**. Ancienne résidence du roi des Belges, Léopold II.

* **Villa Radiana** (1906). Elle a gardé son aspect initial malgré les changements de propriétaires.

* **Marianne devant le Port**, salle du conseil, mairie. Peinture murale réalisée par Jean Cocteau, en 1961.

* **Sémaphore.** *Situé sur la partie la plus élevée du cap, le **Sémaphore** culmine à 138 m d'altitude. Par temps clair, grâce à son matériel de pointe, on peut o**bserver la côte** jusqu'au cap Camarat, sur la presqu'île de Saint-Tropez, à 80 km de là.*

* **Cimetière des Belges**. Les soldats qui y sont enterrés sont des victimes de la Première Guerre mondiale.

* **Promenades :** ***un « sentier des douaniers »** permet de faire de **belles promenades** (plus de **11 km**) sur la presqu'île (promenade Maurice-Rouvier, sentier Edmond-Davies, tour du cap, sentier de la Mer). Vues magnifiques : **côté est** sur le littoral vers Beaulieu, Èze et la Tête de Chien ; à partir de la **pointe du cap,** sur Èze, Monaco, Cap-Martin, et ensuite sur la baie de Villefranche.*

Quelques bonnes adresses

Hôtel-Restaurant LA VOILE D'OR **** 7, avenue Jean-Mermoz 04 93 01 13 13 *www.lavoiledor.fr*

Hôtel-Restaurant BELLE AURORE *** av. Denis-Séméria 04 93 76 24 24 *www.hotelbelleaurore.com*

Saint-Jean par Christian Watine

Panthère. Zoo de Saint-Jean-Cap-Ferrat

06640 SAINT-JEANNET Plan: C 4

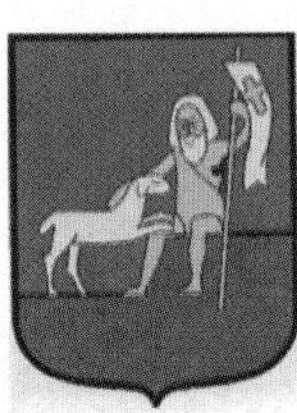

Population : Insee 1999 **= 3.594** h. en 1901 = **975** h. variation **+ 268,62%** (**3.647** en 2005)
Rang de la commune par rapport au nombre d'habitants au niveau dépt : **36 -** au niveau national: **2.503**
Les habitants sont les **Saint-Jeannois**
Superficie : 1.458 ha - **Altitude** : 39 / 402 / 934 m - **Canton : Vence** - **Arrondt** : Grasse
Distance de Nice : à vol d'oiseau = 10 km - par la route = 22 km - **Longitude** = 7,15° - **Latitude** = 43,75°
Accès : N 202 - D 2210 - D 18 et GR 51 - **Desserte** : TAM 710 - 102 - Ligne d'Azur 47 et 55
Fête patronale : fin août - **Église** : Saint-Martyr-de-St-Jean-Baptiste - **Paroisse** : Saint-Véran-et-Saint-Lambert
N° Tél. de la MAIRIE : 04.93.59.49.45 **www.saintjeannet.com** **OFFICE du TOURISME** : 04.93.24.73.83

Origine du nom

Il dérive du grec *Iôannès,* et du latin *Junius*. Formes anciennes : *castrum Sancti Ioannis* (vers 1200), *castrum de balma Sancti Iohannis* (1235), *San Gioanet* (carte du comté de Nice, 1691). Jeannet : le « petit Jean ».

Histoire

Des vestiges d'habitats et d'*oppida* attestent que le site était occupé au **néolithique**, il fut ensuite réutilisé par les *Romains*. Un de leurs principaux axes routiers menant de *Cemenelum* (Cimiez) à *Vintium* (Vence), la *Via Julia Augusta*, passait en contrebas du village actuel. La région fut en grande partie *inhabitée* pendant les *siècles obscurs* qui suivirent la chute de l'*Empire romain*. La première mention du *castrum* date du **XIIIe** siècle. Il appartint à Romée de Villeneuve et resta un fief de cette famille seigneuriale jusqu'à la **Révolution**. Situé sur une voie de communication qui reliait les gués sur le Var à la cité de Vence, **Saint-Jeannet** devient, grâce à l'existence d'un *relais muletier*, un village-étape actif et prospère. Au **XVe** siècle, les habitants, pour se protéger des attaques des brigands, des loups, mais aussi des épidémies de peste, murent les extrémités des rues et construisent quatre portes d'accès. *À cette époque, les* ***façades*** *des maisons qui constituaient le pourtour des agglomérations servaient couramment d'enceinte, de murailles. Elles ne possédaient ni portes ni fenêtres vers l'extérieur. On les nomme* ***maisons-remparts***. En **1465**, le roi René accorde certains privilèges à la *communauté*. Pendant les guerres de Religion, la petite localité fut occupée, ainsi qu'en **1747,** par les Français. **Saint-Jeannet** devient, en **1606**, une commune indépendante. À partir du **XIXe** siècle, les habitants ont axé leurs activités sur la culture de l'*olivier*, de la *vigne* et de l'*oranger* (pour la fleur à parfum). Grâce à la proximité des villes du littoral et de Sophia-Antipolis, le nombre de *résidents* est passé de *760* en 1950 à *3.647* en 2005.

À voir

Gros bourg rural ancien, regroupé au pied de son ***Baou****, dans un environnement de cultures florales, de vignes et de vergers. Vieilles maisons du XVIIe siècle avec des rues étroites et des passages voûtés. Derrière l'église,* ***beau point de vue*** *sur les Baous, le cap d'Antibes, la vallée du Var et les montagnes environnantes.*

* **Église paroissiale Saint-Jean-Baptiste** (1645-1666). Fortifiée, ***clocher-tour carré*** *aux murs crénelés (style très courant en* ***Provence****, mais totalement différent des* ***clochers baroques*** *du* ***comté de Nice****, de l'autre côté du Var).*

Clocheton de style lombard couvert de tuiles vernissées. Elle est accolée à la chapelle Saint-Bernardin qui fut affectée aux Pénitents blancs. L'autel-retable en stuc comporte six colonnes.

* **Fontaine** (1825). Elle célèbre l'arrivée de l'eau dans plusieurs fontaines du village. Auparavant, les Saint-Jeannois ne disposaient que des eaux de pluie recueillies dans des citernes, ainsi que celles de deux sources et de puits situés dans les environs.

* **Château des Templiers** (XIIe-XVIIe-XXe). D'après la tradition, il aurait appartenu aux Templiers. Il protégeait le gué de Gattières.

* **Tour Sarrasine** (XVe). Actuellement, elle est intégrée à une habitation. * **Porte de Contardy** (XVe).

* **Porte de la Poudrière** (XVIIe). Elle fut ouverte dans l'enceinte reliant deux *maisons-remparts*. À l'origine, l'accès au village médiéval était fermé par cinq portes.

* **Porte dite « du Château »** (1783). Elle comporte des parements de marbre.

* **Puits-abreuvoir** (XIXe), vallon de Parriaou. Ce puits creusé à proximité d'une bergerie est surmonté d'une petite construction dotée d'un système permettant de remonter l'eau pour la déverser dans un abreuvoir.

* **Lavoir** (1826), rue Nationale. Il est couvert et permettait d'accueillir près de vingt lavandières.

* **Viaduc de la Cagne.** Construit en 1892. En attendant l'arrivée de la route, incomplète entre le gué de la Manda et Vence, le *train* permit le désenclavement du village et participa ainsi au développement de l'agriculture locale (oliveraies, vignes, fleurs à parfum).

* **Chapelle Notre-Dame-des-Champs** (XVe-1828). Fréquentée par les alpinistes, avant l'ascension du Baou.

* **Baou**, *à* ***807*** *mètres d'altitude. De la table d'orientation, on découvre un magnifique* ***panorama*** *allant des Alpes franco-italiennes à l'Estérel. La falaise du Baou surplombe le village d'une hauteur de 400 mètres. Pour l'****ascension****, il faut compter* ***2 heures à pied AR****. Un* ***chemin fléché*** *part de la place Sainte-Barbe.*

Une bonne adresse

AUBERGE DES QUATRE CHEMINS ***Bar*** *Tabac* ***Restaurant*** *Loto* ***PMU*** 04 93 24 90 01

Quelques bonnes adresses

Restaurant Le PARADIS MARIN *Port de Plaisance* - réservation 04 93 07 30 57 leparadismarin@wanadoo.fr
Hôtel GALAXIE *** *Plage à 150m* 39, av. Maréchal-Juin 04 93 07 73 72 *www.stlaurentduvar.comfort-hotel.fr*
La CIGALE *Boulangerie Pâtisserie fine Fabrication artisanale Pizza* 348, av. Gal-Leclerc 04 93 31 12 37
CAVE MICHEL -ANGE *Vins fins Champagnes Spiritueux* 176, av. des-Pugets 04 93 14 05 25

06260 **SAINT-LÉGER** **Plan: B 3**

Hameau : **LA VIGNASSE**
Population : Insee 1999 **= 65** h. en 1901 = **101** h. variation **- 35,64%** (**68** en 2005)
Rang de la commune par rapport au nombre d'habitants au niveau départemental : **153**
Les habitants sont les **Saint-Légeois**
Superficie : 461 ha - **Altitude** : 590 / 1 000 / 1600 m - **Canton : Puget-Théniers** - **Arrondt** : Nice
Distance de Nice : à vol d'oiseau = 47km - par la route = 76 km - **Longitude** = 6,83° - **Latitude** = 44,00°
Accès : N 202 - D 16 - D 316 - **Desserte** : Réserv: TAD 0 800 06 01 06
Fête patronale : 1er dimanche d'août - **Église** : Saint-Jacques-le-Majeur - **Paroisse** : Notre-Dame-du-Var
N° téléphone de la MAIRIE : 04.93.05.10.00

Origine du nom

Deux possibilités : **1)** le bas latin *leviarius* lui-même dérivé du latin *levis* ; **2)** le nom germanique *leud* (peuple) + *gari* (lance). ***Saint Léger** fut l'**évêque d'Autun** et vécut au **VIIe** siècle. Ce martyr eut les yeux crevés et la langue arrachée. Il fut ensuite emprisonné pendant deux ans avant d'être décapité.* **54** communes françaises portent ce nom. On le fête le 2 octobre. Formes anciennes : *castrum Sancti Laugerii* (XIIIe), *de Sancto Laugerio* (Léopard de Fulginet, 1333), *Sanct Laugier* (1570). Forme d'oc : *Sant Laugier.*

Histoire

Le *castrum Sancti Laugerii* est mentionné pour la première fois en **1262** comme appartenant aux Hospitaliers de Saint-Jean-de-Jérusalem qui étaient implantés à **La Croix**, une de leurs principales commanderies. En **1338**, il est cité comme faisant partie du bailliage de ladite commanderie, sous la suzeraineté des comtes de Provence, en coseigneurie avec des seigneurs locaux ainsi qu'avec celui de Daluis. À cette époque, **Saint-Léger** contrôle une des principales voies de communication vers Daluis. La population paya un lourd tribut à la ***Grande Peste*** de **1348** et aux épidémies suivantes : le village comptait quarante-neuf foyers en 1313, seulement quinze en 1364. En **1471**, il est déclaré *lieu inhabité*. Toutefois, l'ordre des Hospitaliers conserve ses prérogatives et la coseigneurie est maintenue. En **1585**, les coseigneurs cèdent leurs droits au prévôt de Glandèves, puis à René de Castellane, seigneur de Daluis, jusqu'en **1670**, date de la cession du fief aux Villeneuve. Lors du Ier traité de Turin (**1760**), **Saint-Léger** est cédé au royaume de Piémont-Sardaigne (comme Auvare, Cuebris, Daluis, La Croix, Guillaumes, La Penne, Puget-Rostang et Saint-Antonin). Le roi autorise les populations à utiliser le provençal et le francais (Voir Auvare). Le 7 mars **1783**, les Villeneuve-Beauregard, après autorisation du roi de Piémont-Sardaigne, vendent le fief au sénateur *Antoine Gaétan Acchiardi**. Quelques mois plus tard, ce dernier est investi du *titre de comte* par Victor-Amédée III. L'histoire de la localité va se confondre avec celle du comté de Nice jusqu'en **1860**. *En septembre **1943**, lorsque la zone d'occupation italienne est envahie par les Allemands, une trentaine d'**israélites niçois** se réfugièrent à **Saint-Léger**. Les villageois gardèrent le secret jusqu'à la Libération. En **1989**, **Zoé David et le village tout entier** reçurent, pour leur conduite exemplaire, la **médaille des Justes**, une* *des plus hautes distinctions de l'État d'Israël.*

** Les **Acchiardi de Saint-Léger** furent les derniers seigneurs du lieu. Des documents de **1388** attestent qu'ils étaient originaires de Saint-Étienne-de-Tinée. Au **XVe** siècle, ils obtiennent les titres de seigneurs de **Pierrefeu** et de **Roquestéron**. Ils sont investis du fief de l'**Alpe de Péone** au siècle suivant. Parmi les membres de cette famille, il y eut de nombreux **juristes, ecclésiastiques** et **hauts fonctionnaires** de la **cour de Savoie**.*

À voir

Village perché à flanc de coteau, en surplomb d'un large vallon fertile. Vieilles maisons à fenêtres en ogive.

* **Église paroissiale Saint-Jacques-le-Majeur** (XIIe-fin XXe). La nef et la voûte ont été restaurées en 1717 grâce à la générosité d'un particulier, Raphaël Douhet. L'église abrite une *pierre* gravée d'une inscription votive « *R. Douhet à la suite d'un vœu le fit 1717* », ainsi qu'une *statue* de saint Jacques à l'écharpe tricolore (XIXe), une *toile* représentant *L'Apparition de la Vierge à l'Enfant à saint Jacques et à saint Léger.*

* **Borne frontière** (1760), parvis de la mairie. Elle marquait la frontière entre la France et le royaume de Piémont-Sardaigne. Elle est gravée de la *fleur de lys* et de la *croix de Savoie* pattée sur fond rouge.

* **Stèle de 1875**, place de l'Église. Elle fut scellée en 1925 et provient d'une croix de jubilé.

* **Écomusée de l'Agriculture et de la Forêt**, *installé dans une salle polyvalente, l'**Escolo**. À la suite d'une convention avec l'**Écomusée du Pays de la Roudoule** (Voir Puget-Rostang), il présente une exposition permanente sur l'**histoire du village et de son école**, ainsi que des expositions sur l'agriculture.*

* **Chemins de randonnées balisés**. *Ils offrent de magnifiques panoramas sur la vallée du Var.*

06470 SAINT-MARTIN-D'ENTRAUNES Plan: A 2

Hameaux : **SUSSIS LES ANNOUNS CHASTELONETTE PRA PELET**
Population : Insee 1999 **= 88** h. en 1901 = **430** h. variation **- 79,53%**
Rang de la commune par rapport au nombre d'habitants au niveau départemental: **148**
Les habitants sont les **Saint-Martinois / Sanmartinois**
Superficie : 4.005 ha - **Altitude** : 968 /1.050 / 2.742 m - **Canton : Guillaumes** - **Arrondt** : Nice
Distance de Nice : à vol d'oiseau = 62 km - par la route = 108 km - **Longitude** = 6,77° - **Latitude** = 44,13°
Accès : N 202 - D 2202 et GR 52 A - **Desserte** : TAM 790 via Guillaumes
Fête patronale :1er dimanche de février - **Églises** : St-Martin - Sussis Le-St-Esprit - **Paroisse** : St-Jean-Baptiste
Chapelles Saint-Jacques et Saint-Barnabé (rénovées)
N° téléphone de la MAIRIE : 04.93.05.51.04 Fax : **04 93 05 57 55**

Origine du nom

Martin vient du latin *martius*, guerrier. Formes anciennes : *castrum Sancti Martini de **Nogeretto**** (vers 1150), devenu *Saint Martin **Nogaret** / Saint Martin des **Noyers**, Saint-Martin d'Antraunas* (rationnaire de Charles II, 1296), *villa Sancti Martineti* (1388). Un **noyer** est représenté **sur le blason**. **Saint Martin :** voir Saint-Martin-du-Var. **Entraunes :** voir Entraunes et Châteauneuf-d'Entraunes.

** Dans la haute vallée du Var, les **noyers** étaient nombreux et le village de Saint-Martin en était entouré. Ces arbres ont pratiquement **disparu**, et ce, à cause des coupes intensives effectuées pour la fabrication de meubles.*

Histoire

Le *castrum Sancti Martini de Nogeretto* est mentionné pour la première fois vers **1150**. Son histoire se confond ensuite avec celle des trois autres **villages du Val d'Entraunes** car ils firent longtemps partie de la même seigneurie. Vers l'**an mille**, ces bourgades étaient inféodées à de grandes familles seigneuriales (les Glandèves, puis les Balb, Rostaing et Féraud de Thorame) sous la dépendance des comtes de Provence. Au **XIIe** siècle, les habitants se font accorder d'importantes franchises par leur suzerain et jouissent de véritables libertés administratives, comparables à celles de *villes consulaires* comme Grasse et Nice (voir Châteauneuf-d'Entraunes, Entraunes, Peille et Utelle). À cette époque, l'abbaye de Saint-Saturnin d'Apt disposait d'un prieuré à **Saint-Martin**. En **1388**, le **Val d'Entraunes** passe sous la haute autorité du *Comte rouge*, Amédée VII. Toutefois, les habitants obtiennent de Jean Grimaldi de Beuil, représentant officiel de la Savoie, que la *charte* garantissant leurs libertés ainsi que leurs droits et devoirs soit reconduite par leur nouveau suzerain. Ils demandent également à être rattachés à la viguerie de Puget-Théniers. En effet, le **Val d'Entraunes** faisait partie de celle de Barcelonnette, or les voies de communication entre le haut Var et l'Ubaye étaient coupées six mois par an, en raison de l'*enneigement*. **Saint-Martin** et **Entraunes** n'obtiennent pas gain de cause contrairement à **Villeneuve** et **Châteauneuf** qui sont rattachés à Puget-Théniers. En **1616**, Charles-Emmanuel Ier de Savoie cède ses droits sur diverses terres du comté de Nice dont le **Val d'Entraunes**, à Annibal Badat (le gouverneur de Villefranche). Les **communautés** rachètent leur indépendance contre 1.500 ducatons. Par lettre-patente du 4 juin **1621**, le duc s'engage à ne plus les inféoder. Toutefois, en **1696**, Victor-Amédée II, dans le but de *renflouer les caisses de son duché*, réclame aux quatre **communautés** un rappel d'impôts impayés entre 1388 et 1645. Ne pouvant le payer, elles sont *vendues : Châteauneuf* à l'abbé Collet-Papachino, *Entraunes* au gentilhomme entraunois Louiquy, ***Saint-Martin*** à un Chenillat de Péone et *Villeneuve* à un certain Michel-Ange Codi, de Turin. L'ensemble des juridictions fut adjugé pour 8.000 livres. Après deux ans de négociations, lesdites communautés purent racheter leur liberté. En **1702**, elles sont pratiquement libérées de leurs éphémères seigneurs et réinvesties du titre apprécié de « *comtesse d'elle-même* ». En **1718** (traité de Paris), Louis XV *récupère* Le Mas mais, en *contrepartie*, les villages d'Entraunes et de **Saint-Martin** sont détachés de la viguerie de Barcelonnette (devenue française en 1713, traité d'Utrecht), et sont *maintenus* dans le comté de Nice. En **1744**, les *Gallispans* (troupes franco-espagnoles) incendient le bourg et détruisent le fort que Jean Grimaldi de Beuil avait fait construire en 1388. En **1778**, le hameau de **Saint-Martin** demande à être détaché d'Entraunes et devient une commune indépendante. En **1793**, lorsque le comté de Nice est annexé par la France et forme le *85e* département français, le **Val d'Entraunes** est rattaché au canton de Guillaumes, qui dépendait du district de Puget-Théniers. En **1814**, lors de la restauration sarde, il est réintégré dans le royaume de Piémont-Sardaigne. Les **15 et 16 avril 1860**, les *Entraunois* votent à l'unanimité pour leur **rattachement** à la France. En **1858**, le village comptait *616* habitants, ils sont *89* en 2005. *De nombreuses **fêtes** et **animations** sont organisées toute l'année : la **Saint-Blaise** (3 février) est la grande fête hivernale. À l'issue de l'office religieux, le prêtre appose deux cierges croisés devant la gorge de chaque fidèle. Ce geste est censé préserver des maux de gorge. Les habitants se retrouvent ensuite autour d'un grand repas. En juin, on célèbre l'**ascension des Aiguilles de Pelens** par Victor de Cessole, ainsi que la **Saint-Barnabé** En 2005, l'année du centenaire de l'ascension des Aiguilles, un parcours littéraire a été consacré au comte de Cessole. En juillet, c'est la **Sainte-Anne** au hameau de Sussis. En juillet et en août ont lieu deux **grands marchés de montagne**. On y vend uniquement les productions locales (fromages, miel, fleurs, etc.).*

À voir

Village construit sur une butte, dans un site verdoyant. Les maisons anciennes sont de type italien.

* **Route touristique intervallées** par le col des Champs (2.095 m), construite par les Chasseurs alpins au début du XXe siècle. Le secteur du col des Champs, versant Var, présente de grandes prairies alpines à la flore exceptionnelle. En été, troupeaux de moutons et de vaches y paissent en alternance, dans le cadre d'un groupement pastoral. On y fabrique une tomme renommée avec le lait produit sur place.

* **Vues magnifiques** vers Colmars, sur les aiguilles de Pelens et la haute vallée du Var (appelée Val d'Entraunes pour sa partie la plus septentrionale) depuis le plateau Saint-Barnabé (au niveau de la station de ski de Val-Pelens, à mi-chemin entre le village et le col des Champs). À partir de 2006, ouverture d'un sentier de découverte du col : sur un circuit de près de 2 km, des panneaux expliquent aux visiteurs le paysage sur le thème central du pâturage. **Saint-Martin**, entouré d'alpages et de forêts de mélèzes, est classé station climatique en 1934.

* **Église Saint-Martin** (XIIIe - IMH 1926). De style roman provençal, avec un clocher séparé. *Cadran solaire* (XVe), *portail sculpté*. Elle abrite un polyptyque de *Notre-Dame-du-Rosaire,* peint en 1555 par François Brea, et une huile sur toile (XVIIe) *Saint-Martin, Saint-Érige et le Bienheureux Amédée IX de Savoie*.

* **Chapelle Sainte-Anne** (XVIIe), à Sussis. À la fin de juillet, on y célèbre la sainte. *Sussis et Pra Pelet sont les seuls hameaux d'altitude qui soient habités en été. Ils sont très prisés des familles. Dans le passé, en raison d'une*

intense activité pastorale, la population des hameaux était plus importante que celle du village.

* **Chapelle Saint-Barnabé** (XVIIe). Un pèlerinage et une fête sont organisés, le dimanche le plus proche du 11 juin (fête du saint). Il y a d'abord une procession autour de la chapelle, derrière le buste reliquaire de saint Barnabé. Les participants assistent ensuite à une messe en plein air et à la bénédiction des alpages. *Ils reçoivent également un pain béni, symbole de la promesse de prospérité faite par saint Barnabé aux habitants du lieu, après avoir été secouru un jour d'épuisement. La fête continue avec un immense pique-nique sur les prés et sous les mélèzes du plateau. Cette première festivité de l'été rayonne en effet au-delà du canton. La veille, un bal est organisé au village.*

* **Fabrique Ollivier (François-Hyacinthe)**, Les Clots. Cette *fabrique artisanale de draps* fut fondée en 1830 par un ancien soldat de l'Empire. Elle comportait trois métiers à tisser activés par une roue à aubes alimentée par l'eau dérivée du Var. La fabrique fut à son apogée en 1877 mais, concurrencée par les produits anglais puis par l'État qui brade des stocks de draps de l'armée, elle ferme définitivement en 1906 (Voir Entraunes).

* **Grenier-séchoir** (XIXe). *Les **Souleias** ou **Souleiaires** sont une spécificité des Alpes du Sud et sont liés à l'agriculture d'autosubsistance qui y était pratiquée. Dès le **Moyen Âge**, le dernier étage des maisons orientées au sud consistait en une grande pièce ouverte (l'avancée du toit la protégeait de la pluie). Elle servait de **séchoir** pour les légumes, le maïs, les fèves, certains fruits (figues, châtaignes) mais aussi le foin, que l'on disposait sur des **claies**. Actuellement ces **greniers-séchoirs** sont la plupart du temps fermés par un mur percé de fenêtres, afin d'augmenter la surface habitable.*

* **Sentiers.** Nombreux départs de sentiers pour **randonnées pédestres et équestres** vers les alpages et les forêts. Des fiches décrivant les itinéraires les plus remarquables sont distribuées en mairie et dans les lieux d'hébergement.

* **STATION DE SKI DE VAL-PELENS** (1.600-1.750-2.100 m). **Ski alpin**, 3 remontées mécaniques, dont 1 téléski. **Ski de randonnée** à Estenc et au col des Champs. **Ski de fond**, itinéraire damé sur le plateau Saint-Barnabé, itinéraires balisés à Sussis et Chastelonette. **Raquettes** : promenades et randonnées pour tous niveaux, avec fiches-guides. Itinéraire balisé de Val-Pelens au col des Champs, pour bons marcheurs, avec abri-refuge. Les sommets alentour font partie des hauts lieux de l'alpinisme. En effet, les *aiguilles de Pelens* (2.523 m) et le *Caïras* (2.681 m) sont d'altitude moyenne mais nécessitent un très bon niveau technique.

06670 SAINT-MARTIN-DU-VAR Plan: C 4

Hameau : LA LAUSIÈRE

Population : Insee 1999 **= 2.197** h. en 1901 = **568** h. variation **+ 286,80%** (**2.210** en 2005)

Rang de la commune par rapport au nombre d'habitants au niveau dépt : **50 -** au niveau national: **4.115**

Les habitants sont les **Saint-Martinois**

Superficie : 559 ha - **Altitude** : 88 / 115 / 403 m - **Canton : Levens** - **Arrondt** : Nice

Distance de Nice : à vol d'oiseau = 14 km - par la route = 26 km - **Longitude** = 7,20° - **Latitude** = 43,82°

Accès : N 202 - **Desserte** : TAM 700 - 730 - 740 - 750 - 770 - 790 - Ligne Azur C 59 - 89 et Train des Pignes

Fête patronale : 15 août - **Église** : Saint-Martin - **Paroisse** : Saint-Benoît-les-Oliviers

N° téléphone de la MAIRIE : 04.92.08.21.50

Origine du nom

Martin vient du latin *martius*, guerrier. Formes anciennes : *ecclesia Sancti Martini qui est subtus castrum qui nominant Rocheta iuxta fluvium Varis* (cart. de Saint-Pons, 1028), *ecclesiam sancti Martini cum villa sua* (1075), *in castro de Roqueta* (enquête de Charles Ier, 1252). *Ce prénom d'origine latine est devenu très populaire grâce à* ***saint Martin, l'évangélisateur de la Gaule****. Martin naquit en* ***316****, à Sabaria en Hongrie. Son père était militaire dans l'armée romaine, et lui-même fut enrôlé de force. Il quitte l'armée en 356 pour se mettre au service de l'évêque de Poitiers, saint Hilaire. En* ***371****, il est élu* ***évêque de Tours****. Il fonde un ermitage à proximité de la ville (abbaye de Marmoutier). C'est de là qu'il s'attaque au* ***paganisme*** *des* ***populations rurales*** *en envoyant des* ***moines*** *évangéliser les campagnes. Il meurt en 397, à Candes.* Il a donné son nom à **238** communes françaises. On célèbre sa fête le 11 novembre.

Histoire

Cet ancien hameau de **La Roquette-sur-Var** (Voir ce nom) a partagé l'histoire de sa commune de tutelle jusqu'au **27 avril 1867**, date de leur séparation. Au **IXe** siècle, quelques maisons et une petite église dédiée à saint Martin sont établies au bord du fleuve, en contrebas de **La Roquette** (*subtus castrum qui nominant Rocheta*). Au **XIe** siècle, il est fait mention d'une chapelle construite par les Hospitaliers de Saint-Jean-de-Jérusalem. En **1028**, un certain Gisbermus, de la famille des vicomtes de Nice, fait don aux moines de Saint-Pons de l'église Saint-Martin et des terres alentour. Cette donation est confirmée en **1075**. Elle représente un des plus grands domaines administrés par cette abbaye. En général, peu d'habitats anciens étaient établis au bord du fleuve. L'existence de Saint-Martin à cet endroit est probablement due au fait qu'il est situé à la confluence du Var et de l'Estéron, là où étaient triées les coupes de bois provenant, par flottage, des hautes vallées. Il y avait également plusieurs moulins et scieries. C'est là que se trouvait le gué de *Bon Port*. En **1388**, **La Roquette-Saint-Martin** passe sous la haute autorité de la maison de Savoie. Pendant la **Révolution**, l'armée française réquisitionna des hommes dans les deux agglomérations. *D'après la tradition, les* ***quatre boulets*** *encastrés dans la façade de l'église ont été offerts à la ville de Saint-Martin par le général Dugommier, en remerciement de l'aide que la population apporta aux troupes françaises lors de la* ***bataille de Gilette*** *qui eut lieu le 18 octobre 1793 (Voir ce nom).*
Les grands travaux entrepris par le roi de Piémont-Sardaigne pour *endiguer le Var* (1844-1849) et la construction du *pont Charles-Albert*, désenclavèrent la vallée de l'Estéron. L'essor économique que cela entraîna fut encore accéléré avec l'ouverture de la ligne de chemin de fer, en 1892. En 1897, une briqueterie est construite.

À voir

Village moderne en pleine expansion étant donné sa proximité du littoral et de diverses zones industrielles.
* **Église paroissiale Saint-Roch**. Elle fut construite en 1750 pour remplacer l'église primitive détruite par des crues du Var (en 1740-1749). Elle abrite un *chœur à décor baroque*, trois *huiles* sur toile, les *Saints Patrons* (XVIIe), la *Sainte Famille* (XVIIe), et *Saint François d'Assise et sainte Catherine* (XVIIIe), ainsi que deux *statues*, la *Vierge à l'Enfant* (XVIIIe) en albâtre, et *Saint Martin,* en plâtre doré et polychrome. Le *bénitier* est gravé de la croix de Savoie, et daté de 1769.
* **Chapelle Notre-Dame del Bosc** (XVIe). Elle est sur le territoire de Saint-Martin mais appartient à La Roquette. Elle remplace la chapelle des Hospitaliers de Saint-Jean-de-Jérusalem (XIe), emportée par une crue. Les fresques de l'abside (1526) ont été réalisées par Andrea de Cella .
* **Canal et écluse** (XIXe), au quartier Saint-Joseph. *Les nombreux* ***canaux*** *construits sur ce territoire ont pour principales fonctions l'****irrigation*** *et la* ***régulation du Var****. Celui-ci était réservé à l'****acheminement*** *des* ***troncs d'arbres*** *destinés à la scierie du quartier Saint-Joseph. Il est très large et bordé par un quai permettant de tirer les troncs hors de l'eau.*
* **Ancienne gendarmerie** (XIXe). En 1822, une brigade de carabiniers italiens s'installe dans cet immeuble. Il est ensuite occupé par les gendarmes, jusqu'à la Seconde Guerre mondiale.
* **Façade en trompe-l'œil** (début XXe), quartier Saint-Joseph. Les murs sont *entièrement* décorés.
* **Allégorie de la Paix** (1957), square Léo-Maurin. Cette céramique murale en mosaïque a été réalisée par Roland Brice, un élève de Fernand Léger.

Une bonne adresse

BAR DES AMIS *PMU Loto Billards Jeux* 04 93 08 91 37

06450 # SAINT-MARTIN-VÉSUBIE **Plan: C 2**

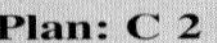

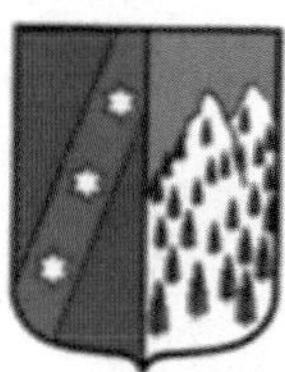

LE BORÉON LE CHASTEL LE CLOS LES CHÂTAIGNIERS VILLARS

Population : Insee 1999 **= 1.098** h. en 1901 = **1.966 h.** variation **- 44,15%** (**1.264** en 2005)

Rang de la commune par rapport au nombre d'habitants au niveau dépt : **71 -** au niveau national: **7.806**

Les habitants sont les **Saint-Martinois**

Superficie : 9.713 ha - **Altitude** : 715 / 960 / 3120 m - **Canton : Saint-Martin-Vésubie** - **Arrondt** : Nice

Distance de Nice : à vol d'oiseau = 41 km - par la route = 65 km - **Longitude** = 7,25° - **Latitude** = 44,07°

Accès : N 202 - D 2565 et GR 52 - 52 A - **Desserte** : TAM 730 - 746

Fête patronale :15 août - **Église** : N.-D.-Assomption - **Paroisse** : Saint-Bernard-de-Menthon

N° téléphone de la MAIRIE : 04.93.03.60.00 - **OFFICE du TOURISME** : 04.93.03.21.28

Origine du nom

Martin vient du latin *martius*, guerrier. **Vésubie** est dérivé de *vis*, vallée creuse. Primitivement, le village s'est appelé *Saint-Martin de Lantosque*, *de Fenestre*, puis *de Roquebillière*. Dans ces vallées, de nombreux villages ont été créés par des congrégations religieuses qui leur ont donné systématiquement des noms de saints. Formes anciennes : *Sanctus Martinus* (XIIe), *castrum Sancti Martini* (vers 1200), *in castro Sancti Martini vallis Lantuscae* (1035), *villa S. Martini de Lantusca* (1388). La région était occupée par la tribu *ligure* des *Vesubianii (Esubiani)*.

Histoire

Le territoire fut habité par les *Ligures* avant d'être annexé par les *Romains*. Il subit également l'occupation des *Sarrasins*. Au **XIe** siècle, après l'expulsion de ces derniers, il est inféodé à des seigneurs locaux. Le prieuré de **Saint-Martin** a été fondé par l'abbaye bénédictine de Saint-Dalmas de Pedona (Borgo San Dalmazzo, Piémont). Quant au sanctuaire de la **Madone de Fenestre**, il a probablement été administré par les *Templiers* jusqu'en **1307**, époque de leur arrestation. Le village, construit au **XIIIe** siècle, s'affranchit très vite de la tutelle des seigneurs féodaux et se place sous l'autorité directe des comtes de Provence. Sa situation stratégique en fait une importante place forte. En effet, il commandait le col de Fenestre qu'empruntaient les troupes du comte de Provence lorsqu'il lançait des expéditions contre le Piémont. En **1388**, le village fait dédition à la Savoie. Toutefois, **Saint-Martin** demeura toujours une ville libre (*Universitas, voir Peille et Utelle*) administrée par des *consuls*, sauf en **1684**, lorsque Jérôme-Marcel de Gubernatis, le président du sénat de Nice, obtint par surprise qu'elle lui soit inféodée. Cette éphémère inféodation fut révoquée la même année. Étape sur la route de Nice au Piémont, **Saint-Martin-Vésubie** devient très prospère et la construction, entre **1430** et **1434**, de plusieurs *ponts* sur la Vésubie vont accélérer son développement économique. En janvier **1470**, un terrible incendie détruit les deux tiers du village ainsi que les fabriques de draps et les entrepôts de laine (ces marchandises furent évaluées à 160.000 florins d'or). Situé à proximité d'une frontière, **Saint-Martin** subit toutes les guerres entre la Savoie et la France, et pendant la **Révolution**, il fut durement touché par les réquisitions. Néanmoins, en **1860**, les villageois votent massivement pour le rattachement à la France. À partir de cette date, la localité, surnommée la *Suisse niçoise*, devient un lieu de villégiature très prisé d'une riche clientèle européenne. *En 1893, **Saint-Martin-Vésubie** est le deuxième village de France à adopter l'**électricité** comme mode d'**éclairage public** (le premier étant la Roche-sur-Foron, en Haute-Savoie).* Actuellement, la commune axe ses activités sur le tourisme et les sports d'hiver.

À voir

Village médiéval bâti sur une crête, à l'endroit où les torrents de Fenestre et du Boréon se rejoignent pour former la Vésubie. Maisons de style gothique et alpin. Station climatique.

*** ALPHA LE TEMPS DU LOUP.** *Alpha propose de découvrir le loup dans son milieu naturel, le temps d'une promenade familiale de deux à trois heures, dans le Mercantour. Le parc, situé sur le hameau du Boréon, s'étend sur 20 hectares dont 10 sont consacrés aux* ***trois meutes*** *qui y vivent en semi-liberté.*
La visite comporte tout d'abord trois spectacles en scénovision de 20 mn chacun qui présentent les divers aspects de la problématique du retour des loups : le problème pour les bergers, le point de vue du scientifique et la relation homme / loup dans l'imaginaire. Ensuite, un ***circuit*** *forestier (10 à 15 mn de marche) mène aux* ***affûts*** *d'où l'on peut observer les* ***loups****. Le parc est visitable en toutes saisons. Pour tout renseignement Tél :* ***04 93 02 33 69***
www.alpha-loup.com *Voir :* ***les loups dans les Alpes-Maritimes.*** *Page 211.*

* **Musée des Traditions vésubiennes**. Installé dans l'ancien moulin communal. Il possède une maquette du village au XVIIIe siècle, ainsi qu'une importante collection d'outils et d'objets de la vie quotidienne. On y trouve également un pied d'autel monolithique de l'époque préchrétienne.
* **Église paroissiale Notre-Dame-de-l'Assomption** (1694 - CMH 1998). De style baroque. Clocher carré surmonté d'une flèche de pierre. Elle abrite un *tableau* en bois polychrome, *Assomption de la Vierge Marie* (XVIIe) de Bernardin Baudoin, un *retable baroque* en bois polychrome, *Les douleurs et les joies de la Vierge* (1694), deux *panneaux* de retable (1510-1520) attribués à l'atelier des Brea, une *statue* en bois polychrome, *La Madone de Fenestre* (XVIe). Tous les ans, de juin à septembre, cette statue séjourne au sanctuaire Notre-Dame de Fenestre.
* **« Maison du Coiffeur »**. Elle date du Moyen Âge. En façade se trouve une niche ornée d'une statuette.
* **Béal** (canal d'irrigation). Alimenté par le torrent de Fenestre. Il irrigue la rue du Dr-Cagnoli, du nord au sud. Créé à l'origine pour lutter contre les incendies, il est utilisé pour l'irrigation des jardins proches des murailles.
* **Chapelle Saint-Nicolas-d'Andobio** (1439). Elle fut détruite par les révolutionnaires. Il n'en reste que des ruines.
* **Porte Sainte-Anne** (XVe). Elle est le dernier vestige des murailles du *castrum* du XIIIe siècle.
* **Palais Gubernatis** (XVIe - IMH 1933) de style Renaissance. Le village était situé sur une des *routes du sel*, et ces notables occupèrent la charge d'*entrepreneur des gabelles* (dont le sel). Le bâtiment comporte une *grande arche* permettant la réception et l'envoi des marchandises qui transitaient entre les villes du littoral et le Piémont.
* **Chapelle Sainte-Croix** ou **des Pénitents-Blancs**. Elle abrite un *Gisant du Christ* (XVIIe) en bois polychrome.
* **Fontaine** (1842), située place de la Frairie. Elle fait partie du programme d'adduction d'eau potable entrepris à cette époque. Chaque place fut dotée d'une fontaine. Ultérieurement, on adjoignit un lavoir à celle-ci.
* **Chapelle de la Miséricorde**, des Pénitents-Noirs (XIXe). Le *tableau* du maître-autel est dédié à saint Jean-Baptiste. Elle abrite également un tableau, *La Vierge de Fenestre* (1655) peint par Johan Plent.
* **Plaque commémorative de la tragédie des Juifs de Saint-Martin**. Erigée en 1996, place du 8-Mai-1945. En souvenir des 300 familles juives qui furent hébergées par la population locale. Lorsque les Allemands envahirent la zone libre, ces familles tentèrent de fuir vers l'Italie par le col de Fenestre, en plein hiver. Malheureusement, elles furent rattrapées par l'armée allemande.
* **Monument aux Morts des deux guerres mondiales**, pour lesquelles le village paya un lourd tribut.
* **Mines de Salèses.** Emmanuel-Philibert les fit ouvrir au XVIe siècle. On pouvait extraire du minerai de cuivre et de l'hématite. Cette exploitation, peu rentable, cessa au XVIIe siècle.
* **Sanctuaire Notre-Dame-de-Fenestre** (XIVe). Situé au pied du col. Autrefois, c'était la dernière halte des caravanes avant le Piémont. Ce sanctuaire, cité dès le XIVe siècle, serait bâti sur une chapelle primitive érigée au VIIIe siècle par les Bénédictins. Il est probablement administré jusqu'en 1307 par les Templiers avant d'être cédé en *commende** (Voir Cannes) à la paroisse de Saint-Martin.
* **LE BORÉON** (1.500 à 1.680 m). 5 pistes de **ski de fond** sur 30 km. Itinéraire nordique.
* **PARC NATIONAL DU MERCANTOUR**. Voir pages 210 et 211.

06480	SAINT-PAUL	Plan: C 5

Population : Insee 1999 = **2.847** h. en 1901 = **761** h. variation **+ 274,11%** (**2.888** en 2005)
Rang de la commune par rapport au nombre d'habitants au niveau dépt : **43** - au niv eau national: **3.170**
Les habitants sont les **Saint-Paulois**
Superficie : 726 ha - **Altitude** : 39 / 180 / 355 m - **Canton : Cagnes Ouest** - **Arrondt** : Grasse
Distance de Nice : à vol d'oiseau = 11 km - par la route = 18 km - **Longitude** = 7,12° - **Latitude** = 43,70°
Accès : A 8 - D 336 - D 436 - D 536 - D 7 - D 2 - **Desserte** : TAM 233 - 400 - Envibus 23D - 24 - 25
Fête patronale : Sainte-Claire, 11 août - **Église** : Conversion-de-Saint-Paul - **Paroisse** : Saint-Matthieu
N° téléphone de la MAIRIE : 04.93.32.41.00 - **OFFICE du TOURISME** : 04.93.32.60.27 et 04.93.32.86.95

Origine du nom

Probablement de l'**apôtre Paul**. Elle peut être latine et venir de : **1)** *Paulus* qui est le patronyme d'une grande famille romaine des premiers siècles de notre ère ; **2)** *paulus* qui, en latin, signifie *petit, faible*. Prénoms dérivés : Paul, Paule, Paolo, Pol, Polig, Polly. Formes anciennes : *territorio Sancti Pauli* (XIe), *castrum Sancti Pauli* (vers 1200). ***Saint Paul** naquit à **Tarse** (actuelle Turquie) vers l'**an 10**. Il s'appelait **Saul** et était d'origine juive, mais naturalisé citoyen romain. Sur le chemin qui le mène de **Jérusalem** à **Damas** (il était alors officier de l'armée romaine) **il se convertit au christianisme** et choisit le nom de **Paulus** par humilité. Il rencontre ensuite Pierre et les apôtres et effectue, pendant vingt-cinq ans, de nombreux voyages apostoliques en Asie Mineure et en Grèce. En l'**an 64**, Paul et Pierre sont **martyrisés** à Rome.* Une **soixantaine** de communes françaises portent ce nom.

Histoire

À partir du IIe siècle avant Jésus-Christ, le territoire fut occupé par les *Romains* (borne milliaire, double urne funéraire, monnaies, fragments de *tegulae*, de poteries, et vestiges de *dolium*). Ils y avaient créé de nombreuses exploitations agricoles (*villae*) qui dépendaient de *Vintium* (Vence). Pendant les *siècles obscurs* (Voir Beausoleil), les habitants désertent les terres proches de la côte et se regroupent sur des *sites perchés*. La première mention du *castrum Sancti Pauli* date du **XIe** siècle. C'est en **1117** que sont cités les Reillane-Vence et les Orange-Mévouillon, proches du comte de Provence. Ces familles seigneuriales investissent le territoire et y construisent un château, à proximité d'un habitat primitif et de sa chapelle dédiée à saint Paul. Peu à peu, une agglomération se développe autour de ces deux édifices, et elle prend le nom de **Saint-Paul**. Au **XIIIe** siècle, leur suzerain provençal, Raymond Bérenger V, concède aux coseigneurs du *castrum Sancti Pauli* de nombreux privilèges ainsi que les terroirs de *Bourg-de-la-Colle* (futur La Colle) et de *Roquefort*. En ***1388***, au moment de la ***dédition*** de Nice à la Savoie, **Saint-Paul** reste fidèle au comte de Provence. La ville est alors entourée de puissants remparts et devient chef-lieu de bailliage. En **1418**, elle reçoit le titre de *ville royale* et devient française en **1481**, lorsque la Provence est léguée à Louis XI par le comte Charles III. Au **XVe** siècle, les Grasse-Bar en sont les coseigneurs. En **1537**, François Ier décide la construction d'une seconde enceinte fortifiée autour de la petite cité. Près de sept cents maisons sont démolies. Les *Saint-Paulois* expropriés s'installent sur les collines alentour et fondent les villages de *La Colle* et de *Roquefort*. À la suite d'une réforme administrative, **Saint-Paul** devient chef-lieu de viguerie. Par une ordonnance épiscopale de 1666, approuvée par Louis XIV, l'église est érigée en collégiale. La cité va être occupée de nombreuses fois entre 1590 et 1815. Elle demeura *ville royale* jusqu'à la **Révolution**. En **1790**, les territoires de *La Colle* et de *Roquefort* sont détachés et érigés en communes indépendantes.

Au début du **XXe** siècle, **Saint-Paul** devient un lieu de rencontre très prisé de nombreux artistes contemporains, notamment des peintres. Cette toute nouvelle vocation artistique, qui participe au développement touristique et économique de la ville, est facilitée par la mise en service, avant **1914**, d'une ligne de tramway.

À voir

Gros bourg médiéval fortifié, perché sur un éperon rocheux. Maisons anciennes, ruelles en calades, passages voûtés, arcades et porches.

* **Église collégiale de la Conversion-de-Saint-Paul** (XIIIe-XVIIIe - CMH 1921). Elle est érigée en collégiale le 1er juillet 1666. La voûte de la nef est du XVIIe siècle, le campanile, du XVIIIe siècle, les vitraux du XIXe siècle. Elle renferme des *stalles* sculptées, en bois de noyer (1668), un *retable* de *sainte Catherine d'Alexandrie* (XVIIe) attribué à Claudio Cœllo, deux *vitraux* (XVIIIe) de *saint Georges* et *saint Paul*, une *statue* de saint Paul (XVIIe) en bois doré polychrome.

* **Remparts bastionnés** (1537-1547 - CMH 1945). Érigés sous le règne de François Ier. La place forte de Saint-Paul avait pour fonction de protéger la frontière entre la France et les États de Savoie. L'enceinte comporte des bastions à deux flancs et des demi-bastions. Du chemin de ronde, on jouit d'une vue panoramique sur les Baous, la vallée et, au loin, la Méditerranée, Antibes et son cap.

* **Donjon du Château** (XIIe-XIIIe - CMH 1922). Seul vestige du château féodal. La mairie y est installée.

* **Mécanisme de l'horloge.** Installé en 1443, il actionnait la cloche du donjon. Sur ce mécanisme est inscrite la devise latine « *hora est jam de somno suggere* » (les heures nous invitent dès maintenant à la rêverie).

* **Chapelle Sainte-Claire** (XVe). Elle fut remaniée en 1630 et au XIXe (grille en fer forgé). Façade de style italien (corbeilles de fruits, *putti*), fronton surmonté de trois clochetons triangulaires. Elle est située au croisement de plusieurs routes.

* **Chapelle Saint-Michel**. Elle est citée en 1356, et joua le rôle d'église paroissiale pendant une courte période.

* **Pontis** (XVe-IMH 1932), rue Grande. Un *pontis* est une voûte qui relie deux maisons bourgeoises. Celui-ci relie les deux parties d'un palais d'habitation situé rue Grande.

* **Tour de l'Esperon** (XIVe), rue de la Prison. Il s'agit d'une ancienne tour de guet de l'enceinte médiévale.

* **Chapelle Sainte-Croix** (1640). Clocher triangulaire. Elle appartint aux Pénitents blancs jusqu'en 1922.

* **Aqueduc** (XVIIe). *Il recevait les eaux de la Fontevraude captées au quartier de Cambrenier, à Vence. En 1346,* ***la reine Jeanne concéda*** *à la* ***communauté d'habitants*** *l'****usage de ces sources*** *pour leur approvisionnement en eau. Ce privilège permit aux Saint-Paulois de construire des* ***moulins*** *qui contribuèrent au développement économique de la ville.*

* **Auberge de la Colombe d'Or** (début XXe). De style provençal. Les salles intérieures renferment des sculptures et des toiles d'artistes qui y ont séjourné. Elle est devenue un des lieux de rencontre privilégiés du monde du spectacle, du cinéma, de la littérature et de l'art.

* **Lavoir** (1759), situé près de la Colombe d'Or. Il fut construit à l'extérieur des remparts, pour des raisons sanitaires.

* **Grande fontaine** (1850 - IMH 1932), ancienne place du Marché. Elle est bordée par un lavoir qui fut peut-être construit à l'emplacement d'une ancienne halle. Le droit de tenir un marché fut accordé aux habitants en 1295 par le comte de Provence Charles II d'Anjou.

* **Fondation Maeght**. Créée en 1964. Ce **musée** abrite des peintures, dessins, sculptures, céramiques et tapisseries d'époque contemporaine. Des expositions et des rencontres y sont organisées. Il présente les œuvres d'artistes illustres (Chagall, Braque, Léger, Miro, Kandinsky, Bonnard, Matisse, Bazaine, Viallat, Giacometti...).

06420 SAINT-SAUVEUR-SUR-TINÉE Plan: C 2

Population : Insee 1999 = **459** h. en 1901 = **759** h. variation **- 39,53%** (**459** en 2005)
Les habitants sont les **Blavets** et les **Blavettes (Sansavornins** en patois)
Superficie : 3.228 ha -**Altitude** : 422 / 496 / 2708 m- **Canton : Saint-Sauveur-sur-Tinée** - **Arrondt** : Grasse
Distance de Nice : à vol d'oiseau = 44 km - par la route = 62 km - **Longitude** = 7,10° - **Latitude** = 44,08°
Accès : N 202 - D 2205 et GR 5 - 52 A - **Desserte** : TAM 740 - 750
Fête patronale : dernier dimanche de juillet - **Église** : Saint-Michel - **Paroisse** : Notre-Dame-de-Tinée
N° téléphone de la MAIRIE : 04.93.02.00.22 **www.saintsauveursurtinee.fr**

Origine du nom

Sauveur vient du mot *Salvator* lui-même dérivé du verbe latin *salvare*, sauver. Ce nom désigne le Christ et a une forte valeur symbolique pour les chrétiens. Formes anciennes : *Sanctus Salvator* (cart. de la cathédrale de Nice, XIIe), *castrum de Sancti Salvatoris* (vers 1200), *de sancto Salvatore* (Léopard de Fulginet, 1333). En langue d'oc : *San Sarvur*. Le suffixe **sur Tinée** fut ajouté en 1885 (**V**oir Saint-Étienne-de-Tinée).

Histoire

Il est probable qu'un habitat primitif était regroupé autour du *prieuré* que les Bénédictins avaient fondé sur le site, au **VIe** siècle, et qu'ils avaient dédié au Christ (d'où l'origine du nom). Au début de l'**an mille**, Rostaing de Thorame, un descendant direct de la famille seigneuriale de Castellane, règne sur la haute Tinée. Il possède *Puget-Rostang, Isola, Rimplas, Roquestéron, Roure, Saint-Sauveur, Saint-Étienne, Valdeblore, Villars*. En **1009**, il épouse une fille de la maison vicomtale de Nice. Toutefois, ce n'est qu'au **XIIe** siècle que l'habitat fortifié de *Sancti Salvatoris* est mentionné pour la première fois. Vers le milieu du **XIIIe** siècle, Raymond Rostaing est le seigneur du fief, lequel appartient ensuite aux Thorame-Glandèves. Lors de l'*affouage* de 1315, le village comptait *68 feux* (environ 370 habitants). Entre **1351** et **1391**, il est inféodé aux descendants des Rostaing, Pierre et Philippe Balb, avant de revenir à la maison de Savoie. **Saint-Sauveur** appartient ensuite aux Badat. Le **30 mars 1444**, le comte de Savoie concède aux habitants la liberté d'élire leur *bayl*e : ils ont ainsi le droit de juridiction et peuvent s'administrer totalement. En **1452**, ce sont les Raiberti qui sont investis du fief. Jusqu'en **1699**, plusieurs autres notables niçois se succèdent à cette charge. Toutefois, en avril **1699**, Victor-Amédée II demande à la *communauté* (*comme à 17 autres villages** **V**oir Entraunes) de payer des impôts qu'elle ne versait plus depuis près de trois siècles. Les habitants ne pouvant le faire, le duc supprime alors leurs libertés communales et les inféodent. En **1700**, l'avocat niçois Jean-François Ghisi est investi du fief avec le titre de comte. Toutefois, cette inféodation est purement honorifique et ne modifie en rien la gestion de la commune. En **1793**, **Saint-Sauveur** est annexé par les révolutionnaires français, mais en **1814**, comme tout le comté de Nice, il redevient sarde. En **1860**, le village vote à l'unanimité en faveur du **rattachement** à la France, *mais une partie de son territoire de montagne reste **terres de chasse** du roi d'Italie jusqu'en **1947** ** (**V**oir Belvédère et Valdeblore). Grand centre pastoral et siège de foires importantes, le village a été pendant longtemps la capitale de la moyenne Tinée. Il est également, avec Valdeblore et Clans (**V**oir ce nom), un des principaux exploitants forestiers de la vallée.

*Après les **années 1960**, **le village s'est développé** sur l'autre rive du Riou avec l'immeuble « La Blavette » et le cabinet médical ainsi que, sur l'autre rive de la Tinée, le **quartier Saint-Blaise** avec : le **collège Saint-Blaise** qui accueille 200 élèves ; le **complexe sportif** (stade, piste de course, 2 cours de tennis, camping, caravaning) ; la **caserne de gendarmerie** (construite en 2002/2005) regroupant la **brigade territoriale** et le **peloton de secours en montagne** ; un **garage communal** de 16 places. En **2006** se termine la construction d'une **station d'épuration de***

***type biologique** qui conclut à la réhabilitation complète des réseaux d'eau potable et d'assainissement.*

À voir

Village ancien regroupé dans une boucle de la Tinée. Hautes maisons à auvents, avec toits de lauzes, et linteaux gravés et datés. Il est dominé par la Pointe de' Campanier, qui culmine à 1.204 mètres.

* **Église paroissiale Saint-Michel-Archange** (XVe-1532-XVIIIe - IMH 1939). *Clocher roman lombard** (**V**oir Isola), restauré en 1532. Les fausses gargouilles zoomorphes dont il est flanqué sont gothiques. Une niche située au-dessus de la porte d'entrée abrite une *statue de saint Paul* (1455) en marbre blanc. L'église abrite une *huile sur toile* qui représente *Le Mariage mystique de sainte Catherine d'Alexandrie (1648)* ainsi qu'un *trésor* constitué de diverses pièces d'orfèvrerie et d'une *chasuble* armoriée en soie brochée et brodée du XVIIIe siècle.

* **Enseignes**, place de l'Église. Plusieurs maisons ont des linteaux gravés qui indiquent la spécialité de l'artisan qui occupait les lieux (un coiffeur, un boucher, un forgeron).

* **Maison à séchoir** (1856) : **grenier-séchoir** (**V**oir Saint-Martin-d'Entraunes).

* **Parc national du Mercantour.** *Voir pages 210 et 211.*

* **Vallon de Mollières.**

* **Gorges de Valabre.** Roches de schistes rouge sombre, creusées par la Tinée.

06460 SAINT-VALLIER-DE-THIEY Plan: B 5

Quartier : **LA MALLE**

Population : Insee 1999 **= 2.202** h. en 1901 = **509** h. variation **+ 332,61%**

Rang de la commune par rapport au nombre d'habitants au niveau dépt : **49 -** au niveau national: **3.997**

Les habitants sont les **Vallerois**

Superficie : 5.068 ha - **Altitude** : 460 / 730 / 1552 m - **Canton : Saint-Vallier-de-Thiey** - **Arrondt** : Grasse

Distance de Nice : à vol d'oiseau = 32 km - par la route = 47 km - **Longitude** = 6,85° - **Latitude** = 43,70°

Accès : A 8 - N 85 - **Desserte** : TAM 800 via Grasse

Fête patronale : dernier dimanche d'août - **Église** : N.D.-Assomption - **Paroisse** : Sainte-Marie-des-Sources

N° Tél. de la MAIRIE : 04.92.60.32.00 **OFFICE du TOURISME** : 04.93.42.78.00

www.saintvallierdethiey.com

Origine du nom

De *Sanctus Valerius*, **saint Valerius**, *premier **évêque d'Antibes**. Il vécut au **IVe** siècle et fut **martyrisé** par les Wisigoths lorsqu'ils envahirent la Provence.* Formes anciennes : *ecclesia sancti Valerii* (1061), *castri de Sancto-Valerio* (1138), *de Sanct Valier.* **Thiey** est le nom de la montagne (1.552 m) qui domine le village.

Histoire

Le territoire possède de très nombreux vestiges de la présence de l'homme au **néolithique.** Elle fut permanente jusqu'à nos jours (dolmens, tumuli, débris de poteries, bijoux et armes, parures funéraires, *castellaras* ligures, *castra* romains). Au **Xe** siècle, cette ancienne place forte romaine appartient à la famille seigneuriale de Grasse.

L'habitat primitif de la *villa Cavagna* est mentionné pour la première fois dans des documents écrits datant de **1061**, lorsqu'elle est cédée à l'évêque d'Antibes, avant d'échoir à l'abbaye de Lérins. À partir de **1242** et jusqu'à la **Révolution**, ce fief, ainsi que le terroir de La Motte, appartiennent au chapitre d'Antibes puis de Grasse. Toutefois, en **1527**, les *Vallerois* obtiennent de l'épiscopat grassois qu'il leur cède ses droits seigneuriaux contre une redevance annuelle. Ils vont ainsi gérer librement leur commune. En **1742**, le bourg comptait six *tisseurs à toile*, quatre *cardeurs à laine*, trois *tailleurs* (de vêtements) et un *blanchisseur*. À son retour de l'île d'Elbe, en mars **1815**, Napoléon y fit une halte. En **1846**, le village, auquel a été annexé une partie du plateau de la Malle (en 1810), devient **Saint-Vallier-de-Thiey** afin de le différencier d'autres communes ayant la même dénomination. La culture des céréales et l'élevage de bovins, d'ovins et de caprins ont constitué pendant longtemps les principales ressources des habitants. Dès la fin du **XIXe** siècle, les activités liées au tourisme ont pris une place prépondérante car **Saint-Vallier** est devenu une station climatique d'été et un lieu de vacances très prisés. Le territoire reste tout de même un des plus importants centres d'élevage de moutons de la région.

À voir

C'est l'un des rares villages médiévaux à être ***bâti sur un site plat****, au pied de la montagne du Thiey. Le bourg ancien est groupé autour de son église. L'habitat plus récent s'étale sur le plateau, le long de la* ***route Napoléon****. Le* ***Grand Pré*** *est un espace vert (plus de* ***5 hectares****) bordé de marronniers.*

* **Église paroissiale Notre-Dame** (XIIe-XVIIIe-XIXe). Fortifiée, avec un clocher-tour roman et un campanile en fer forgé. Elle abrite un *buste reliquaire* de *saint Constant* (XVIIe) en bois doré et polychrome, une *huile sur toile, La Mort de saint Joseph* (XVIIe). Le retable du maître-autel (XVIIe), comporte une *huile sur toile* représentant *L'Assomption et le Couronnement de Notre-Dame* (XVIIe).

* **Grotte Lombard** (6.000 à 5.000 av. J.-C.) quartier de Tessonières. Elle servit d'habitat temporaire.

* **Ciseaux et aiguille sculptés** sur un ancien linteau datant du Moyen Âge. Il se trouve rue de l'Hôpital.

* **Dolmen de Verdoline** (vers 2.000 av. J.-C.). Avec une chambre funéraire de 2,85 m2, sous un tumulus de pierres. Elle renfermait des corps et quelques objets (perles de roche, débris de poterie, défenses d'animaux).

* **Enceinte et porte fortifiées** (XIIe), route de Saint-Cézaire.

* **Camp de la Malle**. Vestiges d'un *castellaras* (âge du fer - CMH 1909). C'est une des plus imposantes enceintes protohistoriques de Provence (murailles de 4 m d'épaisseur sur 5 m de haut).

* **Chèvre d'Or** (XIe), quartier de Cavagne. Cette *villa Cavagna* a conservé les traces d'une occupation aux époques préromaine, romaine et médiévale. Vestiges d'un donjon et d'habitations.

* **Moulin de Saint-Jean** (XIVe), ou **Moulin de la Motte**. Vestiges de trois édifices dont l'un a été restauré. Initialement propriété du seigneur, il fut repris par des particuliers en 1720 et fonctionna jusqu'au XIXe siècle. C'était le seul moulin à farine du village. Sa roue horizontale ou « rodet », était actionnée par l'eau de la Siagne.

* **Puits-citerne de Blacasset et cabanes** (XVIIe). En pierres, et surmontés d'une voûte. Ils sont nombreux sur le territoire. Une auge en pierre à proximité permettaient aux moutons, mulets et chevaux de s'abreuver. Quant aux cabanes, elles servaient d'abri temporaire, de local à outils et d'entrepôt pour les récoltes.

* **Colonne commémorative Napoléon** (1869) et **banc** *sur lequel il s'est assis, place de l'Apié (abeille). Erigée grâce à une souscription publique, elle rappelle le passage de l'Empereur à Saint-Vallier, le 2 mars 1815, à son retour de l'Île d'Elbe.* ***Route Napoléon :*** *voir Escragnolles.*

* **Chapelle Sainte-Luce** (XIIe-1562). Primitivement *chapelle de* ***romérage*** (pèlerinages associés à des fêtes campagnardes ou des foires), elle abrite un puits dont les eaux miraculeuses soignaient les problèmes d'yeux.

* **Bories** : abris en pierres pour les bergers.

* **Grottes de la Baume obscure.** Visites guidées. Spectacle son et lumière.

* **Grottes des Audides**. Visites guidées. Reconstitution de scènes, à travers les sites préhistoriques car ces grottes furent habitées. Musée avec exposition de silex taillés.

* **Montée du Pas de la Faye**. *Magnifiques* ***panoramas****.* ***Nombreuses autres promenades*** *: piste forestière du Thiey, ancienne route Napoléon, circuit de la Croix de Cabris, ancienne route de Cabris (pédestre).*

* **Oratoire du Pilon** (1777) au col du Pilon. ***Des pentes sud de ce col, vue superbe vers la côte,*** *les îles de Lérins, le lac de Saint-Cassien, l'Estérel et les Maures. Par temps clair, on aperçoit la Corse.*

06500 | **SAINTE-AGNÈS** | **Plan: D 4**

Hameaux : CABROLLES CASTAGNINS
Population : Insee 1999 **= 1.094** h. en 1901 = **525** h. variation **+ 108,38%** (**1.104** en 2005)
Rang de la commune par rapport au nombre d'habitants au niveau dépt : **72 -** au niveau national: **7.842**
Les habitants sont les **Agnésois**
Superficie : 937 ha - **Altitude** : 76 / 750 / 1238 m - **Canton : Menton** - **Arrondt** : Nice
Distance de Nice : à vol d'oiseau = 21 km - par la route = 33 km - **Longitude** = 7,47 ° - **Latitude** = 43,80°
Accès : A8 ou N 7- D 123 - D 23- D 223 - D 22 - **Desserte** : TRF 10 - TAM 902
Fête patronale : 21 janvier - **Église** : Sainte-Agnès - **Paroisse** : Notre-Dame-des-Rencontres
N° Tél. de la MAIRIE : 04.93.35.84.58 **OFFICE de TOURISME** : 04 93 35 87 35
www.sainteagnes.fr *et* **mairiesteagnes@wanadoo.fr**

Origine du nom

Le prénom **Agnès** est tiré du grec *agnê* (chaste), mais il est également assimilé au latin *agnus* qui signifie agneau. Prénoms dérivés : Aïna, Aïssa, Ania. Formes anciennes : *Sancta Agneta* (1185). ***Sainte Agnès** serait née vers **290**. Elle avait 12 ans lorsque, pour avoir voulu rester **vierge**, elle subit volontairement le **martyre** et mourut, la gorge transpercée par un glaive (en 304).* On la fête le 21 janvier.

Histoire

Les nombreux vestiges retrouvés à proximité des ruines du château attestent que le territoire était déjà occupé au **néolithique.** Il le fut sans interruption pendant toute la période de l'**Antiquité** jusqu'au **VIIe** siècle de notre ère, et de nouveau à partir du **Moyen Âge**. Le *castrum de sancta Agneta* est mentionné dans des documents écrits datant de **1170**, c'était alors un fief du comte de Vintimille. En **1258**, le comte Guillaume III de Vintimille cède à la comtesse Béatrice, tutrice du comte de Provence Charles Ier d'Anjou, ses terres du Val de Lantosque et celles ayant appartenu à son père, dont les *castra* de *Sainte-Agnès*, *Gorbio*, *Tende*, *La Brigue*, *Castellar* et *Castillon* (Voir Gorbio). En **1388**, **Sainte-Agnès**, comme toute la région, passe sous la domination du comte de Savoie. À partir de cette période, le fief est inféodé à de nombreuses familles seigneuriales des environs, en particulier aux Lascaris et aux Grimaldi. Au **XVe** siècle, les villageois abandonnent le site primitif et créent une nouvelle agglomération, à une cinquantaine de mètres en contrebas, son emplacement actuel. En **1676**, Honoré Léotardi devient baron de Sainte-Agnès. Cette famille détenait également le titre de comte de Bouyon et de Pierlas, en coseigneurie avec les Caïs et les Pigna. En **1748**, **Sainte-Agnès** réintègre les États de la maison de Savoie. En **1766**, c'est en faveur des Auda qu'il est érigé en comté, et en **1784**, les Cagnoli en sont les feudataires. De **1793** à **1814**, le village est annexé par la France. Il ne redevient définitivement français qu'en **1860**.

À voir

***Site exceptionnel.** Sainte-Agnès, l'un des « **Plus Beaux Villages de France** », détient également le titre de « **Village littoral le plus haut d'Europe** », car il est perché à **780 mètres d'altitude**, et à seulement **3 km à vol d'oiseau** de la **Méditerranée**. Ce village médiéval, étagé au pied d'une falaise, possède des ruelles en calade et en escaliers, des placettes et des passages voûtés. Vieilles maisons des XVe aux XVIIIe siècles. À l'extrémité du village, une **esplanade offre une vue spendide**.*

* **Église paroissiale Notre-Dame-des-Neiges** (1575-1960). Bâtie sur une église primitive du XIIe siècle. Elle

abrite des *tableaux* et un *retable* (XVIIe), un *bénitier* (1538), une *statue* de sainte Agnès en bois doré et polychrome (XVIIe), et de nombreux tableaux de l'école de Nice.

* **Vestiges du château de Sainte-Agnès** (Moyen Âge). Le site était déjà occupé à l'époque préhistorique. L'édifice fut détruit en 1691, sur ordre de Louis XIV, pour punir les habitants qui s'étaient opposés à lui.

* **Site castral** (XIIe), dénommé « la Plate-Forme ». Vestiges d'une église. Le bourg fortifié primitif, ou *castrum*, était situé entre cette église et le château.

* **La grotte de Sainte-Agnès**, près du cimetière.

* **Chapelle Sainte-Lucie** (XVIe). Au milieu des oliviers. Le jour de la fête de la sainte, les villageois se rendent en procession sur les lieux pour assister à un office, qui est suivi d'une dégustation de produits locaux.

* **Espace Culture et Traditions** (XXe). *Situé à l'emplacement de l'ancienne chapelle Saint-Charles qui était le siège des* ***Pénitents blancs****. Actuellement, il abrite : une* ***salle d'exposition*** *de peintures et de sculptures ; un petit* ***musée archéologique*** *et un* ***écomusée****. Il présente des* ***outils d'antan*** *ainsi que les objets issus des* ***fouilles archéologiques*** *du château.*

* **Chapelle Saint-Sébastien,** érigée en 1610, à la suite d'un vœu pour protéger la population de la peste.

* **Chapelle Saint-Pascal** (1790).

* **Fort de Sainte-Agnès**. *Pendant la Seconde Guerre mondiale, la position stratégique de* ***Sainte-Agnès*** *fut exploitée grâce à un* ***fort militaire*** *créé entre 1932 et 1938. Cet ouvrage a été creusé à* ***80 mètres*** *de profondeur dans le rocher qui domine le village. De cet emplacement, les militaires bénéficiaient d'une* ***vue panoramique*** *parfaitement dégagée sur Menton et la mer. Le fort, que l'on peut visiter, est soigneusement entretenu et ses* ***machineries fonctionnent encore*** *aujourd'hui. Le Bloc 2 concentrait la plus formidable puissance d'artillerie de la* ***ligne Maginot,*** *laquelle comportait* ***14 forts*** *dans les Alpes-Maritimes. Il est armé de mortiers de 81 ainsi que de canons-obusiers de 75 et de 135. En novembre 1942, il est pris par les Italiens puis occupé par les Allemands à la fin de la guerre.* ***Visites guidées et commentées*** *toute l'année, le samedi et le dimanche de 14h 30 à 17h 30. De juillet à septembre, tous les jours sauf le lundi, de 15h à 18h. Scénographie et simulation au Pas de tir. Renseignements au* ***04 93 35 84 58****.*

* **Oratoire Sainte-Agnès** (1954). Creusé dans le rocher, il remplace une ancienne chapelle.

* ***Nombreux itinéraires de randonnées*** *sur des* ***sentiers*** *le plus souvent* ***balisés*** *et ne présentant aucune difficulté majeure : mont Ours (4h 30), col de Bausson et village de Gorbio (3h), pointe de Sirococca (4h), chapelle Sainte-Lucie (2h 30), pic de Baudon (3h 30), hameau des Cabrolles (3h), traversée Sainte-Agnès - Monti - Castellar (1h 45), forêt de Menton (4h 45), grand tour du Baudon (5h), grand tour du mont Ours (6h)...*

Quelques bonnes adresses

Restaurant - Bar LE LOGIS SARRASIN *Spécialités du pays* *Vue panoramique* 04 93 35 86 89

Frédéric PÉLISSIER ***Vitraux Luminaires*** 4 r. des Comtes-Léotardi 04 93 35 50 40 *pelissierfr@hotmail.com*

Hôtel-Restaurant LE SAINT-YVES *Spécialités* *Vue panoramique* 04 93 35 91 45 *www.le-saint-yves.com*

Restaurant LE RIGHI *Panorama unique Cuisine de qualité* 04 92 10 90 88 / 06 84 75 34 94 *www.lerighi.com*

Atelier et boutique de Frédéric Pélissier

06910 SALLAGRIFFON Plan: B 4

Population : Insee 1999 = **54** h. en 1901 = **122 h.** variation **- 55,74%**
Rang de la commune par rapport au nombre d'habitants au niveau départemental : **157**
Les habitants sont les **Sallagriffonnais**
Superficie : 959 ha - **Altitude** : 557 / 720 / 1259 m - **Canton : Saint-Auban** - **Arrondt** : Grasse
Distance de Nice : à vol d'oiseau = 35 km - par la route = 75 km - **Longitude** = 6,90° - **Latitude** = 43,88°
Accès : N 202 - D 2211 A - D 87 et GR 510 - **Desserte** : Réserv: TAD 0 800 06 01 06
Fête patronale : 3e dimanche juillet - **Église** : Annonciation/Ste-Marguerite - **Paroisse** : Ste-Marie-des-Sources
N° téléphone de la MAIRIE : 04.93.05.86.05

Origine du nom

Du germanique *seli* (chambre, château, relais de chevaux) et de l'anthroponyme *Grifo*. Formes anciennes : *villa Salagriffoni* (Caïs, 1388).

Histoire

La présence des *Romains* est attestée par des inscriptions retrouvées sur le site. Au **Xe** siècle, des textes font état d' un certain Griffon, qui fut probablement le premier seigneur du *castrum* primitif. Ensuite, ce n'est qu'au **XIIIe** siècle qu'est mentionné cet habitat fortifié, sous son appellation actuelle, le *castrum de Sallagriffon*. En **1499**, ce fief devient la propriété de Jean de Grasse (famille des Grasse-Bar, branche de Briançon), lorsqu'il en hérite de son père (ainsi que **Gars**, **Briançonnet**, **Amirat**). Ultérieurement, il est transmis aux Emeri et aux Arquier. Les derniers seigneurs de **Sallagriffon** furent le baron François de Rasque et son épouse, Diane de Villeneuve. Sous le règne de Louis-Philippe (1830-1848) un pont sur le Riolan fut construit pour relier la localité à **Sigale**. **Sallagriffon** a été un village frontalier entre la France et le comté de Nice jusqu'en **1860**. Dans le passé, les habitants tiraient leurs principales ressources de l'agriculture ainsi que de l'élevage, en raison des vastes étendues de pâturages pour les moutons. Actuellement, les activités sont principalement axées sur le tourisme (auberge communale des Miolans). Production de miel. **Un petit marché d'été propose des produits exclusivement locaux.** *Parmi les projets de la municipalité : la construction d'une salle polyvalente.*

À voir

Ce village ancien, perché contre une arête rocheuse, est dominé par la montagne des Miolans.

* **Église paroissiale Sainte-Marguerite** (XVIIe) à deux clochetons. Nef unique avec une voûte en bois. Elle abrite une *huile sur toile*, *Vierge à l'Enfant* (XVIIIe), une autre *toile*, *Sainte Marguerite, saint Pons et saint Etienne* (1820) de J.-H. Féraud, une *statue* de *sainte Marguerite,* du XVIIIe siècle, en bois polychrome (récemment restaurée) et un *tabernacle* de 1637.

* **Pierre tombale romaine** (CMH), récupérée sur le chemin de Sallagriffon à Sigale. Placée dans le cimetière.

* **Gorges d'Estrech.** Au nord de la clue du Riolan, par le sentier menant vers Sigale.

* **Nombreuses promenades** *: * vers la chapelle Saint-Marc, sur la route de Collongues * le mont Saint-Martin (1.257 m) par le sentier qui rejoint Aiglun * le sommet des Miolans (984 m) par un sentier vers Collongues (le GR 510).*

* **Pont du Riolan**. Restauré en 1998. Il possède de magnifiques versoirs en pierre taillée.

* **Clue d'Aiglun**. Elle s'étire sur le territoire des communes du **Mas**, **Aiglun**, **Les Mujouls** et **Sallagriffon**. Cette gorge qu'emprunte l'**Estéron** est profonde de 200 à 400 mètres et large de quelques mètres seulement à certains

endroits. Elle coupe la montagne sur 2 km, véritable entaille entre les montagnes de Charamel et de Saint-Martin. La route D 10 franchit le torrent à la sortie de la clue et en offre une vue surprenante. Pour accéder à la clue d'Aiglun, il faut obligatoirement passer par Sallagriffon.

06540	SAORGE	Plan: E 3

Hameaux : CASTOU PEYREMOUNT MAURION PASPUS CAÏROSINA
Population : Insee 1999 = **396** h. en 1901 = **942** h. variation **- 57,96%**
Rang de la commune par rapport au nombre d'habitants au niveau départemental : **97**
Les habitants sont les **Saorgiens**
Superficie : 8.678 ha - **Altitude** : 319 / 503 / 2680 m - **Canton : Breil-sur-Roya** - **Arrondt** : Nice
Distance de Nice : à vol d'oiseau = 40 km - par la route = 69 km - **Longitude** = 7,55° - **Latitude** = 43,98°
Accès: A 8 sortie Vintimille, SS20 - N 204 - D 38 et GR 52 - **Desserte** : Réserv: SNCF - TAD 0 800 06 01 06
Fête patronale : 3e dimanche d'août - **Église** : Saint-Sauveur - **Paroisse** : Notre-Dame-de-la-Roya
N° téléphone de la MAIRIE : 04.93.04.51.23 **www.saorge.fr**

Origine du nom

Probablement de la racine celto-ligure *sab* + le suffixe *urc,* piton, escarpement sur la rivière. L'emplacement du village confirme cette hypothèse. Formes anciennes : *de Saurgio* (fin Xe), *de Saurcio* (cart. de l'abbaye de Lérins, 1092), *Saurgium* (idem, XIIe), *Saurcium, de Saorgi* (1157 et 1185), *Saurgio* (1256), *hominibus Saurgii* (cart. de Saint-Pons, 1292).

Histoire

Avant d'être annexée par les *Romains*, qui la rattachent au *municipe* d'*Albintimilium* (Vintimille), la région était habitée par la tribu *ligure* des *Sorgontii*. Lorsque commença la période des Grandes Invasions (*Goths*, *Lombards*) et des razzias *sarrasines,* ces *Ligures* romanisés, qui vivaient sur la rive droite de la Roya, se réfugièrent sur un site plus défensif de la rive gauche. À partir du **Xe** siècle, le *castrum de Saurgio* appartient aux comtes de Vintimille, sous la suzeraineté du marquis de Turin, lui-même vassal de l'empereur du Saint Empire romain germanique. Des textes de **1092** mentionnent que les *Saorgiens* font donation à l'abbaye de Lérins de l'église de la *Madone del Poggio*. Dans la première moitié du **XIe** siècle, Ardoin de Suze, marquis de Turin et futur roi d'Italie, concède aux habitants de *Tende*, *La Brigue* et *Saorge* leurs premières libertés et franchises. Cette charte est signée par ses vassaux, Conrad et Othon de Vintimille. Probablement à cause de la transhumance, ces privilèges sont garantis « *jusqu'à la mer* ». En **1233**, lorsque les comtes de Vintimille font acte d'allégeance à la *République de Gênes*, les habitants de **Saorge** signent un pacte d'alliance avec ceux de Breil, La Brigue et Tende. En **1258**, les comtes Georges et Boniface de Vintimille cèdent leurs droits sur **Saorge** et Breil au comte de Provence Charles Ier d'Anjou. Lors de la ***dédition de 1388***, les villages passent sous la domination du comte de Savoie. La position géographique du village, défendu par plusieurs châteaux forts, et dont les fortifications sont renforcées, en fit un avant-poste important pour la maison de Savoie car il verrouillait la vallée de la Roya. Situé sur la *route du sel* (l'antique *Via Municipalis/ Via Salaria*), son importance stratégique va décroître lorsque le duc Charles-Emmanuel Ier de Savoie fait, en **1600**, ouvrir le *Grand Chemin ducal*. En **1465**, l'agglomération est détruite par un terrible incendie et en **1631**, la population de la région est décimée par la peste. Entre **1692** et **1697**, **Saorge** devient français. En **1700**, le fief est inféodé aux Solaro, puis aux Roffredo (1710) en faveur desquels il est érigé en comté. En **1794**, Masséna enlève la place forte et détruit ses défenses. En avril 1808, Pauline Borghèse, sœur de Napoléon Ier, s'arrêta au village. En **1814**, **Saorge** réintègre le royaume de Piémont-Sardaigne. Il ne redeviendra définitivement français qu'en **1860**. Lors du référendum pour le rattachement à la France, sur les 605 votants de Saorge-Fontan, il y eut 605 *oui*. Au cours de la Deuxième Guerre mondiale, les habitants furent évacués à Cannes (en juin 1940) et déportés à Turin en décembre 1944.

À voir

Cette ancienne place forte, parfait exemple d'urbanisme médiéval, est accrochée en amphithéâtre au dessus de la Roya. Les maisons, dont beaucoup datent du XVe siècle, ont souvent plus de cinq étages. Elles ont des toits de lauzes violettes ou vertes. Ruelles pittoresques, portes anciennes et linteaux sculptés. ***Saorge*** *domine les gorges de plus de 250 mètres. Il est classé «* ***Village monumental*** *».*

* **Église paroissiale Saint-Sauveur** (1465 - CMH 1981). Elle remplace l'église romane primitive détruite par l'incendie de 1465, et fut remaniée en style baroque au XVIIe siècle. Elle comporte trois nefs séparées par des piliers à chapiteaux corinthiens. Clocher à bulbe recouvert de tuiles vernissées (1812). Elle abrite une *dalle funéraire romaine* (IIIe), une *Vierge de procession* (1708), une ***pierre du pilori**** (Moyen Âge), un *tabernacle* en marbre blanc (XVIIe). *L'**orgue** a été fabriqué en **1847** par les **frères Lingiardi** (pour la somme de **3.000 lires**), dans leurs ateliers de Pavie. Démonté, il fut acheminé jusqu'à **Gênes**, embarqué sur un **voilier**, débarqué à **Nice** et transporté jusqu'à **Saorge** à **dos de mulet**.*

** **Pilori.** Sous l'**Ancien Régime**, il s'agissait d'un poteau ou d'un pilier auquel on attachait les voleurs, les faillis, les personnes ayant vendu des denrées avariées ou trafiquées, les criminels. Ainsi, le coupable était exposé à la vindicte populaire. Selon la gravité de sa faute, elle pouvait se manifester sous la forme de simples quolibets ou être plus violente (jets de pierre, coups...).*

* **Vestiges du château de Mallemort** (Époque romaine - XIIIe-XIVe). Cette ancienne place forte romaine contrôlait la *Via Municipalis*. Elle est remaniée par les comtes de Vintimille. Les souverains provençaux y installent une garnison. Avec l'ouverture du *Grand Chemin ducal* en 1600, elle perd son importance stratégique.

* **Vestiges du château fort Saint-Georges** (XIe). Le *castrum Saurcium* mentionné en 1157. Il est pris par les Français en 1692 et renforcé par Vauban. Finalement, il est détruit en 1794 par Masséna.

* **Chapelle de la Madone del Poggio** (Xe - CMH 1913). Clocher roman lombard, haut de 30 m. Chapiteaux et tambours sont classés. *Chœur* et *maître-autel* (Xe), avec une *Pietà* au centre, *Christ* en bois polychrome (XVIe), *fresque* murale *Sainte Lucie*. Dans l'abside, subsistent des fresques attribuées à Baleison (fin XVe). Donnée aux moines de Lérins en 1092, elle est cédée à un particulier en 1668. Ses descendants en sont toujours propriétaires.

* **Chapelle Saint-Jacques-des-Pénitents-Blancs**. Le portail et le clocher (XVIe) ont été classés M.H. en 1981.

* **Plaque historique** (fin XVIe - CMH 1947). Elle a été gravée et sculptée dans la falaise, sur la rive gauche de la Roya, à la demande de Charles-Emmanuel Ier de Savoie. Elle commémore l'ouverture de la nouvelle voie (le *Grand Chemin ducal*) reliant Nice au Piémont.

* **Couvent des Franciscains** (1660-1681 - CMH 1917). Situé au milieu des oliviers. En 1760, il est restauré et embelli. L'édifice fut transformé en hospice puis en colonie de vacances. Il a été racheté par l'État en 1961.

* **Église Notre-Dame-des-Miracles**, de style baroque. Clocher à bulbe couvert de tuiles vernissées. Elle renferme un *retable* de 1760, une *statue* de *Christ aux liens* (XVIIe).

* **Cloître du Monastère** (CMH 1917). Il comporte des *fresques* naïves représentant la vie de saint François d'Assise, onze *cadrans solaires* et le *blason* de l'ordre des Franciscains.

* **Pountin du Tchan**, qui signifie « petit pont du quartier du plan ». Ce pont permettait de passer d'une maison à celle d'en face par les étages.

* **Monument aux Morts** (1924). Il est en bronze et entouré d'obus d'artillerie lourde reliés par une chaîne. Il fut érigé grâce aux dons de la population, en souvenir des Saorgiens morts pendant la guerre 1914-1918.

* **Forêt de Caïros** : magnifiques promenades. On accède au hameau de Maurion par le vallon de Caïros.

* **Gorges de Saorge**. À la sortie de ces gorges apparaît le **site extraordinaire du village**, étagé en amphithéâtre sur un versant de montagne couvert d'oliviers. ***Parc national du Mercantour, voir pages 210 et 211***.

Quelques bonnes adresses

Restaurant Pizzeria LOU POUNTIN *Spécialités régionales faites maison* 04 93 04 54 90

MIELLERIE LO BRUSC *Miels Pollen Nougats Pains d'épices* 04 93 04 55 38 *www.saorge.fr*

Alimentation VIVAL 40, Carrère Medge 04 93 04 55 28

LA PETITE ÉPICERIE *Alimentation Pain Plats à emporter* 04 93 04 51 27 et 06 81 07 74 94

AUTRES CHOSES *Artisanat Bois d'olivier Produits régionaux* 04 93 04 51 27 et 06 81 07 74 94

Restaurant LE BELLEVUE *Spécialités locales/régionales Vue panoramique Référencé Guides* 04 93 04 51 37

GÎTE D'ÉTAPE DE BERGIRON *derrière le couvent* 04 93 04 55 49 *www.bergiron.free.fr / bergiron@free.fr*

LIBRAIRIE du CAÏROS *Presse* ***Point relais Fax*** ***Salon de Thé*** Place Ciapagne 04 93 04 51 60

06470 # SAUZE **Plan: B 2**

Hameaux : **PRA D'AIRAUD SAUZE-LE-VIEUX SELVES VILLETALLE**
Population : Insee 1999 **= 100** h. en 1901 = **210** h. variation **- 52,38%**
Rang de la commune par rapport au nombre d'habitants au niveau départemental : **143**
Les habitants sont les **Sauzois**
Superficie : 2.777 ha - **Altitude** : 780 / 1 365 / 2502 m - **Canton : Guillaumes** - **Arrondt** : Nice
Distance de Nice : à vol d'oiseau = 54 km - par la route = 103 km **- Longitude** = 6,83° - **Latitude** = 44,08°
Accès : N 202 - D 2202 -D 76 - **Desserte** : TAM 790 à l'embranchement de la route qui mène au village
Fête patronale : 10 août - **Église** : Saint-Laurent - **Paroisse** : Saint-Jean-Baptiste
N° téléphone de la MAIRIE : 04.93.05.51.86

Origine du nom

Il vient vraisemblablement du latin *salix*, *salicis* (saule) dont est dérivé le gaulois *salico*. Formes anciennes : *castrum de Saucer* (vers 1200), *villa de lo Sause* (Caïs, 1388).

Histoire

Comme l'attestent de nombreux vestiges, le territoire fut habité par des peuplades **néolithiques**, puis par les *Ligures* et les *Romains* (tombes néolithiques, tuiles et fragments d'inscriptions romaines). L'agglomération primitive et son château étaient situés à **Sauze-le-Vieux**. Ils sont mentionnés dans des documents datant du **XIIIe** siècle. À partir de la ***dédition de 1388***, le village devient une enclave savoyarde entourant les terres de **Guillaumes**. En raison de sa situation de *marche frontière*, il va subir pendant plusieurs siècles les conflits entre la maison de Savoie et la Provence passée sous souveraineté française en **1481**. **Sauze** formait deux fiefs, celui du bourg proprement dit et celui du *Cartiere* (Quartier), un important lieu de pacage qui correspond au hameau des Moulins. Ils sont très tôt partagés entre plusieurs feudataires dont les Daluis, Blacas, Rostaing, Faucon, ainsi que les Grimaldi de Beuil. En **1621**, à la suite de l'exécution d'Annibal Grimaldi, le *Cartiere* est confisqué à cette famille. Toutefois, une partie de la seigneurie était restée aux Faucon (les descendants d'une branche des Glandèves), qui en étaient les coseigneurs depuis **1481**. Ils en furent de nouveau investis officiellement le 23 juin **1622** et présidèrent aux destinées du village jusqu'en **1792**, avec plusieurs autres coseigneurs. Quant au *Cartiere*, le 22 octobre **1623**, il est inféodé au comte Paolo Camillo Cavalca. À partir de **1707**, les derniers feudataires ont été les Scotto de Coni. En 1772, le fief est érigé en comté. Le bourg, primitivement hameau de **Guillaumes**, est érigé en commune au **XVIIIe** siècle.

*Grâce à l'altitude et à une bonne exposition, le plateau de Sauze fut longtemps le **grenier à blé et à seigle** de la région. Mais la prospérité du fief ne se limitait pas à sa seule vocation agricole car les **montagnes pastorales** accueillaient de nombreux troupeaux. Au **XVIe** siècle, les Faucon étaient de gros propriétaires terriens et ils louaient leurs vastes étendues de pâturages. En **1580**, le cheptel des Sauzois s'élevait à **1.350 moutons et chèvres**. À cette époque, un **canal** d'environ 7 km de long amenait l'eau aux différents hameaux (moulins et campagnes). Lors de l'affouage de **1315**, la **Villa de lo Sause** comptait **45 feux**, soit environ **240 habitants**. Au **XVIe** siècle, il y avait **500 habitants.** Parmi eux, les représentants de diverses corporations sont mentionnés : un **forgeron maréchal-ferrant**, un **menuisier**, deux **tisserands** en drap et un en toile, un **savetier**, un **marchand de vin**, un **aubergiste**, un **garde champêtre**, un **notaire**. Il y avait également une **scierie communale**. Les artisans exerçaient leur spécialité principalement en hiver car, en été, ils cultivaient leurs terres. En **1715**, les Sauzois étaient* 300, 389 *en **1838**,* 179 *en **1911** et* 140 *en **1930**.*

À voir

*On accède au plateau de Sauze, situé à plus de **1.300 mètres d'altitude**, par une route serpentant en de nombreux lacets. Elle offre des **vues superbes** sur la vallée et Guillaumes. Ce petit village alpin est adossé à des rochers dont l'érosion évoque des orgues. Nombreux hameaux disséminés alentour.*

* **Église paroissiale Notre-Dame-de-la-Colle** (fin XIIIe). Clocher carré massif et toit de bardeaux. Elle renferme une *huile sur toile* de 1622 (retable du maître-autel en bois doré), d'un petit maître itinérant d'Avignon, une autre huile sur toile, *Vierge à l'Enfant, sainte Dominique et sainte-Catherine* (1647), du peintre vençois Jacques Viany.

* **Aires à battre le blé**, nombreuses dans la région. Elles sont plates et soigneusement dallées (Voir Cipières).

* **Sousta.** *Ces constructions sont **attenantes aux fermes**, ouvertes en façade et à deux niveaux, pour permettre le **stockage** de foin, de bois etc. Elles sont **spécifiques** du **haut Var**.*

* **Four à pain communal** (XVIIIe). Il a conservé une grande partie du matériel d'origine.

* **Église Saint-Jean-Baptiste** (XVIIe). Elle remplace probablement un édifice du XIIe siècle, sur le site initial du village. Son clocher-porche date de 1801, il fut réalisé à la suite du Concordat.

* **Têtes humaines en calcaire et granit** (XVIe). *De **tradition celtique**, elles sont sculptées dans la pierre, à l'intérieur de l'église et en façade de certains édifices civils. Elles ont probablement un **rôle protecteur**.*

* **Sauze-le-Vieux** : **chapelle Saint-Joseph** et **vestiges du château féodal** (XIIIe).

* **Les Selves : belle chapelle alpine de Saint-Macaire** (privée).

06750	**SÉRANON**	**Plan: A 4**

Hameaux : **ACO DE CAILLE LA CLUE LA DOIRE**
LE LOGIS DU PIN ROUAINE VIERANTE

Population : Insee 1999 **= 317** h. en 1901 = **299** h. variation **+ 6,02% (398 en 2005)**

Rang de la commune par rapport au nombre d'habitants au niveau départemental : **105**

Les habitants sont les **Séranonnois**

Superficie : 2.328 ha - **Altitude** : 1018 / 1100 / 1712 m - **Canton : Saint-Auban** - **Arrondt** : Grasse

Distance de Nice : à vol d'oiseau = 45 km - par la route = 75 km - **Longitude** = 6,70° - **Latitude** = 43,77°

Accès : A 8 - N 85 - D 81 - **Desserte** : TAM 800 via Grasse

Fête patronale : dernier dimanche d'août

Églises : Séranon Nativité-de-la-Sainte-Vierge - La Doire Saint-Blaise - **Paroisse** : Sainte-Marie-des-Sources

N° téléphone de la MAIRIE : 04.93.60.30.40

Origine du nom

Deux hypothèses : **1)** du latin *serra anonnae* (réserve à blé) ; **2)** de la base pré-indo-européenne *sal* (*sel, sil*), qui a évolué en *sar* (pierre, éboulis, hauteur). Formes anciennes : *in territorio castelli Sarannonis* (cart. de Lérins, XIe), *Petrus de Sarano* (idem, 1155), *de Saranon* (1495).

Histoire

Comme l'attestent les vestiges qui ont été découverts lors de fouilles archéologiques, le territoire fut habité au **paléolithique**. Cette occupation fut suivie par celle des *Ligures* puis des *Romains*. Il était traversé par la *Via Vintiana* qui menait de *Vintium* (Vence) à Digne en passant par Castellane. Le village étant situé à la limite de la haute montagne et de la zone côtière, au Moyen Âge, toutes les caravanes de mulets y passaient. Un péage y avait même été instauré, et des foires importantes s'y tenaient deux fois par an. La première mention du village primitif, le *castrum de Sarannonis*, date du **XIe** siècle. Il relevait du diocèse de Fréjus. Quant à la chapelle *Notre-Dame-de-Gratemoine* (*Gradacammune*), citée en **1060**, c'était un prieuré bénédictin qui relevait de l'abbaye de Lérins. Au XIIe siècle, ces derniers la vendent, avec les terres attenantes, à Arnaud de Romans, coseigneur de Seranon. Initialement possession des comtes de Provence, le fief est vendu en **1357** à Pierre Grimaldi, de la famille des Grimaldi de Monaco. Il passe ensuite aux Grasse-Bar jusqu'en **1565**, puis aux Villeneuve, en coseigneurie avec les Sauteron, jusqu'à la **Révolution**. Vers la fin du **XVIIIe** siècle, le village et le château, construits sur une crête rocheuse, sont progressivement abandonnés par les habitants qui se rapprochent des sources et des terres cultivables de la plaine. Ils s'installent plus particulièrement sur le terroir du hameau de Valderoure. **Séranon** comptait *750* habitants en **1765**. À son retour de l'île d'Elbe, en **1815**, Napoléon dormit au château de Brondet, propriété du maire de Grasse, M. de Gourdon.

*Aujourd'hui, **Seranon** est en plein essor. En effet, l'implantation d'un **lotissement** communal de quinze lots a attiré de nombreux résidents. Cette réalisation va être suivie par la création d'une **nouvelle école** dont l'architecture sera en bois.*

À voir

Village de plaine aux maisons dispersées le long de la N 85. Il est situé à la limite des départements des Alpes-Maritimes, du Var et des Alpes-de-Haute-Provence.

* **Église paroissiale Notre-Dame-de-Grattemoine** (XIe), de style roman. Son nom vient du bas latin *gradiva/gradale* (élevé, gradin) et *caminus* (chemin) ou *grada camina,* chemin qui monte. Ces mots ont dérivé en *Grada Camouna*, puis *Gratamonia* à partir du XIVe siècle. Le *bénitier* est constitué d'une ancienne *borne milliaire* romaine réemployée (la *Via Vintiana* passait par Séranon).

* **Vestiges de l'église Saint-Michel** (XIIIe), un des premiers édifices de style gothique. Elle est située à proximité des ruines de l'ancien village féodal qui fut abandonné en 1754 par suite du manque d'eau. La base de l'une des tours d'enceinte du château subsiste également.

* **Chapelle Sainte-Brigitte** (XVIIe). La grande voûte ogivale qui servait d'ouerture fut remplacée par une porte en plein cintre plus petite. Brigitte est la patronne de la Suède et des pèlerins.

* **Ancien moulin à blé** (XVIIIe). Les terres de Séranon sont adaptées à la culture du blé et de l'avoine.

* **Église Saint-Louis** (XVIIIe-XIXe) à la Doire. Elle fut probablement construite à l'emplacement d'une chapelle primitive dédiée à saint Joseph. Son clocher en avancée date du XIXe siècle.

* **Plaque commémorative** à la mémoire de **six enfants juifs** que le curé de Séranon, l'**abbé Goens**, avait cachés. En avril 1944, les Allemands s'en emparèrent et les envoyèrent en déportation. Aucun n'a survécu.

06910	SIGALE	Plan: B 4

Population : Insee 1999 **= 181** h. en 1901 = **323** h. variation **- 43,96%**

Rang de la commune par rapport au nombre d'habitants au niveau départemental : **117**

Les habitants sont les **Sigalois**

Superficie : 562 ha - **Altitude** : 327 / 630 / 1108 m - **Canton : Roquestéron** - **Arrondt** : Nice

Distance de Nice : à vol d'oiseau = 30 km - par la route = 62 km - **Longitude** = 6,95° - **Latitude** = 43,87°

Accès : N 202 - D 2209 - D 17 - **Desserte** : TAM 720

Fête patronale : av. dern.dimanche d'août - **Église** : St-Michel/Assomption - **Paroisse** : N.-D.-de-Miséricorde

N° téléphone de la MAIRIE : 04.93.05.83.52

Origine du nom

De la racine prélatine *sik* (éperon rocheux, montagne), probablement dérivée de la racine pré-indo-européenne *seg* (hauteur, rocher). Formes anciennes : *de Cigala* (cart. de Lérins, 1144), *apud Sigalam* (rationnaire de Charles II, 1297), *villa de Sigala* (Caïs, 1388), *in dicto loco de Sigalla in burgo Sigalloni* (1403), *in predicto loco Cigale* (1439). Les deux graphies *Cigala* et *Sigala* furent employées indifféremment pendant longtemps.

Histoire

Le territoire conserve de nombreux vestiges préhistoriques, en particulier du **néolithique**. Il est ensuite occupé par les *ligures Velauni*. Ces derniers sont soumis par les *Romains* qui fondent l'agglomération d'*Alassia,* actuel quartier d'Entrevignes. Au **XIe** siècle, le fief appartient à la famille seigneuriale de Glandèves. Le *castrum de Cigala* est également mentionné dans des documents de Lérins datant de **1144**. En **1232**, Anselme de Glandèves rend hommage au comte de Provence et, dès **1234**, **Sigale** passe sous le gouvernement de Romée de Villeneuve. En **1388**, la *communauté* de **Sigale** fait acte d'allégeance au *Comte rouge* Amédée VII et, comme le comté de Nice, elle va faire partie pendant cinq siècles des États de la maison de Savoie. En **1400**, Amédée VIII donne le fief aux Grimaldi de Beuil, qui ne le conservent pas. En **1536**, les Villeneuve-Vence abandonnent leurs droits sur **Sigale**. En **1651**, le duc de Savoie Charles-Emmanuel II l'inféode à Jean-Baptiste Blancardi. En **1722**, il est érigé en comté en faveur d'Octave Blancardi et en **1758** il passe aux Martini-Ballaira. Au cours du **XVIIIe** siècle, les *Sigalois* souffrirent de la peste (1731) et des pillages des Gallispans puis des Austro-Sardes. Le 25 novembre **1792**, les habitants réclament le rattachement de leur commune à la France. **Sigale** est repris par les Austro-Sardes lors de la première attaque de Gilette (septembre **1793**). Peu de temps après, la localité est libérée par les troupes françaises. Malheureusement, elle va subir également leurs pillages, le château et les murailles sont détruits. Après 22 ans de présence française, elle redevient sarde de **1814** à **1860**. Afin de limiter la contrebande de sel, tabac, vêtements et bétail, un poste de douane, tenu par un officier et un receveur, avait été créé au pont de **Sigale**. Il y avait *514* habitants en 1858.

À voir

Ce petit village médiéval fortifié est bâti sur une arête rocheuse, à la confluence de l'Estéron et du Riolan. Vieilles maisons de style gothique, nombreux porches et enseignes.

* **Église paroissiale Saint-Michel** (XIIe - XVe - XVIe - IMH 1927). Romane, avec un clocher-mur à trois arcades. Elle renferme des *chapiteaux* (XIIe), une *châsse* de sainte Lucie (XVIIe) en bois doré.

* **Vestiges du château** (XIVe). Sa destruction commença probablement en 1747, lorsqu'il fut pris par les *Gallispans* (soldats de l'armée franco-espagnole), et s'amplifia en 1793, lors des affrontements entre les troupes du maréchal De Wins et celles de la République.

* **Chapelle Notre-Dame-d'Entrevignes** (XVe - XIXe - CMH 1925). Elle est bâtie à l'emplacement d'une chapelle primitive du XIIe siècle. Son *porche*, qui s'est effondré lors du tremblement de terre de 1887, a été complètement refait. Elle abrite des *fresques murales* retraçant la vie de la Vierge (XVe et 1536), dont une *représentation, assez rare, de la* ***Vierge enceinte****.*

* **Lavoir-porche** (XIXe). *Il fut utilisé jusqu'en* ***1957****, date de l'adduction d'eau dans les maisons.*

* **Tour de l'Horloge** (XIXe), surmontée d'un campanile en fer forgé. Elle est construite sur le site de l'ancien château. *À proximité, beau* ***panorama*** *sur le village, la vallée de l'Estéron et le cirque de montagnes.*

* **Fontaine** (1583 - IMH 1927). Une des plus anciennes fontaines du haut pays.

* **Chapelle Saint-Sébastien**. *Construite avant 1760. On l'invoquait, comme* ***saint Roch*** *et* ***saint Antoine l'Ermite****, contre* ***la peste****. L'empereur Caïus le condamna à mourir transpercé de flèches. Il survécut mais, battu, il mourut sous les coups et son* ***corps fut jeté dans les égouts****. C'est la raison pour laquelle il est censé* ***protéger des maladies infectieuses****.*

* **Pont du Riou**, très ancien. **Vieux pont du XIVe siècle**

* **Pont de Sigale**. *Il possède une* ***borne*** *marquant la* ***frontière*** *entre la France et les États sardes, datée de* ***1830****. La borne primitive, datée de* ***1761****, fut détruite par les révolutionnaires en* ***1793*** *(comme celle de* ***Roquesteron****).*

* **Gorges du Riolan et de l'Estéron**.

06380 **SOSPEL** **Plan: D 3**

Hameaux : BEROULF PIAON VESCAVO

Population : Insee 1999 = **2.885** h. en 1901 = **3.570** h. variation **- 19,19%** (**2.937** en 2005)

Rang de la commune par rapport au nombre d'habitants au niveau dépt : **41 -** niveau national: **3.156**

Les habitants sont les **Sospellois**

Superficie : 6.239 ha - **Altitude** : 257 / 354 / 1737 m - **Canton : Sospel** - **Arrondt** : Nice

Distance de Nice : à vol d'oiseau = 26 km - par la route = 39 km - **Longitude** = 7,45° - **Latitude** = 43,88°

Accès: A8 sortie Menton -D 2566-D 2566A et GR 52 -52 A -510 - **Desserte**: SNCF - TAM 910 - 912 via Menton

Fête patronale : 15 août - **Église** : Saint-Michel - **Paroisse** : Saint-Étienne-de-la-Bévéra

N° téléphone de la MAIRIE : 04.93.04.33.00

OFFICE du TOURISME : 04.93.04.15.80

Origine du nom

Probablement du latin *caespes, pitis* (motte de gazon), *cespitellum*. Par extension, petit domaine cultivé. En langue d'oc : *Souspèu, Souspèr*. Formes anciennes : *in loco Cespedelli* (1095), *de Cespeel* (1157), *ecclesia Sancti Michaelis de Cespitello* (cart. de Saint-Pons, 1229), *de Sospitello* (1367), *Sespel, Cespel, Lespel* et *Espel,* aux XVe et XVIe siècle).

Histoire

La région de **Sospel** possède de nombreux vestiges prouvant de façon irréfutable la présence de tribus *néolithiques* puis *ligures* (silex polis, haches de pierre, traces d'habitats dans des cavernes, sépultures sous tumulus, ossements humains et animaux, poteries, coquillages taillés). Elle est ensuite annexée par les *Romains* qui terminent la pacification des *tribus ligures alpines* en **14 avant notre ère**. Ils installent à **Sospel** (*Cespedellum/Hospitellum)* un important poste militaire. Avec la *paix romaine*, le christianisme se répand dès la fin du Ier siècle. Au **Ve** siècle, la cité est devenue le siège de l'évêché. C'est alors que commence la longue période des *invasions barbares* (Wisigoths, Lombards). Quant aux incursions meurtrières et dévastatrices des *Sarrasins* sur les côtes provençales, elles deviennent de plus en plus fréquentes dès le VIIIe siècle. À partir de leur camp de base de *Saint-Hospice* (presqu'île de Saint-Jean-Cap-Ferrat), ils s'emparent d'Èze, La Turbie, Monaco, Sainte-Agnès et Castillon. **Sospel** ne commence à être menacé qu'un siècle plus tard. *Ces vagues successives d'envahisseurs vont* ***ruiner l'œuvre des Romains***. Les *Sarrasins* ne sont expulsés de la région qu'à la fin du **Xe** siècle. Avec la sécurité revenue, la ville connaît, dès le début du **XIe** siècle, une économie florissante. En **1095**, *in loco Cespedelli* est mentionné dans le cartulaire de l'abbaye de Lérins. À cette époque, la petite cité appartient aux comtes de Vintimille, sous la suzeraineté du marquis de Turin, lui-même vassal de l'empereur du Saint Empire romain germanique. Située dans un bassin entouré de hautes montagnes, à un carrefour routier qu'empruntent continuellement de longues caravanes de mulets, elle va rester longtemps une place importante. Au **XIIe** siècle, **Sospel** obtient ses premières libertés. Elle est alors administrée par des *consuls*. En **1258**, tout en conservant son statut de *commune libre*, elle est inféodée aux comtes de Provence (**V**oir Breil et Saorge) et devient le chef-lieu de viguerie du comté de Vintimille et du Val de Lantosque. En **1370**, elle prend le parti du pape d'Avignon, et son église est élevée à la dignité de cathédrale (et ce, jusqu'en 1412). En **1388**, **Sospel** passe sous la dépendance des comtes de Savoie mais elle ne sera jamais inféodée. De surcroît, elle porte le titre de *comtesse de Castillon et de Moulinet*, car ces deux hameaux relèvent de son autorité. Au **Moyen Âge**, la cité est devenue un centre économique et intellectuel important. Elle est la première ville du comté au niveau culturel et la deuxième par sa population (3.000 habitants). En effet, elle est sur le trajet de la principale *route du sel* reliant Nice au Piémont et, de surcroît, elle accueille tout au long de l'année de nombreux marchés et foires. Elle possède de belles demeures et des rues commerçantes. Ses vieux quartiers témoignent encore aujourd'hui des splendeurs de cette période. Au début du **XVIIe** siècle, l'ancienne *route du sel*, un étroit chemin qu'empruntaient les caravanes de mulets pour le transport du sel et autres denrées vers le Piémont, est remplacé par le *Grand Chemin ducal* qui, via Sospel et Tende, devient l'itinéraire principal entre Nice et Turin. À partir de **1702**, l'*Académie des Occupés littéraires* attire de nombreux historiens, poètes et chroniqueurs, la cité est alors à son apogée. Son *déclin* ne commence vraiment qu'en **1794**, lorsqu'elle est dévastée par les troupes révolutionnaires françaises et qu'elle devient une *simple commune* des Alpes-Maritimes. De surcroît, la f*réquentation de la Route royale* reliant Nice (qui était le seul port du Piémont) à Turin, *diminue fortement* car elle n'est plus utilisée que pour le commerce local. **Sospel**, comme tout le comté de Nice, réintègre le royaume de Piémont-Sardaigne en **1814**, mais ne retrouva jamais sa prospérité passée.

En **1860**, les habitants votent massivement pour le **rattachement** à la France. Malgré l'ouverture de la ligne de chemin de fer Nice-Coni (Cuneo) en 1928, et une bonne activité agricole et pastorale, l'exode rural amorcé à la fin du **XIXe** siècle s'accentue après la Seconde Guerre mondiale. Aujourd'hui, agriculture et élevage ont pratiquement disparu, mais grâce à son riche patrimoine artistique et à son site, la ville est devenue un important centre touristique et de loisirs. Au cours des siècles, **Sospel** a subi de nombreuses *guerres et calamités* : des *épidémies de peste* en 1348, 1371, 1374, 1527-1528, 1620, 1632, des *inondations* en 1331, 1345 et 1346. À chaque nouveau fléau, les Sospellois construisaient une chapelle ou un oratoire.

À voir

Ville médiévale fortifiée, située dans un bassin entouré de hautes montagnes. Vieilles maisons romanes et gothiques à arcades. ***Cette station alpestre au riche patrimoine est également un excellent centre d'excursions.***

* **Le Pont-Vieux** (XIIIe -XVIe CMH 1924). L'existence d'un pont est mentionnée en 1217. En 1522, le pont initial, en bois, est remplacé par un pont en pierre. Il comporte deux arches avec une tour centrale destinée aux contrôle des transferts commerciaux. Lors de leur retraite, en 1944, les Allemands l'endommagèrent. En 1952, il est reconstruit par les Beaux-Arts, à l'identique et avec les mêmes pierres.

** En* ***gare de Sospel*** *se trouvent* ***deux voitures*** *de* ***l'ex-Orient-Express*** *(1938 et 1946), achetées et rénovées par l'association OCEM-WL. La voiture-lit, construite en Belgique, était basée à Ankara. Elle roulait vers Bagdad et Alep, mais aussi en direction de la mer Noire. La voiture-restaurant, construite en Emilie (Italie), a roulé en France, en Suisse et en Italie. Cette voiture de 56 places, avec cuisine, est aujourd'hui en activité. Le train fut* ***conçu en 1872*** *par l'ingénieur belge G. Nagelmackers qui, après un voyage aux États-Unis, s'inspira du confort et du modernisme des voitures construites par l'ingénieur américain G. M. Pullman. En* ***1883*** *a lieu l'inauguration du prestigieux* ***Orient-Express****, qui reliait l'Europe à l'Asie. Il devient le* ***plus rapide et le plus luxueux*** *moyen de transport ferroviaire du monde. Le premier voyage se fit au départ de la gare de Strasbourg (l'actuelle gare de l'Est) : une locomotive avec deux voitures qui portaient l'inscription « Paris-Constantinople ». La* ***voiture*** *est un matériel destiné aux* ***voyageurs****, alors que le* ***wagon sert au fret****.*

* **Ancien palais communal** (XVI-XVIIe). Avec des arcades romanes. C'était le lieu de réunion des syndics et des représentants des communautés de la viguerie. En 1793, il est devenu l'hôtel de ville.

* **Place Saint-Michel**. Le pavement initial est cité en 1762. Celui-ci fut réalisé au XIXe. Les galets forment une rosace avec une étoile au centre (Voir Peillon).

* **Cathédrale Saint-Michel** (1115-1641-1762-1888 - CMH 1951). Le clocher roman lombard est le seul vestige du XIIe. L'église est de style baroque. Elle abrite un *orgue* (CMH 1979), des *fonts baptismaux* (XVIIe), une *cathèdre* (XVIIe), un *retable* huile sur bois, l'*Immaculée Conception* (début XVIe), attribué à François Brea, une *Pietà*, huile sur bois (1518), les *stalles* des chanoines (XVIIe) en bois de noyer, situées derrière le maître-autel.

* **Porte du mur d'enceinte** (1383-1389 - IMH 1933), quartier du château.

* **Chapelle Sainte-Croix** (XIe-XVIe- IMH 1949). L'abside du chevet est le seul vestige de la chapelle primitive du XIe. Elle dépend des moines de Saint-Pons jusqu'au XIVe siècle. Elle appartient ensuite aux confréries de la Sainte-Croix et de Sainte-Catherine-d'Alexandrie, puis aux Pénitents blancs. Elle abrite une ancienne *croix de procession* (XVIe), un *fanal* et un *bâton de régulateur* (XVIIe-XVIIIe), un *ostensoir* (XVIIIe) ainsi qu' un *Christ mort* en bois et stuc (XVIIe). La *voûte*, le *médaillon en trompe-l'oeil* et la *tribune* sont également remarquables.

* **Tour pentagonale** (XIIe-IMH 1933), quartier du château.

* **Palais Alberti** (XVe). Ces *notables génois,* installés à Sospel depuis 1360, ont pendant plusieurs siècles occupé des positions influentes, tant sur le plan religieux que politique.

* **Lion rampant et agneau pascal** (XVe - IMH 1949), palais Viguier, rue Saint-Pierre.

* **Nombreuses portes et linteaux** (XVe) : rue Saint-Pierre, rue de la République, place Pastoris.

* **Arcades** (XVIIIe), place Garibaldi.

* **Chapelle des Pénitents-Gris** (XVIIIe-IMH 1952). Désaffectée depuis 1911, elle sert de salle d'exposition.

* **Fontaine Souta Loggia** (1788 - IMH 1949), place Saint-Nicolas. Alimentée par les sources des environs.
* **Armoiries des Alberti** (XIXe - IMH 1947) apposées sur la maison située au n° 2, place Saint-Michel.
* **Vestiges du couvent des Carmélites** (1765). Ces dernières quittèrent le couvent en 1780.
* **Façades peintes** (XIXe), au lait et enduit de chaux.
* **Chapelle Notre-Dame-de-la-Commenda** (XVIIIe), sur la route de Moulinet. Construite à l'emplacement d'une chapelle primitive du XIe siècle.
* **Fort militaire de Barbonnet**. * **Parc national du Mercantour.** ***Voir pages 210 et 211.***
* **Ouvrage Saint-Roch et ligne Maginot**.
* **Randonnées :** *un excellent petit **livre**, disponible à l'**office de tourisme**, présente plus de **25 parcours** autour de Sospel, dont le circuit du fort de Castès (1h 45, 5 km), ou l'ascension vers le mont Barbonnet, 3h 30, 8 km).*

Quelques bonnes adresses

Les RUCHERS des OLIVIERS C. & M. LAVORIERO APICULTEURS à 2 km de Sospel, rte de Moulinet
15 médailles au Concours général, 4 médailles aux Masters européens Tél./Fax 04 93 04 02 46 (sur RV)
Restaurant LE SAINT-DONAT *Spécialités du pays* à 2 km de Sospel, route de Moulinet 04 93 04 14 94
Hôtel de FRANCE** 9 bd de Verdun Tél. 04 93 04 00 01 Fax 04 93 04 20 46 *www.hoteldefrance-sospel.com*
Restaurant LE RELAIS du SEL *Organisation de réceptions Salles privatives* 3, bd de Verdun 04 93 04 00 43
LOU PITCHIN JARDIN 3, rue St-Michel *Fleurs Plantes et Cadeaux* 04 93 81 00 03
BAR CENTRAL PMU *Restauration rapide Plat du jour* place Cabraia 04 93 04 01 38
Restaurant ORIENT-EXPRESS Gare 04 93 04 20 95 06 10 50 61 77 www.*album.club-internet.fr/ocem_wl*
SOFFIOTTI & FILS PRODUCTEURS D'HUILE D'OLIVE en AOC. Col Saint-Jean 04 93 04 08 81
VISITE DÉGUSTATION VENTE

06530 SPÉRACÈDES Plan: B 5

LES MOLIÈRES

Population : Insee 1999 **= 1.095** h. en 1901 = **283** h. variation **+ 286,93% (1.115** en 2005)
Rang de la commune par rapport au nombre d'habitants au niveau dépt : **73** - au niveau national: **7.888**
Les habitants sont les **Spéracédois**
Superficie : 346 ha - **Altitude** : 204 / 390 / 790 m - **Canton : Saint-Vallier-de-Thiey** - **Arrondt** : Grasse
Distance de Nice : à vol d'oiseau = 31 km - par la route = 45 km - **Longitude** = 6,87 ° - **Latitude** = 43,65°
Accès : A 8 - N 85 - D 2562 - D 113 - D 13 - D 11 et GR 51 - **Desserte** : TAM 520 via Grasse
Fête patronale : dernier dimanche de juillet - **Église** : Saint-Casimir - **Paroisse** : St-Jean-de-Cassien
N° téléphone de la MAIRIE : 04.93.60.58.73 - **OFFICE du TOURISME** : 04.93.60.61.20

Origine du nom

La forme *Speracedes* n'est apparue qu'au XIXe siècle. Il peut s'agir d'une agglutination de l'article *la* + *peracedas* (plantations de poiriers) ou bien, plus probablement, d'un verbe utilisé au Moyen Âge (bas latin), *peracceder* qui signifie *passer à travers*, et par extension : lieu de passage. Formes anciennes : *una terra a la Perasceda* (cart. de Lérins, XIe siècle).

Histoire

Comme l'attestent de nombreux vestiges, le territoire fut occupé par des tribus *néolithiques* puis *ligures* (grotte sépulcrale, *castellaras*) avant d'être annexé par les *Romains* (éléments d'industrie, *tegulae*, céramiques). Ces derniers y avaient créé des *villae* (exploitations agricoles) où les paysans gallo-romains cultivaient la vigne et l'olivier. Il semble que ces cultures furent interrompues pendant les *siècles obscurs* et ne reprirent que vers l'**an mille,** avec les moines de Lérins. En effet, à cette époque, ces derniers y exploitent de grands domaines agricoles. Ensuite, l'histoire de **Spéracèdes** se confond avec celle de la *paroisse* de **Cabris** jusqu'au **30 décembre 1910**, date de son détachement, car tout son territoire dépendait de sa commune tutélaire. Mentionné pour la première fois vers **1220**, le *castrum de Cabriis* fait partie du fief de la puissante famille seigneuriale des Grasse-Bar. Il est abandonné en **1350**, ses habitants ayant été décimés par la *Grande Peste noire* qui avait débarqué à Marseille en **1348**. **Spéracèdes** et **Cabris,** tout comme **Le Tignet**, furent repeuplés en **1496** à la suite d'un *acte d'habitation* établi par Balthazar de Grasse qui fit venir 52 familles de Menton, Sainte-Agnès et Oneille (actuelle Imperia). En **1655**, la seigneurie passe aux Clapiers de Gréoux qui la conservent jusqu'en **1789**. Le hameau de **Spéracèdes**, contrairement à Cabris, possédait trois sources et trois moulins à huile. ***Actuellement, la commune abrite encore deux moulins, et la culture de l'olivier reste son activité principale.***

À voir

Le village et les habitations dispersées sont construits sur des collines couvertes d'oliviers et exposées au sud.

* **Église paroissiale Saint-Casimi** (1762-1849-1860). Elle fut construite « *par tous les habitants d'Esperacede* », à l'emplacement d'une chapelle datant de 1762. Le clocher carré date de 1860.

* **Fontaine-abreuvoir** (XVIIIe) Initialement alimentée grâce au captage d'une source, elle l'est ensuite avec l'eau de la Siagne, lorsque le canal Belletrud est construit (en 1931).

* **Lavoir** (XIXe). Il est alimenté avec l'eau de la fontaine, grâce à un petit canal.

* **Maisons traditionnelles** (XVIIIe). Hautes et étroites, avec des *génoises à deux rangs** (**V**oir Amirat).

* **Lavoir couvert des Basses Molières** (1892). *Il abrite deux bassins dont l'un, peu profond (**5 centimètres**), était destiné au **lavage des olives et du blé**. Laver le blé pour **éliminer les impuretés** était une pratique **inconnue dans le nord de la France,** mais courante dans le Midi. On faisait ensuite sécher les grains au soleil, sur des draps.*

* **Canal de Belletrud.** Construit en 1931, il est long de 40 kilomètres.

* **Moulins à huile**. *Ils sont toujours en activité.*

* **Oppidum des Oudides**. Vestiges de trois murailles ovales. *Magnifique **panorama** sur l'Esterel et Cannes.*

Quelques bonnes adresses

De l'oliveraie à la fabrication de l'huile d'olive vierge *(documentation Moulin BAUSSY)*

Alchimie

dépôt des olives au moulin

broyage

pâte

préssuration

séparation

huile olive vierge naturelle

06430	TENDE	Plan: E 2

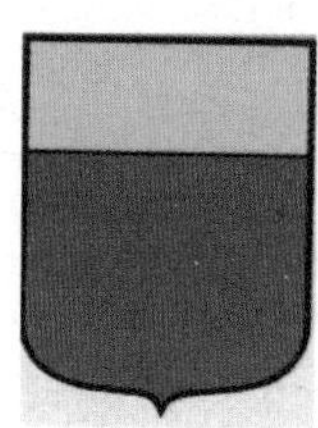

Hameaux : CASTERINO GRANILE LES MESCHES VIEVOLA
LA MINIÈRE SAINT-DALMAS-DE-TENDE (Mairie annexe 04.93.04.76.39)
Population : Insee 1999 **= 1.844** h. en 1947 = **1.928** h. variation **-4,35 %** (**1.890** en 2005)
Rang de la commune par rapport au nombre d'habitants au niveau dépt : **57** - au niveau national: **4.896**
Les habitants sont les **Tendasques**
Superficie : 17.747 ha - **Altitude** : 552 / 815 / 2920 m - **Canton : Tende - Arrondt** : Nice
Distance de Nice : à vol d'oiseau = 51 km - par la route = 77 km - **Longitude** = 7,60° - **Latitude** = 44,08°
Accès : **A 8** sortie Vintimille - SS20 - N 204 et GR 52 - **Desserte :** SNCF ligne Nice -Cuneo
Fête patronale : 3e dimanche de septembre **Église** : Collégiale Notre-Dame-de-l'Assomption
Saint-Dalmas : Saint-Dalmas - Granile : Sainte-Anne - **Paroisse** : Notre-Dame-de-Tinée
N° téléphone de la MAIRIE : 04.93.04.35.00 - **OFFICE du TOURISME** : 04.93.04.73.71
www.tendemerveilles.com et **info@tendemerveilles.com**

Origine du nom

Il vient probablement du latin *tenta*, tente, campement provisoire. En ancien provençal, *tenda* désigne une galerie couverte sur le devant d'une maison, *lo tendier*, l'étalagiste, et *atendar*, dresser un campement, un logement. Formes anciennes : *ad omnes homines habitatores de loco qui dicitur Tenda* (XIe), *Davido de Tenda* (cart. de Lérins, 1092), *ville de Tente* (hommage prêté à Louis XII, roi de France, 1510).

Histoire

La région fut habitée au **chalcolithique** et à l'**âge du bronze ancien** par des tribus agro-pastorales. Leurs probables descendants, les *Ligures,* occupent ensuite les lieux. Lorsque les *Romains* soumettent ces peuplades alpines (les *Oratelli*, les *Eguituri*, les *Rotubiens*....), ils installent sur le site un camp militaire (d'où l'origine du nom : tente, campement). Les *Sarrasins* envahissent **Tende** vers **902**, et ils en sont expulsés à la fin du **Xe** siècle (vers 973-974). Un des plus anciens documents connus sur le *comté de Vintimille* date de **996**, lorsque le seigneur Conrad Ier de Vintimille est investi officiellement des fiefs de *Tende, Breil, Saorge et La Brigue*. À l'époque, ce petit comté, qui va être pendant quelques siècles un *État tampon* entre la Savoie et la Provence, s'étendait de San Remo jusqu'à Monaco et d'*Albintimilium* (Vintimille), situé à l'embouchure de la Roya, jusqu'au col de Tende. Il comprenait également Peille, Lucéram, ainsi que les vallées de la Bévéra, de la haute Vésubie et de la haute Tinée. La première mention de *Tende* date du **XIe** siècle, lorsque le marquis de Turin, Ardoin de Suze, accorde certaines libertés aux habitants de *Tende, La Brigue* et *Saorge*. Cette charte est contresignée (probablement un peu avant **1041**) par Conrad et Othon de Vintimille, vassaux d'Ardoin. Le déclin des comtes de Vintimille va commencer avec l'expansionnisme de la *République de Gênes*. En **1140**, les Génois prennent Vintimille. Le comte Obert Ier est contraint de leur prêter l'hommage vassalique pour ses châteaux de *Poipin, Rocambrunam* et *Golbi* (Puypin/Menton, Roquebrune et Gorbio). Le **30 août 1157**, son fils Guido Guerra rend lui aussi l'hommage féodal pour ces fiefs et ceux de *Tendam, Brehl, Saurcium, La Brigam* (Tende, Breil, Saorge, La Brigue). À partir de **1162**, les villages de Tende et de La Brigue s'opposent sur leurs limites territoriales. Ce procès dura longtemps car un arbitrage définitif, en faveur des Brigasques, ne fut rendu qu'en **1282**. En **1219**, les Vintimille renouvellent leur serment de fidélité envers les Génois, mais les populations refusent la suzeraineté du consulat de Gênes, et les habitants de Breil, Saorge, La Brigue et Tende concluent entre eux un pacte d'alliance. En **1257**, le comte Guillaume III de Vintimille, dit *Guillaumin*, cède ses terres (Voir Gorbio) à Charles Ier de Provence. Le 28 mars **1258**, les *neveux* de *Guillaumin*, *Georges* et *Boniface*, cèdent aux Provençaux les droits qu'ils possèdent sur Sospel, Breil, Saorge, Castillon, Monaco, Roquebrune. Toutefois, les *frères* de *Guillaumin, Pierre-Balbe* et *Guillaume-Pierre,* n'acceptent pas ces cessions. Ils s'imposent aux Tendasques, Breillois, Saorgiens et Brigasques, et entrent en rébellion contre le comte de Provence. Ils sont les *fondateurs du **comté de Tende*** qui va leur appartenir jusqu'à la fin du **XVIe** siècle. En **1261**, Pierre-Guillaume de Vintimille, seigneur de Tende, épouse Eudoxie, fille de l'empereur grec de Nicée, Théodore II Lascaris. Leur fils Jean prend le nom de Lascaris de Vintimille (Voir La Brigue). Deux branches vont se former : les comtes Lascaris-Vintimille de Tende et ceux de La Brigue. En **1388**, les premiers refusent de prêter hommage au comte de Savoie. Ils seront vassaux du roi de France à partir de **1486**. Toutefois, en **1581**, leurs descendants vendent leurs droits à Emmanuel-Philibert, ce qui permet à la Savoie de ***contrôler** enfin la route du **col de Tende***. Quant aux seigneurs Lascaris-Vintimille de La Brigue, ils se rallient à la Savoie en **1406**. Pendant les règnes de Charles-Emmanuel Ier et de Victor-Amédée Ier, la route du col de Tende est améliorée et prend le nom de *Grand Chemin ducal*. À partir de **1780**, le roi de Piémont-Sardaigne Victor-Amédée III, fait entreprendre de gros travaux pour la rendre entièrement *carrossable*. Elle devient *Route royale*. La région est envahie par les troupes françaises entre **1691** et **1697**, et de nouveau pendant la **Révolution**. En **1814**, elle redevient *sarde*. Lors du référendum de **1860**, malgré un vote massif en faveur du rattachement à la France (*oui* : 987 , *non : 1),* la commune de **Tende** (comme celle de La Brigue), va rester italienne, et ce jusqu'au traité de Paris du **10 février 1947** (traité de paix signé entre les quatre *Grands* et l'Italie). *La **frontière actuelle** se situe en **contrebas de** la **ligne de crêtes** et de **partage des eaux** entre les deux pays, elle longe la **piste dite stratégique** qui se trouve en France.*

À voir

*Ce village médiéval fortifié a une partie de son territoire situé dans la **zone d'adhésion** (périphérique) du **Parc national du Mercantour**, à proximité de la **vallée des Merveilles (voir pages 210 et 211)**. Il possède de hautes maisons étagées à flanc de montagne, avec des toits de lauze. On peut accéder à **Tende** par le **Train des Merveilles**, au départ de **Nice, gare centrale** SNCF Thiers.*

* **Collégiale Notre-Dame-de-l'Assomption** (XIe-XVIe-XIXe - CMH 1949). Elle fut incendiée en 1446, reconstruite entre 1466 et 1506, et consacrée en 1518. Style « *romano-gothique lombard* ». Clocher lombard surmonté d'une coupole. Portail latéral (1506) de style Renaissance, portail principal (1562) inspiré des styles *roman lombard*, *alpin* et *Renaissance*. Chapiteaux en schiste vert de Tende. Cette église abrite une *huile sur toile* (XVIIIe), représentant *saint Éloi*, un *chœur* (fin du XVIIIe), une *Pietà* (XVIIIe), des *statues* classées, la *chapelle* funéraire des comtes Lascaris-Vintimille de Tende (1466), de style gothique tardif.

* **Linteau** (1509). En schiste vert de Tende, au n° 61, rue Cotta.

* **Linteau** (1509), portail de l'ancien château des comtes de Tende. Il comporte les blasons des Lascaris-Vintimille et les armes du *Grand Batard*, René de Savoie qui, en 1501, épousa la fille de Jean-Antoine Lascaris de Tende.

* **Maison Serratore** (XVe), rue Cotta. Elle a conservé ses deux arcades brisées et sa baie à arc biforé.

* **Musée des Merveilles. Archéologie et Ethnologie**. *Trois thèmes principaux y sont développés : **l'histoire naturelle** avec la géologie de la région ; **l'archéologie** avec des dioramas retraçant la vie quotidienne à l'âge du bronze et la présentation de moulages de roches gravées, de poteries, armes, outils et parures ; **les arts et traditions populaires**.* Tél. 04 93 04 32 50 **www.museedesmerveilles.com**

* **Chapelle de l'Annonciation** (1621 - CMH 1949). Baroque. Elle appartenait à la confrérie des Pénitents blancs. En façade, une *Annonciation* (XVIIe), presque effacée, est peinte sur une ardoise.

* **Chapelle Notre-Dame-de-la-Miséricorde** (1675). Cette archiconfrérie des Pénitents blancs et des Pénitents noirs a été construite à l'emplacement d'un *mont frumentaire*. Elle abrite le mobilier de procession des Pénitents noirs. Le parvis fut aménagé au XIXe siècle.

* **Église Notre-Dame-de-la-Visitation**, à **VIEVOLA**. Construite en 1630, à la suite d'un vœu contre la peste.

* **Vestiges de maisons des abeilles**, dans des enclos appelés « *naijou* ». Sur le territoire de la commune, il y en avait près de trente. (Voir également La Brigue, Peille et Rigaud).

* **COL DE TENDE :** * **Tunnel routier**, construit en 1882 ; * **Maison-relais** (XVIIIe), où les voyageurs et leur monture pouvaient faire halte et s'abriter avant le passage du col.

* **« La CÀ »**. Cette superbe bâtisse du XIVe siècle serait une extension de la **chapelle de la Sainte-Trinité** datant de 1310. Elle est située sur l'ancienne *route du sel* du col de Tende, à 1.440 m d'altitude, et elle a longtemps servi de relais pour les voyageurs. Après le percement du tunnel, en 1882, elle n'a plus assuré que le casernement des troupes italiennes. Actuellement, elle appartient à un particulier.

* **Monument de la guerre d'Abyssinie** (1937). Il commémore les succès militaires des Italiens en Éthiopie.

* **Via Ferrata.** *Itinéraire de 1.000 m. Dénivelée + 330 m. Cotation : difficile.* ***Autres Vie Ferrate** : La Brigue,*

Auron, La Colmiane, Peille, Lantosque, Puget-Théniers. ***Via Souterrata****, Caille.*

* **Il est possible de pratiquer de nombreuses autres activités** *: randonnées pédestres, VTT, golf 18 trous, équitation, excursions en 4x4, parapente, tennis. Parc nautique avec piscine et jeux pour les enfants.*

* **Les six forts** de la frontière franco-italienne. Ils furent élevés après l'unification italienne et le conflit de 1870.

Quelques bonnes adresses

Restaurant AUBERGE TENDASQUE *Cuisine faite par le patron* 65, av.16-Sept.-1947 Tél. 04 93 04 62 26

Restaurant Le Petit Parmentier « Chez le Bougnat » 9, av.16-Sept.-1947 Tél. 04 93 04 65 68 /06 64 39 77 31

BOULANGERIE des MERVEILLES place de la République 04 93 04 60 93

*** SAINT-DALMAS-DE-TENDE**

L' histoire de Saint-Dalmas se confond avec celle de Tende. Vers **731**, bien avant que les *Sarrasins* n'envahissent la région, les moines de l'abbaye bénédictine de Saint-Dalmas de Pedona (Borgo San Dalmazzo, Piémont), avaient fondé un *couvent* à Saint-Dalmas. La population tendasque s'était convertie au catholicisme assez tardivement, vers 680. Le prieuré fut reconstruit au **XIIIe** siècle. En **1592**, le duc de Savoie le donna à l'ordre des chevaliers de Saints-Maurice-et-Lazare. * **Église Notre-Dame-de-la-Roya**

* **Centrale hydroélectrique** (1914). * **Ancienne gare-frontière** de 1928. * **Ancien prieuré.**

Une bonnes adresse à Saint-Dalmas-de-Tende

Hôtel-Restaurant LE PRIEURÉ** *AFAQ Service Confiance* rue J. Médecin 04 93 04 75 70 *www.leprieure.org*

* **Hameau de GRANILE** : * **Église Sainte-Anne** (1851), style néoclassique. * **Maisons montagnardes** traditionnelles, avec toits de lauze et balcons en bois.

* **Hameau de CASTERINO.** *Il est situé au fond d'une vallée d'origine glaciaire et est habité toute l'année. Il est le point de départ de* ***nombreuses randonnées****. En hiver, on y pratique le* ***ski de fond (25 km de pistes)****.*

Gravures
de la vallée des Merveilles

Photos J.P. Malafosse
Parc national du Mercantour

06590 THÉOULE-SUR-MER Plan: B 6

LA GALÈRE MIRAMAR

Population : Insee 1999 **= 1.296** h. en 1901 = **81** h. variation **+ 1.500%** (**1.304** en 2005)
Rang de la commune par rapport au nombre d'habitants au niveau dépt : **64 -** au niveau national : **6.759**
Les habitants sont les **Théouliens**
Superficie : 1.049 ha - **Altitude** : 0 / 10 / 440 m - **Canton : Mandelieu/Cannes Ouest - Arrondt** : Grasse
Distance de Nice : à vol d'oiseau **= 34 km -** par la route **= km - Longitude = 6,93° - Latitude = 43,50°**
Accès : A8 - D 2098 - N 98 et GR 51 - **Desserte** : SNCF - TAM 620 (via Cannes)
Fête patronale : 15 août - **Église** : Sainte-Germaine-de-Pibrac - **Paroisse** : Saint-Vincent-de-Lérins
N° téléphone de la MAIRIE : 04.92.97.47.77 **- OFFICE du TOURISME** : 04.93.49.28.28

Origine du nom

Plusieurs hypothèses : **1)** *Telonus* (ou *Telonius*) qui, pour les Gaulois, était une divinité des eaux ; **2)** *tegula*, tuile ; **3)** *Telonion*, du nom d'un bâtiment construit par les Grecs ; **4)** *sainte Tullia,* qui était la fille de saint Eucher. Formes anciennes : *Teule* et *Pointe de Teule* (carte de Cassini, fin XVIIIe siècle). En provençal : *lou téule.*

Histoire

Dans l'**Antiquité**, le site fut occupé par les *Grecs* car il permettait un mouillage très sûr et possédait une source. Ils y auraient construit un établissement servant de douane, le *Telonion*. Ce sont ensuite les *Romains* qui annexent la région (*oppidum* du mont Martin). Au **Ve** siècle, *saint Honorat* a probablement vécu quelque temps en ermite dans la grotte de la Sainte-Baume avant de fonder le monastère de Lérins. Son contemporain, *saint Eucher*, issu d'une puissante famille gauloise, et dont le père fut préfet des Gaules, était le seigneur d'un vaste domaine (Avignonet) incluant *Manduolocus* (Mandelieu), *Epulia* (La Napoule) et *Thele* (Théoule). C'est à *Thele* qu'Eucher, après avoir été évêque de Lyon, se serait retiré avec sa famille, et c'est là que serait enterrée sa fille *Tullia*. En **450**, son autre fille, *Consorcia*, fait construire un couvent et un hôpital (un des premiers, en Gaule), à Mandelieu. Pendant les **siècles obscurs**, la région est dévastée par les *Barbares* et les *Sarrasins*. Entre les **Xe** et **XIV**e siècles, **Théoule** n'est mentionné dans aucun document écrit, son territoire est englobé dans le domaine du seigneur d'*Epulia* et son histoire se confond avec celle de **Mandelieu-La Napoule** jusqu'au **XXe** siècle. En **1530**, la *rade de Théoule* abrite les galères de *Barberousse*, le grand amiral de la flotte ottomane. En effet, Soliman le Magnifique, allié de François Ier, combattait également Charles Quint. Au début du **XVIIe** siècle, elle sert de port à l'armée navale de Louis XIII, pour défendre les îles de Lérins. Une darse y est aménagée, et Richelieu fait construire une tour de surveillance (qui fut rasée en 1646).

La gare est construite en 1882, et la route de la Corniche en 1900. Le **12 mars 1929**, **Théoule** est détaché de Mandelieu, sa ville de tutelle, et devient une **commune** autonome. Actuellement, c'est une station balnéaire très prisée dont le port accueille de nombreux bateaux de plaisance.

À voir

Station balnéaire *à l'architecture moderne, située au fond d'une petite anse abritée par l'Estérel et le promontoire du rocher de Théoule. Le littoral, très découpé, est constitué de* ***roches rouges****.*

* **Table d'orientation** (début XXe), Pointe de l'Esquillon. Elle a été offerte par le Touring Club de France.

* **Plaque émaillée** (1903). Elle commémore la construction, grâce au Touring Club de France, de la route N 98.
* **Château crénelé** (XVIIe). Initialement, c'était une savonnerie, qui fut restaurée. Elle a conservé une meule.
* **Promenades pédestres**. *Le long de la côte, avec de magnifiques **points de vue** sur Cannes et les îles de Lérins.*
* **Villas côtières**. En particulier la *Villa Les Calanques*, qui surplombe la mer.
* **Église Sainte-Germaine** (1927). Construite grâce aux dons des habitants. Elle est décorée par Franck Dupuy, un peintre local. Sur les *sept* cloches rapportées d'Algérie, *une* est fêlée, et *deux* ont été installées ailleurs.
* **Bateaux de joutes** (XXe). De nombreux combats navals sont organisés.
* **Forêt domaniale de l'Estérel**. *Nombreux **sentiers balisés** (carte à l'Office du tourisme).*
* **Port-la-Galère**, cité marine. Il peut accueillir près de 200 bateaux (de 12 m de long maximum).
* **Port de Théoule**. Il a une capacité de 185 places (bateaux de 13 m de long maximum).
* **Port de la Figueirette-Miramar**. Il peut accueillir 250 bateaux. 20 places supplémentaires pour les visiteurs.
* **Stèle du débarquement**. Dans la nuit du 14 au 15 août 1944, onze soldats débarquèrent de Corse. Le but de cette action était de protéger le débarquement allié, plus à l'ouest, en Provence.

* **Parc départemental, pointe de l'Aiguille**. *Ce **parc de 7 hectares** possède une végétation caractéristique de l'Estérel : **chênes verts** et **chênes-lièges**, **pins maritimes**, **bruyères** arborescentes, **arbousiers**, **genêts**... Toutefois, au nord du parc, la présence d'une **source** permet l'acclimatation, inhabituelle sur le littoral méditerranéen, de **fougères, joncs, aulnes, houx...** Grâce à une côte rocheuse découpée et à des eaux limpides, la **faune marine** est également très abondante et variée. **Promenades pédestres**, promenade **botanique** avec des petits panneaux décrivant la flore, **quatre plages** de galets, dans des criques bien abritées du mistral.*

Quelques bonnes adresses

CHEZ PHILIPPE *Spécialités de poissons frais et fruits de mer* Le Port (les pieds dans l'eau) 04 93 49 87 13
LE MARCO POLO *Spécialités de poissons* (ouvert toute l'année) 47, av. de-Lérins Tél.fax 04 93 49 96 59
LA PROVENCE *Restaurant gastronomique Vue sur baie de Cannes* 1, av. C.-Dahon Tél.fax 04 93 93 52 02

Château de La Napoule *(proche de Théoule)*

Photo de : Ville de Mandelieu -La Napoule

06710	THIÉRY	Plan: C 3

Hameau : **LA MADONE**

Population : Insee 1999 = **93** h. en 1901 = **203** h. variation **- 54,19%** (**96** h. en 2004)

Rang de la commune par rapport au nombre d'habitants au niveau départemental : **145**

Les habitants sont les **Thiérois** **(surnom : les « Tubans »)**

Superficie : 2.224 ha - **Altitude** : 351 / 1 050 / 1783 m - **Canton : Villars-sur-Var** - **Arrondt** : Nice

Distance de Nice : à vol d'oiseau = 36 km - par la route = 64 km - **Longitude =** 7,03° - **Latitude** = 43,98°

Accès : N 202 - D 26 - D 226 - **Desserte** : Réserv: TAD 0 800 06 01 06

Fête patronale : 15 août - **Église** : Saint-Martin/Saint-Jean-Baptiste - **Paroisse** : Notre-Dame-du-Var

N° téléphone de la MAIRIE : 04.93.05.79.98 **www.thiery.fr**

Origine du nom

D'après la tradition, le village porte le nom de son fondateur, Thieri Rostaing, frère de Guillaume. Il est plus probable que ce toponyme dérive de la racine prélatine *ter*, qui est une variante de *tar* (butte, éminence). Formes anciennes : *in monte Terio* (cart. de la cathédrale de Nice, 1064), *Teri* (idem, XIIe), *castrum de Tieri* (vers 1200), *ecclesia Sancte Marie de Therio* (cart. de Lérins, 1259), *castrum de Tieri* (1388). Forme d'oc : *Tieri*.

Histoire

Les quelques vestiges retrouvés sur le territoire (*tegulae*, *dolia*, restes d'habitats), témoignent de son occupation à l'époque *romaine*. La première mention du *castrum de Terio* date de **1064**, lors d'une donation faite à la cathédrale Sainte-Marie de Nice. À la fin du **XIIIe** siècle, le fief appartient à Guillaume Rostaing. Ce seigneur despotique est assassiné par les habitants du village. En **1315**, sa fille et unique héritière, Astruge, épouse Andaron Grimaldi (oncle de Rainier Ier Grimaldi de Monaco). C'est ainsi que fut créée la lignée des Grimaldi de Beuil (Voir Beuil). Lors de l'affouage de **1315**, le bourg comptait *47 feux* (environ 250 habitants). Après la chute d'Annibal Grimaldi, en **1621**, **Thiéry**, Touët-de-Beuil et Lieuche sont concédés à Filiberto della Villana. **Thiéry** passe ensuite aux Claretti, pour lesquels il est érigé en comté. Cette famille conserva le fief jusqu'à la **Révolution**. Le village comptait *229* habitants en 1861

À voir

On accède à Thiéry par une petite ***route pittoresque****. C'est un village de type alpin, bâti au centre d'un cirque de montagnes boisées. Hautes maisons anciennes, ruelles et passages voûtés. Vestiges d'enceinte médiévale.*

* **Église Saint-Martin** (XIe-XVIe-XVIIe). Elle fut remaniée plusieurs fois. Elle abrite une *huile sur toile*, *Mort de saint Joseph* (1693) attribuée à Joseph Bottero, un *maître-autel* en bois, stuc et or avec un *tableau central* (XVIIIe), des *fonts baptismaux*. La crypte renferme des ossements provenant de l'ancien cimetière.

* **Beffroi carré** (Moyen Âge). Il est doté d'une horloge et d'une cloche sonnant toutes les heures.

* **Vestiges du château** (Moyen Âge). Possession des Grimaldi de Beuil qui y séjournaient souvent.

* **Chapelle de la Madone** (XVIe-XVIIe).

* **Chapelle Saint-Jean** (XVIIe), transformée en gîte d'étape.

* **Chapelle Saint-Roch** (XVIIe). Cet édifice servait à la *mise en quarantaine* des nouveaux arrivants.

* **Chapelle Saint-Antoine-de-Padoue** (XVIIe). Elle est abandonnée. Sa cloche est dans l'église Saint-Martin.

* **Randonnées :** *vers les nombreuses* ***chapelles****, le* ***col de Rau****,* ***Lieuche****,* ***Ilonse****.*

06530 TIGNET (LE) Plan: B 5

Population : Insee 1999 = **2.763** h. en 1901 = **155** h. variation **+ 1.682,58%** (**2.816** en 2005)
Rang de la commune par rapport au nombre d'habitants au niveau dépt : **45** - au niveau national: **3.248**
Les habitants sont les **Tignetans**
Superficie : 1.126 ha - **Altitude** : 30 / 325 / 600 m - **Canton : Saint-Vallier-de-Thiey** - **Arrondt** : Grasse
Distance de Nice : à vol d'oiseau = 33 km - par la route = 44 km - **Longitude** = 6,85° - **Latitude** = 43,65°
Accès : A 8 - N 85 - D 2562 - D 113 - D 13 - **Desserte** : TAM 520 (ligne Grasse- Saint-Cézaire)
Fête patronale : 2e dimanche de juillet - **Église** : Saint-Hilaire-d'Arles - **Paroisse** : Saint-Jean-Cassien
N° téléphone de la MAIRIE : 04.93.66.66.66

Origine du nom

De l'anthroponyme latin *Antinius,* avec le suffixe gaulois *acum*. Formes anciennes : *castrum de Antinhaco*, *Ananieto* (vers 1200), *ecclesie de Antinieto*, *Antignaco*, *Antiniaco* (1242).

Histoire

Ce territoire, comme celui de **Peymeinade**, **Spéracèdes** ou **Cabris,** fut occupé par les *Ligures* avant d'être annexé par les *Romains* qui y créèrent de vastes exploitations agricoles (*villae*). Les vestiges d'un *castellaras* ligure réutilisé par les Romains y ont été découverts, mais aussi un buste en marbre du Ier siècle, des tombes, *tegulae*, pièces de monnaie et statuettes. En **1040**, le seigneur *Rollanus* de Cabris fait don d'une partie de ses vignes d'*Istagnum* à l'abbaye de Lérins. Les moines y exploitent des domaines plantés d'oliviers et de vignes. C'est de cette époque que datent le village primitif et sa chapelle. Vers la fin du **XIIe** siècle, ils construisent un *castellum*. Dans des documents écrits datant du début du **XIIIe** siècle, un habitat fortifié est mentionné, il s'agit du *castrum de Antinhaco*. En **1242**, son église relève du chapitre de Grasse, quant au *castrum*, il est sous la suzeraineté des comtes de Provence. L'histoire du **Tignet** se confond ensuite avec celle de **Cabris**, dont il est un hameau, jusqu'à la fin du **XVIIIe** siècle. Comme ceux de Cabris, Spéracèdes et Peymeinade, le village est partiellement abandonné en **1350**, ses habitants ayant été décimés par l'épidémie de *peste noire* qui avait débarqué à Marseille en **1348**. À partir de **1382**, la région est dévastée par Raymond de Turenne qui brûle les villages et les récoltes. À la fin du **XIVe** siècle, elle est pratiquement *inhabitée*.

Alors que **Spéracèdes** et **Cabris** sont repeuplés en **1496**, à la suite d'un *acte d'habitation* établi par Balthazar de Grasse qui fait venir 52 familles de Menton, Sainte-Agnès et Oneille (actuelle Imperia), le territoire du **Tignet** va rester *inhabité* jusqu'en **1699**. En effet, l'acte de repeuplement qui le concerne autorise l'exploitation des terres mais interdit aux nouveaux venus d'y construire des maisons, et même d'y faire paître leurs animaux. Toutefois, un lieu de culte dédié à saint Hilaire existe en 1604 (il fut rebâti au XVIIIe siècle). À la fin du **XVIIe** siècle, on cite une *communauté du territoire inhabité du Tignet*. Par contre, dès le début du **XVIIIe** siècle, des maisons et une église sont édifiées. En **1790**, **Le Tignet** est détaché de **Cabris** et devient une commune indépendante. Un siècle plus tard, la commune du Tignet s'est bien développée sur le plan économique car elle possède plusieurs petites industries (papeterie, minoterie, scierie, four à chaux, deux fabriques de tuiles).

À voir

Village résidentiel, construit en plaine ainsi qu'à flanc de colline, au milieu des oliviers.

* **Forteresse** (XIIe et XIIIe). Cette forteresse entourée d'une épaisse muraille servait de château de garnison.

* **Onze archères**, muraille nord de la fortersse. Elles ont servi pour les tirs à l'arc.

* **Église Sainte-Hilaire** (1714). Elle remplace l'église primitive (1040), devenue trop vétuste.

* **Quatre cloches**. La plus petite porte une inscription gravée : *H.C. Sancta Hilaria Ora pro territorio Tignatia*.

* **Chapelle néo-gothique du vieux cimetière** (XIXe). Elle abrite un autel en marbre blanc.

* **Fontaine-lavoir** à deux bassins (XIXe).

06830 TOUDON Plan: C 3

Hameaux : **LA CONDAMINE ISSORT PIERA LONGA VESCOUS LES VIGNES**
Population : Insee 1999 = **227** h. en 1901 = **514** h. variation **- 55,84%** (**233** en 2005)
Rang de la commune par rapport au nombre d'habitants au niveau départemental : **115**
Les habitants sont les **Toudonnais**
Superficie : 1.846 ha - **Altitude** : 192 / 1 002 / 1512 m - **Canton : Roquestéron** - **Arrondt** : Nice
Distance de Nice : à vol d'oiseau = 25 km - par la route = 49 km - **Longitude** = 7,12° - **Latitude** = 43,90°
Accès : N 202 - D 2209 - D 17 - D 117 - D 27 - **Desserte** : TAM 721
Fête patronale : 24 juin - **Église** : Saint-Jean-Baptiste/Sainte-Élisabeth - **Paroisse** : Notre-Dame-de-Miséricorde
N° téléphone de la MAIRIE : 04.93.08.55.25

Origine du nom

De la racine prélatine *tud,* qui est une variante de *tut* (éperon rocheux). L'emplacement du village confirme cette hypothèse. Formes anciennes : *villa que nominant Tudomno* (cart. de Lérins, 1032), *Guillelmus de Todo* (1155), *Todone*, *Todo* (1144), *villa Thodoni* (1388), *per lo chamin jusques a Toudoun* (Mer, 1536).

Histoire

De nombreux vestiges témoignent de la présence de peuplades **néolithique**s, puis de leurs probables descendants, les *Ligures « Beretini »*. Les nombreuses *restanques* (terrasses de culture) élaborées par ces derniers continuèrent à être cultivées par les *Gallo-Romains*. Pendant la *paix romaine*, les premiers habitats dispersés sont construits à proximité des zones de culture et de pacage. En **1032**, le village de *Tudomno*, dans le comté de Glandèves, est mentionné dans des documents écrits de l'abbaye de Lérins. Au **XIe** siècle, les seigneurs du *castrum de Todon*, les Glandèves, prêtent l'hommage vassalique aux comtes de Provence. En **1232**, **Toudon** est inféodé à Jean de Glandèves et, à la même époque, les *Templiers* de la commanderie de Biot sont présents dans la région car ils y possèdent des terres. En **1252**, Raibaud de Scros (Ascros) s'empare du fief, mais Rostaing de Toudon le récupère grâce à l'aide du seigneur de Gilette. Par héritage et par vente, **Toudon** est partagé entre plusieurs coseigneurs, dont les Chabaud, les Laugier des Ferres et les Grasse. Au **XVe** siècle, il fait partie des biens de la famille de Grasse du Mas. Au début du **XVIe** siècle, Louis de Grasse vend cette possession à Honoré Ier Grimaldi. En **1537**, le fils de ce dernier, Jean-Baptiste, seigneur d'Ascros, en est investi par le duc de Savoie. **Toudon** reste une possession des Grimaldi de Beuil jusqu'en **1621**. Après l'exécution d'Annibal Grimaldi, ce sont les Galléan qui reçoivent **Toudon**, Tourette-Revest et Ascros. À la mort de Jean-Baptiste Galléan, les fiefs passent aux Caissotti de Roubion qui les conserveront jusqu'en **1794** (Voir Ascros). Lors des conflits entre les révolutionnaires français et les Austro-Sardes, le village est dévasté et pillé. Il est annexé par les Français jusqu'en **1814**, puis il redevient sarde jusqu'en **1860**. **Toudon** fut partiellement détruit par plusieurs tremblements de terre : en 1564, 1619 et en **1644**. Ce dernier séisme provoqua la mort de 36 habitants alors que la commune en comptait 200.

À voir

Village perché sur une butte, au fond d'un petit cirque de montagnes. Hautes maisons et granges alpines. Très ***belle vue sur l'Estéron, les hautes vallées et la chaîne du Cheiron.***

* **Lavoir à arcades** (1815), rue centrale. On y lavait le blé (**V**oir Spéracèdes).

* **Fontaine-vieille** (XIe-XIIe)**.** Sa cascade coule en hiver.

* **Fontaine-abreuvoir** *(1881), place de l'Église. À la **fin du XIXe** siècle (sous la IIIe République), l'**adduction d'eau** dans les villages est devenue **systématique**. C'est à cette époque que sont construits de **nombreux lavoirs, fontaines et abreuvoirs**. Par contre, les maisons toudonnaises ne furent **alimentées en eau courante** qu'en **1941**. Cette fontaine est décorée du monogramme de la République.*

* **Église paroissiale Sainte-Élisabeth** (XIe-XIIIe-XVIIe--XIXe). Style roman. Elle est dite *Templière*. Porte (antérieure à 1631), en bois clouté. Elle provient sans doute du château fort démantelé après l'exécution d'Annibal Grimaldi. Elle abrite une huile sur toile, la *Vierge du Rosaire* (1645) de Jacques Viany, une autre toile, la *Vierge des Sept Douleurs* (1647) qui pourrait être du même peintre, un *lustre en bronze* (1453) du fondeur Vatou, une *bannière de procession* (XIXe), une *chapelle en stuc* (1621) dédiée à sainte Anne.

* **Calvaire** (XIXe), rue Centrale. *En bronze. La **représentation du Christ en Croix n'a été admise officiellement qu'en 705**, par le pape Jean VII. En effet, dans l'**art chrétien** des premiers siècles, représenter le **Christ supplicié** et **presque nu** aurait été **impie, indécent et injurieux**. Par contre, à partir du **Xe siècle**, les formes sculptées et les peintures de la **Crucifixion** deviennent de plus en plus **réalistes**.*

* **Musée**. Installé dans un moulin à farine de 1908, il présente des outils anciens et des fossiles. On y trouve également l'intérieur reconstitué d'une habitation de 1930.

* **Chapelle Saint-Jean** (XIe-XXe). La façade possède un *oculus* (œil-de-bœuf) et est surmontée d'un clocheton. L'intérieur est décoré de fresques réalisées en 1960 par Louis Depagne.

* **Cartulaire de Lérins** (Xe). Ce document est à la mairie (**V**oir également Amirat).

* **Vestiges du château** (XIIIe). Il fut démantelé après l'exécution d'Annibal Grimaldi.

* **VESCOUS. Chapelle Notre-Dame-des-Grâces** (XVIIe). Elle est surmontée d'un clocher pignon et sa porte est encadrée de deux petites fenêtres.

06440 — TOUËT-DE-L'ESCARÈNE — Plan: D 4

Population : Insee 1999 **= 286** h. en 1901 = **327** h. variation **- 12,53%**
Rang de la commune par rapport au nombre d'habitants au niveau départemental : **113**
Les habitants sont les **Touëtois (Lu touetan)**
Superficie : 457 ha - **Altitude** : 374 / 415 / 1080 m - **Canton : L'Escarène** - **Arrondt** : Nice
Distance de Nice : à vol d'oiseau = 17 km - par la route = 23 km - **Longitude** = 7,35° - **Latitude** = 43,83°
Accès : D 2204 C **-** D 2204 - **Desserte** : Réserv: TAD 0 800 06 01 06
Fête patronale : 3e week-end d'août - **Église** : Saint-Honorat - **Paroisse** : Saint-Pierre-et-Saint-Paul
N° téléphone de la MAIRIE : 04.93.91.73.73

Origine du nom

Touët vient de la racine prélatine *tob* (pierre haute), dont dérivent le ligure *teba* (pierre, rocher) et l'ancien nissart *toet* (poste de guet). Formes anciennes : *Toeti* (cart. de la cathédrale de Nice, 1108 et 1137), *Toet* (XIIe), *Tohet* (1159), *in castro de Toeto* (enquête de Charles Ier, 1252), *Tohetum* (cart. de Saint-Pons, 1303), *villa Thoeti* (1388). En 1728, le village fut dénommé *Touët de Bravo* ou *de Braus* et, à partir de 1772, **Touët de l'Escarène**. Pour l'étymologie de **l'Escarène**, voir ce nom.

Histoire

Les premières mentions du site (*Toeti, Toet, Tohet*) datent du **XIIe** siècle. Ensuite, le *castrum* est cité en **1252**, dans l'enquête commandée par le comte de Provence Charles Ier. Un acte du **6 mars 1271** fait état du *partage* de la seigneurie en trois parts égales, entre Bertrand de Châteauneuf, Raybaud de Berre et Pons Caïs, ainsi que du *serment* prêté par ces trois coseigneurs. La part des Caïs fut confisquée en **1388**. Il y eut ensuite plusieurs coseigneurs qui se succédèrent jusqu'à la **Révolution**. Les derniers feudataires sont les Caravadossi puis l'avocat niçois Raphaël Miloni qui rachète **Touët** en **1786** et pour lequel ce territoire est érigé en baronnie. Situé au pied de la montagne, **Touët** servait d'étape et de relais muletier pour les caravanes qui empruntaient cette *route du sel* qui passait par le col de Braus. Lors de l'*affouage* de **1408** (*impôt sur les feux*), près de *25 habitants* sont recensés (4 foyers), ils étaient *428* en **1858**. En **1928**, la commune est rattachée à la ligne ferroviaire reliant Nice à Cuneo.

À voir

*Village ancien à flanc de colline, sur le trajet de la route du col de Braus. C'est le village natal d'**Henri Sappia :** fondateur de la **revue « Nice-Historique »**, il était docteur ès lettres, en philosophie et en droit. En 1871, il participa à la Commune de Paris.*

* **Église paroissiale Saint-Honorat** (XIXe). De style classique. Clocher carré recouvert de tuiles vernissées.

* **Route du col de Braus.** *En direction de Sospel. Elle comporte **18 lacets sur 3 km**. Le col est à **1.002 m** d'altitude. **La vue, magnifique, s'étend jusqu'à la mer, avec le cap d'Antibes et le massif de l'Estérel.***

* **Grotte Barma dei Pagans** / *Baume des païens* (XVe). Elle est murée. Il s'agit probablement d'un ancien habitat défensif qui comprend une citerne d'eau et des meurtrières. Elle aurait servi de refuge aux Barbets en 1792.

* **Moulin communal à huil**e (XVIIIe). Sa roue à aubes était actionnée par l'eau d'une source canalisée. Il a été transformé en musée.

* **Four à pain communal** (XIXe).

* **Lavoir** (début XXe). Il est situé sous un *pontin* (passage voûté) conduisant à l'église.

* **Gare** (1928). Elle est située sur la *ligne ferroviaire Nice-Coni* (Cuneo) qui fut inaugurée en 1928. Le bâtiment est dans les tons ocre rouge. Sa décoration intérieure est réalisée en céramiques polychromes.

06710	**TOUËT-SUR-VAR**	**Plan: B 3**

Population : Insee 1999 **= 445** h. en 1901 = **335** h. variation **+32,84%**
Rang de la commune par rapport au nombre d'habitants au niveau départemental : **95**
Les habitants sont les **Touëtans ou Touëtois**
Superficie : 1.498 ha - **Altitude** : 280 / 350 / 1043 m - **Canton : Villars-sur-Var** - **Arrondt** : Nice
Distance de Nice : à vol d'oiseau = 34 km - par la route = 53 km - **Longitude** = 7,00° - **Latitude** = 43,95°
Accès : N 2202 - **Desserte** : TAM 770 - 790 - Phocéens (Nice-Gap) - Train des Pignes
Fête patronale : 1er week-end août - **Église** : Nativité-de-la-Sainte-Vierge - **Paroisse** : Notre-Dame-du-Var
N° téléphone de la MAIRIE : 04.93.05.75.57 **Fax :** 04 93 05 75 70

Origine du nom

Touët vient de la racine prélatine *tob* (pierre haute), dont dérivent le ligure *teba* (pierre, rocher) et l'ancien nissart *toet* (poste de guet). Formes anciennes : *castellum Toeti* (cart. de la cathédrale de Nice, 1108), *in castro de Toeto* (enquête de Charles Ier, 1252), *ecclesia sancte Marie de Thoeto* (cart. de Lérins, 1259), *apud Thoetum* (rationnaire de Charles II, 1296), *in castro de Tueto* (1297), *villa Toeti* (Caïs,1388), *al Toet* (1536). Initialement dénommé **Touët-de-Beuil**, il devient **Touët-sur-Var** en **1908**.

Histoire

Les nombreux vestiges retrouvés sur le territoire témoignent de la présence des *Ligures* (tribu des *Eguituri*), puis des *Romains* (sarcophages, traces d'un village). L'agglomération fortifiée de *Toeti* est citée pour la première fois en **1108**, dans le cartulaire de la cathédrale Sainte-Marie de Nice. Un acte daté du 17 septembre **1293** nous apprend que *Sibille* cède son château de **Touët** au seigneur de Beuil, Guillaume Rostaing, sous la suzeraineté des comtes de Provence. Quant aux *Templiers* de la commanderie de **Rigaud**, toute proche, ils possédaient de nombreux biens aux alentours. Depuis 1176, ils pratiquaient l'élevage à **Touët**. Lors de l'*affouage* de **1343**, *19 feux* sont recensés (environ *100* habitants). À partir de **1388**, le fief, qui a pour seigneurs les Grimaldi de Beuil, passe sous la dépendance de la maison de Savoie. En **1621**, après l'exécution d'Annibal Grimaldi, ses châteaux sont rasés et ses biens dispersés. Le **24 mars** de la même année, **Touët** est inféodé au baron Filiberto della Villana, puis il échoit aux Claretti en **1634**. En janvier **1793**, les troupes révolutionnaires investissent le village qui devient français jusqu'en **1814**, date de son retour au royaume de Piémont-Sardaigne. Les *Barbets** (Voir Bendejun) provoquent des troubles dans la région et l'un d'entre eux, Martinet de Touët, est capturé et exécuté. En **1860**, les *Touëtois* plébiscitent le **rattachement** à la France. La route nationale arrive au village en **1863**, et la voie ferrée Nice-Digne est terminée en **1892**.

À voir

*Village de caractère, adossé à une falaise verticale. Dans « Villages de France », il est surnommé « **Village tibétain** ». Vieilles maisons, hautes et étroites, ruelles tortueuses avec de nombreux passages voûtés. Presque toutes les habitations comportent un **grenier-séchoir** * au dernier étage (Voir Saint-Martin-d'Entraunes).*

* **Église paroissiale Saint-Martin** (XIIe-XIXe). De style baroque. Elle est *bâtie sur une arche enjambant le torrent* (probablement à l'emplacement d'une église primitive). On aperçoit la cascade à travers une grille située dans la nef. Clocher carré abritant 3 cloches qui ont été fondues en 1866. Elle abrite un *retable* (1649) du Vençois Jacques Viany, un *banc de communion* (XVIIe), un tableau, *La Mort de saint Joseph* (1695) attribué à Bottero.

* **Galerie des présidents de la République**, hall de la mairie. *Cette exposition présente les **portraits des présidents** en tenue d'apparat. Les cadres sont d'époque. Elle a valu au maire, Roger Ciais, la Marianne d'or 1997 (César de meilleur maire de France) décernée par Mairie-Expo.*

* **Chapelle Notre-Dame-du-Cians** (XIIe). Cet ancien prieuré de l'abbaye de Lérins est situé route de Valberg.

* **Vestiges du donjon** et de l'enceinte fortifiée. Ces ruines dominent le village.

* **Chapelles** * **Saint-Antoine-l'Ermite**, près du pont sur le Var ; * **Saint-Jean-des-Pénitents-Blancs** (XVIe).

* **Chapelle des Templiers.** Abside romane du XIIe siècle. L'édifice servit de cimetière jusqu'en 1936.

* **Linteau**, vestige de l'ancien portail du village. Il représente une *scène de chasse au lièvre* à l'époque médiévale.

** **L'abbé Désiré-Niel** (1814-1873) est né et mort à **Touët**. Il est l'auteur d'un ouvrage sur la « **Viabilité de la vallée du Var** ». Il fut l'**un des principaux artisans** des projets d'ouverture des **routes des vallées** ainsi que de l'**endiguement du Var**. Il fut également un **partisan fervent du rattachement** du comté de Nice à la France. Après avoir été le **député de Puget-Théniers** au Parlement de Turin, en 1860 il devient **inspecteur d'Académie** dans le département des Alpes-Maritimes et **proviseur** du Lycée impérial de Nice.*

MAIRIE

Galerie des présidents de la République et musée

06710	TOUR-SUR-TINÉE (LA)	Plan: C 3

Hameaux : **CAMP DE VILLARS OLIVARI ROUSSILLON** (Mairie annexe 04.93.02.91.20)
Population : Insee 1999 **= 300** h. en 1901 = **703** h. variation **- 57,33%** (**304** en 2005)
Rang de la commune par rapport au nombre d'habitants au niveau départemental : **107**
Les habitants sont les **Tourriers**
Superficie : 3.670 ha - **Altitude** : 195 / 640 / 1900 m - **Canton : Villars-sur-Var** - **Arrondt** : Nice
Distance de Nice : à vol d'oiseau = 28 km - par la route = 49 km - **Longitude** = 7,18° - **Latitude** = 43,95°
Accès : N 202 - D 2205 - D 232 - **Desserte** : TAM 740 - 750
Fête patronale : 2e dimanche d'août
Églises : La Tour Saint-Martin - Roussillon Notre-Dame-du-Mont-Carmel - **Paroisse** : N.-D.-de-Tinée
N° téléphone de la MAIRIE : 04.93.02.05.27

Origine du nom

Tour vient du latin *turris* (tour) dont dérive le provençal médiéval *tor, torre* (colline allongée). **Tinée** vient de *tin* qui signifie torrent. Formes anciennes : *La Torre* (cart. de la cathédrale de Nice, XIIe), *in castro de Turri* (enquête de Charles Ier, 1252).

Histoire

La région fut occupée par plusieurs tribus ligures, les *Eguituri*, les *Nemeturi* et les *Aratelli*. Ces derniers y avaient édifié une tour, d'où l'appellation du village. Pendant la *paix romaine*, le bourg fut une étape obligée sur l'axe routier romain qui menait de Nice à Embrun. Au **XIIe** siècle, *La Torre* était encore un hameau d'Utelle et faisait partie du comté de Vintimille-Val de Lantosque. Vers la moitié du **XIIIe** siècle, le comte de Provence lui donne son indépendance en le détachant de sa commune de tutelle. En **1388**, *La Torre* passe sous la domination du comté de Savoie. Elle est alors inféodée aux Grimaldi de Beuil qui vont la conserver jusqu'en **1621** (exécution d'Annibal). En **1700**, le fief est racheté par le comte Della Chiesa pour lequel il est érigé en comté. Ses descendants le gardèrent jusqu'à la **Révolution**. Quant à la communauté médiévale de **Saint-Jean-d'Alloch**, mentionnée dans des documents écrits de **1251**, elle est abandonnée après l'épidémie de *peste* de **1467** qui décima presque tous ses habitants. Toutefois, jusqu'à la fin du **XIXe** siècle, pour les curés de **La Tour**, la cérémonie d'investiture de leur paroisse s'est déroulée dans l'église du village primitif, la chapelle Saint-Jean. En **1754**, la commune comptait *1.300* habitants. En **1860**, lors de son **rattachement** à la France, il y en avait encore *910* (elle était alors la plus peuplée du canton). À l'*époque romaine*, le village devait sa prospérité à sa situation, sur le trajet d'une importante voie de communication, mais aussi à ses cultures oléicoles et à ses forêts. Au début du **XXe** siècle, il comptait *30.000* oliviers. Actuellement, malgré une très forte diminution de cette culture, **La Tour** reste la principale commune oléicole de la Tinée.

À voir

Village ancien, de type plus méditerranéen qu'alpin, bâti sur un promontoire dominant la Tinée. Il se caractérise par des maisons sur galeries à arcades. Nombreux porches avec linteaux gravés.

* **Maison Olivari** (1380), ou **Maison des Templiers**. Avec fenêtres géminées, caractéristiques du Moyen Âge.

* **Maison Lyons** (XVe-XIXe). Façade peinte en trompe-l'œil (XIXe). Le bâtiment, qui à l'origine était un *hôpital*,

comporte une inscription (datée de 1534) peu encourageante : « *Helas, fault morir* ».

* **Chapelle des Pénitents-Blancs** (XVe -1672-XIXe - CMH 1944). Elle abrite des *fresques* (1491) de Curraud Brevisi et Girard Nadal (deux artistes niçois), des *croix* et des *lanternes de procession*.

* **Église paroissiale Saint-Martin** (1533 - CMH 1943). De style gothique, elle a un clocher lombard à pointe de diamant et le plan d'une basilique. Elle abrite un *retable*, *Les Âmes du Purgatoire* (XVIe) de Bartolomeo.

* **Chapelle Saint-Jean-Baptiste** (XVIe). Elle abrite une huile sur bois (XVIe), *Saint Jean-Baptiste*.

* **Mairie** (XIXe). Entièrement peinte en trompe-l'œil. Décoration de style baroque.

* **Cuvier** (XIXe), aux Adrechs. En bois de châtaignier et de chêne. Il est d'une contenance d'environ 1.100 litres.

* **Moulin à huile** (XIXe). Il a conservé son aspect initial. * **Moulin à farine** (XIXe).

* **Ancienne gare de tramway.** Inaugurée, ainsi que la ligne, en 1912.

* **Promenades** *vers les* ***chapelles Saint-Jean-Baptiste, Saint-Sébastien, Sainte-Élisabeth****, le* ***hameau de Roussillon*** *(petite église restaurée), et la belle* ***route forestière des granges de la Brasque****.*

06830 TOURETTE-DU-CHÂTEAU Plan: C 3

Population : Insee 1999 **= 89** h. en 1901 = **168** h. variation **- 47,02%**
Rang de la commune par rapport au nombre d'habitants au niveau départemental : **146**
Les habitants sont les **Tourettans**
Superficie : 974 ha - **Altitude** : 276 / 940 / 1551 m - **Canton : Roquestéron** - **Arrondt** : Nice
Distance de Nice : à vol d'oiseau = 21 km - par la route = 42 km - **Longitude** = 7,13° - **Latitude** = 43,87°
Accès : N 202 - D 2209 - D 17 - D 227 - D 27 - **Desserte** : TAM 721
Fête patronale : dernier dimanche de juillet - **Église** : Sainte-Anne - **Paroisse** : N.-D.-de-Miséricorde
N° téléphone de la MAIRIE : 04.93.08.59.83

Origine du nom

Le diminutif **Tourette** dérive du latin *turris*, tour. Sa dénomination primitive, **Tourette-Revest**, fut modifiée lorsque le village de **Revest** devient, en **1871**, une commune indépendante. Formes anciennes : *castrum de Torretta* (vers 1200), *villa Torrete* (1388), *la Torretta del Revest* (XVIIe). L'adjonction de **Château** fait référence à la forteresse construite au XIIIe siècle et détruite en 1621 sur ordre du duc de Savoie.

Histoire

La présence de l'homme date du **néolithique** et les nombreux vestiges retrouvés sur le territoire attestent qu'il fut ensuite occupé par les *Ligures* (habitats, nombreuses *restanques* sur les pentes sud du mont Vial), puis par les *Romains*. Les premières mentions des villages de **Tourette** et de **Revest** datent du **XIe** siècle, lorsque des *Tourettans* fondent l'agglomération de **Revest**, à 2 km en aval (Voir Revest-les-Roches). Vers **1200**, le *castrum* *de Torretta* est mentionné comme fief des Glandèves, sous la suzeraineté des comtes de Provence. À cette époque, les *Templiers* de la commanderie de Biot y possédaient également des biens. En **1271**, **Tourette-Revest** est partagé entre plusieurs coseigneurs appartenant à des familles de vieille noblesse niçoise ou provençale : l'amiral niçois Guillaume Olivari, les Laugeri, les Guigonis. Au **XIVe** siècle, ce village ainsi que ceux de **Toudon** et d'**Ascros** sont toujours inféodés conjointement à plusieurs familles seigneuriales : les Ranulfi (en 1338) ainsi que les Berre, qui sont également coseigneurs d'Ascros. En **1352**, **Tourette-Revest** passe à Pierre Balb, seigneur de Valdeblore, mais en **1381**, la reine Jeanne le donne au chanoine Guillaume Chabaud, « *pour services rendus en Calabre contre les rebelles, avec terroirs, lieux fortifiés, droit de glaive, juridiction à Tourette et à Toudon* ». Lors de la ***dédition de 1388***, alors que disparaissent les vieilles familles seigneuriales fidèles aux comtes de Provence, Amédée VII de Savoie confirme les Grimaldi de Beuil dans leurs possessions, « *pour prix de leurs services* ». Le **12 février 1446**, Barnabé Grimaldi reçoit l'investiture pour les fiefs de Levens et **Tourette-Revest**. Lorsque, le **3 mai**, il reçoit l'hommage vassalique, il confirme leurs privilèges aux habitants. Son frère Louis, qui entre en possession de Levens et de **Tourette-Revest** en **1473**, est à l'origine de la branche des *Grimaldi de Levens*. Son fils Jean Ier (1543-1603), seigneur de **Tourette-Revest**, Levens et Rimplas, fut banni pour rébellion ainsi que ses cousins de Beuil. Il perdit la Haute-Juridiction et dut verser 4.000 écus pour rentrer en possession de ses biens. Le petit-fils de Louis, Jean II, et son cousin Jean-Baptiste, seigneur d'Ascros, en rebellion contre les ducs de Savoie, se mettent au service de la France et terrorisent la région. En **1550**, à la suite d'un retournement d'alliances entre ces deux pays, Jean II est banni. Toutefois, en **1557**, le duc de Savoie Emmanuel-Philibert lui rend ses fiefs pour le remercier de son action en Flandre. En **1611**, le fils de Jean II, César, vend **Tourette-Revest** à son cousin Annibal Grimaldi. **Tourette** va être fatal à ce dernier, car c'est dans ce château qu'il est exécuté, le 9 janvier **1621**, étranglé par deux Turcs (Voir Beuil). La seigneurie échoit alors aux Galléan avant de passer par héritage, en **1752**, aux Caissotti de Roubion qui conservèrent le fief jusqu'à la **Révolution**. Ils eurent pour obligation de reprendre le nom et les armes des Galléan (Voir Ascros). Pendant les guerres qui se succèdent, aux **XVIe**, **XVIIe** et **XVIIIe** siècles, **Tourette-Revest** fut occupé, dévasté et pillé de multiples fois. En **1793**, le village devient français (bataille de Gilette), mais après la chute de l'**Empire**, il redevient sarde jusqu'à son vote unanime, en **1860**, pour le rattachement à la France. En **1871**, à la suite de querelles incessantes et anciennes, les deux communes se séparent. **Tourette** doit céder 861 hectares de territoire à **Revest-de-l'Estéron**, la future **Revest-les-Roches** (Voir ce nom). Lors de l'*affouage* de **1315**, *38 feux* sont recensés (environ 200 personnes). En **1858**, il y avait *385* habitants. Les *Tourettans* vécurent longtemps, presque en autarcie, de l'agriculture et de l'élevage. Après la Seconde Guerre mondiale, le village s'est fortement dépeuplé. Actuellement, un retour vers leur village se fait sentir, parmi les natifs de **Tourette** : la population est passée de *23* habitants en 1975, à *66* en 1990 et *89* en 1999.

À voir

On accède à Tourette par une route pittoresque. C'est un village perché sur un éperon rocheux, dans un très beau site. Maisons anciennes, rues en calades (pavées), accessibles par de larges escaliers. ***Table d'orientation*** *au lieu-dit* ***La Tourette****, le point culminant du bourg.* ***Panorama exceptionnel sur les vallées de l'Estéron et du Var jusqu'à son embouchure, ainsi que sur les montagnes environnantes (mont Agel, mont Vial, le Cheiron)****.*

* **Église paroissiale Saint-Jacques** (XVIIe-XIXe). Elle est construite à l'emplacement d'une église primitive. La façade est ornée d'un *cadran solaire*. Elle abrite *une toile* (XVIIe) et un *retable sculpté*.

* **Vestiges du château** (XIIIe). *Le 2 janvier* ***1621****,* ***Annibal Grimaldi*** *est condamné à mort pour trahison par le sénat de Nice. Il se réfugie alors dans cette forteresse, qu'il juge imprenable, mais il est trahi par ses soldats. C'est là que fut exécutée la sentence. Le* ***9*** *du même mois, il est* ***étranglé par deux Turcs****. Sur ordre du duc de Savoie,* ***pratiquement tous ses châteaux, dont celui-ci, sont rasés****.*

* **Chapelle Sainte-Anne.** (1683-XXe). Construite par les habitants, elle est dédiée à la Vierge Marie. Elle est surmontée d'un *clocheton latéral* et elle abrite un *vantail de retable* (XVIIIe) en bois doré et polychrome.

* **Fuon Vieia**. Avant l'amenée d'eau, les habitants s'alimentaient à cette belle fontaine, située à 400 mètres en contrebas du village. En 1887, les villageois font l'acquisition d'une source sur les pentes du mont Vial. En 1892, les travaux d'adduction d'eau sont terminés. Ils comprennent la construction d'une fontaine publique avec abreuvoir, d'un lavoir à deux bassins, et du canal d'irrigation. La « **Fuon Vieia** » a été réhabilitée en 2000.

* **Lavoir communal** (1892) au centre du village. Quelques *bugadières* viennent encore y faire la *bugada* (lessive).

* **Visage sculpté** (XVIIe). *Il est scellé dans le mur d'une maison. Il pourrait s'agir du masque mortuaire d'Annibal Grimaldi, ou simplement d'un* ***symbole protecteur*** *(Voir Sauze).*

06420 TOURNEFORT Plan: C 3

Hameau : LA COURBAISSE
Population : Insee 1999 **= 143** h. en 1901 = **250** h. variation **- 42,80%**
Rang de la commune par rapport au nombre d'habitants au niveau départemental : **128**
Les habitants sont les **Tournefortois**
Superficie : 1.013 ha - **Altitude** : 171 / 630 / 1304 m - **Canton : Villars-sur-Var** - **Arrondt** : Nice
Distance de Nice : à vol d'oiseau = 29 km - par la route = 50 km - **Longitude** = 7,15° - **Latitude** = 43,95°
Accès : N 202 - D 2205 - D 56 - D 26 et GR 51 A - **Desserte** : TAM 740 - 750
Fête patronale : dimanche suivant le 13 juin - **Église** : St-Antoine-de-Padoue - **Paroisse** : N.-D.-du-Var
N° téléphone de la MAIRIE : 04.93.02.90.56

Origine du nom

Deux possibilités : **1)** à cause des *moulins à vent* qu'y construisirent les Templiers (*torna forte*) ; **2)** ce serait un composé liguro-roman issu de *torn, tourn*, colline, hauteur fortifiée. Cette deuxième hypothèse semble la plus plausible, le village primitif étant situé sur un piton rocheux dominant les vallées de la Tinée et du Var. Formes anciennes : *Tornafort* (cart. de la cathédrale de Nice, XIIe), *apud Tornafortem* (enquête de Charles Ier, 1252), *apud castrum de Tornafort* (rationnaire de Charles II, 1297), *de Tornaforce* (Léopard de Fulginet, 1333), *villa de Tornafort* (1533).

Histoire

Le site est investi par les *Romains* qui y établissent un poste fortifié. Ultérieurement, cet *oppidum* devient un *castrum*. C'est au **XIIe** siècle, dans le cartulaire de la cathédrale de Nice, que *Tornafort* est cité pour la première fois. En **1176**, les *Templiers* y possèdent des terres, sur lesquelles ils établissent une commanderie et un hospice. Lors de l'*affouage* de 1315, *34 feux* sont recensés (environ 180 habitants). En **1388**, la seigneurie, qui était primitivement une possession de la famille Tournefort, passe aux Grimaldi de Beuil. En **1622**, après la mort d'Annibal Grimaldi, **Tournefort** est inféodé aux Caissotti puis, en **1723**, aux Bruno de Coni (Cuneo), pour lesquels il est érigé en comté. En **1887**, un tremblement de terre détruit partiellement le village primitif du *Vieux Tournefort*, où s'étaient établis les Templiers. Vers **1937-1938**, les habitants finissent par abandonner le site pour s'installer à *La Colle*. En **1858**, il y avait *220* habitants.
***Jehan de Tournefort**, qui fut prieur de l'abbaye de Lérins entre 1365 et 1399, était originaire de ce village.*

À voir

Une route pittoresque, par Massoins ou par la vallée de la Tinée, mène à Tournefort. C'est un village moderne construit au pied du village médiéval en ruines. ***Magnifique panorama sur les vallées***.
* **Village médiéval**, en ruines. Il fut abandonné après le séisme de 1887. On y accède par un large escalier.
* **Vestiges du château fort** et de sa **citerne** (antérieurs au XIIIe).
* **Église paroissiale Saint-Pierre** (1658). Elle fut restaurée après le séisme de 1887. Son clocher carré est accessible par un escalier. *Cadran solaire* (XVIIe), *statue* en bois polychrome, *Saint Antoine de Padoue* (XVIIIe).
* **Chapelle des Pénitents** (XVe). Elle est dédiée à saint Antoine de Padoue qui protège de *Satan*, de la *foudre* et

de la *grêle*. On l'invoque également pour les *objets perdus*.

* **Fort du pic Charvet**, situé à 750 mètres d'altitude. Il date de la guerre franco-prussienne de 1870. Il a été occupé par les chasseurs alpins de Grasse. Il est abandonné depuis la fin de la Seconde Guerre mondiale.

* **Pont des batteries.** Construit en 1884, il dépendait du fort du pic Charvet et comportait un canon de défense.

* **Fleur de lys**, gravée sur un bloc de calcaire, route de Tournefort. Elle comporte quelques traces de polychromie.

* ***Scierie.*** *Voir Clans. Ce type de construction rappelle celui des scieries des hautes Vosges. En particulier celle où ont été tournées quelques séquences du film « Les Grandes Gueules », avec Bourvil et Lino Ventura.*

06690 TOURRETTE-LEVENS Plan: D 4

Hameaux : LE COLOMBIER **LA CONDAMINE** LA FONTAINE
LES MOULINS LE PLAN D'ARRIOU

Population : Insee 1999 **= 4.116** h. en 1901 = **992** h. variation **+ 314,92%** (**4.139** en 2005)

Rang de la commune par rapport au nombre d'habitants au niveau dépt : **32 -** au niveau national: **2.205**

Les habitants sont les **Tourrettans**

Superficie : 1.650 ha - **Altitude** : 160 / 390 / 845 m - **Canton : Levens** - **Arrondt** : Nice

Distance de Nice : à vol d'oiseau = 9 km - par la route = 15 km - **Longitude** = 7,27° - **Latitude** = 43,78°

Accès : D 19 et GR 51 - **Desserte** : Ligne Azur 89

Fête patronale : 1er dimanche de septembre - **Église** : Sainte-Rosalie - **Paroisse** : Saint-Pons

N° téléphone de la MAIRIE : 04.93.91.00.16

Origine du nom

Tourrette est un diminutif de *tour*, qui vient du latin *turris* (tour). Formes anciennes : *Toretas, Torrettas* (cart.de la cathédrale de Nice, XIIe), *castrum de Torretis* (vers 1200), *ad territorium de Torretis* (cart. de Saint-Pons, 1269), *de castro de Turreta* (enquête de Charles Ier, 1252), *Bonifacium Chabaudi de Turreto* (cart. de Saint-Pons, 1343), *villa de Torrettas* (1388). Le village s'appela longtemps *Torretta Chabaldorum*, du nom de ses feudataires, les *Chabaud*. De 1860 à 1900, il porte le nom de *Tourrette-de-Nice* ou *Tourrette-lès-Nice*, et enfin de **Tourrette-Levens**.

Histoire

Les vestiges retrouvés sur ce territoire témoignent d'une présence humaine dès le **paléolithique**. Il est ensuite occupé par les *Ligures « Védiantiens »* puis par les *Romains*. En **999**, Odile et son époux Miron, de la famille des vicomtes de Nice, font donation à l'abbaye de Saint-Pons du quart d'un village dénommé ***La Rocca***, avec les terres attenantes, en contrebas du *castrum Revello* (Revel étant situé au sud de *Torrettas)*. À partir du **XIIe** siècle, le fief de **Tourrette** appartient aux Chabaud, de puissants seigneurs locaux qui possèdent également une grande partie de Châteauneuf. La citadelle, qui comprenait à l'origine six tours, est construite en **1176** par Raimond

Chabaud, à un emplacement d'une grande importance stratégique car il surplombe une ancienne *voie romaine* devenue une *route du sel*. Au cours des siècles, le fief est périodiquement partagé entre plusieurs coseigneurs, dont les Flayosc et les Berre, mais au **XVIIe** siècle, les Chabaud en sont les seuls feudataires. En **1671**, Honoré Chabaud meurt sans descendance directe, **Tourrette** échoit à sa nièce Marie-Anne Peyrani, mariée au Piémontais François Marie Canubio. En août **1685**, les nouveaux propriétaires vendent à *Pierre-Antoine Thaon** le lieu-dit *Revel* situé à **Tourrette**. Cet acquéreur possédait déjà les trois quarts de Saint-André, en coseigneurie avec le monastère de Saint-Pons qui détenait le quart restant. Quant au château de **Tourrette**, il a été érigé en comté par le duc de Savoie et il va rester une possession de la famille Canubio jusqu'à son rachat, en **1828**, par Gio Antonio Carles, le notaire de la commune. Sous la **Révolution**, les villageois accueillent plutôt favorablement les révolutionnaires français et **Tourrette** est occupé par 76 soldats de la 1re compagnie franche. À partir de **1840**, les *Tourrettans* abandonnent le village primitif pour s'installer à proximité des terres cultivables. En 1907-1908, la *Compagnie des tramways de Nice et du littoral* fait construire un viaduc. Avec le succès de l'automobile, cette ligne est fermée en 1931.

** Les **Thaon de Revel** ont le titre de marquis, comte de Revel, comte de Pralungo et seigneur de Castelnuovo. **Leur fief** couvrait une partie de **Saint-André** (Voir ce nom) et de **Tourrette-Levens**. Ils occupèrent de hautes fonctions dans le royaume de Piémont-Sardaigne puis d'Italie. Ignace (1760-1835) fut ambassadeur, gouverneur de Gênes puis de Turin et vice-roi de Sardaigne. Pendant les deux dernières guerres mondiales, un Thaon de Revel fut amiral de la flotte italienne et chef d'état-major. Après le **rattachement**, cette famille se divisa, certains restèrent à Nice, d'autres émigrèrent en Italie.*

À voir

Le vieux village est bâti au bord d'un éperon rocheux. Il surplombe l'agglomération moderne située sur un petit col. Au pied du village s'étale un vaste bassin fertile.

* **Château** (XIIe-XVIIe-XXe - IMH 1937). Initialement, il possédait trois tours carrées et trois rondes. *En grande partie restauré, ce **château** (un des derniers du comté de Nice, et l'un des plus beaux) est devenu propriété communale. Il abrite un **Centre culturel** et un **musée d'Histoire naturelle** qui expose une exceptionnelle collection de **papillons** et d'**insectes** du monde entier (4.200 espèces). **300 animaux naturalisés** (mammifères, oiseaux et reptiles des cinq continents) sont présentés dans des décors reconstituant leurs milieux de vie (dioramas), ainsi que **250 fossiles, minéraux et roches**. Du site, on peut admirer un **panorama magnifique** sur les ruines du Castel Nuovo de Châteauneuf-Villevieille, sur les **sommets du Mercantour** et la **Méditerranée**. **Château-musée : 04 93 91 03 20** et **04 93 91 00 16**.*

* **Maison des remparts.** Elle abrite le **musée des Métiers traditionnels** : cordonnier, sabotier, horloger, bûcheron... Plus de 6.000 outils authentiques sont présentés. Renseignements au 04 97 20 54 60.

* **Pierre de Revel** (63 av.J.-C. - 14), musée du château.

* **Musée du Cirque** (privé). *Nombreux objets offerts par les cirques Pinder, Amar, Bouglione, Zavatta, Médrano.*

* **Ruines du village médiéval.** Le village primitif fut abandonné au profit du site actuel en 1840.

* **Église Notre-Dame-de-l'Assomption** (XIIe-XVIIIe-1866-1964 - IMH 1937). De style baroque. Elle fut construite par les Hospitaliers de Saint-Jean-de-Jérusalem. Elle abrite une *Pietà* (XVIIe), une *statue* de la *Madone* dite *« de Misraïm »* qui fut rapportée d'Égypte à l'époque des Croisades, et une autre, en bois doré, de *sainte Rosalie*. Le *retable* sculpté du maître-autel (XVIIIe) représente la *Vierge, saint Sylvestre et saint Antoine*.

* **Chapelle du Caïre** (1865). Elle abrite une statue de Notre-Dame-de-Lorette.

* **Chapelle des Pénitents-Blancs**. Elle s'est écroulée en 1946, seul subsiste le clocher triangulaire.

* **Mausolée du général Tordo** (1948), au cimetière.

***Joseph Tordo** est né à Tourrette en **1774**. Il s'engage en 1792 dans les **milices du comté de Nice**, au service du roi Victor-Amédée III. Il démissionne de l'armée sarde en 1798, pour entrer dans l'**armée révolutionnaire française**. Il participe ensuite aux **campagnes de l'Empire**. En 1815, il est fait général par Murat. Ce **héros de la Révolution et de l'Empire** termine sa vie en Afrique du Nord. Il meurt à Alger en **1846**. Un siècle plus tard, la municipalité fait rapatrier ses cendres et construire ce mausolée.*

06140 TOURRETTES-SUR-LOUP Plan: C 4

Hameaux : LE CAIRE **COURMETTES** PONT-DU-LOUP
Population : Insee 1999 **= 3.870** h. en 1901 = **1.149** h. variation **+ 236,81%** (**3.921** en 2005)
Rang de la commune par rapport au nombre d'habitants au niveau dépt : **33 -** au niveau national: **2.322**
Les habitants sont les **Tourrettans**
Superficie : 2.928 ha - **Altitude** : 47 / 400 / 1246 m - **Canton : Le Bar-sur-Loup** - **Arrondt** : Grasse
Distance de Nice : à vol d'oiseau = 16 km - par la route = 26 km - **Longitude** = 7,05° - **Latitude** = 43,72°
Accès : A 8 - D 336 - D 36 - D 236 - D 2210 - **Desserte** : Envibus 12 - 12D
Fête patronale : dimanche après le 22 juillet - **Église** : St-Grégoire-Le-Grand - **Paroisse** : St-Véran-St-Lambert
N° téléphone de la MAIRIE : 04.93.59.30.11 - **OFFICE du TOURISME** : 04.93.24.18.93
www.tourrettessurloup.com

Origine du nom

Deux possibilités : **1)** de l'adjectif latin *turritus* (muni de tours) ; **2)** de *turris alta* : tour élevée, lieu d'observation élevé. C'est ainsi que les Romains avait nommé le village. Ce dernier terme correspond bien à la topographie. De même que *turris aquae* (lieu d'observation de l'eau ou près de l'eau) a probablement donné la **Tourraque** (une source), l'expression *villae altae* (champs hauts cultivables) est à l'origine du quartier des **Vilettes** et de celui des **Valettes**. Formes anciennes : *castro de Torretis* (1024), *Torretas* (cart. de Lérins, XIe), *de Torretas de Venses* (1477). À partir du XVIe siècle et jusqu'à la Révolution, le village porta le nom de *Tourrettes-lès-Vence*. Le 18 juin 1894, il devient **Tourrettes-sur-Loup** (en référence à la rivière qui délimite le territoire de la commune) afin de le distinguer d'autres localités du même nom. Pour l'origine de **Loup**, **v**oir La Colle-sur-Loup.

Histoire

Les vestiges retrouvés sur le site (abri de *Pie Lombard*, ossements de *Néandertaliens)* témoignent d'une présence humaine au **paléolithique**. Il est ensuite occupé par des peuplades celto-ligures, les *Nérusiens*, puis par les *Romains* qui construisent plusieurs *oppida*. Pendant la période des *Grandes Invasions*, des hordes de *Barbares* (Wisigoths, Huns, Francs, Lombards) dévastent la région. Au début du **VIIIe** siècle, les incursions des *Sarrasins* deviennent continuelles. Ils établissent un camp dans le massif des Maures et dans la presqu'île de Saint-Jean-Cap-Ferrat. La région va être soumise à leurs pillages et à leurs raids meurtriers jusqu'à la fin du **Xe** siècle. Ils vont occuper et fortifier le village. Ce sont eux qui ont introduit un certain nombre de plantes caractéristiques d'Afrique du Nord (*aloès, figuiers)*. C'est la raison pour laquelle le village fut surnommé la *Constantine provençale*. La première mention du *castrum de Torretis* date de **1024**. *Guillaume Amic de Tourretttes* est cité en **1144**. Les chevaliers de Tourrettes sont probablement des vassaux des sires de Grasse ou de Vence et ce sont eux qui construisent le château primitif. Au **XIVe** siècle, **Tourrettes**, attaqué par les *Niçois* (**1377**), est dévasté. C'est ensuite la *peste* qui décime la population. En **1387**, le comte de Provence Louis II d'Anjou donne l'investiture du fief à Guichard de Villeneuve, un descendant du sénéchal Romée de Villeneuve. En **1437**, Antoine de Villeneuve fait édifier le château actuel (en conservant le beffroi du XIe siècle), ainsi qu'une église qui fut remaniée et restructurée aux XVIe et XVIIIe siècles. Le village, qui avait été en grande partie ruiné depuis la fin du **XIVe** siècle, fut rebâti au **XVe** siècle. La seigneurie, érigée en marquisat, reste une possession de la famille Villeneuve jusqu'à la **Révolution.** Le dernier feudataire, César, s'enfuit par un souterrain et se réfugia à Vintimille, où il fut reconnu et exécuté. Le château fut tout d'abord transformé en hôpital pour l'armée d'Italie, puis vendu comme bien national. Il est devenu l'hôtel de ville.

Le village est environné de nombreuses terrasses sur lesquelles, dans le passé, les Tourrettans cultivaient la ***vigne*** *et le* ***blé****, entre autres produits de la terre. La plupart de ces cultures furent ensuite remplacées par des* ***bigaradiers*** *(orangers à fleurs). En effet, à partir du* ***XIXe*** *siècle, la* ***culture des fleurs*** *représenta la principale ressource des villageois (rose de mai, fleur d'oranger et surtout violette). Les* ***violettes*** *sont cultivées sur les terrasses d'oliviers. Cette culture comprend la* ***préparation des bouquets*** *(pour la fête célébrée le 2e dimanche de mars), celle des* ***fleurs*** *destinées à la* ***confiserie*** *(violettes cristallisées ou confites) et des* ***feuilles*** *destinées aux* ***parfumeries*** *grassoises. Actuellement près de* ***vingt-cinq familles*** *cultivent la* ***violette****, pour une* ***production annuelle*** *d'environ* ***160 tonnes****. D'où le surnom de* ***« Cité de la Violette »****. Les collines environnantes sont également couvertes d'agaves, figuiers de Barbarie et pins. Dans le courant du* ***XXe*** *siècle, de nombreux* ***artistes*** *(tisserands, potiers, sculpteurs, peintres et graveurs) se sont installés à* ***Tourrettes-sur-Loup****. Ils en ont fait un centre artisanal et artistique très actif. Avec ses rues étroites recouvertes de calades et ses boutiques, le village a su garder son charme d'autrefois.*
Une ***Maison des arts et traditions de la violette*** *devrait voir le jour en fin* ***2006*** */ début* ***2007****. La* ***fête des Violettes*** *a lieu chaque année* ***début mars****.*

À voir

Ce vieux village fortifié est situé sur un plateau rocheux surplombant un à-pic. En grande partie reconstruit au XVe siècle, il est presque intact. Maisons anciennes, portes avec linteaux, ruelles en calades et passages couverts.

* **Maisons-remparts** (XIIe-XVIe). Elles entourent le village d'un mur de maisons jointes (Voir Saint-Jeannet).

* **Château** (XIIIe-XVIIIe-XXe). Il abrite l'hôtel de ville depuis la Révolution. L'escalier monumental est construit au XVIIe et restauré fin XXe siècle. L'élément défensif primitif fut probablement une tour en bois érigée sur l'ancien castellaras. * **Porte** et **Beffroi** (XIIe-XIVe-XVIIe). * **Tour** (XVIe).

* **Ancien Hospital** (XVIIe). Cet ancien *hôtel-Dieu* ou *hôpital Saint-Jacques* était encore en service en 1936.

* **Église Saint-Grégoire** (XVIe - modifiée en 1861). Elle remplace une église romane trop exiguë dont les matériaux ont été réemployés. La cloche proviendrait de l'ancienne commanderie des Templiers de Saint-Martin-de-la-Pelote. L'édifice abrite un *retable* de la *Vierge* (1645), une *cuve baptismale* (1700), une *pierre tombale blasonnée* (XVIe), un *autel de Mercure* (IIIe siècle) qui sert de point d'appui central à l'autel de l'église, un *triptyque huile sur bois* (XVe) attribué à l'école de Brea, un *panneau sculpté* (XVIIe) représentant des *scènes de la vie de la Vierge*, un *reliquaire* (XVIIe) de *sainte Félicité*.

* **Aqueduc du Moulin** (XIXe), rue de la Bourgade. Il enjambe d'une seule arche l'ancienne route Vence-Grasse. Il amène les eaux de la Font-Luègne à un moulin à huile, partiellement transformé en habitation. La grande roue en fer a été conservée.

* **Oreille de Gaïa** (XIXe). C'est une ancienne *aire de battage de blé* (Voir Cipières).

* **Lavoir de Font-Luègne** (*fontaine lointaine*), 1900. La source qui l'alimente est régulière.

* **Chapelle Saint-Jean**. Ses murs sont décorés de fresques naïves réalisées par Ralph Soupault en 1959. *L'Arche de Noé* ou encore, *l'Annonciation* (la Vierge étant vêtue d'un costume traditionnel tourrettan). L'artiste a intégré à des scènes de l'Ancien et du Nouveau Testament la représentation d'habitants dans leurs activités quotidiennes.

* **Maisons troglodytiques** (XIXe). Actuellement, elles sont converties en bergeries.

* **Ermitage de Saint-Arnoux** (XVIIIe). * **Oratoire Saint-François** (1783).

* **Oratoire Saint-Marc-et-Saint-Michel** (XIXe). Les peintures restaurées représentent saint Marc, le saint protecteur du village, et saint Michel, celui des voyageurs. **Table d'orientation.** *Vue imprenable sur la côte.*

06340 TRINITE (LA) Plan: D 4

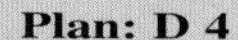

Hameaux : **L'AVELAN LAGHET SPRAES**
Population : Insee 1999 **= 10.046** h. en 1901 = **1.334 h.** variation **+ 653,07%** (**10.091** en 2005)
Rang de la commune par rapport au nombre d'habitants au niveau dépt : **18 -** au niveau national: **850**
Les habitants sont les **Trinitaires**
Superficie : 1.490 ha - **Altitude** : 47 / 72 / 700 m - **Canton : Nice 13e** - **Arrondt** : Nice
Distance de Nice : à vol d'oiseau = 8 km - par la route = 8 km - **Longitude** = 7,32° - **Latitude** = 43,75°
Accès : D 2204C - **Desserte** : SNCF - TAM 116 (+ Laghet) 300-301-302-303-340-360 - Ligne Azur 85-86-87
Fête patronale : avant dernier dimanche de mai
Églises : La Trinité St-Gratien/La Trinité - Laghet N.-D.-du-Mt-Carmel - **Paroisse** : Bx-Amédée-de-Savoie
N° téléphone de la MAIRIE : 04.93.27.64.29

Origine du nom

Il provient d'une ancienne chapelle construite en 1617, succursale du prieuré d'Èze, et placée sous le vocable de la *Sainte Trinité*. En 1818, ce hameau est érigé en commune par Victor-Emmanuel Ier, roi de Piémont-Sardaigne, d'où l'adjonction de **Victor** pendant la période sarde. En dialecte : la *Ternità*. En 1954, de nouvelles dénominations sont proposées : *La Trinité-Laghet*, *La Trinité-de-Nice*, finalement c'est **La Trinité** qui fut retenue. Le toponyme **Ariane** est dérivé de la racine *ar*, à valeur hydronymique car elle désigne l'eau ou une rivière. Forme ancienne : *Arisana*. Quant au mot **Laghet**, il pourrait signifier *petit lac*.

Histoire

Des vestiges d'habitats et de *castellaras* retrouvés sur le plateau du *Tercier* attestent que le site fut occupé par des tribus ligures (les *Védiantiens*) puis par les *Romains*. Le territoire de **La Trinité**, situé à un carrefour routier, était un lieu de passage facile et presque incontournable. La *Via Julia Augusta*, entre La Turbie et Cimiez, longeait la rive gauche du vallon de Laghet et rejoignait le Paillon au lieu dit *Roma*. Au **Moyen Âge**, il existait plusieurs hameaux dispersés qui dépendaient d'Èze, en particulier ceux de l'**Ariane** et **Laghet**. Dans une charte de **1045**, l'abbaye Saint-Victor de Marseille mentionne une donation faite par Raimbald, coseigneur de Nice et de Vence, concernant **Laghet** et les terres alentour. Toutefois, un siècle plus tard, ce hameau a disparu, sauf une chapelle et ses dépendances qui sont rattachées à la seigneurie d'Èze. En **1652**, un prêtre ézasque, Jacques Fighiera, fait restaurer la chapelle à ses frais et rouvrir le sentier menant à Èze. À la suite de plusieurs *miracles*, ce lieu de culte est encore restauré et agrandi. Depuis, **Notre-Dame-de-Laghet** est devenu un important centre de pèlerinage. Quant au bourg de l'**Ariane**, grâce à sa situation sur la *route du sel* reliant Nice à Tende, que les ducs de Savoie font améliorer à partir de **1592**, il se développe rapidement. En **1617**, afin de ne plus être obligés de se rendre à Drap ou à Èze pour assister aux offices religieux, les habitants construisent la *chapelle de la Sainte-Trinité*. En **1726**, la dénomination « **La Trinité** » remplace définitivement celle de « **L'Ariane** ». Vers **1778**, près de *16.800 mulets* empruntent annuellement cette *route du sel*. Malheureusement, cet itinéraire est également celui des armées, et de nombreux passages de troupes ont lieu au cours des **XVIe**, **XVIIe** et **XVIIIe** siècles. Elles pillent, dévastent et exigent des contributions qui ruinent les populations. Lorsqu'en **1792**, les révolutionnaires français envahissent le comté de Nice, de nombreux villages sont mis à sac, provoquant la réaction des *Barbets* * (**V**oir Bendejun).
Le 30 janvier **1818**, après détachement de terres appartenant à Èze et à Drap, ce hameau est érigé en commune

autonome par le roi Victor-Emmanuel Ier, d'où l'adjonction de **Victor**. Le 4 mai **1869**, une convention règle les limites territoriales définitives des trois communes, mettant fin à des querelles et des procès très anciens.
Le pont de L'Ariane est construit en **1893**. Avec l'arrivée de la ligne de tramway Nice-Contes (1900), puis de la ligne de chemin de fer Nice-Coni (la gare est inaugurée en **1928**), les activités de la commune, jusqu'alors essentiellement liées à l'agriculture, vont se diversifier grâce à l'implantation d'industries. Elle doit son développement démographique à sa situation limitrophe de Nice.

La Trinité *est le village natal de* ***Jean-Dominique Blanqui*** *(1757). Acquis aux idées révolutionnaires, il fut un ardent* ***partisan du rattachement*** *du comté de Nice à la République. Il est élu député à la Convention, emprisonné pendant un an, puis libéré à la chute de Robespierre. En 1800, il est juge au tribunal des Alpes-Maritimes et sous-préfet de Puget-Théniers, mais en 1815, ni Louis-Philippe ni le roi de Piémont-Sardaigne n'acceptent ses services. Il meurt à Paris en 1832, victime du choléra.*
Son fils, ***Auguste Blanqui,*** *est né à* ***Puget-Théniers,*** *le 12 Pluviôse an VII. Une plaque apposée sur sa maison natale rappelle qu'il fut journaliste, militant, écrivain, homme politique et membre de la Commune de Paris. Ce révolutionnaire prit part aux nombreux complots qui ont été fomentés entre 1827 et 1871, ainsi qu'aux journées insurectionnelles de 1848. Par périodes, il passa 36 années de son existence en prison. Il est mort à Paris en 1881.*

À voir

* **Église de la Sainte-Trinité** (XIXe). Érigée en paroisse en 1818, la chapelle primitive s'écroule en 1836 ; lorsque des travaux d'agrandissement sont entrepris, seul le clocher fut conservé. La nouvelle église est terminée en 1848 Elle abrite *deux huiles* sur toile, la *Sainte Trinité* (XVIIIe) et *Joseph agonisant* (1882), des *vêtements liturgiques* (XVIIIe et XIXe), un *calice* en argent et vermeil ((XVIIIe), une *suspension de lustre* représentant le symbole trinitaire (XIXe). À voir également, le *chœur* (1845-1848) de l'architecte Joseph Vernier.

* **Plateau du Tercier** (562 m). Il a gardé des vestiges de *castellaras ligures* (murs cyclopéens).

* **Vestiges des fortifications, plateau du Tercier**. Ils datent de la guerre de Succession d'Autriche (1740-1748).

* **Observatoire de Nice**. Initialement, les terrains sur lesquels il est construit (15 hectares), appartenaient à la commune de La Trinité. Raphaël Bischoffsheim les acheta en 1879 pour y installer cet observatoire (**V**oir Nice).

* **Astrorama,** *sur la Grande Corniche, col d'Èze. Ce centre de* ***vulgarisation spatiale*** *est installé dans l'ancienne batterie des Feuillerins, route du fort de la Revère. On peut y* ***observer les planètes et les étoiles*** *grâce à des lunettes et des téléscopes, pour s'* ***initier à l'astronomie*** *ou se perfectionner.* ***Soirées ciel ouvert, spectacles aux étoiles****, conférences diaporama, séminaires, météosat, vidéo, planétarium, expositions.*
Renseignements au 04 93 41 23 04, *et auprès de* ***PARSEC*** *au* ***04 93 85 85 58****.*

* **Fort de la Drette** (1878-1883). Construit pour contrôler une éventuelle invasion en provenance du col de Tende et du Paillon. Aujourd'hui, un Centre de muséographie a investi les lieux.

* **Parc départemental - Plateau de la Justice**. ***Belle promenade,*** *avec un* ***parcours de santé de 1,400 km****.* ***Vue magnifique*** *sur les Alpes au nord, le littoral et la Méditerranée au sud (et par temps clair, sur la Corse). C'est sur ce plateau qu'était dressé le* ***gibet des seigneurs d'Èze****, d'où son nom.*

* **Sanctuaire Notre-Dame-de-Laghet** (XVIIe). Une chapelle et les terres attenantes sont mentionnées en 1045 comme faisant l'objet d'un pèlerinage annuel. Au XIIe siècle, elles font partie de la seigneurie d'Èze. Au XVIIe, plusieurs miracles reconnus par l'Église sont attribués à la Vierge. En 1653, le sanctuaire est remplacé par l'église actuelle, qui est inaugurée en 1656 et consacrée en 1768. De style baroque, elle abrite la *statue* de *Notre-Dame-de-Laghet* (XVIIe), une *Vierge à l'Enfant* en bois de sorbier polychrome sculptée par Pierre Moïse et peinte par Jean Rocca. Pendant la Révolution, elle échappe aux pillards grâce à un certain Lanteri qui la cache à La Turbie. On la ramène dans l'église en 1802. À voir également, la crypte et le cloître qui abritent plus de 3.000 ex-voto, dont certains sont classés. Ce sanctuaire est devenu la propriété du diocèse de Nice en 1907.

* **Rocher du Pin**, vallon de Laghet. D'après la tradition, il est lié au culte de Cybèle.

Quelques bonnes adresses

Hôtel Restaurant AU PAVILLON BLEU *Banquets Mariages*74 bd G.-de-Gaulle 04 93 54 70 02/06 65 155 021
LE TARTARE **Restaurant Brasserie** *Menus carte plat du jour* Centre commercial Auchan 04 93 54 68 48

06320 **TURBIE (LA)** Plan: D 4

Population : Insee 1999 = **3.021** h. en 1901 = **7.056** h. variation **- 57,19%** (**3.043** en 2005)
Rang de la commune par rapport au nombre d'habitants au niveau dépt : **39 -** au niveau national: **3.009**
Les habitants sont les **Turbiasques**
Superficie : 742 ha - **Altitude** : 146 / 501 / 658 m - **Canton : Villefranche-sur-Mer** - **Arrondt** : Nice
Distance de Nice : à vol d'oiseau = 13 km - par la route = 16 km - **Longitude** = 7,40° - **Latitude** = 43,75°
Accès : A 8 ou N 7 - D 2204 A - D 2564 - **Desserte** : TAM 114 - 115 via Menton - 116
Fête patronale : 29 septembre - **Église** : St-Michel - **Paroisse** : St-Esprit
N° Tél. de la MAIRIE : 04.92.41.51.61 **www.ville-la-turbie.fr** **OFFICE du TOURISME** : 04.93.41.21.15

Origine du nom

Il serait dérivé du mot grec *tropaion* qui peut désigner la dépouille d'un vaincu ou un *monument commémoratif*. Le **Trophée** fut érigé en l'an 6-7 avant notre ère, pour immortaliser la victoire d'Auguste (en grec, *Sebastou*) sur les peuplades ligures. Le mot *tropaea* (trophée) a évolué en *tropea* > *trubea* > *trubia*. L'inversion *Trubia* / *Turbia* vient probablement d'un croisement avec le latin *turris* (tour). Formes anciennes : *Tropaia Sebastou* (Ptolémée, IIe siècle), *Probi Viri de la Turbia* (cart. de la cathédrale de Nice, 1078), *Torbia* (1159), *Johannis presbiteri de Turbia* (cart. de Saint-Pons,1267), *in territorio Turbie* (1272), *La Turbia* (vers 1298). En langue d'oc : *la Turbia*.

Histoire

Comme l'attestent les nombreux vestiges de *castellaras* retrouvés sur les sommets alentour, le territoire fut occupé par des tribus *celto-ligures**. En **13** avant notre ère, les *Romains* construisent la *Via Julia Augusta,* le plus souvent sur le tracé de l'antique *Voie héracléenne** (**V**oir Èze), qui elle-même avait repris les premières *pistes ligures*. Des chemins de traverse permetttaient de descendre vers les différents ports : *Portus Herculis Monœci* (Monaco), *Portus Avisio* (anse de Saint-Laurent d'Èze), *Anao* (Beaulieu) et *Olivula* (rade de Villefranche). Vers **6 - 7 avant notre ère**, le sénat romain, pour commémorer les *victoires d'Auguste** et glorifier la puissance militaire de Rome, fait ériger un **trophée** à un point stratégique, sur cette *Via Julia* qui reliait Rome à Aix et Arles (où elle rejoignait la *Via Domitia* qui menait en Espagne). Sur *l'Itinéraire d'Antonin** (**V**oir Èze), ce point, qui est désigné sous le terme *Alpe Summa*, marque la frontière entre la *Gaule* et l'*Italie*. Pendant le*s siècles obscurs*, avec le passage des hordes *barbares* et les raids des *pirates musulmans*, le **Trophée d'Auguste** commence à être saccagé. Au **XIe** siècle, le cartulaire de la cathédrale de Nice mentionne une *communauté villageoise** autonome, regroupée autour de son église, à proximité du monument mutilé, mais dont les terres s'étendent jusqu'au port de *Monaco*. À cette époque, Puypin (Menton) et Roquebrune relevaient du diocèse de Vintimille, **La Turbie**, de celui de Nice. Des documents ultérieurs (**XIIe** et **XIIIe** siècles) citent *Castro de Torbia*, *Turbia*, *Turris Viae* (la tour sur la voie). Primitivement, le *consulat de Peille* avait juridiction sur **La Turbie**, mais la *communauté* se détache de sa ville de tutelle à la fin du **XIIe** siècle. Elle est inféodée à plusieurs coseigneurs. Des documents écrits datés de **1151** indiquent que la majeure partie du territoire appartient à la famille Féraud d'Èze et que Bertrand de Berre y possède des vignes. *En **1191**, l'empereur du Saint Empire romain germanique concède aux **Génois** la **propriété du Rocher et du port de Monaco** (leur domination est confirmée en **1215**, date à laquelle ils édifient un **château** sur le Rocher).* Au cours des **XIIe** et **XIIIe** siècles, les terres de **La Turbie** et ses hameaux (Beausoleil, Cap-d'Ail) vont être, au gré des conflits entre *Guelfes* et *Gibelins*, possessions des Grimaldi de Monaco et des Spinola de Gênes (**V**oir Cap-d'Ail). Jusqu'en **1760**, il y aura des luttes permanentes entre les *Turbiasques* et les *habitants* *de Monaco* pour la possession du territoire. Entre **1125** et **1325**, la tour qui compose le **Trophée** est transformée en forteresse (*castro de Torbia*). En **1246**, Rostaing et Féraud d'Èze sont coseigneurs de La Turbie. En **1300**, la moitié de la seigneurie est passée aux Laugier de Nice, qui la cèdent à Daniel Marquesan en **1329**. Les terres en question lui procurant des revenus trop modestes, en **133I**, Daniel Marquesan les vend au comte de Provence *Robert le Sage* qui les rattache directement au domaine comtal. Pour ce dernier, le site de **La Turbie**, qui surplombe le château fort de Monaco, est d'une grande importance stratégique. À partir de **1332**, le fief dépend administrativement de la viguerie de Nice et le suzerain provençal favorise la création d'une *Universitas* dirigée par les chefs de famille de la *communauté*. À partir de la ***dédition de 1388***, et jusqu'en **1860**, à part de courtes interruptions, **La Turbie** et ses hameaux vont dépendre des États de la maison de Savoie. La forteresse fut une de leurs places fortes. En **décembre 1506**, lorsque les Génois assiègent Monaco, les troupes françaises, qui soutiennent Lucien Grimaldi de Monaco, investissent la forteresse de **La Turbie**. En **mars 1507**, après avoir pris Menton et incendié Roquebrune, les Génois prennent d'assaut ladite forteresse. À partir de cette date, elle est mentionnée comme étant ruinée. De **1652** jusqu'à la **Révolution**, la seigneurie est érigée en baronnie pour la famille Blancardi. En avril **1691**, avec l'aide des Monégasques, Catinat s'empare de **La Turbie**. Vauban ne tarde pas à venir inspecter les lieux. De **1705** jusqu'au traité d'Utrecht (**1713**), **La Turbie**, dont la forteresse a été partiellement démantelée, passe sous l'autorité du prince Antoine Ier de Monaco (bien qu'ils aient refusé de prêter l'hommage vassalique au prince, les Blancardi restèrent propriétaires du fief). *En **novembre 1760**, un **traité** avec Monaco délimite une **frontière commune**. Il met fin aux vieilles et incessantes **querelles** entre les **Turbiasques** et les **Monégasques** portant sur la **propriété des terres**.* De par sa position frontalière, **La Turbie** fut également un important centre de contrebande (**sel** et autres monopoles d'État). À partir du **rattachement** à la France, la ville devient une station climatique très prisée des hivernants (construction du *chemin de fer à crémaillère* venant de Monaco. Voir Beausoleil). De plus, elle conserve son rôle stratégique grâce aux forts de La Revère et du mont Agel. Au début du **XXe** siècle, les communes de **Beausoleil** (1904) et de **Cap-d'Ail** (1908) sont créées par détachement du territoire de **La Turbie**. Après la Seconde Guerre mondiale, son développement touristique s'accélère, de surcroît, de nombreux Monégasques y possèdent une résidence secondaire. Ce vaste territoire, qui descendait jusqu'à la mer, bénéficiait de ressources agricoles très variées : des céréales sur les pentes du mont Agel, alors que les terroirs du littoral étaient couverts de figuiers, d'agrumes et d'oliviers.

* *Pendant la période des **Grandes Invasions barbares**, les habitants de la zone côtière, en particulier ceux de **Monaco**, se regroupent autour du **Trophée d'Auguste** transformé en place forte. Un document non daté mais que l'on situe vers **1078**, cite la **communauté villageoise** de **La Turbie** dont le territoire s'étend jusqu'au **port de Monaco**. Elle est autonome car **sans seigneur**, et administrée par des **prud'hommes** (probi viri). Les habitants sont des hommes **libres** possédant des **biens en pleine propriété**. Ce sont eux qui financent la construction de l'église Sainte-Marie-au-Port-de-Monaco, au pied du Rocher, qu'ils donnent ensuite au diocèse de Nice (dont dépend également l'église de La Turbie), ainsi que de nombreuses parcelles éparses sur différents terroirs.*

* *Les populations indigènes qui peuplaient la région, vers l'**an mille** avant notre ère, les **Ligures**, sont les descendants des hommes du **néolithique**. Vers **700** avant Jésus-Christ, ils sont rejoints par les **Celtes** venus du nord de l'Europe. Ces **tribus celto-ligures** formaient des groupes qui étaient répartis dans différentes zones (**voir liste** en début d'ouvrage).*

À voir

*Ce village médiéval est situé sur la Grande Corniche, au passage d'un col qu'empruntait la Via Julia Augusta avant de descendre vers le vallon de Laghet. Il est à proximité du promontoire de la Tête de Chien. **Magnifiques panoramas** sur la côte et Monaco.*

* **Trophée des Alpes** (13-12 av. J.-C. - CMH 1865). La base quadrangulaire de ce monument est surmontée d'une tour ronde entourée de colonnes doriques. À l'origine, il mesurait 49 m de haut et était surmonté d'une statue géante représentant l'empereur. Sur le socle sont gravés les noms des *45 peuplades ligures soumises* par Auguste (d'après les inscriptions transmises par Pline). Dès la chute de l'Empire romain, le Trophée a subi de nombreuses dégradations. Les statues sont détruites par les moines de Lérins, qui les jugent païennes, et les pierres commencent à être pillées. De 1125 à 1325, il est transformé en forteresse, que les Génois prennent d'assaut en 1507. Cette forteresse est démantelée en 1705, sur ordre de Louis XIV. Entre 1764 et 1777, les habitants prélèvent des pierres pour édifier leur nouvelle église ainsi que des maisons. À partir de 1901, l'archéologue Jules-Camille Formigé entreprend des fouilles. Entre 1929 et 1933, grâce à son fils, également architecte des Monuments historiques, et au mécène américain E. Tuck, le monument est partiellement restauré. Avec celui de Trajan, à Adamklissi (Roumanie), c'est le seul trophée romain qui subsiste.

* **Musée**. Aménagé en 1935. Il présente une maquette du Trophée, les différentes étapes de sa restauration, des

moulages, de nombreux vestiges provenant des fouilles, ainsi que deux bornes milliaires (CMH 1922).

* **Mont de la Justice** : **carrières romaines** (CMH 1944) d'où fut extrait le calcaire blanc (colombine) très dur, qui servit à la construction du Trophée. * **Vestiges de Fourche patibulaire** (CMH 1944).

* **Portail du Réduit et portail de l'Ouest** (XIIIe). Ces vestiges de l'enceinte qui entourait l'agglomération sont formés de blocs provenant du Trophée en ruine. Les portes commandaient l'accès à la place forte.

* **Fontaine** (Ier siècle av. J.-C.). Jusqu'au XIXe siècle, elle fut l'unique lavoir de La Turbie.

* **Fontaine** (1824 - CMH 1943). Alimentée par un aqueduc romain qui amène l'eau des sources du mont Agel.

* **Église Saint-Michel** (1763-1777 - CMH 1938). De style baroque-rococo, avec une nef unique. Des matériaux provenant du Trophée sont réemployés. Elle abrite une *Pietà*, *huile sur toile* (XVe) une autre toile, *sainte Devote* (XVIIe), une *croix* en bois de cèdre doré et polychrome. Le *chœur* (XVIIe) est en marbre et onyx, la *chapelle* latérale, dédiée à *saint Charles* est en marbre et stuc. Elle renferme une *huile sur toile* de Jean-Baptiste Van Loo.

* **« Tête de Chien »**, 554 mètres. Le fort date de 1878. **Panorama splendide**.

* **Mont Agel**, 1.146 m. Le plus haut sommet de la côte. Un fort militaire y est installé (station radar contrôlant l'espace aérien). Accès interdit.

* **Parc départemental de la Grande Corniche** : **V**oir Èze et La Trinité.

* **Chapelle Saint-Roch** (XVIIe). *Autel* et *retable* en bois polychrome.

* **Chapelle Saint-Jean** (XVIIIe). *Autel* baroque (1709), *retable* (XVIIe).

* **Bibliothèque Barbera-Bernard**, située dans une maison de 1848. Elle renferme un fonds régional de 40.000 documents relatifs au comté de Nice, à la Provence, à Monaco, à la Ligurie et au Piémont. Cet ensemble provient de la bibliothèque de Lucien-Jean Barbera. En 1985, cet ancien conservateur des Monuments historiques des Alpes-Maritimes en a fait don au Conseil général. Très nombreux ouvrages également sur l'archéologie et l'histoire de l'art. Actuellement, elle est fermée au public

.Une bonne adresse

Restaurant LA TERRASSE *Spécialités méditerranéennes Vue panoramique* 17, place Neuve **04 93 41 21 84**

06450	**UTELLE**	**Plan: C 3**

Hameaux : LE BLAQUET **LE CHAUDAN** LE CROS D'UTELLE **FIGARET**
LE REVESTON **LE SUQUET** ST-JEAN-LA-RIVIÈRE **LA TINÉE** LA VILLETTE

Population : Insee 1999 **= 488** h. en 1901 = **1.529** h. variation **- 68,08%**

Rang de la commune par rapport au nombre d'habitants au niveau départemental : **92**

Les habitants sont les **Utellois**

Superficie : 6.797 ha - **Altitude** : 126 / 800 / 2080 m - **Canton : Lantosque** - **Arrondt** : Nice

Distance de Nice : à vol d'oiseau = 24 km - par la route = 49 km - **Longitude** = 7,25° - **Latitude** = 43,92°

Accès: N 202-D 2565-D 32 et GR 5 - **Desserte**:(TAM 730 - 746 St-Jean-la-Rivière)-Chaudan 740-750-701-790

Fête patronale : 15 août **Églises** : Utelle St-Véran-de-Cavaillon - Figaret St-Honorat - St-Jean St-Jean-Baptiste Cros La Trinité - Le Chaudan Visitation/Sainte-Philomène - **Paroisse** : Saint-Bernard-de-Menthon

N° téléphone de la MAIRIE : 04.93.03.17.01

Origine du nom

Deux hypothèses, la première étant la plus plausible : **1)** racine préceltique *ut* (promontoire, point de vue, sentinelle vigilante) + le suffixe ligure *elu ;* **2)** dérive du nom des *Oratelli*, une tribu ligure citée sur le *Trophée des Alpes*, à La Turbie. Formes anciennes : *Guillelmus clericus de Uels* (cart. cathédrale de Nice, 1150), *castrum de Utelis* (vers 1200), *B. de Huels* (cart. Saint-Pons, 1208), *Bertrandus Riqueriii de Utellis* (1367), *ipse locum de Utellis* (acte d'Amédée VII, 1388), *avem pagat al fabre Martin de Uels* (1548). Forme d'oc : *Uels* (œil).

Histoire

La région fut habitée par plusieurs tribus *ligures* dont les *Oratelli*, avant d'être soumise et annexée par les *Romains*. La *communauté d'habitants* d'**Utelle** et son *castrum* sont mentionnés pour la première fois en **1150**. À cette époque, comme tous les villages du Val de Lantosque, elle est constituée en *universitas** administrée par une assemblée de chefs de familles. Elle forme également une *Confédération républicaine* avec **Peille** et **Lucéram**. L'existence de plusieurs autres agglomérations fortifiées alentour est attestée (Manoïnas, Brechet) mais vers **1240**, elles sont détruites par Romée de Villeneuve. En **1352**, la reine Jeanne concède le fief au seigneur Antoine Grimaldi de Monaco, mais devant la résistance des *Utellois*, elle renonce à les inféoder. En **1365**, ils sont confirmés dans leurs *droits** et appartiennent au domaine direct de leur suzeraine. En **1361**, *le droit de cavalcade* leur est également confirmé. Lors de la ***dédition de 1388***, la *communauté* accepte de prêter hommage à Amédée VII à condition de conserver *ses privilèges**. Avec le passage de la *route du sel*, le village s'agrandit, un hôpital est construit. Toutefois, en **1699**, Victor-Amédée II de Savoie décide de vendre des fiefs non inféodés (Voir Contes). En **1700**, **Utelle** est inféodé aux Galléan pour lesquels il est érigé en comté, puis il passe aux Bottero en **1757**. C'est au Brec d'Utelle, en **1793**, que Masséna remporte sur les Piémontais une victoire qui marque le début de sa renommée militaire. Aux **XIVe-XVe** siècles, le village comptait environ *1.000* habitants, *1.350* en **1754** (pour *305* chefs de familles) et *2.438* en **1858**. Le tremblement de terre de 1887 fit des dégâts considérables dans la région, en particulier au **Cros d'Utelle**. Après la Seconde Guerre mondiale, l'exode rural s'accentue et la création de la route nationale, au fond de la vallée, isole un peu plus ce village perché. Les activités traditionnelles, essentiellement liées au pastoralisme et à l'agriculture (oliviers, lavande, légumineuses) diminuent fortement. Actuellement, l'élevage et l'exploitation forestière représentent les principales ressources des *Utellois*.

** Cette **universitas** faisait partie du domaine direct du comte de Provence, et cette disposition fut reconnue au moment de la **dédition de 1388**. Elle bénéficiait de nombreux **droits** et **privilèges**, entre autres : être éxonérée d'impôts, payer le sel à moitié prix, être propriétaire des fours, des moulins, des bans et des auberges, exploiter le bois de ses forêts, assurer la protection et la réglementation des troupeaux et des cultures... Les Utellois avaient également le droit de porter un couteau, d'où leur surnom de « coutelié ». Comme toutes celles du Val de Lantosque, la **communauté** était administrée par une **assemblée de chefs de familles** (Parlement) qui nommaient un **baile**, des **syndics** et divers **autres agents**. Le baile jugeait en **basse justice**, la **haute justice** étant rendue par le juge du comté de Vintimille et du Val de Lantosque, basé à Sospel.*

* ***Paroisses/communes** : voir Châteauneuf-d'Entraunes.* * ***Libertés et franchises** : voir Entraunes.*

* ***Villes de Consulat - Universitas** : voir Peille.*

À voir

Ce village médiéval est situé sur un balcon dominant la vallée de la Vésubie avec, sur les montagnes qui lui font face, les forêts de Turini et de la Gordolasque. Maisons anciennes, cadrans solaires et restes de fortifications.

* **Église Saint-Véran** (XVe-XVIe - CMH 1963). *Porche* de style gothique (1520) et superbe *porte sculptée* dont les 12 panneaux retracent la vie de saint Véran. Elle abrite une *huile* sur bois (XVIe), *L'Annonciation*, une *huile* sur toile (XVIIe/XVIIIe), *Amédée IX faisant l'aumône*. Derrière le maître-autel, une *statue de saint Véran* et un magnifique *retable* en bois sculpté représentant des *scènes de la Passion* (XVIIe et XVIIIe).

* **Chapelle de la Sainte-Croix / des Pénitents-Blancs** (XVIIe-XVIIIe - CMH 1979). La *Descente de Croix* (en bois doré, 2 x 2 m, XVIIe) est une copie de celle que Rubens a réalisée et qui est exposée à Anvers.

* **Vestiges de l'enceinte et des fortifications** du vieux village, abandonné au Moyen Âge.

* **Chapelle Saint-Sébastien** (1480), située sur l'ancien chemin muletier (*route du sel*) reliant Nice au Piémont.

* **Église Saint-Honorat** (XVIIIe), au Figaret. Clocheton à bulbe recouvert de zinc.

* **Chapelle Sainte-Anne** (XVIIIe), au Figaret. * **Four à pain** (XIXe), au Figaret.

* **Casernes** (1889), aux Granges de la Brasque. À partir de 1860, les hauteurs du Tournairet deviennent un site stratégique pour surveiller la frontière, et des routes sont créées par l'armée. Voir les stèles, à l'entrée du camp, sur lesquelles les soldats ont gravé les insignes de leur unité. En 1930, un petit ouvrage Maginot est construit sur

la pointe du Siruol.

*** Sanctuaire de la Madone d'Utelle / Notre-Dame-des-Miracles**

Il est situé à 1. 174 m d'altitude, sur un vaste plateau verdoyant. Il abrite une statue de la Madone (XIXe) en bois polychrome. Son auréole a 12 étoiles.

*La **Madone d'Utelle** : d'après la légende, ce sanctuaire aurait été fondé en **850** par des marins espagnols pris dans une tempête. Ils avaient fait le vœu, s'ils échappaient au naufrage, de bâtir un oratoire dédié à la Vierge. Une étoile brillant dans la montagne les guida vers la côte. Ils situèrent le lieu à Utelle. Le sanctuaire fut tout d'abord appelé **Notre-Dame-des-Miracles**, à cause des guérisons miraculeuses qui s'y sont produites. L'existence d'une chapelle est attestée en **1463**. Détruite pendant la Révolution, la chapelle primitive est reconstruite en **1806** et restaurée en **1970**. Lors des fêtes traditionnelles, en particulier mariales, la **Madone d'Utelle** est le **lieu de pèlerinage** des habitants des villages environnants.*

*** Table d'orientation**. *À proximité du sanctuaire, sous un dôme. **Panorama extraordinaire** sur l'ensemble des **Alpes-Maritimes** et la **Méditerranée**.* *** étoiles d'Utelle** (minuscules fossiles de polypes).

*** Promenades** : *** Cime du diamant ; * Cros d'Utelle.**

*** Au Chaudan** : **source d'eau tiède** *et* **église de la Sainte-Trinité.**

*** Canal de la Vésubie.** *Les travaux commencèrent en **1879** et furent terminés en **1883**. Cet ouvrage, en grande partie souterrain, fait 40 km de long. Il démarre à **Saint-Jean-la-Rivière.** Les **eaux de la Vésubie** aboutissent à la **station d'ozonisation de Rimiez**. Elles alimentent **Nice et une partie du littoral**.*

Pour son ALIMENTATION EN EAU POTABLE, le département est divisé en trois zones :

***1) Villages du haut pays** : principalement grâce aux nombreuses **sources**. Cela crée parfois des problèmes en été, lorsque l'hiver a été sec, car ces sources sont alimentées par les pluies et les neiges.*

***2) Secteur Cannes-Grasse :** les eaux de la **Siagne** (via la retenue du lac de Saint-Cassien, et des captages dans la nappe phréatique), le **Loup**, des **sources de montagne**. **Secteur Antibes/Villeneuve-Loubet :** captages dans le **Loup** et dans le **Var**.*

***3) Est des Alpes-Maritimes, pays niçois et Menton :** le **Var** (les pompages peuvent représenter 50 millions de mètres cubes par an, et on exploite sa nappe jusqu'à 200 mètres sous terre), le **canal de la Vésubie**, le **Paillon**, la nappe alluviale de la **Roya**.*

La Madone d'Utelle

06560 VALBONNE Plan: C 5

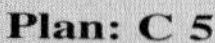

Hameau : SOPHIA-ANTIPOLIS (Mairie annexe 04.93.00.34.00)
Population : Insee 1999 **= 10.746** h. en 1901 = **1.067 h.** variation **+ 907,12%** (**11.244** en 2005)
Rang de la commune par rapport au nombre d'habitants au niveau dépt : **16 -** au niveau national : **785**
Les habitants sont les **Valbonnais**
Superficie : 1.897 ha - **Altitude** : 75 / 201 / 302 m - **Canton : Le Bar-sur-Loup** - **Arrondt** : Grasse
Distance de Nice : à vol d'oiseau = 21 km - par la route = 27 km - **Longitude** = 7,00° - **Latitude** = 43,63°
Accès : A 8 - D 535 - D 35 - D 103 - D 3 -
Desserte : TAM 230 - 231 - 233 - 501- Envibus 1 - 7 - 9 à 11 - 20 à 22 - 26 - 26 TAD - N3
Fête patronale:16 août -**Églises**:Valbonne St-Blaise - Sophia St-Paul-des-Nations - **Paroisse**: N.D.-de-la-Sagesse
N° Tél de la MAIRIE : 04.93.12.31.00 **www.ville-valbonne.fr** **OFFICE du TOURISME** : 04.93.12.34.50

Origine du nom

Du latin *vallis bona* : bonne vallée (fertile). Formes anciennes : *monasterium Vallis bone* (1199), *domui de Valbona* (cart. de Lérins, 1222).

Histoire

Les nombreux vestiges préhistoriques retrouvés sur les collines environnantes attestent la présence de l'homme à l'**âge du bronze** (habitats, haches votives, vases funéraires). Cette présence ne connut pas d'interruption jusqu'à nos jours. Pendant les premiers siècles de notre ère, les *Romains* créent des exploitations agricoles (fragments d'amphores et de *dolium*, *tegulae*, jarres servant au stockage de l'huile et des céréales). Le territoire a conservé également les vestiges d'un aqueduc romain et de *castellaras* celto-ligures. Une charte du 6 février **1199** mentionne l'établissement du *monasterium Vallis bone*, lorsque l'évêque d'Antibes offre des terres à l'abbaye chalaisienne de Prads (diocèse de Digne). Au **XIVe** siècle, à la chute de l'ordre chalaisien, le monastère *Sainte-Marie-de-Valbonne* est d'abord rattaché à celui de Villeneuve-lès-Avignon (Gard) et puis, en **1346**, à celui de Lérins dont il reste un prieuré jusqu'en **1788**. Dans la deuxième moitié de ce **XIVe** siècle, le pays est ravagé par la peste et par les bandes de pillards dirigés par Raymond de Turenne. Les hameaux éparpillés sur le territoire de l'abbaye sont pratiquement dépeuplés. En **1519**, Auguste Grimaldi, évêque de Grasse et abbé *commendataire** de Lérins (**V**oir Cannes) crée un village à côté de l'abbaye, laquelle devient l'église paroissiale. Il le fait construire et habiter par les villageois venus de communautés médiévales voisines (Clausonnes, Sartoux, Tourreviste et Villebruc) ainsi que de certaines bourgades du haut pays. Au **XVIe** siècle, les troupes de Charles Quint épargnent **Valbonne** en tant que terre d'église. Le duc de Savoie fera de même. En **1609**, il y avait environ *450* habitants, ils sont près de *850* en 1698, *1275* en 1851 et seulement *931* en 1921. À partir du **XIXe** siècle, les cultures florales destinées aux parfumeurs grassois se développent. Situé à l'écart des grands axes de communication, **Valbonne** va rester isolé et conserver ses activités traditionnelles liées à l'agriculture jusqu'au milieu du **XXe** siècle (vigne, olivier, blé, élevage, ainsi que le jasmin et la rose pour la parfumerie). Dès **1957**, la localité connaît sa première mutation avec la construction de villas sur d'anciennes parcelles rurales. Elle devient une zone résidentielle.

Raisin de Noël. *La culture du* ***Servan*** *se développe à partir de* ***1910****. C'est un* ***raisin tardif*** *qui se* ***conserve à l'état frais jusqu'à Pâques*** *grâce à un procédé naturel : les grappes sont plongées dans des bocaux remplis d'eau et d'un petit morceau de charbon de bois pour éviter qu'elles ne pourrissent. En 1950, Valbonne en produisait près de 400* *tonnes. La majeure partie de ce raisin était exportée vers le nord de l'Europe. Actuellement, cette production est très réduite mais chaque année, lors de la* ***célébration de la Saint-Blaise****, a lieu une* ***foire*** *consacrée au* ***Servan****.*

La création de **Sophia-Antipolis**, sur les collines boisées situées à quelques kilomètres du vieux village de **Valbonne**, provoque une mutation encore plus profonde. En effet, en **1969**, les communes de **Valbonne**, **Biot** et **Antibes** se sont associées pour créer le **pôle de recherche et d'activités de Sophia-Antipolis**. Elles sont rejointes en **1972** par **Vallauris** et **Mougins**. Cette technopole a été créée à l'initiative de Pierre Laffitte, ancien directeur de l'École des mines, de scientifiques, d'élus et de personnalités du département des Alpes-Maritimes. En partenariat avec la Chambre de commerce et d'industrie, la Chambre d'agriculture et les cinq communes adhérentes.

La ***Communauté d'agglomération de Sophia-Antipolis*** *(tél. 04 89 87 70 00) est en charge de la politique générale du développement du Parc, de son administration et de la gestion financière de cette opération. Depuis 1972, onze villes ont rejoint les cinq communes historiques. Actuellement, la CASA est composée de :* ***Antibes, Le Bar-sur-Loup, Biot, Châteauneuf, La Colle-sur-Loup, Courmes, Gourdon, Mougins, Opio, Le Rouret, Roquefort-les-Pins, Saint-Paul, Tourrettes-sur-Loup, Valbonne, Vallauris, Villeneuve-Loubet.***

La mairie

Village reconstruit en 1519, selon un plan en damier dit "de Lérins"

SOPHIA-ANTIPOLIS 06220

9 quartiers composent le site : les Bouillides, Haut-Sartoux, Garbejaire, les Lucioles, les Templiers, les Trois Moulins, Saint-Bernard, la Valmasque et le Font de l'Orme
Accès : A8 - D 535 - D 35 - D 103 - D 98
Desserte : TAM 230 -231-232 -233 - Envibus 1-9 -11-20 à 22 -26-26R - 27 (TàDde)
Église : Saint-Paul-des-Nations - **Paroisse** : Notre-Dame-de-la-Sagesse
N° téléphone de la MAIRIE ANNEXE : 04.93.00.34.00 - **SYNDICAT MIXTE** (SYMISA) : 04.92.94.59.94

Nombre de raisons sociales au 1er janvier 2004 : **1.260 - Nombre d'emplois** : **25.911** ainsi répartis
Sciences de l'information : 310 raisons sociales pour 11.797 emplois
Science de la santé et de la vie : 50 raisons sociales pour 2.156 emplois
Sciences de la terre : 19 raisons sociales pour 304 emplois
Enseignement supérieur et recherche: 65 raisons sociales pour 3.085 emplois
Service et Production : 649 raisons sociales pour 7.397 emplois
Commerces : 130 raisons sociales pour 962 emplois
Associations : 37 raisons sociales pour 210 emplois

À voir

Le village, presque totalement détruit en 1350, fut reconstruit en 1519, selon un plan en damier (dit « de Lérins »). La jolie place à arcades a conservé son aspect d'origine.

* **Abbaye Sainte-Marie-de-Valbonne** (XIIIe-XVIIIe). À la création du village, en 1519, **elle est devenue l'église paroissiale Saint-Blaise** (XIIIe - CMH 1984). De style roman, elle est en forme de croix latine, et à chevet plat. Le clocheton d'origine a été remplacé par un clocher en 1853. Elle abritre un *maître-autel* du XIIIe siècle, un *autel* et un *retable* de la *Vierge du Rosaire* (1643) en bois doré et polychrome, *douze croix* sculptées sur les murs (XIIIe - CMH 1984), un *autel à baldaquin* (XVIIIe) en bois peint et doré. Dans la cour du cloître, côté sud de la nef, se trouve l'*Armarium* (bibliothèque renfermant divers documents destinés aux offices).

* **Musée du Patrimoine / Arts et traditions populaires**, Vieux-Valbonne. Ouvert en 1993, il est situé dans l'ancien dortoir des convers de l'abbaye Sainte-Marie-de-Valbonne.

* **Vestiges de l'aqueduc romain**, la Bouillide (IIe - IMH 1936). Il alimentait *Antipolis* (Antibes). Long de 17 km, il était complètement fermé (souterrain sur certaines portions, couvert de dalles sur d'autres). Plusieurs ponts-aqueducs ont été partiellement conservés, celui de la Valmasque est presque intact. À l'époque romaine, la ville consommait beaucoup d'eau, principalement à cause des thermes.

* **Chapelle Saint-Bernardin** (XVIe) construite par les Pénitents blancs, rue de l'Hôtel-Dieu.

* **Mairie** (XVIIe-XVIIIe-XIXe). Son beffroi surmonté d'un campanile date de 1802.

* **Chapelle Saint-Roch** (XVIIIe). Lorsqu'il se rendit à Rome, saint Roch aurait fait une halte à Valbonne.

* **Vestiges du four à chaux** (XVIIIe) sur le site de Sophia-Antipolis. Il a servi lors de la construction du village.

* **Four à pain** (antérieur au XVIe), aux Clausonnes. Il a fonctionné jusqu'en 1920.

* **Abreuvoir et fontaine** (1835), rue Grande.

* **Puits** (1808), à Peirebelle. C'est le même type de construction que pour les *bories* en pierres sèches.

* **Cadran solaire** (1862), rue du Presbytère. Peinture murale. Il y en a cinq dans le village.

* **Place des Arcades** (XVIIe - IMH 1992).

* **Briquetterie**, *aux Clausonnes. Le* ***sol argileux*** *de* ***Valbonne***, ***Biot*** *et* ***Vallauris*** *fut une de leurs richesses. L'argile extraite des terriers de Valbonne était essentiellement transformée en* ***briques réfractaires*** *et en carreaux pour le sol. Dans ce quartier des Clausonnes, quelques* ***briquetteries*** *fonctionnaient encore au XXe siècle. Les villages de Biot et Vallauris avaient une production plus diversifiée : jarres, ustensiles de cuisine, poterie et céramiques décoratives.*

* **La Sylviane** (à l'entrée, borne datée de 1694). Cette ancienne bastide du fief de Lérins fut offerte par le général de Partouneaux (*Voir « Guide historique des rues de Menton »*) à sa fille Sylvie. Il offrit une demeure similaire, baptisée « La Louisiane » (située à Châteauneuf) à son autre fille, Louise.

* **Monument du Souvenir français** (1908), place de l'Église. Il cite les morts des guerres d'Italie, de Crimée, de 1870 et d'Algérie.

* **Parc de la Valmasque.** *Il s'étend sur les territoires de* ***Valbonne*** *et* ***Mougins*** *(Voir Mougins).*

06420	VALDEBLORE	Plan: C 2

LA BOLLÈNE LA COLMIANE MOLLIÈRES LA ROCHE SAINT-DALMAS-VALDEBLORE

Population : Insee 1999 **= 686** h. en 1901 = **817** h. variation **- 16,03%** (**701** en 2005)

Rang de la commune par rapport au nombre d'habitants au niveau départemental : **83**

Les habitants sont les **Valdeblorois**

Superficie : 9.416 ha -**Altitude** : 399 / 1050 / 2880 m - **Canton : Saint-Sauveur-sur-Tinée** - **Arrondt** : **Nice**

Distance de Nice : à vol d'oiseau = 41 km - par la route = 72km - **Longitude** = 7,17° - **Latitude** = 44,07°

Accès: N 202 -D 2205 -D 2565 et GR 5-52 - **Desserte**: TAM 740 -750 -(746 la Colmiane, la Roche, la Bolline)

Fêtes patronales : Bolline 5/9 août - Mollières 15 août - Saint-Dalmas 20/24 août

Églises : La Bolline St-Jacques - St-Dalmas Ste-Croix - **Paroisse** : St-Bernard-de-Menthon

Molières Annonciation - **Paroisse** : Notre-Dame-de-Tinée

N° téléphone de la MAIRIE : 04.93.23.25.80 - **OFFICE du TOURISME** : 04.93.23.25.90

Origine du nom

Valdeblore est composé du substantif *val* et de la racine prélatine *bal, bel, bol* (hauteur, rocher). *bl* + le suffixe celtique *ora* : pente herbeuse au milieu de forêts et de rochers. Formes anciennes : *in valle Blora* (cart. de la cathédrale de Nice, 1067), *Val de Bloro* (1567). **La Bolline** vient de *boulina* (éboulement) ; quant à **Mollières**, il dérive de *Molheras* (terrain marécageux).

Histoire

De nombreux vestiges (cippes funéraires du **Ier siècle**, pièces de monnaie) attestent la présence des *Romains*. Lors du recensement des *paroisses* du diocèse de Nice, en **1067**, celle du **Valdeblore** comportait quatre hameaux : **Saint-Dalmas**, **La Bolline**, **La Roche** et **Mollières**. Le plus ancien des quatre est celui de **Saint-Dalmas**, où un prieuré est fondé, bien avant l'**an mil**, par les moines de l'abbaye bénédictine de Saint-Dalmas de Pedona (Borgo San Dalmazzo, près de Cuneo, dans le Piémont). L'église de **Saint-Dalmas**, dédiée à *L'Invention-de-la-Sainte-Croix*, est bâtie sur les fondations du prieuré primitif. À l'origine, le fief appartient aux Rostaing de Thorame, en coseigneurie avec les prieurs du monastère cloîtré de Saint-Dalmas-Valdeblore. En **1352**, Pierre Balb, dernier descendant des Thorame, en est le feudataire. En **1381**, à la suite de sa rébellion contre la reine Jeanne, la plupart de ses biens sont confisqués et donnés à Jean Grimaldi de Beuil (Voir Tourette-du-Château). En **1388**, Amédée VII lui confisque le reste de ses possessions et le **Valdeblore** passe sous la domination de la Savoie. En **1656**, à la suite de désaccords, les villages de **Saint-Dalmas**, **La Roche** et **La Bolline** s'étaient séparés. Une douzaine d'années plus tard, les trois *communautés d'habitants* renoncent à cet acte de division. Les chefs de famille signent une convention et demandent la réunion des biens, revenus et dettes. C'est ainsi qu'est créée, le **10 juillet 1669**, la commune de **Valdeblore**. Quant au hameau de **Mollières**, il est mentionné comme appartenant à la juridiction de La Roche et de La Bolline. **Valdeblore** était dirigé par un conseil de 6 membres élus, avec un *syndic* désigné pour un an, par chaque village à tour de rôle. En **1716**, une nouvelle convention réactualise ces accords. En **1699**, le duc de Savoie concède le fief à Jean Ribotti, en faveur duquel il est érigé en comté (Voir Contes). *En **1860**, sous prétexte de préserver les **domaines de chasse** de Victor-Emmanuel II, futur roi d'Italie, **Cavour** obtient que **Mollières** soit rattaché à la commune italienne de Valdieri. En réalité, cela permettait aux Italiens de* *conserver, pour des raisons stratégiques, la souveraineté de la ligne de crête. Le* ***Valdeblore*** *perdait ainsi la moitié de son territoire (pâturages d'été, forêts, terres à blé et à seigle). Les communes de* ***Belvédère, Isola, Saint-Sauveur*** *et* ***Rimplas*** *furent, pour la même raison, amputées d'une grande partie de leurs propriétés communales. En* ***1947****, le traité de Paris, en calquant la* ***frontière*** *sur la* ***ligne de partage des eaux****, rend à toutes ces communes les terres qu'elles avaient perdues.*

À voir

* **SAINT-DALMAS**, *un vieux village construit à 1.100 m d'altitude, à l'emplacement d'un ancien prieuré.*

* **Cippe funéraire** (Ier siècle). Il est dédié à *Secundius Prudes,* un notable romain qui était magistrat et prêtre à Cimiez, mais qui possédait une résidence à Saint-Dalmas.

* **Église romane de la Sainte-Croix** (XIe-XVIIe-1740 - CMH 1943). La première mention de l'édifice date de 1060. Elle a été construite par les Bénédictins avec l'aide d'un atelier lombard. Le clocher date de 1740. Elle abrite des *peintures murales* (1375-1390), un *polyptyque* huile sur bois, *La Sainte Croix* (1584), de Guillaume Planeta, un *retable* de *saint François*, attribué à Andrea de Cella. *La* ***crypte****, probablement du* ***Xe siècle****, pourrait avoir été construite sur un* ***sanctuaire*** *existant au* ***VIIe*** *siècle. Elle est divisée en trois parties par des piliers monolithiques.* ***Ce lieu de culte est l'un des plus anciens mais aussi l'un des seuls de ce type, en France****. Les Italiens ont entrepris des recherches à la maison mère, l'* ***abbaye de Pedona****, fondée en* ***613****, et ils ont retrouvé une construction* ***similaire****.*

* **Musée du Terroir**. *Il présente d'anciennes* ***machines agricoles****, des* ***outils****, un* ***métier à tisser****, un* ***moulin à chocolat****, une* ***presse à foin****, une* ***batteuse mécanique****, un* ***arrosoir manuel****...*

* **Enceinte** (XIVe). Ce sont les murs aveugles des maisons (maisons-remparts) qui la constituent en grande partie avec, dans les intervalles, un mur (*lou Barri*) qui renforce les portes.

* **Cabane pastorale** (XIIe), lac des Millefonts et enclos d'altitude. Elle fut datée au carbone 14.

* **LA COLMIANE**, (1400-1800 m d'altitude). **Office de tourisme** : **04 93 23 25 90**. Primitivement à vocation pastorale, *ce hameau est devenu une* ***station climatique d'été et de sports d'hiver****.* Pour un domaine skiable de 30 km, elle possède un télésiège fonctionnant toute l'année, 21 pistes, 10 remontées mécaniques, un baby-téléski avec jardin d'enfants. Il est possible d'y pratiquer le **ski alpin**, **de fond**, **nordique**, **acrobatique**, la course de **chiens de traîneaux**, le **vol à voile**, l'**escalade** et le **quad**.

* **Pic de la Colmiane** (1790 m). *On atteint le sommet par un télésiège.* ***Superbe panorama*** *sur le Tournairet, la Vésubie, la forêt de Turini, la chaîne du Mercantour, le Baus de la Frema et l'ensemble du Valdeblore.*

* **Via Ferrata**, le Baus de la Frema (2.246 m). Itinéraire 1.600 m. Dénivelée + 570 m. Cotation : difficile. **Autres Vie Ferrate** : La Brigue, Peille, Lantosque, La Colmiane, Auron, Puget-Théniers, Tende. **Via Souterrata**, Caille.

* **LA ROCHE** (*Roccias*). *Station climatique d'été, située à 1.100 m d'altitude, bâtie contre un éperon rocheux culminant à 1.271m. Les maisons sont de type alpin, avec des balcons en bois et des toits en bardeaux ou lauze.*

Chapelle des Pénitents-Noirs (XIe-XVIIe). Clocher carré avec dôme en fer forgé. Elle abrite un *retable* en bois doré ((XVIe), un *triptyque* (XVIIe), *Saint Bernard*, et des *stalles* en bois sculpté.

* **LA BOLLÈNE**, *situé sur un plateau à 1.350 m d'altitude. Ce hameau possède des maisons à linteaux sculptés.*

* **Église paroissiale Saint-Jacques** (XVIe et XVIIIe - IMH 1932). Clocher roman tardif (1532). Elle abrite de nombreuses *gypseries* et *faux marbres*, un *bénitier* en pierre sculptée, un *triptyque* détrempe sur bois de la *Vierge* (1576), une *huile sur toile* (XVIIe), *La Déploration du Christ*, une *huile sur toile* (1702) *L'Apparition de la Vierge à saint Jacques*, de Ludovic Van Loo (Voir Pegomas).

* **Chapelle Sainte-Croix-des-Pénitents-Blancs**. Clocher baroque à bulbe. Elle abrite une *détrempe sur bois* (1530) *Marie-Madeleine*, deux *huiles sur toile* (1635) *La Déposition du Christ et la Passion*, de Jean Rocca, et *La Descente de Croix* (XVIIe). * **Chapelle Saint-Donat**. Son porche d'entrée est daté de 1610.

* **MOLLIÈRES** (Molheras, terrains marécageux). *Ce hameau pastoral isolé, situé à 1.600 m d'altitude est intégré au* ***Parc national du Mercantour****. Il est principalement constitué de* ***granges alpines****. On y accède par une route qui culmine à 2.484 m, ce qui la rend impraticable 8 mois par an, en raison de l'enneigement.*

Dans le passé, les habitants de ***Mollières*** *étaient surnommés les* ***manjamurés*** *(mange-marmottes). En effet, ils savaient parfaitement tirer parti de ce* ***petit animal*** *: avec la* ***graisse****, ils confectionnaient une* ***pommade*** *efficace contre les rhumatismes ; avec la* ***chair****, des* ***rillettes*** *paraît-il délicieuses. Quant à la* ***fourrure****, elle était vendue, comme celles des hermines et des renards.*

* **Lacs de Frémamorta**, dans le **Parc national du Mercantour.** Voir pages 210 et 211.

06750 VALDEROURE Plan: A 4

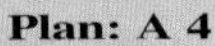

Hameaux : LA FERRIÈRE MALAMAIRE FAUCHIER CAILLON VALENTIN CLOS DE GIRAUD

Population : Insee 1999 **= 306** h. en 1901 = **229 h.** variation **+ 33,62%**

Rang de la commune par rapport au nombre d'habitants au niveau départemental : **10**

Les habitants sont les **Valderourois**

Superficie : 2.534 ha - **Altitude** : 1027 /1 050 / 1645 m - **Canton : Saint-Auban** - **Arrondt** : Grasse

Distance de Nice : à vol d'oiseau = 44 km - par la route = 86 km - **Longitude** = 6,72° - **Latitude** = 43,78°

Accès : A 8 ou N 7 - N 85 - D 2211 - D 2 - D 602 - **Desserte** : Réserv: TAD 0 800 06 01 06

Fête patronale :dimanche suivant le 16 août - **Église** : Assomption/St-Roch - **Paroisse** : Ste-Marie-des-Sources

N° téléphone de la MAIRIE : 04.93.60.47.71

Origine du nom

Ce toponyme vient probablement du latin *robur* qui signifie chêne rouvre (une variété au bois très dur). Le terme provençal *Val de Roure* signifie *Vallée des chênes*. En langue d'oc : *rora*.

Histoire

Les nombreux éléments retrouvés sur le territoire témoignent, comme pour toute la région, de la présence des *Romains* pendant les premiers siècles de notre ère. La commune possède également un site *préhistorique* et les vestiges d'un camp *celto-ligure*. Au **Moyen Âge**, la *communauté médiévale* de **Roure** est composée de plusieurs hameaux dispersés dans la plaine. Ces terres dépendent de **Séranon**. Le fief est inféodé aux Templiers qui possèdent une place forte, le château de *Pugnafort* (actuellement le lieu-dit *La Commanderie*), un moulin (à *Malamaire*) et 300 hectares de terre. Après la dissolution de l'Ordre, leurs biens sont dévolus aux Hospitaliers de Saint-Jean-de-Jérusalem qui vont les conserver jusqu'à la **Révolution**. Entre-temps, le fief a appartenu à de nombreux coseigneurs, et son histoire se confond avec celle de Séranon (Voir ce nom) jusqu'à la **Révolution**. Entre **1748** et **1774**, les habitants de Séranon abandonnent progressivement leur village pour se rapprocher des sources et des terres cultivables. Ils s'installent dans les hameaux voisins, en particulier à **Valderoure**. Au **XVIIe** siècle, les paroisses de ces deux agglomérations étaient déjà distinctes. Par contre, il faut attendre le **3 mars 1790** pour que **Valderoure** soit détaché de **Séranon** et devienne autonome. L'hôtel de ville est installé dans le presbytère et le premier maire de la commune, Jean-Antoine David, est chargé de la vente des biens des Chevaliers de l'ordre de Malte (anciennement Hospitaliers de Saint-Jean-de-Jérusalem), dont le château de Pugnafort. Les Villeneuve, qui furent les derniers feudataires, étant partis sans rembourser leurs dettes (environ 45.000 livres), **Valderoure** fut confronté à de graves problèmes financiers, mais finit par trouver un arrangement.

À voir

Le village est construit le long de la route, dans un environnement verdoyant. Maisons anciennes à linteaux.

* **Chapelle Saint-Pierre** (1662). Elle remplace l'église primitive mentionnée dans des documents de 1282, qui fut probablement détruite par Raymond de Turenne et ses bandes de pillards en 1391.

* **Chapelle Saint-Jean-Baptiste** (1734). Elle possède une voûte en plein cintre.

* **Chapelle Sainte-Léonce** (Moyen Âge). Rattachée à l'abbaye de Lérins. Elle a pour particularité d'être dotée d'un toit plat sans clocher (IMH 1947). * **Sarcophage** de l'époque romaine (il servit longtemps d'abreuvoir).

* **Église de l'Assomption-et-de-Saint-Roch** (1608). Construite à l'emplacement de l'ancien prieuré Saint-Roch.

* **Oratoire Saint-Roch**. Il est l'œuvre du tailleur de pierre Étienne Rebuffel. Il avait fait le vœu d'ériger un oratoire pour remercier saint Roch, s'il revenait vivant de la guerre de 1870.

* **Ancienne maison forte** (XIIIe). Elle fut occupée par les seigneurs de Séranon.

06220 VALLAURIS - GOLFE-JUAN Plan: C 5

Population : Insee 1999 **= 25.773** h. en 1901 = **6.729** h. variation **+ 283,01%** (**27.000** en 2005)
Rang de la commune par rapport au nombre d'habitants au niveau dépt : **9 -** au niveau national : **291**
Les habitants sont les **Vallauriens**
Superficie : 1.304 ha - **Altitude** : 0 / 112 / 285 m - **Canton : Vallauris/Antibes Ouest** - **Arrondt** : Grasse
Distance de Nice : à vol d'oiseau = 21 km - par la route = 30 km - **Longitude** = 7,05° - **Latitude** = 43,58°
Accès : A 8 ou N 7 - D 535 - D 35 - D 435 - **Desserte** :Envibus 5 - 5 (TAD) - 8 - 17 à 20 - N2
Fête patronale :Ste Anne, 26 juillet - **Églises** :Vallauris St-Martin - Golfe-Juan St-Pierre - **Paroisse** : St-Eucher
N° téléphone de la MAIRIE : 04.93.64.24.24 - **OFFICE du TOURISME** : 04.93.63.82.58
Mairie annexe 04 93 63 86 93 - **OFFICE du TOURISME** : 04.93.63.73.12
www.vallauris-golfe-juan.fr

Origine du nom

Du latin *vallis* (vallée) + le descriptif *aurea* (dorée). Formes anciennes : *in valle aurea* (972), *monasterium vallis auree* (cart. de l'abbaye de Lérins, 1038), *ad crucem de Vallauria* (1120-1124), *castrum de Valauria* (1200).

Histoire

Les vestiges d'un village entouré de murailles (*oppidum de Cordula**) attestent que ce piton boisé sur le plateau des Encourdoules fut habité par des tribus *celto-ligures* (probablement les *Décéates*) à partir du **IIIe** siècle avant Jésus-Christ. Pendant les trois premiers siècles de notre ère, l'existence d'un *pagus** (désigné sous le nom de *Cantabensis*) indique qu'il fut occupé par les *Gallo-Romains*. Au **Ve** siècle, après les vagues successives d'invasions barbares, le village est déserté. En suivant l'itinéraire du chemin ligure primitif, on retrouve des traces de la *Via Julia Augusta* aux Pertuades, aux Encourdoules, aux Impiniers, au gué du Pas d'Estrech sur la Siagne, etc., jusqu'à Fréjus. Le territoire de *Vallis Aurea* est de nouveau mentionné en **972**. Situé en contrebas du bourg primitif, il est composé de plusieurs hameaux dotés de leur chapelle respective, et il fait partie des possessions de l'épiscopat d'Antibes. Le 9 décembre **1038**, l'évêque d'Antibes le cède à l'abbaye de Lérins qui va en conserver les droits jusqu'en **1787**, juste avant la **Révolution**. Peu à peu, les guerres et les épidémies de peste déciment la population, et à la fin du **XIVe** siècle, la cité est devenue un *lieu inhabité*. Par un *acte d'habitation** datant d'**avril 1501**, Raynier Lascaris, abbé de Lérins et seigneur de Vallauris (il était apparenté à la famille des comtes de Vintimille), repeuple le territoire grâce à des agriculteurs originaires de ses terres de Ligurie. Il fait construire un *castrum* (une cité dotée de remparts et de défenses), l'actuelle vieille ville. La *poterie**, une activité traditionnelle due à l'excellente qualité de la terre avait été encouragée par les moines de Lérins dès le **XIe** siècle. Elle va être relancée, ainsi que l'*exploitation des terres*, par ces familles de paysans liguriens. En effet, dans l'acte d'habitation, il est fait mention de la poterie de Vallauris ainsi que de la verrerie : les moines s'étaient réservé *« la lesde ou gabelle... de tous les vases de terre et de verre... qui seront mis en vente au dit terroir »*. Avec l'essor démographique, petit à petit, une vie municipale s'organise. En **1540**, il y avait *98* maisons ; en 1**608**, *200* maisons ; en **1698**, il y en avait *300* pour *367* chefs de famille ; en **1765**, *293* maisons étaient habitées pour *1.309* habitants. En **1568**, les moines de Lérins avaient fait reconstruire un château de style Renaissance sur les soubassements du prieuré primitif. Les prieurs de Lérins y résidèrent jusqu'en **1787**, date de la sécularisation du monastère par Louis XVI. À la **Révolution**, il fut vendu comme bien national. Le **1er mars 1815**, Napoléon, en provenance de l'île d'Elbe, préfère éviter la ville royaliste d'Antibes et débarque au port de Golfe-Juan avant de

se diriger vers Paris par une route que l'on appellera *« route Napoléon »* (Voir Escragnolles).
Au XIXe siècle d'importants travaux d'urbanisme furent réalisés, en particulier l' installation du tramway (1899). Au début du XXe siècle : construction de l'école de garçons et de l'école de filles (1908). L'arrivée de l'eau du canal de la Siagne, vers 1900, a permis le développement de la culture du ***bigaradier** ou **oranger à fleurs****.
Toutefois, la grande révolution fut l'arrivée de l'électricité en 1919.

De nombreuses manifestations sont organisées tout au long de l'année : *Biennale internationale de la céramique d'art ; fête de la Saint-Pierre et de la Marine ; fête Picasso et « animations potiers » ; Festival Jean Marais ; fête de la Saint-Sauveur ; fête de la Poterie.*

** Le toponyme **Cordula** est probablement dérivé de la racine **kar** (lieu couvert de pierres). Il fut utilisé jusqu'au XIIIe siècle, et il est à l'origine du mot **Encourdoules**. Ce dernier étant une agglutination : en Courdoules.*

** **Pagus :** dans la Rome antique, ce terme indiquait un **pays**, un **village** ou une **circonscription territoriale rurale**.*

** **Acte d'habitation.** En 2001, Vallauris a célébré la signature du **traité signé en 1501**, qui constitue l'**acte fondateur** de la ville. En effet, jusqu'à cette date, Vallauris existait en tant que territoire où subsistait un hameau appartenant à un seigneur, mais ce n'était pas encore une cité. Cet acte notarié, qui fut rédigé une seconde fois en 1506, décrit le plan dit « en damier » du futur castrum, ainsi que les droits et les devoirs de ses habitants. Les terres furent cédées en **emphytéose** perpétuelle (Voir Saint-Blaise).*

** **Poterie.** Depuis le **XVIe** siècle, les deux activités principales des Vallauriens ont été **l'agriculture** et la **poterie**. L'essentiel de la production resta longtemps axé sur la **poterie culinaire** (en particulier les marmites). Vers la fin du XVIe siècle, **trois** fabriques étaient installées dans l'actuelle rue des Tours (tour de potier). Au XVIIIe siècle, les artisans se lancent dans la fabrication de la **belle vaisselle** (Louis XV, entre autres). En **1775**, la ville compte une **vingtaine de fabriques** dans lesquelles travaillent **150 personnes**. En **1829**, il y en a **32**. Elles exportent les **2/3** de leur production annuelle, qui est d'environ 350.000 pièces. Vers **1890**, sur **7.000 habitants**, plus de **2.500** vivent de cette activité. À cette époque, Vallauris compte **55 fabriques** de poterie réfractaire, **4 briquetteries** et **2 manufactures** de faïence d'art. Au début du XXe siècle, elle devient **poterie artistique** (famille Massier). Toutefois, la concurrence des Italiens est rude, et après la Première Guerre mondiale, le déclin s'accentue. En **1947**, **Picasso** s'installe dans un atelier de la ville. Il attire de nombreux artistes dont Cocteau, Miro, Léger... ainsi que de jeunes céramistes de talent. La **céramique d'art** remplace progressivement la **poterie culinaire industrielle**. Depuis, Vallauris est devenu un centre de renommée mondiale. Une **Biennale internationale de la céramique d'art** y est organisée depuis 1966. Pour l'année 2006, elle aura lieu du 1er juillet au 30 novembre, dans sept endroits différents (musée Magnelli, musée de la Céramique, salle Eden, musée national Picasso, chapelle de la Miséricorde, espace Grandjean, salle Jules Agard, salle d'exposition de l'AVEC).*

À voir

* **Oppidum des Encourdoules (Cordula)** IIe av. J.-C. - IMH 1978. Construit par des Celto-Ligures. Ce village couvrait 3 hectares et était entouré de murs de pierre de plusieurs mètres d'épaisseur. Du sommet de la colline (245 m), **magnifique panorama**.

* **Aqueduc de Clausonnes** (IIe - IMH 1936), parc de Sophia-Antipolis (Voir Valbonne).

* **Ancien moulin**, aménagé en atelier de poterie.

* **Château Daumas** (XIIIe-XVIe - IMH 1951). L'aile sud fut construite au XVe siècle, à l'emplacement d'un ancien prieuré. Cet édifice rectangulaire flanqué de 4 tours est de style Renaissance. Les prieurs de Lérins y résidèrent jusqu'en 1787. Il est vendu en 1791, avec d'autres *biens nationaux*, et racheté en 1810 par la famille Daumas. En 1821, Honoré Daumas fait ajouter ses initiales sur le portail (XVe-XVIe). Dorénavant, il accueille le **musée national Pablo-Picasso** et le **musée Magnelli de la Céramique et d'Art moderne**. La chapelle Sainte-Anne date probablement de la deuxième moitié du XIIIe siècle (CMH 1951). Elle renferme une composition de Picasso, « La Guerre et la Paix ».

* **Boutiques et ateliers de poteries**. * **Musée de la Poterie** (privé), rue Sicard.

* **Chapelles :** * **Saint-Antoine** (XVIe) ; * **Saint-Roch** (XVIIe) ; * **Saint-Bernard** (XVIIe).

* **Chapelle de la Miséricorde** (1664), ancienne **chapelle des Pénitents-Noirs**, située **place du Portail / place Jules-Lisnard**. Elle abrite un *retable baroque* (CMH 2003), ainsi que le **Centre Européen d'art contemporain**. Cet espace culturel accueille des expositions, des concerts, des conférences, etc.

* **Chapelle Notre-Dame-des-Grâces**. *Coupole* ornée d'une fresque de Jean Goujon. *Retable* de 1694.

* **Église Sainte-Anne-Saint-Martin** (de l'ancienne église Saint-Martin), 1839. Construite à l'emplacement de la chapelle Saint-Bernardin. Elle abrite une *chaire en bois de noyer* (XVIIe), deux *statues en carton pâte* doré (XVIIe), *Saint Martin, sainte Anne, saint Joseph et l'Enfant Jésus*, une *huile sur toile* (1665-1790), un *tabernacle*

en bois doré (1745).

* **Place de l'Homme-au-Mouton**, ou place du Marché, devant l'église. C'est le lieu où se trouvait l'une des quatre portes de la cité, la porte de la Mer, du fait de son orientation. La statue en bronze de l'**Homme au Mouton** fut réalisée par **Picasso** qui l'offrit à la ville en 1950.

* **Place du Piolet**, placée sur une éminence, elle remplace la porte commandant la route de Biot. Il existait à cet endroit une fontaine et un abreuvoir alimentés par les eaux de l'Issourdadou.

* **Placette Saint-Jospeh**, dite « la Placette ». C'est là que se trouvait la **Porte** nord-ouest, vers Le Cannet et Mougins. *Les* ***quatre places*** *correspondent aux* ***quatre portes*** *de l'ancienne cité. Elles étaient fermées chaque soir, pour protéger les habitants. Lorsque la nuit tombait, personne ne restait à l'extérieur...*

* **Rue Haute**, ancienne *rue Soubrane*. Elle est bordée de jolies maisons bien restaurées. Les anciens bâtiments formaient le mur d'enceinte nord, tandis qu'à l'opposé, la rue Clément-Bel (ancienne *rue Soutrane*) constituait le rempart sud.

* **Rue du Four**. À la hauteur du n° 35, le bâtiment porte la date de 1654 : il a sans doute servi d'hospice aux XVIIIe et XIXe siècles.

* ***Bigaradier / Coopérative Nérolium*** *(1904). La culture florale, en particulier de l'****oranger à fleurs*** *ou* ***bigaradier****, a tenu longtemps une place importante dans la vie économique de la commune. En 1970, quatre-vingt-dix hectares étaient encore exploités pour cette activité. La coopérative regroupe les* ***producteurs de fleurs d'oranger****. Chaque jour, dès qu'elles sont cueillies, les* ***fleurs*** *sont apportées dans l' usine pour y être* ***distillées****. On en extrait le* ***neroli*** *(une huile essentielle) et l'****eau de fleurs d'oranger****. La fabrique produit, de façon artisanale, des* ***confitures d'oranges*** *et* ***oranges amères, citrons*** *et* ***pamplemousses****. Actuellement,* ***Vallauris*** *est la* ***seule ville de France*** *où cet arbre est encore cultivé pour récolter sa fleur et la distiller.*

* **Tombe de Pierre Chalmette** (1945), vieux cimetière. Maire de Vallauris en 1936, réélu en juin 1939. Il est arrêté par la Gestapo en août 1944. Il est mort sous la torture.

* **Tombe de Jean Marais** (1999), vieux cimetière.

Origine du nom et Histoire de GOLFE-JUAN

Le site fut primitivement occupé par un *port ligure*. Au **Moyen Âge**, il accueille les barques des pêcheurs et prend, en raison de ses eaux qui étaient stagnantes, le nom de *Gou Jouan pourri*. Plus tard, on l'appelera *quartier de la mer* et *Golfe de Jouan*. C'est également un *passage de la Gabelle*. Au **XIXe** siècle, c'est du port de **Golfe-Juan** (et de ceux de Cannes et d'Antibes) que partent les *tartanes* chargées de *poteries culinaires* vers Marseille, la Corse, l'Italie et bientôt l'Afrique du Nord. En **1860**, **Golfe-Juan** n'était encore qu'un hameau entouré d'orangeraies, mais l'arrivée du chemin de fer va être à l'origine de son développement. En effet, le transport par train de marchandises a permis une meilleure diffusion de la production de poteries. Actuellement, la ville, située dans le prolongement de **Juan-les-Pins**, est devenue une station balnéaire très prisée.

À voir

* **Église Saint-Pierre** (XIXe). Elle est construite lorsque Golfe-Juan commence à se développer, et devient une paroisse indépendante. Elle est dédiée à saint Pierre, le patron des pêcheurs.

* **Château Robert** (fin XIXe). Il a appartenu à Émile Jellineck, un industriel tchèque qui s'associa avec la firme allemande Daimler-Benz et baptisa le nouveau modèle de la marque du prénom de sa fille, « Mercedes »

* **Phare de la Fourmigue** (1900). * **Nouveau phare** (1932). *À l'époque, c'était le plus haut d'Europe.*

* **Gare** (1862). Son ouverture participa au développement de Golfe-Juan.

* **Ancien port** (XIXe). Primitivement *port de pêche*, il devient *port de commerce* grâce aux *tartanes* qui transportent les poteries de Vallauris vers les autres ports de la Méditerranée. Son trafic maritime devient inexistant après la Première Guerre mondiale. Dorénavant, il est devenu un *port de plaisance*.

* **Colonne Napoléon** (1815). Le 1er mars 1815, de retour de l'île d'Elbe, c'est ici que l'Empereur débarque.

* **Usine de céramique Clément-Massier** (1881). Il est le fondateur de cette industrie à Vallauris.

Une bonne adresse

OPEN PLAGE Bar-Restaurant *Sur la plage* bd des Frères-Roustan 04 93 63 90 80

06450	VENANSON	Plan: C 3

Hameaux : **RIGONS** **LIBARET**

Population : Insee 1999 **= 123** h. en 1901 = **256** h. variation **- 51,95%**

Rang de la commune par rapport au nombre d'habitants au niveau départemental : **133**

Les habitants sont les **Venansonnois**

Superficie : 1.798 ha - **Altitude** : 760 /1164 / 2089 m - **Canton : Saint-Martin-Vésubie** - **Arrondt** : Nice

Distance de Nice : à vol d'oiseau = 39 km - par la route = 70 km - **Longitude** = 7,25° - **Latitude** = 44,05°

Accès : N 202 - D 2565 - D 31 et GR 5 - **Desserte** : Réserv: TAD 0 800 06 01 06

Fête patronale : 15 août - **Église** : Saint-Roch - **Paroisse** : Saint-Bernard-de-Menthon

N° téléphone de la MAIRIE : 04.93.03.23.05

Origine du nom

De la racine pré-celtique *ven* (hauteur), conjuguée avec la racine *Vena* (source) ou bien de *venatio*, terme décrivant un *pays de chasse*. Formes anciennes : *in castro Venacione* (cart. de la cathédrale de Nice, 1067), *cum quarta parte Venacionis* (cart. de Lérins, XIIe), *Venazo* (C.C. de Nice, XIIe), *villa Venanczoni* (Caïs, 1388), *Venazono* (1399), *contra la comuna de Venasson* (1499), *villa Venasoni* (1533).

Histoire

Primitivement, **Venanson** était une possession des comtes de Thorame-Glandèves. La mention *in castro Venacione* qui apparaît au **XIe** siècle, fait état des dîmes du village reversées par ses feudataires, les Rostaing-Raynardi (apparentés aux Glandèves), à l'église Notre-Dame-de-Cimiez. Au **XIIIe** siècle,**Venanson** devient une *communauté d'habitants* autonome, sous la dépendance directe du comte de Provence. Elle est dirigée par une assemblée de chefs de famille qui détient le pouvoir législatif. Elle édicte ses propres lois, sous l'autorité d'un *bayle* qui représente le suzerain provençal. À partir de la ***dédition de 1388***, cette *communauté* passe sous la domination de la Savoie. Malgré son vaste domaine forestier qui lui procure des ressources importantes, le village a des dettes envers le duc de Savoie. En **1699**, Victor-Amédée II le vend à Jean Ribotti (**V**oir Contes). Le nouveau feudataire ne conserve pas longtemps le fief car, en **1700**, ce dernier est concédé aux Alziari, pour lesquels il est érigé en comté. Ensuite, **Venanson** passe successivement aux Genesi, Laurenti, Trinchieri et Belli.

Dans le passé, les *Venansonnois* ont eu des différends avec les habitants de Saint-Martin-Vésubie pour des questions de limites territoriales. Ils ont même été en procès au sujet du pont de la Facciaria, qui enjambe le Boréon. **Venanson** comptait *260* habitants en **1754**. Actuellement, les ventes de coupes de bois représentent la principale ressource des villageois. En effet, la forêt, qui occupe un versant exposé principalement au nord, en face du village, s'étend sur plus de 1.000 hectares. Elle est composée d'arbres magnifiques et plus que centenaires pour certains : des sapins, épicéas, mélèzes, pins sylvestres mais aussi des érables, ormes, chênes, cytises, sorbiers, tilleuls et aulnes. D'autres activités tiennent également une place importante dans la vie économique de la commune : l'élevage de bovins et d'ovins et la culture de la lavande. En effet, les pentes exposées au soleil sont couvertes de lavande sauvage dont les fleurs servent à la production d'huile essentielle.

À voir

Ce village ancien est perché, en nid d'aigle, sur un éperon rocheux qui domine la vallée de la Vésubie. Il est situé à 4 km de Saint-Martin-Vésubie. Nombreuses vacheries et granges alpestres.

* **Chapelle Saint-Sébastien (Sainte-Claire)** (XVe-XVIIIe). L'intérieur est entièrement décoré de ***fresques***

peintes par ***Giovanni Baleison**** en 1481 : une dizaine de scènes sur la vie de saint Sébastien, un martyr qui vécut au IIIe siècle. * *Cet **artiste piémontais** a beaucoup travaillé en collaboration avec **Giovanni Canavesio,** en particulier à Saint-Étienne-de-Tinée et à La Brigue. Par contre, dans cette chapelle, il a œuvré seul.*

* **Chapelle Saint-Roch** (XVe-XVIIe). Toiture en lauze.

* **Église paroissiale Saint-Michel** (XVIIe). Construite à l'emplacement de l'église primitive, détruite par un tremblement de terre. Clocher carré tronqué et nef unique. Elle abrite un *maître-autel* et un *retable* (1645), *huile sur toile et bois polychrome*, du Niçois Guillaume Planeta, une *huile sur toile* (1644), la *Vierge de la Merci*, du Vençois Jacques Viany, ainsi qu'une *statue* de *saint Roch* en bois polychrome (XVIIe).

* **Fenil** (début du XIXe). Ce bâtiment sert au stockage du foin.

* **Ancien canal du Moulin** (XIXe), vallée du Riou. Le moulin est totalement en ruines

* **Randonnées pédestres.** *Un **sentier** monte au **pic de la Colmiane**, un autre mène à **Saint-Dalmas**, par le **col de Colmiane**. **16 km de sentiers** entretenus permettent de se promener dans la **forêt communale**. Nombreuses autres randonnées par le **GR 5** (tour des crêtes, cime du Conquet, tour de Rigons...).*

06140 — VENCE — Plan: C 4

Hameaux : **L'ARA LE COUGNET VOSGELADE**

Population : Insee 1999 **= 16.982** h. en 1901 = **3.135** h. variation **+ 441,69%** (**17.184** en 2005)

Rang de la commune par rapport au nombre d'habitants au niveau dépt : **11 -** au niveau national : **491**

Les habitants sont les **Vençois**

Superficie : 3.923 ha - **Altitude** : 40 / 325 / 1033 m - **Canton : Vence** - **Arrondt** : Grasse

Distance de Nice : à vol d'oiseau = 11 km - par la route = 21 km - **Longitude** = 7,12° - **Latitude** = 43,72°

Accès : A 8 ou N 7 - D 336 - D 36 - D 236 - **Desserte** : TAM 233 - 400 - 410 - Ligne d'Azur 48 - 94

Fête patronale :1er dim. d'août - **Cathédrale** : Nativité-de-la-Ste-Vierge - **Paroisse** : St-Véran-et-St-Lambert

N° Tél. de la MAIRIE : 04.93.58.41.00 **OFFICE du TOURISME** : 04.93.58.06.38

Origine du nom

Il peut dériver : **1)** du nom de personne (latin) *Vencius ;* **2)** plus probablement de la racine pré-celtique *vin* (hauteur) + le suffixe *ur.* Formes anciennes : *Quintio* (Ptolémée, IIe siècle), *Marti Vintio* (Corpus inscriptionum latinarum, Gallia Narbonensis), *civitas Vensiensis episcopus* (concile de Vaison, 442), *in Venciensem episcopus* (cart. de Lérins, 1005), *Vencie* (idem, 1033), *de Vencia* (cart. de Saint-Pons, 1339), *la universitat de Vensa* (1533).

Histoire

Le territoire possède des vestiges d'habitat datant du **néolithique**, ainsi que de plusieurs *castellaras* édifiés par la tribu ligure des *Nerusii*. Les *Romains* occupent le site et en font une puissante place forte (*Quintium* ou *Vintium*) et une ville-étape sur la voie romaine (*Via Vintiana*) reliant *Cemenelum* à Digne par Castellane. L'implantation chrétienne est importante dès les premiers siècles, et **Vence** devient le siège d'un évêché, subordonné à celui d'Embrun, de **439** jusqu'à la **Révolution** (saint Eusèbe crée le premier siège épiscopal en 374). En **578**, la cité est dévastée par les *Lombards*. Ce sont ensuite les *Sarrasins* qui, avec leurs raids meurtriers et incessants, vont ruiner la région. Ils en sont chassés à la fin du **Xe** siècle. Au **XIe** siècle, une partie du territoire vençois appartient à Odile et Miron, de la famille des vicomtes de Nice. En **1118**, les Templiers auraient fondé une commanderie au château Saint-Martin, toutefois ledit château ne figure pas dans les biens de l'ordre du Temple confisqués en **1308**. Au **XIIe** siècle, la région est sous la domination des comtes de Provence et à partir de **1229**, **Vence** appartient en coseigneurie à Romée de Villeneuve et à l'évêque. La famille Villeneuve et l'évêché se partagèrent les droits féodaux jusqu'à la **Révolution**. Toutefois, à partir de **1333**, grâce à l'appui des souverains provençaux qui cherchent à amoindrir la puissance des grands feudataires, les habitants obtiennent des libertés et des privilèges. Ils peuvent élire des *syndics-consuls* et ils deviennent propriétaires des remparts et des portes. Au **XIVe** siècle, la population est durement éprouvée par les épidémies de *peste noire*. Lors des guerres de Religion, bien que Claude de Villeneuve, son fils Scipion et l'évêque Louis Grimaldi de Beuil soient protestants, la ville reste fidèle au catholicisme. En **1592**, défendue par une garnison du duc de Savoie, elle résiste au siège de Lesdiguières (un chef protestant). Au **XVIIe** siècle, le fief est érigé en marquisat en faveur de Romeo de Villeneuve. Au **XVIIIe** siècle, **Vence** est occupée deux fois par les Impériaux (1707 et 1746). À partir de **1860**, grâce à la canalisation du Riou et à l'arrivée du chemin de fer, les conditions de vie commencent à changer. Après la **Première Guerre mondiale**, la cité, dont les activités étaient restées essentiellement liées à l'agriculture, devient une ville de villégiature. De nombreux artistes célèbres y séjournèrent (Matisse, Chagall, Dufy...) ainsi que des écrivains de renom.

*Vence a eu plusieurs **évêques illustres** : **saint Véran**, moine de Lérins (Ve), **saint Lambert**, moine de Lérins (de 1114 à 1154), **Alexandre Farnèse** qui devint le **pape Paul II** (XVIe), le savant **Guillaume le Blanc** (de 1588 à 1601), ainsi que deux membres de l'Académie française : **Antoine Godeau** et **Jean-Baptiste de Surian**.*

À voir

C'est une petite ville médiévale, avec un centre circulaire caractéristique, des ruelles en lacets, de nombreux passages sous voûte et portes à linteaux.

* **Colonnes de Mars** (début IIIe - CMH 1886). Vence et Marseille entretenaient de bonnes relations commerciales. En 263, cette dernière offre aux Vençois ces deux colonnes dédiées au dieu Mars (elle firent probablement partie d'un temple). L'une d'elles est surmontée d'une croix (XIXe).

* **Château de Villeneuve** (XVIIe-XVIIIe). Bel escalier (XVIIe) en marbre et briques. Cet édifice abrite la fondation Emile-Hugues qui promeut l'art contemporain.

* **Ancienne cathédrale de la Nativité-de-la-Vierge** (XIIe-XIIIe-XVe - CMH 1944). D'après la tradition, elle est bâtie à l'emplacement d'un temple dédié à Mars et à Cybèle. Cet édifice roman remplace une église primitive. *Tour-clocher* du XIIe siècle, remaniée fin XVIe siècle, *porte du vestibule* (XVIIIe). Elle abrite de nombreux *trésors* : le *tombeau en marbre* de saint Véran (Ve), de nombreux fragments de motifs carolingiens (XIe), la porte de l'ancienne prévôté (XVe), des *stalles en bois* (1455-1459), *un buste* de saint Lambert (XVe) en bois polychrome, un *lutrin* (XVe), un *orgue* (1505-1673-XVIIIe), un *retable* des *Saints et des Anges* (XVIIe), une trentaine de *statues* du *Chemin du Calvaire* en bois polychrome (XVIIIe-XIXe).

* **Vestiges du château Saint-Martin** (XIIIe - IMH 1927). Ancienne commanderie attribuée aux Templiers.

* **Musée des Arts et Traditions populaires.** *Des cours de cuisine provençale y sont dispensés.*

* **Chapelle Sainte-Élisabeth** (XIIIe-XVIIIe). La nef est ornée de fresques (XVe) attribuées à Canavesio.

* **Chapelle des Pénitents-Blancs** (1560 - CMH 1944). Elle abrite un musée lapidaire et des expositions.

* **Chapelle Notre-Dame-du-Rosaire** (1947 - IMH 1963). Conception et décoration par Henri Matisse.

* **Grande chapelle du Calvaire** (166-1701 - IMH 1989).

* **Fontaine Peyra** (1822 - CMH 1920). *Comme les autres fontaines de la ville, elle est alimentée par l'**eau de la Foux**. Ses qualités minérales sont telles que cette eau pourrait être utilisée pour le **thermalisme**.*

* **Place et Tour du Peyra** (XIIe-XIIIe). Cette tour flanquait une porte d'accès à la ville.

* **Porte de Signadour** (XIIIe - IMH 1932). Elle donnait sur le chemin menant à Saint-Paul. Sa partie supérieure fut détruite à la Révolution, mais elle est la mieux conservée des trois portes de la ville.

* **Portail levis** (XIIIe - CMH 1936). C'était un pont-levis jeté sur le vide, il était précédé d'une tour sur laquelle s'adossait la herse. Cette tour fut démolie en 1819.

* **Palais Épiscopal** (XIVe). Seul subsiste un fragment de mur appareillé, avec ses **arcades** et **pontis** au nord.

* **Lavoir** (1864), chemin de Castellane. Il peut accueillir près de 30 personnes.

* **Donjon de Malvans** (XIIe), au col de Vence. Unique vestige d'un hameau déserté à la fin du Moyen Âge.

* **Moulin de Boursac** (XVIIIe-XIXe). Ce moulin à huile est situé sur la Lubiane. Il a été exploité jusqu'en 1960. À la Révolution, Vence en comptait encore six. Celui-ci était le plus important.

* **École Célestin-Freinet**. *Voir Gars et Coursegoules. Le cinéaste Jean-Paul Le Chano s'inspira des **expériences pédagogiques** menées par **Célestin Freinet** lorsqu'il tourna son film « **L'École buissonnière** ».*

Quelques bonnes adresses

06710 VILLARS-SUR-VAR Plan: C 3

Hameau : LES VIGNAS
Population : Insee 1999 = **553** h. en 1901 = **732** h. variation **- 24,45%** (**583** en 2005)
Rang de la commune par rapport au nombre d'habitants au niveau départemental : **88**
Les habitants sont les **Villarois** ou « **Banarels** »
Superficie : 2.527 ha - **Altitude** : 239 / 410 / 1803 m - **Canton : Villars-sur-Var** - **Arrondt** : Nice
Distance de Nice : à vol d'oiseau = 29 km - par la route = 50 km - **Longitude** = 7,10° - **Latitude** = 43,93°
Accès : N 202 - D 26 - **Desserte** : TAM 770 - 790 - Train des Pignes
Fête patronale : 24 juin - **Église** : Saint-Jean-Baptiste - **Paroisse** : Notre-Dame-de-Tinée
N° Tél. de la MAIRIE et OFFICE du TOURISME : 04.93.05.32.32 **Fax** : 04 93 05 32 31

Origine du nom

Il vient du latin *villare* qui est dérivé de *villa, villae* (grand domaine, exploitation agricole). En l'occurrence, il s'agit d'un ancien hameau détaché de Massoins. Au XIIIe siècle, *Lo vilar* désignait des granges habitées en été. De nombreux lieux-dits portent ce nom : *Lei granjos del Vilar*, à l'est d'Auvare, *lou champ del Vilar*, en direction de La Tour-sur-Tinée. Diminutifs : *Vilaret* et *Vilaron*. Formes anciennes : *in Vilario* (C.C. de Nice, 1078), *terra de Villar* (cart. de Lérins, 1144), *castrum de Vilar* (vers 1200), *de castro Vilari* (enquête de Charles Ier, 1252), *de Vilario* (Léopard de Fulginet, 1333), *villa de Villari* (1388), *del Villar* (1536-1537).

Histoire

Le territoire était occupé par la tribu celto-ligure des *Eguituri* lorsqu'il fut annexé par les *Romains,* en **54 avant notre ère**. Le site primitif de *Roccaria*, sur la colline Saint-Jean, est abandonné vers l'**an mil** pour celui du plateau de Savel. *Vilario* est mentionné pour la première fois en **1078**, dans le cartulaire de la cathédrale de Nice, lors d'une donation qui lui est faite par Laugier Rostaing, un membre de la famille des vicomtes de Nice. Au **XIIe** siècle, il passe sous la domination des comtes de Provence et il est inféodé successivement aux moines bénédictins de l'abbaye de Lérins, à la famille seigneuriale des Thorame-Glandèves, puis aux Templiers. Lors de l'*affouage* de **1315**, *134 feux* sont recensés (environ 670 personnes). Après la ***dédition de 1388***, la seigneurie passe sous la dépendance de la maison de Savoie, qui la concède aux Grimaldi de Beuil. Les nouveaux feudataires y construisent un magnifique château dont ils font leur résidence principale, et **Villars** devient la capitale de leur vaste territoire. En **1412**, à la suite de plusieurs révoltes des Grimaldi de Beuil, Amédée VIII de Savoie donne l'ordre de détruire le château de l'Espéron. Il est reconstruit par les comtes de Beuil dès leur retour en grâce. En **1621**, après l'exécution d'Annibal Grimaldi, ce sont les Solaro, marquis de Dogliani, qui sont gratifiés de la seigneurie (ainsi que de celle de Bairols) par le duc de Savoie. Elle passe ensuite aux comtes Vergagno, puis en **1723**, aux Salmatoris Rossillion de Cherasco, en faveur desquels elle est érigée en comté. Ils en furent les derniers feudataires. Lors des guerres entre la France et la Savoie, **Villars** est brûlé par les troupes de Catinat (**1691**). Sous la **Révolution** et l'**Empire**, il est intégré dans le territoire français, mais il fait retour au royaume de Sardaigne en **1814**. Lors du plébiscite d'avril **1860**, les *Villarois* (228 votants) votent à l'unanimité en faveur du **rattachement** à la France. Les principales ressources de la commune proviennent de son *vignoble réputé* et du tourisme.

À voir

Village de plan semi-circulaire, qui s'étage sur un plateau ensoleillé cerné de hautes montagnes. Maisons peintes, avec greniers-séchoirs ouverts (Voir Saint-Martin-d'Entraunes), rues piétonnes et pavées.

* **Église Saint-Jean-Baptiste** (1520-1766 - IMH 1983). De style gothique tardif et avec un clocher pyramidal. Elle abrite une *statue* de *saint Jean-Baptiste* (1524) en bois polychrome, sculptée par *Mathieu d'Anvers**, un *retable* huile sur bois (1524) d'*Antoine Ronzen** (on l'attribua tout d'abord à Ludovic Brea), un *retabl*e huile sur toile, *Saint Claude* (1689), les *tableaux Martyre de saint Barthélemy* (1831) et *Mort de saint Joseph* (1732), ainsi que les *statues* en bois polychrome de *Saint Roch* (XVIIe) et *Sainte Pétronille* (1714). * ***Matteus Teutonicus****. Cet architecte et sculpteur flamand travailla dans la région pendant le premier tiers du XVI siècle.* * *Le peintre flamand* ***Antoine Ronzen*** *s'installa d'abord à* ***Puget-Théniers****, où il se maria et où il créa un atelier, avant de se fixer à Aix-en-Provence.*

* **Maison de la Castre / des Templiers** (1275-1280). Fenêtre géminée.

* **Vestiges du château de l'Esperon** (XIII-XIVe). En 1412, à la suite d'une rébellion, Amédée VIII de Savoie donna l'ordre de le détruire. Les pierres furent ensuite réutilisées par les habitants pour diverses constructions.

* **Allée des Grimaldi.** *En* ***1430****,* ***Jean Grimaldi*** *fait construire cette* ***allée de 2 rangées de 30 colonnes****. Elles étaient réunies par des poutres pour former une treille qui existait encore en 1864. Cette allée mène à un* ***belvédère*** *offrant une vue plongeante sur la vallée du Var. Plusieurs compositions de ce type existent en* ***Val d'Aoste*** *et à la* ***chartreuse de Pavie****. Celle-ci fut réalisée par des* ***maçons de Côme****.*

* **Huit chapelles** dont **Sainte-Pétronille** (XVIe), **Sainte-Brigitte** (XVIe), des **Pénitents-Blancs-du-Gonfalon** (1823) dont l'intérieur est transformé en *Monument aux Morts glorieux* (1924), **Saint-Jean** (1748) construite à l'emplacement d'une chapelle du VIe siècle qui fut la première paroisse du village.

* **Mairie**. *Porte* de 1549. À l'intérieur : *gravure* de Villars (1682), *buste en cire* de Gian Carlo Secondo Salmatoris Rossillion du Villar (1810), le dernier seigneur du fief, et une *estampe sur papier* (1830) de sainte Anne.

* **Lavoir** (1892). Situé contre le moulin qui fonctionna jusqu'au début du XXe siècle.

* **Pont Sainte-Pétronille**. Construit à l'époque médiévale (*Nostradamus le mentionne dans ses écrits*). Les arches antiques, sur chaque rive, ont résisté aux innombrables crues, mais le tablier fut très souvent emporté.

* **Ancienne gare** (1892). Construite à la même époque que la ligne de chemin de fer Nice-Digne. Elle permit le désenclavement du haut pays niçois. ***Train des Pignes*** *« diesel » (Voir Colomars).*

* **Vignes de Lunel**. *Ce* ***vignoble réputé*** *est l'un des plus anciens de France car il fut créé à l'****époque romaine****. Il est ensuite développé par les Templiers. Actuellement, c'est le* ***seul vin des Alpes-Maritimes*** *qui a droit à l'appellation d'origine contrôlée* ***côtes-de-provence****. Un certain nombre de vignerons produisent encore, selon des méthodes ancestrales, le* ***vin de villars rouge ou blanc doux*** *qui conserve toutes les saveurs du terroir et de la tradition.*

Porte Saint-Antoine et rue de la Juterie

Le clocher

06230 VILLEFRANCHE-SUR-MER Plan: D 4

Quartiers : LA CONDAMINE **LA CORNE D'OR** SAINT-MICHEL **SAINT-ESTÈVE**
Population : Insee 1999 **= 6.833** h. en 1901 = **5.042** h. variation **+ 35,52%** **(6.877** en 2005)
Rang de la commune par rapport au nombre d'habitants au niveau dépt : **22 -** au niveau national: **1.283**
Les habitants sont les **Villefranchois**
Superficie : 488 ha - **Altitude** : 0 / 20 / 575 m - **Canton : Villefranche-sur-Mer** - **Arrondt** : Nice
Distance de Nice : à vol d'oiseau = 5 km - par la route = 7 km - **Longitude** = 7,32° - **Latitude** = 43,70°
Accès : N 98 - **Desserte** : SNCF - TAM 100
Fête patronale : 29 septembre - **Église** : Saint-Michel - **Paroisse** : Notre-Dame-de-l'Espérance
N° téléphone de la MAIRIE : 04.93.76.33.33 - **OFFICE du TOURISME** : 04.93.01.73.68

Origine du nom

Le bourg médiéval, situé sur une falaise dominant le territoire de Beaulieu, s'appelait *Montolive* : du latin *mons* + *oliva* (olivier). Les appellations *Oliva*, *Olivula*, *Sancta Maria de Olivo*, en dérivent également (Voir Beaulieu). En effet, depuis l'époque romaine, ce territoire était couvert d'oliveraies. Formes anciennes : *Montoleu VI denarios* (cart. de la cathédrale de Nice, XIIe), *Montolivo VI* (idem), *Gaiffredus de Monte-Olivo* (1100), *Odolus de Monteolivo* (1131), *Leotardi de Monteolivo* (1156), *Bertramus de Monteolivo* (1241), *Montolieu, de castro de Montolivo* (enquête de Charles Ier, 1252), *Montoliu* (idem), *Montolivi* (cart. de Saint-Pons, 1322).
La fondation de **Villefranche** date du **10 août 1295**. Formes anciennes : ***Vilafranca*** (XIIIe), *villa Villefranche* (Caïs, 1388). Forme d'oc : *Vilafranca*.
** **Une ville franche** bénéficie de **chartes de franchises** : c'est une **ville libre**. Au **XIIe** siècle, les comtes de Provence surent manœuvrer habilement pour assurer leur autorité. Afin d'affaiblir les **féodaux** et le **clergé**, trop puissants, ils **octroient** à de nombreux **villages** de larges **libertés administratives, sous leur suzeraineté directe**. C'est ainsi que beaucoup de **communes provençales**, libérées des servitudes seigneuriales, connurent, bien avant celles de **France**, une **réelle émancipation**. **Nice** (en 1144) et **Grasse** (vers 1155) sont instituées en **villes consulaires**, administrées par un parlement communal. Toutefois, aux **XIIIe** et **XIVe** siècles, les souverains provençaux vont réduire les libertés de certaines cités, devenues trop puissantes. C'est ainsi qu'à la suite d'expéditions guerrières, le pouvoir des **consulats** de **Grasse** (en 1227) et de **Nice** (en 1229) va être fortement **diminué**.*

Histoire

Des traces d'habitats datant de l'**âge du fer** ont été découvertes sur le mont Leuze. Le territoire est ensuite occupé par les *Ligures* puis par les *Romains*. L'abri sûr qu'offre la rade était déjà connu des *Grecs*. Quant aux Romains, ils citent l'ancrage d'*Olivula Portus*. Jusqu'en **1904**, année de leur séparation, le territoire de **Villefranche** englobait celui de Saint-Jean-Cap-Ferrat, et il s'étendait jusqu'à Èze. Beaulieu avait obtenu son autonomie en 1891.Un village avait été créé sur une éminence, près du cap Roux. À partir du **VIIe** siècle, les incursions des *Sarrasins* devenant de plus en plus fréquentes, les hameaux du bord de mer sont abandonnés au profit d'un site défensif sur les hauteurs, où la population bâtit une agglomération fortifiée, *Montolivo*. Vers **780**, les *Sarrasins* établissent un campement de base au *Fraxinet*, dans le massif des Maures, et un autre sur la presqu'île boisée de Saint-Jean-Cap-Ferrat (au lieu-dit Saint-Hospice) ce qui leur permet de lancer des raids dévastateurs sur toute la région. Ils n'en sont chassés que vers **973-974** par Guillaume le Libérateur. Le *castrum* de *Montolieu* ou *Montolivo* est mentionné pour la première fois aux **XIIe** siècle, dans le cartulaire de la cathédrale de Nice. *Au **XIIIe** siècle, le comte de Provence Charles II d'Anjou, conscient de l'importance stratégique de la **rade**, et dans le but de protéger les navigateurs et les marchands, y fait **construire un port et une cité**. Pour encourager le retour des populations sur le littoral, et accélérer ainsi le*

***peuplement de la ville nouvelle**, il leur accorde un certain nombre **de franchises commerciales** et d'**exonérations de taxes**. Pour protéger les habitants des incursions sarrasines, la ville est entourée d'une haute muraille percée de quatre portes. **La charte entérinant la fondation de Vilafranca est signée le 10 août 1295** (ce parchemin se trouve aux Archives municipales).*

En **1388**, **Villefranche** passe sous la haute autorité d'Amédée VII et devient l'unique port des États (essentiellement alpins) de la maison de Savoie, car celui de Nice ne fut creusé qu'en 1750. Au cours des siècles, la ville et son port éveillèrent bien des convoitises. Ils furent maintes fois assiégés, pillés et annexés, successivement par les maisons d'Espagne, d'Autriche et de France, et ce jusqu'à la **Révolution**. En **1543**, la rade est occupé par les galères turques de Barberousse et la flotte de François Ier. À partir de **1556**, afin de protéger son *débouché vers la mer*, le duc Emmanuel-Philibert de Savoie entreprend la construction d'un puissant système de fortifications (la citadelle Saint-Elme, le môle de la Darse, les forts du mont Alban et de la pointe Sainte-Hospice). Malgré cela, la ville est prise par les Français en **1691**, en **1705** (guerre de Succession d'Espagne) et en **1744** (guerre de Succession d'Autriche). En **1700**, la seigneurie est érigée en comté et concédée aux Germano. Elle passe ensuite aux Auda et aux Dani. En **1725**, Victor-Amédée II, devenu roi de Piémont-Sardaigne, fait agrandir son port militaire de **Villefranche** pour abriter les galères royales. À l'ouverture du *port Lympia* de Nice, en **1752**, celui de **Villefranche**, qui percevait un droit sur tous les navires marchands, perd de son importance commerciale. Après vingt-deux ans de présence française, le traité de Paris (**1815**) restitue le comté de Nice au roi Victor-Emmanuel Ier. Cette convention comporte une clause lourde de conséquences pour les ports de Nice et de Villefranche : *la suppression de la République de Gênes et son rattachement au royaume sarde*. Avec l'annexion du port génois, le rôle militaire de celui de Villefranche diminue, accentuant son déclin. Quant à celui de Nice, il perd son rôle de débouché commercial privilégié. Au **XIXe** siècle, à la suite des accords conclus entre Victor-Emmanuel II et l'impératrice douairière Alexandra Feodorovna (veuve de l'empereur Nicolas Ier), les *Russes* installent à Villefranche une base d'avitaillement pour leurs navires. Ce dépôt de charbon est situé dans l'ancien bagne des ducs de Savoie, construit au **XVIIIe** siècle. En **1878**, à la suite de l'interdiction qui est faite à la Marine impériale de faire naviguer ses bâtiments en Méditerranée, cette base, la *Maison russe*, est désaffectée. À partir de **1885**, elle se transforme en *laboratoire scientifique*. En **1917**, après la *révolution d'Octobre*, l'équipe russe qui dirige ce laboratoire est isolée car la France ne reconnaît pas le gouvernement soviétique. Ce laboratoire est nationalisé en **1931** et depuis, il est devenu un *Observatoire océanologique et une station zoologique**. Lors du plébiscite de **1860**, la population vote massivement en faveur de son rattachement à la France. À partir de **1868**, grâce à l'arrivée du chemin de fer, **Villefranche** connaît un développement rapide.

À voir

*La ville est bâtie au fond de l'**une des plus belles rades du monde**. Les constructions s'étagent, en amphithéâtre, sur les hautes collines environnantes.*

* **La Torre Vecchia,** (XIVe - IMH 1977). Vestige de l'ancienne enceinte fortifiée de la ville.

* **Bastionnet** (XIVe - IMH 1959). Un autre vestige de la muraille qui protégeait la ville.

* **Citadelle Saint-Elme** (XVIe-XIXe - CMH 1968). Elle s'étend sur 3 hectares et a été construite, sur ordre d'Emmanuel-Philibert, par des ingénieurs italiens qui avaient élaboré un type de fortifications adaptées au progrès de l'artillerie. Les travaux ont été coordonnés par Provana de Leyni. Malgré cela, cette citadelle fut prise en 1691 et 1705. *Ces **fortifications**, que **Louis XIV** lui demanda d'inspecter et d'étudier, firent l'**admiration de Vauban**.* À voir : le *pont-levis* et les *échauguettes*. En 1965, la commune rachète les bâtiments et en 1981, elle y installe l'*hôtel de ville*, un *théâtre de verdure* de 1.500 places, un *auditorium* ainsi que le *musée d'Art et d'Histoire* : *fondation Volti* (bronzes, cuivres, terres cuites, sanguines, environ 110 pièces), *collection Goetz-Boumeester*, *collection Roux*.

* **Port royal de la Darse** (1720-1730 - IMH 1991). *Il est construit à l'intérieur du **môle** de **1550** et il comprend : un **bassin pour la construction** des galères, un **arsenal** avec une **forge** et des **magasins** pour stocker l'armement. Vers **1760**, une **corderie**, un **hôpital**, et une **caserne** complètent l'ensemble. À voir : les **huit arcades** qui ferment les **voûtes**, les **jardins Beaudoin** (1957-1960) au-dessus de ces arcades, la **tour du Lazaret** (1660), la **forge des galères** (1725). En 1725-1728, le **môle** de 1550 est renforcé et prolongé. Il abrite **6 niches** réservées aux **cuisines** des galères. Au bout de ce môle, près de la **lanterne** qui indique l'entrée de la darse, se trouvait une **mosquée**. Construite pour les nombreux **prisonniers musulmans** embarqués comme **galériens** (principalement des Turcs), elle est détruite par une tempête en 1773. D'après une estimation, plus de **1.300 personnes** occupaient le site (marins, officiers, soldats et galériens) sans compter les ouvriers à terre qui étaient chargés de l'entretien des navires et des constructions. Aujourd'hui, la **Darse** est devenue un **port de plaisance**.*

* **Bassin de radoub** (1730 - IMH 1991). * **Corderie royale** (1772 - CMH 1991).

* **Hôpital des Galères** (1767-1769 - IMH 1991). Dallage d'origine, voûtes.

* **Chapelles :** * **Sainte-Élisabeth** (1595) ; * **L'Ange-Gardien** (1716) ; * **La Madone-Noire** (XVIIIe-XIXe) ;

* **Saint-Grat** (1817) ; * **Saint-Pierre** (XVIe - CMH 1996), entièrement repeinte par Jean Cocteau en 1957.

* **Église Saint-Michel** (1732-1757-CMH 1990). De style baroque piémontais. Elle renferme le *monument funéraire* d'un chevalier de Malte (1728), un *orgue* (1790) des frères Grinda (des facteurs niçois), une *sculpture* du *Christ gisant* (XVIIe) en bois.

* **Porte de l'Hospice de la Charité** (1780). De style baroque rococo tardif.

* **Vieille ville** (XIIIe) : rues *de l'Église, du Poilu* (artère principale du bourg médiéval), *Obscure, Portal Robert, quai Courbet*. Plaques commémoratives du *congrès de Nice* (signé en 1538 par François Ier et Charles Quint), et de la présence des marins de l'US Navy qui faisaient escale dans la rade entre 1947 et 1967, date du retrait de la France de l'OTAN. Plus de deux cent trente familles américaines étaient installées à Villefranche.

* **Palais de la Marine.** * **Hôtel Welcome**, *où descendaient Jean Cocteau, Blaise Cendrars...*

* **Gare maritime**. Actuellement, Villefranche est le premier port de croisière de France.

* **Port de la Santé**, quai de la Douane. Il occupe l'emplacement du port primitif, qui était une simple plage.

* **Gare**. *Elle est **inaugurée le 20 octobre 1868**, avec l'arrivée du **premier train**. Jusqu'à cette date, Villefranche était relié à Nice par **un chemin muletier**. Il était alors plus simple de **contourner le mont Boron par bateau**.*

* **Villas** (ne se visitent pas): *Nellcote* (1899), magnifique portail en fer forgé, *Léopolda* (1900), *Saint-Segond*, et le *Château de Madrid* (1931), sur le plateau Saint-Michel.

* ***L'Observatoire océanologique de Villefranche-sur-Mer** est une école interne de l'Université Pierre-et-Marie-Curie, placée également sous la tutelle du CNRS. L'Observatoire développe 3 missions principales :*
***L'enseignement** (stages à la mer pour étudiants français et étrangers). **La recherche** : les premières recherches, axées sur l'étude du plancton, ont débuté en 1809. Elles furent ensuite développées par d'éminents chercheurs russes (A. de Korotneff, M. Davidoff, G. Tregouboff), jusqu'en 1928. À l'heure actuelle, la recherche concerne de nombreuses disciplines (biologie cellulaire du développement - océanologie biologique, biochimique, physique et chimique - géosciences marines). **L'observation** (mesures physico-chimiques dans la rade et en haute mer, études sismiques à terre et en mer). La **rade** a une profondeur variant de **70 à 700 mètres**, avec un **canyon sous-marin** qui, au large, s'enfonce à plus de **2.000 mètres**. D'où une **grande diversité de la faune pélagique**.*

Quelques bonnes adresses

Hôtel WELCOME *** 3, quai Amiral-Courbet 04 93 762 762 *www.welcomehotel.com*
Restaurant LA MÈRE GERMAINE *depuis 1938* quai Courbet 04 93 01 71 39 www.meregermaine.com
Hôtel PROVENCAL ** avenue Maréchal-Joffre 04 93 76 53 53 *www.hotelprovencal.com*
TERRES DORÉES La Savonnerie de Villefranche 10, avenue Sadi-Carnot 04 93 76 66 75

06470 VILLENEUVE-D'ENTRAUNES Plan: B 2

Hameaux : **BANTE ENAUX**

Population : Insee 1999 **= 73** h. en 1901 = **218** h. variation **- 66,51%**

Rang de la commune par rapport au nombre d'habitants au niveau départemental: **151**

Les habitants sont les **Villeneuvois**

Superficie : 2.820 ha - **Altitude** : 858 / 950 / 2457 m - **Canton : Guillaumes** - **Arrondt** : Nice

Distance de Nice : à vol d'oiseau = 59 km - par la route = 103 km - **Longitude** = 6,78° - **Latitude** = 44,1

Accès : N 202 - D 2202 - **Desserte** : TAM 790 et Réserv: TAD 0 800 06 01 06

Fête patronale : dimanche suivant le 29 juin

Églises : Villeneuve Saint-Pierre - Enaux Saint-Sauveur - **Paroisse** : Saint-Jean-Baptiste

N° téléphone de la MAIRIE : 04.93.05.54.72

Origine du nom

Villeneuve : *Vilanova*. Formes anciennes : *de Vilanova* (rationnaire de Charles II, 1296), *de Villanova* (Léopard de Fulginet, 1333), *villa Villenove* (Caïs, 1388), *Villanovo* (clavaires de Guillaumes, 1561).

Entraunes : **v**oir Entraunes et Châteauneuf-d'Entraunes.

Histoire

Il n'est pas impossible qu'à l'époque *romaine*, le site ait été occupé par le village d'*Abusiscum*. En effet, d'après la tradition, un bourg primitif et son église ont existé sur la rive droite du Bourdous, mais ils furent détruits par les crues de ce torrent. Quant à la création de ***Vilanova***, elle date du **XIIe** siècle. Elle a pour origine un prieuré qui relevait de l'abbaye bénédictine Saint-Eusèbe d'Apt, et autour duquel les habitations se sont regroupées. L'histoire de *Vilanova* se confond avec celle d'**Entraunes** (**V**oir ce nom) car le village fit longtemps partie de la même seigneurie. Vers l'**an mille**, le **Val d'Entraunes** était inféodé à de grandes familles seigneuriales (les Glandèves, puis les Balb, Rostaing et Féraud de Thorame) sous la dépendance des comtes de Provence. Au **XIIe** siècle, les habitants se font accorder d'importantes franchises par leur suzerain et jouissent de véritables libertés administratives, comparables à celles de *villes consulaires* comme Grasse et Nice (**v**oir Châteauneuf-d'Entraunes, Entraunes, Peille et Utelle). En **1388**, le **Val d'Entraunes** passe sous la haute autorité du *Comte rouge*, Amédée VII. Toutefois, les habitants obtiennent de Jean Grimaldi de Beuil, représentant officiel de la Savoie, que la *charte* garantissant leurs libertés ainsi que leurs droits et devoirs soit reconduite par leur nouveau suzerain. Ils demandent également à être rattachés à la viguerie de Puget-Théniers. En effet, le **Val d'Entraunes** faisait partie de celle de Barcelonnette, or les voies de communication entre le haut Var et l'Ubaye étaient coupées six mois par an, en raison d'un fort enneigement. **Saint-Martin** et **Entraunes** n'obtiennent pas gain de cause, contrairement à **Villeneuve** et **Châteauneuf** qui sont rattachés à Puget-Théniers. *À partir du moment où la **Provence devient française**, en **1481**, les souverains français ne vont pas cesser de **revendiquer la possession du comté de Nice**, terre **provençale** donc **française***. Pour cette raison, la région, devenue marche-frontière, a subi pendant plusieurs siècles les nombreuses guerres opposant les rois de France à la maison de Savoie. En **1543**, **Villeneuve** est occupée par Jean-Baptiste Grimaldi, seigneur d'Ascros, puis, en **1594** et en **1597**, par les royalistes et les ligueurs. En **1616**, Charles-Emmanuel Ier de Savoie cède ses droits sur diverses terres du comté de Nice, dont le **Val d'Entraunes**, à Annibal Badat qui était le gouverneur de Villefranche. Les **communautés** rachetèrent leur indépendance contre 1.500 ducatons, et, par lettre-patente du 4 juin **1621**, le duc révoque cette inféodation. Toutefois, en **1696**, Victor-Amédée II, dans le but de *renflouer les caisses de son duché* * (**V**oir Châteauneuf-d'Entraunes), réclame aux quatre **communautés** un rappel d'impôts impayés entre 1388 et 1645. Ne pouvant le payer, elles sont *vendues* : *Châteauneuf* à l'abbé Collet-Papachino, *Entraunes* au gentilhomme entraunois Louiquy, *Saint-Martin* à un Chenillat de Péone et ***Villeneuve*** à un certain Michel-Ange Codi de Turin. L'ensemble des juridictions fut adjugé pour 8.000 livres. Après deux ans de négociations, lesdites communautés purent racheter leur liberté. En **1702**, elles sont pratiquement libérées de leurs éphémères seigneurs. **Villeneuve** rachète le titre comtal en **1733** et redevient ainsi « *comtesse d'elle-même* ». En **1793**, lorsque le comté de Nice est annexé par la France et devient son *85e* département, le **Val d'Entraunes** est rattaché au canton de Guillaumes, qui dépendait du district de Puget-Théniers. En **1814**, lors de la Restauration sarde, il est réintégré dans le royaume de Piémont-Sardaigne. Les **15 et 16 avril 1860**, les *Entraunois* votent à l'unanimité pour le **rattachement.** Au cours des siècles, **Villeneuve** a subi de nombreux autres maux. Il est plusieurs fois dévasté par les crues du Bourdous et par des incendies (en 1565 et le dernier en 1924). En **1388**, l'agglomération comptait *46 feux* (environ 200 personnes), et *349* habitants en **1858**.

À voir

Village de montagne édifié sur un petit plateau environné de montagnes en marnes noires. Les maisons ont des toitures en bardeaux de mélèze. Nombreuses granges alpines.

* **Église Saint-Pierre** (XIVe-XVIIIe-XIXe). De style roman, avec une nef unique et une grande abside. Elle est située hors du village. Elle abrite une *Vierge du Rosaire et Mystères* (XVIIe), un *bénitier* qui fut retrouvé dans le lit du Bourdous. Sa *cuve* est du XVIIIe siècle, quant au *pied* il date du XVIe siècle.

* **Chapelle Notre-Dames-des-Grâces** (1638). Son maître-autel comporte une toile offerte par un certain Jean-Louis Arnaud, à la suite d'un vœu. En 1610, il lègue, par testament, 100 livres pour la réalisation dudit tableau.

* **Chapelle Sainte-Marguerite** (1640). Elle fut construite par les *consuls* du village (à la suite d'un vœu).

* **ENAUX**, un plateau situé à 1.400 m d'altitude, sur lequel s'élèvent quelques fermes.

* **Chapelle Saint-Sauveur** (XVIIe-XIXe), à Enaux. Au XVIIe siècle, elle fut *paroissiale foraine*. Le maître-autel comporte une huile sur toile représentant la *Transfiguration*.

* **Four à pain** (XIXe), à Enaux. Une grande partie du matériel d'origine a été conservé (pelles à enfourner, râteau à cendres, poêle trouée pour faire griller les châtaignes).

* **Pierre sculptée** (1665), dans la pinède du Vigna, à 1.200 mètres d'altitude. Elle porte l'inscription suivante : « *JHS Maria - 13 avril 1665 a commencé à planter la vigne Jean-Louis Arnaud.* » À cette époque, la vigne était cultivée beaucoup plus en altitude qu'aujourd'hui, sur les coteaux bien exposés au soleil.

06270 VILLENEUVE-LOUBET Plan: C 5

Hameau : **GRANGE RIMADE**

Population : Insee 1999 **= 12.935** h. en 1901 = **878** h. variation **+ 1.373,23%** **(13.104** en 2005)

Rang de la commune par rapport au nombre d'habitants au niveau dépt : **13 -** au niveau national : **647**

Les habitants sont les **Villeneuvois**

Superficie : 1.960 ha - **Altitude** : 0 / 20 / 213 m - **Canton : Cagnes-sur-Mer Ouest** - **Arrondt** : Grasse

Distance de Nice : à vol d'oiseau = 12 km - par la route = 14 km - **Longitude** = 7,12° - **Latitude** = 43,65°

Accès:A 8-N 7- D 2D-D2 -**Desserte** : SNCF -TAM 217-231-233-500- Envibus 23-26-26R-28 (TAD)-29-29bis

Fête patronale : Saint-Marc, 1er dim. de mai - **Églises** : St-Marc - St-Christophe - **Paroisse** : St-Mathieu

N° téléphone de la MAIRIE : 04.92.02.60.00 - **OFFICE du TOURISME** : 04.92.02.66.16 *et* 04.93.20.16.49

www.mairie-villeneuve-loubet.fr

Origine du nom

La fusion de trois bourgs médiévaux (**La Garde**, le **Loubet** et une partie du **Gaudelet**), est à l'origine de la création par *Romée de Villeneuve**, de la *ville neuve* de **Villanova**. Formes anciennes : *castrum de Villanova* (vers 1200), *Bailliva Villenove* (1388). Au XVe siècle, le village est devenu **Villeneuve-Loubet** lorsqu'il a intégré la totalité du territoire de **Loubet** (*Lobeto*). **Loubet** est un diminutif de *lop / loup* : le **Loup** étant le torrent qui arrose la localité. Formes anciennes : *territorio Lobeti* (cart. de Lérins, vers 990), *in castro Lobet* (CCN 1151), *castrum de Lobeto* (vers 1200).

Villeneuve : voir Villeneuve-d'Entraunes.

Loup : un certain nombre d'appellations (Loup, Loube, Loubet, Pra-Loup, Villeneuve-Loubet) ainsi que celles qui sont doublées avec la racine *cant* et ses dérivés (Cantalupa, Chaloup, Chanteloup, Combelouve, Grateloup...), peuvent faire référence aux bandes de *loups* qui rôdaient dans les campagnes, aux abords des villes, et terrorisaient les habitants. Toutefois, il semble plus probable que l'*hydronyme* **Loup** des Alpes-Maritimes vienne de la racine *lap*, *lep*, *lip*, *lup* (dalle de pierre, hauteur, ravin, éboulement) et de ses formes dérivées *lavo*, *lauso*. En provençal, *lauvo* ou *lavo* signifie pierre plate. En effet, de nombreux lieux élevés et rocheux ont donné leur nom aux sources qui en jaillissent et aux torrents qui dévalent leurs pentes. De même que le nom de la *montagne de la Loube* est tiré de l'*oronyme Lup (*en occitan, *loba*, crête de montagne), le mot latin *lapis* (pierre) dérive de la racine *lapp* (de *k-lapp*). Le provençal *loubet* désigne une bosse, et dans les Vosges, un *loup* est un banc gréseux.

Histoire

Comme l'attestent les nombreux vestiges retrouvés sur ce territoire, il fut occupé dès la **protohistoire** (*oppidum* de la tribu *ligure* des *Oxybiens*) puis par les *Grecs* et les *Romains* (comptoirs grecs et grands domaines agricoles romains). Le cartulaire de l'abbaye de Lérins cite l'agglomération de *Lobeto* vers **990**, l'église de La Garde en **1139**, et celle de Saint-Martin-de-la-Garde en **1146**. Quant à la mention de ***Villanova***, elle n'apparaît qu'au début du **XIIIe** siècle, lorsque le fief est inféodé à *Romée de Villeneuve**, avec la création d'un *castrum* à l'emplacement d'un habitat primitif au Gaudelet. Le village et sa forteresse restèrent une possession de cette grande famille seigneuriale jusqu'en **1437.** Le *castrum* passe ensuite sous la dépendance directe du comte de Provence avant d'appartenir aux Lascaris-Vintimille de Tende, au Grand Bâtard de Savoie (par mariage) et, toujours par mariage, à Charles de Lorraine. C'est au château de **Villeneuve-Loubet** qu'est signée, en **1538**, la *Trêve de Nice* entre Charles Quint et François Ier. Après des ventes successives, la seigneurie échoit aux Chavigny puis, en **1690**, à Auguste de Thomas (président du parlement de Provence) pour lequel elle est érigée en marquisat. À partir de **1742**, **Villeneuve-Loubet** est inféodé aux Panisse-Passis, mais ils doivent quitter précipitamment les lieux à la **Révolution**. Ils récupérèrent leurs biens quelques années plus tard, une fois le calme revenu, et aujourd'hui encore, leurs descendants sont propriétaires du château. Quant à la partie sud-ouest de l'ancien fief de *La Garde*, il faisait partie du marquisat de la famille Thomas. Le *castrum* primitif de *Lobeto* avait été intégré à celui de *Villanova* au **XIIIe** siècle. Le hameau de *La Garde* fusionna avec *Villanova* en **1465**, mais l'appellation **Villeneuve-Loubet** n'est apparue qu'en **1476**, lorsque le territoire de ***Lobeto*** a été réuni à la *communauté* de ***Villanova***.

** **Romée de Villeneuve**, ou plutôt « **Romeo de Villanova** » **(1170-1250)**, était le petit-fils d'un aristocrate catalan qui s'était installé en Provence vers 1138. Il fut le **principal collaborateur de Raymond Bérenger V** (lui-même d'origine catalane). Ce grand ministre du comte de Provence l'aida efficacement à rétablir ses affaires et organisa des mariages politiques judicieux pour ses filles. Pendant cette période, ces **deux personnages marquants** réorganisèrent l'armée, la justice et l'administration, donnant ainsi au comté les structures d'un État. Entre 1241 et 1245, **Romée de Villeneuve** fut chargé de la baillie d'outre-Siagne. Il fit l'acquisition du château de Villeneuve-Loubet et reçut, en remerciements pour services rendus, de nombreux fiefs. Il est à l'origine de la dynastie des Villeneuve qui va régner sur la région jusqu'à la Révolution.*

À voir

Ville balnéaire située à l'embouchure du Loup, entre mer et forêt. Longue et vaste plage de galets. Le vieux village pittoresque est dominé par son château. Jolie promenade sur les bords du Loup.

* **Musée d'Art culinaire Auguste-Escoffier**. *Ce musée-fondation est aménagé dans la **maison natale** du « **roi des cuisiniers et cuisinier des rois** ». Il présente des œuvres de pâtisserie, des ustensiles de cuisine, des services de vaisselle, une importante documentation sur l'art culinaire, ainsi que de nombreux souvenirs du **célèbre chef**. Des reconstitutions (cave, table) et des archives expliquent ses **principes culinaires**. La célèbre « **pêche Melba** » est l'une de ses créations. Au premier étage, une salle expose une collection de 15.000 menus. **Auguste Escoffier** (1847-1935) travailla d'abord dans le restaurant de son oncle, à Nice. En 1865, il part pou Paris où il devient commis rôtisseur puis saucier. Onze ans plus tard, il ouvre son propre restaurant à Cannes. Il travaille ensuite au **Ritz de Paris**, au **Carlton de Londres**. Il publia plusieurs ouvrages dont « **Ma Cuisine** ».*

*L'**Institut Joseph-Donon**, créé par l'un de ses disciples, est lié à la fondation et se consacre au perfectionnement* *des chefs de cuisine.*

* **Tour de la Madone** (XIIe - IMH 1989). Cette tour hexagonale, située en forêt, remplace probablement une tour de guet datant de l'époque des incursions sarrasines. C'est un des derniers vestiges du château de La Garde, édifié au XIIIe siècle. Alentour se trouvent les vestiges du bourg primitif de *La Garde* dont l'église, dédiée à la Sainte Trinité, est citée en 1139 dans le cartulaire de l'abbaye de Lérins.

* **Château fort** (XIIe-XIXe - IMH 1986). Le donjon et l'enceinte primitive ont été construits au XIIIe siècle par Romée de Villeneuve, vraisemblablement sur le site de la tour de guet du Gaudelet (IXe siècle), dans le but de protéger la frontière du Var et les routes vers les Alpes. Il est constitué d'un donjon pentagonal et de 4 corps de bâtiments entourant une cour intérieure pavée en calades (mosaïque de galets).

* **Château des Baumettes**. Édifiée au début du XXe siècle, cette villa de style néoclassique symbolise les débuts du tourisme hivernal sur la Côte d'Azur. **Elle accueille l'Espace culturel André Malraux**.

* **Église Saint-Marc**. Elle a été édifiée à la fin du XVe siècle par les Lascaris de Tende alors qu'ils étaient les seigneurs du fief. Restaurée en 1839 : le plan en croix, avec adjonction d'une seconde chapelle, date de cette époque. Elle abrite une *statue* de *saint André* (XIXe) en bois polychrome et une *huile sur toile*, *Saint Marc* (XIXe).

* **Chapelle Saint-Andrieu** (XVIe). Elle est érigée à l'endroit où se trouvait le bourg primitif de *Lobeto,* vraisemblablement sur les ruines d'une église paroissiale primitive. *En effet, les matériaux utilisés sont constitués de nombreux remplois antiques et la présence d'un habitat datant de plus de 300 ans avant notre ère y est attestée. Quant à la localisation du* ***port ligure d'Ægitna*** *(détruit par les Romains en 154 avant J.-C.) sur le territoire de Villeneuve-Loubet, cette hypothèse est aujourd'hui globalement abandonnée.*

* **Chapelle des Roches** (1850). Elle s'appelle en réalité **Notre-Dame-d'Espérance** et occupe probablement le site sur lequel Romée installa son *château de siège* lors de la prise du Gaudelet (elle en commémore vraisemblablement le succès). Elle domine le village et le vieux cimetière.

* **Four à pain** (1850). La pierre volcanique réfractaire utilisée pour sa construction provient d'une carrière de la commune. Il fonctionne encore, et il est le seul qui subsiste des quatre fours que possédait Villeneuve-Loubet.

* **Aqueduc du canal du moulin** (XVIIIe). Le canal, profond de 1,20 m, servait à irriguer les cultures de la plaine mais aussi à alimenter le moulin à huile et à grain. Il n'est plus utilisé.

* **Pont du Loup** (1890). En calcaire, fonte et acier. Il fut construit pour permettre le passage de la ligne de tramway qui relia Cagnes à Grasse jusqu'en 1929.

* **Château de Vaugrenier.** Cette demeure de style palladien, bâtie au XVIIe siècle, au cœur de la seigneurie rurale de Vaugrenier, est inscrite au Monuments historiques.

* **Musée d'Histoire et d'Art**. *Il propose une galerie d'exposition ponctuelle au premier étage, et aux deuxième et troisième étages, une collection d'objets et de documents retraçant l'histoire des guerres du XXe siècle. Une grande partie des souvenirs et objets militaires exposés ont été offerts par un particulier. Entre autres : une* ***horloge intégrée dans un obus*** *de la Première Guerre mondiale, des* ***affiches****, des* ***uniformes*** *(dont certains sur des mannequins), des* ***tableaux****, des* ***armes****, des* ***fanions****. Cette collection retrace l'histoire des* ***deux dernières guerres mondiales****, ainsi que celle des* ***conflits en Indochine et en Afrique****.*

* **Porte Dorée**. D'après la tradition, elle serait le dernier vestige d'une porte du village primitif.

* **MARINA BAIE DES ANGES.** Vaste et luxueux complexe balnéaire. Quatre pyramides de béton se dressent au bord de la plage. Piscine, port de plaisance, centres de thalassothérapie. Nombreux bars, restaurants et boutiques.

* **Parc de VAUGRENIER**. *Ce parc forestier départemental des Eaux et Forêts s'étend sur* ***100 hectares****, dont 72 ha de* ***forêts*** *(chênes-lièges, chênes verts, pins parasols...), et 21 ha de* ***prairies avec des plans d'eau.*** *De vastes* ***espaces sont aménagés*** *pour les promeneurs (****aires de pique-nique****,* ***parcours de santé****...). Des* ***parkings*** *ombragés sont disponibles à la périphérie. Ce parc abrite une* ***faune variée*** *: oiseaux sédentaires et migrateurs (foulques, bécassines, colverts, hérons et aigrettes, mésanges, fauvettes, grives...), plusieurs espèces de grenouilles et de couleuvres ; des renards, lapins, écureuils, hérissons...*

Le site de l'étang conserve de ***nombreux vestiges de l'Antiquité*** *: des maisons romaines, pièces de monnaie, poteries sigillées, mosaïques (Ier et IIe siècles) ; des tessons de céramique d'origine grecque ainsi que de nombreuses pièces de monnaie massaliotes et antipolitaines.*

Quelques bonnes adresses

LE GALOUBET Hôtel *** 174, avenue du Castel 04 92 13 59 00 *www.galoubet.fr.st/*

Bord de mer **LE FESTIVAL DE LA MOULE** (*à volonté*) midi et soir *Route du bord de mer* 04 92 02 73 25

Port Marina **REPAIRE de la FLIBUSTE** *Poissons Coquillages* 04 93 20 59 02 *www.lerepairedelaflibuste.com*

98000 PRINCIPAUTÉ DE MONACO Plan: D 4

Quartiers : Monaco-Ville (le Rocher) **Condamine** **Fontvieille** **Monte-Carlo**
Population en **2005** : **32.409** h. dont Monégasques 17% Français 58% Italiens 16,60% autres 8,40%
Les habitants sont les **Monégasques**
Superficie : 1,95 ha - **Altitude** : 0 / 65 / 161 m
Distance de Nice : à vol d'oiseau = 12 km - par la route = 14 km - **Longitude** = 7,40° - **Latitude** = 43,72°
Accès : A 8 sortie 56 ou RN 7 - **Desserte** : SNCF - TAM 100 - 112 - 115
Fêtes : Sainte-Dévote le 27 janvier- Festivités de la Saint-Jean 23-24 juin - Sainte-Cécile le 26 novembre
Église : cathédrale de l'Immaculée-Conception-Sainte-Dévote
N° téléphone de la MAIRIE : 00.377.93.15.28.63 - **OFFICE du TOURISME** : 00.377.92.16.61.16

www.monaco-mairie.mc

Origine du nom

D'après certains historiens grecs, dont Hécatée de Milet (VIe av. J.-C.), la tribu ligure des *Monoïkos* occupait les hauteurs du site. Les premiers textes y faisant allusion mentionnent « *Monoïkos, polis Ligustiké* » (Monaco, cité ligure), d'où l'appellation *Monaco*. Pour d'autres, ce toponyme viendrait de la présence d'un monument dédié à *Hercule Monœcus*. En effet, lorsqu'il décrit ce territoire dans ses *Geografica*, Strabon mentionne la présence d'un temple « *Templum habens Herculis cognomine* ***monoeci*** *quoniam is in eo habitet* ***solus*** » (avec un temple au surnom d'Hercule ***Monœcus*** car celui-ci est ***seul*** à occuper les lieux). Formes anciennes : *Monoïkos, polis Ligustiké* et *Herakles Monoïkos* (en grec), *Portus Herculis Monœcus* (en latin). Le blason des Grimaldi comporte deux moines brandissant une épée. Moine se dit *monaco*, toutefois, ce n'est pas ce mot qui est à l'origine du nom de la cité.

Histoire

Le site de **Monaco** fut occupé par des *peuplades néolithiques,* puis par les *Ligures*. Comme la plupart des rivages méditerranéens, il reçut la visite des *Phéniciens* et des *Étrusques*. Vers l'**an mille avant J.-C.**, les *Phéniciens* y auraient érigé un temple consacré à leur dieu. Ce sont ensuite les *Grecs* qui, à partir du **VIe siècle avant notre ère**, créent des établissements commerciaux en Méditerranée occidentale. **Monaco** fit partie de leurs *ports* tout en gardant, semble-t-il, son indépendance par rapport aux *Phocéens* de Marseille. Les nombreuses monnaies grecques qui ont été retrouvées attestent de l'importance commerciale de ce comptoir. Pendant la *paix romaine*, le trafic côtier est important, et les historiens de l'Antiquité mentionnent l'activité du *Portus Herculis*, un des nombreux *relais de cabotage* qui jalonnaient la route maritime. À partir de la *Via Julia Augusta* qui, après la station de *Lumone* (cap Martin), montait vers le col de La Turbie, plusieurs voies transversales descendaient vers *Portus Herculis* (Monaco), *Portus Avisio* (Saint-Laurent d'Èze), *Anao* (Beaulieu) et *Olivula* (Villefranche). Lors des multiples travaux publics qui ont été entrepris à Monaco, depuis la fin du XIXe siècle, de nombreux vestiges de l'*époque romaine* ont été dégagés : ruines de maisons et de monuments, tombes, docks du port antique (par contre, aucune trace d'occupation ou de fortifications datant de cette époque n'a été retrouvée sur le *Rocher*). Vers **640**, **Monaco**, comme Nice et *Cemenelum*, a probablement été détruit par les *Lombards*. À partir du **VIIIe** siècle, ce sont les raids meurtriers et incessants des *Sarrasins* qui font fuir les populations vers les hauteurs et transforment le littoral en désert. À la fin du **Xe** siècle, après l'expulsion des pirates musulmans, la région renaît.

À cette époque, le *port de Monaco* dépend de La Turbie. Quant au *Rocher*, pratiquement inhabité, il appartient en partie aux moines de Saint-Pons. *En **1162**, la **République de Gênes** obtient de l'empereur du Saint Empire romain germanique la **reconnaissance de ses droits sur le Rocher et le port de Monaco**, « **Pour défendre la Chrétienté contre les Sarrasins** ». Ces privilèges sont confirmés en **1191** et en **1220**, avec l'autorisation d'édifier un château. Toutefois, si Gênes est devenue le **seigneur banal** * de Monaco, elle n'en est pas le **seigneur domanial** *. En conséquence, pour bâtir leur château, les Génois doivent acheter le site du Rocher aux moines de Saint-Pons et au consulat de Peille (qui avait juridiction sur La Turbie). Sa construction commence en **1215**. Une deuxième forteresse et des remparts sont achevés en **1251**. Progressivement, les nouveaux Monégasques font l'**acquisition de terrains** à la Condamine, aux Moneghetti, aux Spélugues et sur les versants du mont Agel et de la Tête de Chien. En l'absence d'un seigneur domanial, ils s'organisent en **universitas*** (Voir Peille et Utelle).* Jusqu'à la fin du **XIIIe** siècle, **Monaco** reste sous le contrôle des Génois. Le conflit qui, du **XIIIe** au **XVe** siècle, oppose la papauté et le Saint Empire romain germanique, a des répercussions dans les petites républiques qui composent l'actuelle Italie du Nord (en effet, Gênes, Pise, Milan, Florence, Venise... sont constituées en communes indépendantes). À partir de **1270**, des guerres civiles opposent les grandes familles aristocratiques. Les partisans du pape forment le parti guelfe, ceux de l'empereur, le parti gibelin. À Gênes, les Grimaldi et les Fieschi dirigent la faction guelfe, les Doria et les Spinola, le parti gibelin. **Monaco** va être, au gré des conflits entre *Guelfes* et *Gibelins*, possession des uns ou des autres. Lors du traité de **1262**, le comte de Provence Charles Ier d'Anjou abandonne définitivement Vintimille, **Monaco** et Roquebrune aux Génois. Le 8 janvier **1297**, *François Grimaldi* dit *Malizia*, s'empare, *grâce à une ruse**, du château de Monaco, et son cousin *Rainier* prend le contrôle du port. Les Grimaldi rendent la forteresse en **1301** et partent en exil. Leur chef, dénommé ultérieurement Rainier Ier, est considéré comme le fondateur de la dynastie. En **1331**, Charles Ier Grimaldi s'allie avec les Provençaux et, grâce à l'intervention décisive du comte de Provence (le roi Robert), il devient le premier *Seigneur de Monaco* (ce titre apparaît dans les documents officiels en 1342). Toutefois, son fils Rainier II doit rendre la place aux Génois en **1357**. C'est en **1419** que les Grimaldi deviennent définitivement les souverains d'un petit État composé de Monaco, Menton et Roquebrune. En effet, Jean Ier, qui régna jusqu'en **1454**, sut obtenir la reconnaissance de **Monaco** par ses puissants voisins et assurer la perpétuité de la domination des Grimaldi sur ce territoire. De **1525** à **1641**, **Monaco** passe sous protectorat espagnol, *puis devient, au cours de cette période, une **principauté***. Le traité de Péronne place ensuite celle-ci sous la protection de la France. Toutefois, ces grandes puissances ont reconnu son indépendance, sans clause de vassalité. En **novembre 1760**, un traité avec La Turbie délimite la frontière commune. Il met fin aux contestations des Turbiasques portant sur les propriétés monégasques situées en dehors du *Rocher*. En **1793**, la **Principauté** est annexée par la France et devient **Fort Hercule**. Honoré III et la famille princière sont déchus de leurs droits et leurs biens, saisis. En **1814**, les Grimaldi sont de retour, et le *premier traité de Paris* (30 mai 1814) rétablit la situation antérieure, sous protection française. Par contre, le *second traité de Paris* (20 novembre 1815) place **Monaco** sous protectorat sarde, avec des modalités moins favorables aux Monégasques. Les années postrévolutionnaires sont difficiles et la situation économique est très médiocre. En **1848**, les Mentonnais et les Roquebrunois, écrasés d'impôts, se révoltent et s'administrent en *villes libres,* sous la protection du gouvernement sarde. *En **1860**, à la suite du **rattachement** du comté de Nice à la France, cette dernière achète Menton et Roquebrune*. Simultanément (17 juillet 1860), Cavour **abandonne** le **protectorat sarde** sur la **Principauté**.* Jusqu'à la fin du **XIXe** siècle, la production d'*huile d'olive*, de *citrons* et d'*oranges* a largement contribué à la vie économique des Monégasques.

*Une fois libérée de la tutelle du royaume de Piémont-Sardaigne, **la Principauté va se métamorphoser**. Le prince **Charles III**, qui cherchait à rééquilibrer les finances, décide de suivre l'exemple des villes d'eaux allemandes et belges dont l'économie est florissante grâce aux maisons de jeux. Le 13 mai **1858**, la première pierre du **Casino** est posée sur le plateau des Spélugues. Les trois premières expériences échouent. Finalement, c'est en **1863** que sont créés les **jeux publics** (interdits dans les pays voisins), et ce, grâce aux actions conjuguées de **Me Eynaud**, avocat parisien et homme de confiance du Prince, et de **François Blanc**, milliardaire et administrateur de génie. L'activité de ce dernier fut considérable : il reprit la Société des Bains de Monaco et créa la **Société des Bains de Mer et du Cercle des Étrangers** ; il fit construire l'Hôtel de Paris, le Théâtre de Monaco, et agrandir les salles de jeux ; il incita Charles III à remplacer le nom des Spélugues par celui, plus évocateur, de « Monte-Carlo ». La **Principauté** devient rapidement « la capitale mondiale de l'élégance, de l'art et du sport ». La **ligne ferroviaire** qui relie **Nice à Menton** en passant par **Monaco** (dernier tronçon du réseau Paris-Lyon-Méditerranée) est mise en service le **25 octobre 1868**. Par une ordonnance souveraine en date du 8 février 1869, les **contributions foncière, personnelle et mobilière** ainsi que les **patentes, sont supprimées**.*

Pendant plusieurs décennies, la **Principauté** va tirer l'essentiel de ses ressources de l'industrie du tourisme. Les deux dernières guerres mondiales et le *crash* de 1929 vont porter un coup sensible à son développement économique. Toutefois, les avantages fiscaux dont bénéficient ses résidents attirent les milieux d'affaires

étrangers. À partir des années **1950**, elle connaît un essor industriel important (chimie, produits pharmaceutiques et cosmétiques, bâtiment, électronique) et développe des activités commerciales et de services.
Le tourisme d'affaires, les congrès, les loisirs et les sports y tiennent une grande place. En effet, des distractions sont proposées toute l'année : Grand Prix automobile, Festival international de télévision, ventes aux enchères avec Sotheby's, saison Opéra, Tournoi Open de tennis, Ballets de Monte Carlo.
** **Le seigneur banal** commande, punit, lève des impôts et des troupes, rend la justice. **Le seigneur domanial** est propriétaire du sol. Il a le droit de lever des cens (redevance annuelle sur les terres), des champarts (une part de la récolte, mais cela concernait rarement les vignes et les arbres fruitiers), des péages ainsi qu'une redevance pour l'usage des fours et des moulins.*
** Pour s'emparer de la forteresse, François « **Malizia** » avait déguisé ses hommes en **moines** (**monaco,** en italien). Depuis lors, le **blason des Grimaldi** comporte **deux religieux** qui brandissent une épée. Moine se dit monaco, mais ce mot n'a rien à voir avec le toponyme.*
** Charles III cède ses droits sur **Menton** et **Roquebrune** pour **4 millions de francs or**. Le traité du **2 février 1861** règle la question de ces deux villes et établit les relations franco-monégasques sur de nouvelles bases.*

À voir
*** Le ROCHER (MONACO-VILLE)**
* **Vieille ville**, très bien conservée. Au Moyen Âge, elle comptait 500 habitants. Tous résidaient dans la partie est de la place d'où partaient trois rues parallèles : les rues *Basse*, *du Milieu*, *des Briques*. De nombreuses maisons possèdent des portes surmontées d'un linteau décoré. Elles respectent le plan primitif, qui fut importé de Gênes et dont la caractéristique est un rez-de-chaussée voûté avec un escalier latéral droit. En 1646, l'église de la Miséricorde, affectée aux Pénitents noirs, est édifiée à l'extrémité de la rue Basse.
* **Place du palais.** Elle est ornée de ***canons** et de **boulets** offerts par **Louis XIV***. La relève de la garde s'opère tous les jours à midi. De cette vaste esplanade, ***très belle vue** à l'est, sur le **port**, **Monte-Carlo** et la pointe de **Bordighera** ; côté ouest, vers **Cap-d'Ail**.*
* **Palais princier**. Les seuls vestiges du château édifié au XIIIe siècle sont les *3 tours crénelées* et une partie de l'*enceinte* qui fut agrandie et renforcée par la *tour de Tous-les-Saints* et le *bastion de Serravalle*. Il devint *palais* sous la *Renaissance italienne*. La *galerie d'Hercule* fut ajoutée aux *grands appartements* par l'architecte Domenico Gallo. Le palais acquit sa majesté actuelle au *XVIIe siècle*, sous *l'influence française*. Les princes Honoré II, Albert Ier et Rainier III apportèrent de nombreux aménagements. En été, il est possible de visiter les *grands appartements* (*cour d'honneur*, *galerie d'Hercule*, petite *galerie des glaces*, quelques *chambres* et *salons*, et la *salle du Trône*).
* **Cathédrale**. De style néoroman, elle est construite à l'emplacement de l'église primitive Saint-Nicolas (1321). Elle abrite une belle collection de *retables* attribués à l'*école de Brea* : deux *Pietà* ; trois *panneaux* (saint Roch, saint Jacques le Majeur, saint Laurent) ; trois *polyptyques* (saint Nicolas, sainte Dévote, Notre-Dame-du-Rosaire).
* **Musée napoléonien et des Archives du palais.** Il présente de nombreux objets personnels : montre, lorgnettes, tabatière, chapeau porté par Bonaparte, jouets et chaussons du roi de Rome, monnaies, médailles, bustes, ainsi que des tableaux, gravures, plans, timbres monégasques...
* **Musée océanographique**. *Inauguré en **1910**, il occupe un **site exceptionnel** sur le Rocher. Sa façade, au sud, domine la Méditerranée de 80 mètres. Ce musée à la gloire des océans est né de la volonté du **prince Albert Ier.** Il a d'abord été conçu pour abriter les **collections scientifiques** accumulées par le souverain monégasque au cours de ses **campagnes océanographiques** commencées en 1885. Sa **mission est double** : l'**institut de recherche scientifique** met à la disposition des chercheurs un fonds documentaire exceptionnel, des laboratoires et un navire de recherches. Le **musée** s'adresse aussi au **grand public**, avec pour mission de lui faire connaître et aimer la mer. Il abrite l'un des plus beaux **aquariums** d'Europe (plus de 90 bassins), des salles d'**océanographie zoologique** et d'**océanographie appliquée**, des specimens de la **faune marine**, des animaux naturalisés, plus de 10.000 espèces de **coquillages**, de nombreuses **maquettes** de bateaux... expositions temporaires, projections de films, montages audiovisuels. De la **terrasse** qui surplombe la mer, on jouit d'une **très belle vue**, de la **Riviera italienne** jusqu'à l'**Estérel**, et vers l'arrière, le **mont Agel** et la **Tête de Chien**.*
* **Jardins Saint-Martin.** Des allées ombragées, au milieu d'une végétation africaine, permettent de faire une agréable promenade le long du bord méridional du Rocher, avec de belles échappées sur la Méditerranée.
* **Centre d'acclimatation zoologique**. Il a été créé en 1954 par le prince Rainier III. Il s'étage sur le flanc sud-ouest du Rocher. Il présente une grande variété de mammifères, d'oiseaux et de reptiles des régions tropicales. Environ 150 animaux, parmi lesquels : félins, perroquets, toucans, hippopotame, singes, reptiles...
* **Rampe Major**, en escalier. Elle fut l'unique voie d'accès jusqu'au XIXe siècle.

Une bonne adresse
Restaurant CASTELROC *** place du Palais 00 377 93 30 36 68 *e-mail : castelroc@libello.com*

*** La CONDAMINE - PORT**

* **Port** (*Portus Herculis Monœci*). Bordé d'une promenade, il prit une grande extension sous le règne d'Albert Ier. Le prince Rainier III y fit construire une piscine olympique. Ce port de plaisance accueille des yachts luxueux.

* **Église Sainte-Dévote**. Construite en 1870, à l'emplacement d'une chapelle primitive datant du XIe siècle.

* **Rue Grimaldi.** *Cette rue honore la grande **famille génoise** qui est à l'origine de la **dynastie** des souverains monégasques. Les **Grimaldi** tenaient leur puissance du **commerce maritime**. En **1297**, **François** enlève le château par ruse, tandis que son cousin **Rainier** assure la défense du port. C'est ce dernier qui est considéré comme l'**ancêtre** de la Maison princière et qui apparaît sur l'arbre généalogique sous le nom de **Rainier Ier**. En **1341**, son fils **Charles Ier** achète les biens des Spinola à Monaco. En **1346**, il acquiert la seigneurie de **Menton** puis, en **1355**, celle de **Roquebrune**, constituant ainsi le **territoire** de la future Principauté (jusqu'en **1861**).*

* **Jardin exotique** (Moneghetti). C'est au prince Albert Ier et à Louis Notari, ingénieur des travaux publics, que nous devons ce jardin de plantes grasses qui fut réalisé à partir de 1913 et inauguré en 1933. Grâce à un microclimat exceptionnel, il rassemble une collection très rare de *cactées* et autres plantes *succulentes*. Le plus haut des cactus, un *Myrtillocactus géometrizans*, en forme de cierge, atteint 13 mètres et pèse plus d'une tonne. On y trouve également, parmi les plantes arborescentes de cette flore semi-désertique, des aloès géants, des figuiers de Barbarie, etc. Beaucoup sont originaires d'Afrique australe ou du Mexique. Le jardin possède une table d'orientation et plusieurs belvédères sur le Rocher, le port, Monte-Carlo, le cap Martin et la Riviera italienne.

La grotte de l'Observatoire, située en contrebas du **jardin exotique**. Elle a été habitée par l'homme entre **225.000** et **25.000 ans** avant notre ère. On y a découvert des outils en silex, des fossiles, des restes d'animaux des régions glaciaires mais aussi tropicales. *Sur un dénivelé d'environ 60 mètres, elle présente une grande variété de stalactites, stalagmites, draperies, colonnes. Ces surprenantes concrétions calcaires offrent un spectacle féerique.*

* **Musée d'Anthropologie préhistorique**, près du jardin exotique. Il a été fondé par Albert Ier en 1902. Collection de squelettes d'*Homo Sapiens*, ainsi que le *trésor* découvert à la Condamine : monnaies puniques et du Bas-Empire, vases, lampes et bijoux romains...

Une bonnes adresse
Restaurant-Pizzeria LE NAUTIC ***Piscine Rainier-III*** quai Albert-Ier 00 377 93 30 43 16

*** MONTE-CARLO.**

*Par **ordonnance souveraine du 1er juin 1866**, le prince Charles III décréta que toute la partie est du vallon de Sainte-Dévote (plateau des Spélugues) s'appellerait désormais « **Monte-Carlo** ».*

* **Casino.** Il est entouré de magnifiques jardins, et la terrasse côté mer offre une vue qui s'étend de Monaco jusqu'à la pointe de Bordighera. La construction du premier bâtiment débute en 1858 et s'achève en 1863. Les plans du casino actuel sont de Charles Garnier.

* **Musée national des Poupées et Automates**. Il présente une centaine d'automates du XIXe siècle et 400 poupées, ainsi qu'une très belle crèche napolitaine de plus de 200 santons.

Quelques bonnes adresses
CENTRE IMMOBILIER PASTOR ***Europa Résidence*** place des Moulins 00 377 92 16 58 88 *www.cip.mc*
Restaurant RAMPOLDI ***T *(le plus ancien de Monte-Carlo)* 3, av. des Spélugues 00 377 93 30 70 65

*** FONTVIEILLE** (*Fontana vecchia*) **et PORT**

Situé à l'ouest du Rocher, le terre-plein de **Fontvieille** fut exécuté en deux fois. En 1902, le remblaiement pour le *stade Louis-II* avait permis de gagner 40.000 m2, reliés au port par un tunnel sous le Rocher. En 1965, une société privée proposa un projet de remblai de 220.000 m2, avec un *port de plaisance* de 55.000 m2, soit un gain d'un sixième de la superficie de la Principauté, pour un coût de 400 millions de francs. Sept ans de travaux furent nécessaires pour édifier une digue de protection avant de combler la rade ainsi créée. L'urbanisation particulièrement rationnelle a permis de réaliser un *centre administratif*, des *installations de loisirs et de sports* (dont le nouveau stade Louis-II), des *musées*, un *héliport*, une *zone industrielle* de haute technicité, un *centre commercial*, des *établissements scolaires* et une *zone résidentielle privée* de grand standing.

Quelques bonnes adresses
Restaurant AMICI MIEI 16-quai J.-C.-Rey 00 377 92 05 92 14 *www.monte-carlo.mc/amici-miei*
Restaurant LE MICHELANGELO 8, quai Jean-Charles-Rey 00 377 92 05 77 33

PRINCIPAUX THÈMES DÉVELOPPÉS

Liste non exhaustive. Au fil des pages, de nombreux sujets sont abordés.

INDEX ALPHABÉTIQUE DES COMMUNES

BIBLIOGRAPHIE

*** Archives départementales *et* bibliothèques Louis-Nucera et Saint-Roch**

Les ouvrages ci-après permettront aux lecteurs d'approfondir leurs connaissances sur les communes et les thèmes qui les intéressent particulièrement.

* *La Pala* et *La Gorgone* - Christian Maria *(romans policiers historiques)*

* *L'Ineffable Secret* - Christian Barralis *(patrimoine historique des Chevaliers de l'ordre de Malte)*

* *Histoire des Niçois* - Georges Ayache

* *Villages et hameaux isolés des Alpes-Maritimes* - Philippe de Beauchamp

* *Èze* - Charles-Alexandre Fighiera

* *Les Vallées du Paillon - Itinéraires historiques* - Pierre-Robert Garino

* *Les Alpes-Maritimes* - Paul Ricolfi

* *Les Alpes et leurs noms de lieux* - Paul-Louis Rousset

* *Histoire et Géographie des Alpes-Maritimes* - André Ripart et le Centre départemental de documentation pédagogique des A.-M.

* *Alpes-Maritimes* - Guides Gallimard

* *Le Patrimoine des Communes des Alpes-Maritimes* - Collection des Patrimoines de France (Flohic)

* *Roquebrune - Cap-Martin* - Gustave Barani

* *Tende et La Brigue* - Collection l'Ancre solaire

* *Guide annuaire des communes de France* - Jean-Paul Poinsot

* *Sous le rocher d'Ascros* - Hubert Heintzé

* *Histoire de Breil et des Breillois* - Charles Botton

* *Étude sur l'origine des noms de communes dans les Alpes-Maritimes* - A. Compan

* *Ici finit le comté de Beuil* - Colette et Michel Bourrier-Reynaud

* *Histoire de Saint-Étienne-de-Tinée* - Chanoine Étienne Galléan

* *Lucéram - Paroisse-Commune* - Bonaventure Salvetti

* *Carros village huit fois centenaire* - Vicomte Alain de La Rochebrochard

* *Légendes et chroniques insolites* - Edmond Rossi

* *La Vallée de la Tinée* - Gérard Colletta

* *Nice et la Provence orientale à la fin du Moyen Âge* - Rosine Cleyet-Michaud, Geneviève Etienne Mireille Massot

* *Puget-Théniers - Moult noble cité et ancienne* - Charles Jacquet

* *Roquestéron - Entre France et Savoie* - Baptistin Giauffret

* *Sospel : l'histoire d'une communauté* - Jean-Pierre Domerego

* *Gorbio Images de son passé* - Marcel Lottier

* *Entraunes : la France rustique* - René Liautaud

* *Villefranche sur Volga* - J.-C. Braconnot, I. Palazzoli, M. Servera-Boutefoy

* *Les Alpes-Maritimes et Monaco* - Yves Bernard

* *Côte d'Azur, Haute Provence* - Guide Michelin

* *La Turbie, sources et traces du terroir* - André Franco

* *Histoire de Monaco (Tome 1)* - Jacques Freu, René Novella, Jean-Baptiste Robert

* *Nice - Promenades des Romains* - Jacques Dalmasso

* *Saint-Laurent-du-Var à travers l'histoire* - Edmond Rossi

* *Guide historique de Nice par ses rues*
* *Guide historique de Monaco par ses rues* - Paule et Jean Trouillot
* *Guide historique de Menton par ses rues*